G. SCHEIBELREITER
DER BISCHOF IN MEROWINGISCHER ZEIT

VERÖFFENTLICHUNGEN
DES INSTITUTS FÜR ÖSTERREICHISCHE GESCHICHTSFORSCHUNG
BAND XXVII

Georg Scheibelreiter

Der Bischof
in merowingischer Zeit

1983

HERMANN BÖHLAUS NACHF. WIEN · KÖLN · GRAZ

Gedruckt mit Unterstützung des Fonds zur Förderung der wissenschaftlichen Forschung

CIP-Kurztitelaufnahme der Deutschen Bibliothek

Scheibelreiter, Georg: Der Bischof in merowingischer Zeit / Georg Scheibelreiter. — Wien · Köln · Graz : Böhlau, 1983.
(Veröffentlichungen des Instituts für Österreichische Geschichtsforschung; Bd. 27)
ISBN 3-205-08533-7

NE: Institut für Österreichische Geschichtsforschung ⟨Wien⟩: Veröffentlichungen des Instituts
. . .

ISBN 3-205-08533-7
Druck: Ferdinand Berger & Söhne Ges. m. b. H., 3580 Horn

INHALTSVERZEICHNIS

6   Inhaltsverzeichnis

VORWORT

Die Frage nach der Kontinuität der Antike hat das Interesse der Forschung auf jene Periode gelenkt, in der die von der mediterranen Staatlichkeit geprägte Welt ihren Zusammenhalt zu verlieren begann. Es dauerte Jahrhunderte bis es möglich war, wesentliche Teile Europas unter einem neuen politischen Konzept zu vereinen. Der Zeitraum zwischen Theodosius und Karl dem Großen zeichnet sich durch eine geringe Geschlossenheit, durch einen inhomogenen Charakter aus. Gerade diese Zeit im Umbruch aber macht diejenigen Strömungen und Wirkungskräfte kenntlich, die eine neue Welt konstituieren sollten.

Daß in der vorliegenden Arbeit, die sich mit jener Epoche beschäftigt, der Bischof als Hauptgegenstand der Untersuchung gewählt wurde, ist leicht einzusehen. In seiner Person vereinen sich alle maßgeblichen Strömungen der Zeit: das antike Amtsdenken, die religiösen Ansprüche und das adelige Standesbewußtsein (oft noch heidnischen Charakters). Insofern ist der Bischof der ideale Repräsentant jener Epoche; außerdem ist er quellenmäßig am besten faßbar. Aus denselben Gründen wurde der merowingische Bischof hier vorangestellt. Doch beschränkte sich der Verfasser nicht auf ihn, sondern versuchte, auch westgotische und langobardische Prälaten für seine Untersuchung heranzuziehen. Außer Betracht blieben die byzantinische und die angelsächsische Welt, die beide eigenen Gesetzen unterliegen; sie wurden höchstens zu Vergleichszwecken in die Arbeit eingebaut.

Selbstverständlich konnten nicht alle Aspekte des frühmittelalterlichen Bischofs erfaßt werden. Der Verfasser suchte vor allem jene zur Darstellung zu bringen, die außerhalb der verfassungsgeschichtlichen Fragestellungen liegen. Er ist sich bewußt, diese Linie nicht mit eiserner Konsequenz eingehalten zu haben, doch sollte mehr die soziale und „alltägliche" Komponente der bischöflichen Existenz erforscht werden. Aussagen über den Bischof und die Reichsverwaltung, den Bischof in seiner Diözese, den Bischof und das Rechtsleben wird man jedoch vergeblich suchen. Sie wurden höchstens am Rande, zur Ergänzung oder zur Wahrung des Zusammenhangs behandelt. Fragen über das Priestertum des Bischofs, über seinen Frömmigkeitsstil, seine Beziehungen zum Heidentum und vor allem über die von ihm geforderten Eigenschaften und deren Wandel im Laufe dieser Umbruchsjahrhunderte möchte der Verfasser an anderer Stelle nachgehen.

Dank für Unterstützung und Hilfe gebührt vor allem meinem Lehrer Heinrich F i c h t e n a u, der mir in der seltenen Vereinigung von Geistes- und Hilfswissenschaftler als Historiker stets ein Vorbild sein wird. Ebenso bedanke ich mich bei Herwig W o l f r a m, dessen neuartige Sicht der Völkerwanderungszeit mir zu manchen Phänomenen einen neuen Zugang eröffnet hat. Mein Kollege Anton S c h a r e r erwies sich als stets anregender und bereiter Gesprächspartner, dessen hervorragende Kenntnis der frühmittelalterlichen Geschichte Englands von großem Nutzen war. Nicht zuletzt danke ich meiner Familie, die in den letzten Jahren ein Höchstmaß an Verständnis für mich aufbrachte.

Gewidmet sei dieses Buch meiner tapferen Mutter
Berta Scheibelreiter.

Wien, im Herbst 1982

Georg Scheibelreiter

1. DIE HERKUNFT DES BISCHOFS

Seit sich in der Forschung die Auffassung durchgesetzt hat, daß der moderne Verwandtschaftsbegriff nur wenig mit dem frühmittelalterlichen zu tun hat, und dieser auch nicht mit dem im Hochmittelalter gängigen dynastischen Geschlechterdenken auf agnatischer Basis in Übereinstimmung gebracht werden kann, ist der Weg für Untersuchungen frühmittelalterlicher Geschlechtergefüge und zeitgemäßen Verwandtschaftsbewußtseins offen[1]. Obwohl aus der Germania des Tacitus bekannt war[2], daß die germanischen Verwandtschaftsverhältnisse nicht nach der rein agnatischen Struktur des späteren Lehnrechts beurteilt werden können, haben doch dessen Kategorien und genealogische Konsequenzen lange Zeit die Lehre beherrscht und die Sicht auf bedeutsame Zusammenhänge erschwert, wenn nicht gar unmöglich gemacht[3]. Auch die zur Erhellung quellenarmer Zeiten entwickelte genealogisch-besitzgeschichtliche Methode war dadurch ihrer größten Wirkung beraubt[4]. Mit Hilfe des neuen

---

[1] Siehe Erich Z ö l l n e r, Die Herkunft der Agilulfinger, in: MIÖG 59 (1951) 245—264; Neudruck in: Zur Geschichte der Bayern (Wege der Forschung 60, 1965) 107—134; Karl S c h m i d, Zur Problematik von Familie, Sippe und Geschlecht, Haus und Dynastie beim mittelalterlichen Adel, in: Zeitschrift für Geschichte des Oberrheins 105, N. F. 66 (1957) 1—62; d e r s., Programmatisches zur Erforschung der mittelalterlichen Personen und Personengruppen, in: Frühmittelalterliche Studien 8 (1974) 116—130; Wilhelm S t ö r m e r, Adelsgruppen im früh- und hochmittelalterlichen Bayern (Studien zur bayerischen Verfassungs- und Sozialgeschichte 4, 1972); d e r s., Früher Adel. Studien zur politischen Führungsschicht im fränkisch-deutschen Reich vom 8. bis 11. Jahrhundert (Monographien zur Geschichte des Mittelalters 6, 2 Bde., 1973); Gottfried M a y r, Studien zum Adel im frühmittelalterlichen Bayern (Studien zur bayerischen Verfassungs- und Sozialgeschichte 5, 1974); Reinhard W e n s k u s, Sächsischer Stammesadel und fränkischer Reichsadel (Abhandlungen der Akad. d. Wiss. in Göttingen, phil.-hist. Kl., 3. Folge, 93, 1976); Heinrich F i c h t e n a u, Herkunft und Bedeutung der Babenberger im Denken späterer Generationen, in: MIÖG 84 (1976) 1—30.

[2] Germania c. 20.

[3] Daß man dem kognatischen Prinzip mehr Aufmerksamkeit widmen muß, lehrt z. B die Frage nach der Herkunft der Babenberger. Vgl. dazu Fichtenau, Herkunft 1 ff., 12 f. und Georg S c h e i b e l r e i t e r, Babenberger, jüngere, in: Lexikon des Mittelalters 1 (1980) Sp. 1321 f. mit weiterer Literatur.

[4] Ihre ersten Ansätze finden sich bereits im 18. Jahrhundert, vgl. Fichtenau

Verwandtschaftsverständnisses wurde in der Frühmittelalterforschung eine
Reihe von Ergebnissen erzielt, die ihrerseits die Grundlage für eine moderne
sozialgeschichtliche Betrachtungsweise der abendländischen Geschichte an der
Wende von Spätantike und Mittelalter abgaben. Schon vorher waren die
stammesmäßige Zusammensetzung und der innere Aufbau germanischer
Völkerschaften, ihr relativ lockerer Zusammenhalt um einen festen Traditions-
kern, dessen Bestand der „gens" Identität und Selbständigkeit verbürgte,
grundlegend untersucht worden [5]. Aus diesen Voraussetzungen entwickelte sich
ein Zweig der Frühmittelalterforschung, der sich die Untersuchung des Adels —
als der quellenmäßig am besten faßbaren und die europäische Geschichte am
nachhaltigsten beeinflussenden sozialen Gruppe — zur Aufgabe machte [6]. Es
ist bei der vorhandenen Quellenlage nicht verwunderlich, daß dabei Arbeiten
über den fränkisch-merowingischen Adel im Vordergrund standen [7]. Dazu kam
bald neben Fragen nach genealogischen Zusammenhängen, Identifizierungen
und rechtlicher Stellung von Personen das Problem, ob es vor dem 7. Jahr-

---

Herkunft 6 ff., 11 ff. Zuletzt ausführlich darüber Alfred F r i e s e, Studien zur Herr-
schaftsgeschichte des fränkischen Adels. Der mainländisch-thüringische Raum vom
7. bis 11. Jahrhundert (Geschichte und Gesellschaft. Bochumer Historische Studien 18,
1979) 13 f.

   [5] Reinhard W e n s k u s, Stammesbildung und Verfassung. Das Werden der frühmittelalterlichen gentes (1961) sowie darüber noch hinausgehend mit besonderer Betonung der Ethnogenese Herwig W o l f r a m, Geschichte der Goten. Von den Anfängen bis zur Mitte des 6. Jahrhunderts. Entwurf einer historischen Ethnographie
(²1980).

   [6] Der Adel — so verschiedene soziale Phänomene sich auch hinter diesem Begriff
verbergen mögen — hat als einzige Gruppe der Gesellschaft im Mittelalter ein
„genre de vie" ausgebildet; dazu Marc B l o c h, La société féodale. 1. La formation
des liens de dépendance (L'évolution de l'humanité 34, 1939) passim. Die Geschichts-
wissenschaft ist dabei natürlich auf die Mithilfe anderer Disziplinen, vor allem der
Namenkunde und Archäologie, angewiesen.

   [7] Bezüglich des bairischen und sächsischen Adels ist auf die in Anm. 1 genannten
Arbeiten von Störmer, Mayr und Wenskus zu verweisen; zu den Sachsen vgl. auch
Anton H a g e m a n n, Die Stände der Sachsen. Mit besonderer Berücksichtigung West-
falens, in: ZRG GA 76 (1959) 111—152; Neudruck in: Entstehung und Verfassung
des Sachsenstammes (Wege der Forschung 50, 1967) 402—445. Zu den Langobarden im
allgemeinen Jörg J a r n u t, Prosopographische und sozialgeschichtliche Studien
zum Langobardenreich in Italien 568—774 (Bonner Historische Forschungen 38, 1972);
auch bei den Westgoten ist eine Adelsforschung erst zu leisten, deren Möglichkeiten jedoch sicher begrenzt sind; Grundlage wären L. A. G a r c í a M o r e n o, Prosopografia del reino visigodo de Toledo (1974) und Gerd K a m p e r s, Personenge-
schichtliche Studien zum Westgotenreich in Spanien (1979). Untersuchungen über den
alamannischen Adel in monographischer Form fehlen, dürften für den uns inter-
essierenden Zeitraum aber kaum Ergebnisse bringen. Der archäologische Befund ist
zusammengefaßt bei Rainer C h r i s t l e i n, Die Alamannen. Archäologie eines
lebendigen Volkes (²1979) 83 ff.

hundert überhaupt einen Adel gegeben hätte. Als erster hatte das Vorhandensein einer solchen Schicht Rudolf S p r a n d e l geleugnet, dessen Werk freilich schon vor dem neuen Verständnis des frühmittelalterlichen Verwandtschaftsgefüges erschienen war[8]. Zu ähnlichen Ergebnissen war kurz danach auch Alexander B e r g e n g r u e n gekommen[9]. Beide lehnen einen sogenannten fränkischen „Uradel" ab und sehen in den Adeligen des (späten) 6. und des 7. Jahrhunderts königliche Dienstleute, die in dieser Funktion allmählich Adelsrang erreicht haben. Dieser „Dienstadel" sei frühestens im 7. Jahrhundert greifbar und wurzele keineswegs in einer speziellen höheren Schicht des Zeitalters der Völkerwanderung und der Landnahme. Dabei wurde immer wieder auf das fränkische Recht des Pactus legis Salicae verwiesen, das keinen Adel als bevorrechteten Teil des Volkes kennt, wie vor allem aus den Wergeldbestimmungen hervorgeht, in denen grundsätzlich nur Bußsätze für Freie und Unfreie aufscheinen. Der Forschung der letzten Jahre ist es nun überzeugend gelungen, den wahren Grund für diese an sich merkwürdige Tatsache zu finden[10]: die Adeligen entzogen sich weitestgehend dem unter christlichem Einfluß zustandegekommenen kampflosen Vergleich und beharrten trotz christlicher Haltung auf Fehde und Blutrache[11]. Franz I r s i g l e r hat in einer ausführlichen Untersuchung über den frühfränkischen Adel[12] eine überwiegende Kontinuität der führenden Schichten über die „adelsfeindliche" Zeit Chlodwigs I. hinaus festgestellt. Freilich ergänzte sich dieser alte Adel im 7. Jahrhundert aus an Bedeutung gewinnenden Schichten, wie er seinerseits im 6. Jahrhundert vielfach ein Konnubium mit den gallo-römischen Senatorenfamilien eingegangen war.

---

[8] Der merovingische Adel und die Gebiete östlich des Rheins (Forschungen zur oberrheinischen Landesgeschichte 5, 1957).

[9] Adel und Grundherrschaft im Merowingerreich. Siedlungs- und standesgeschichtliche Studie zu den Anfängen des fränkischen Adels in Nordfrankreich und Belgien (Vierteljahrschrift für Sozial- und Wirtschaftsgeschichte, Beiheft 41, 1958).

[10] Dazu zusammenfassend Karl B o s l, Die ältesten sogenannten germanischen Volksrechte und die Gesellschaftsstruktur der Unterschichten. Bemerkungen zur Kulturkontinuität der Spätantike im fränkischen Reich der Merowinger und zu den Formen und Phasen ihrer Umwandlung, in: Gesellschaft—Kultur—Literatur. Rezeption und Originalität im Wachsen einer europäischen Literatur und Geistigkeit (Monographien zur Geschichte des Mittelalters 11, 1975) 129—152 mit weiterer Literatur.

[11] Vgl. etwa das „bellum civile", das in Tours zwischen der Sippe des Chramnesind und jener des Sichar im Jahre 585 ausbrach. Trotz Intervention des Bischofs weigerten sich beide Parteien ein Wergeld anzunehmen; Gregor von Tours, Historia Francorum (künftig HF), ed. Bruno Krusch und Wilhelm Levison, MGH SS rer. Merov. 1 (2. Aufl. 1951) VII 47, 366 ff.

[12] Untersuchungen zur Geschichte des frühfränkischen Adels (Rheinisches Archiv 70, 1969).

Die Untersuchungen über den merowingischen Adel sind seither im wesentlichen zu einem Abschluß gelangt, wenn auch vereinzelte Spezialstudien noch in den siebziger Jahren vorgelegt wurden [13]. Mit den vorhandenen Methoden lassen sich vielleicht in dem einen oder dem anderen Punkt noch Modifikationen erreichen, die Hauptsachen sind aber wohl erforscht, neue Fragestellungen bezüglich des Adelsbegriffs und des frühmittelalterlichen Verwandtschaftsbewußtseins kaum möglich, will man dem Gegenstand seine Substanz lassen und hier nicht eine nutzlose Zerfaserung betreiben [14]. Keine der genannten Untersuchungen konnte an der Institution des Bischofs und ihren Trägern vorübergehen: zunächst weil der größte Teil der historiographischen und urkundlichen Überlieferungen den Bischof zum Gegenstand oder zum Urheber hat und dann auch wegen der sehr hoch einzuschätzenden Bedeutung, die diesem als Mitgestalter des fränkischen Reiches (und der mittelalterlichen Welt im allgemeinen) zukommt. Gerade für das Problem der Kontinuität ist das Bischofsamt als eine aus der Antike stammende und als die praktisch einzige weiterwirkende Einrichtung überaus repräsentativ und ergiebig. Mit dem Bischof als Träger antiker Traditionen, als Verkörperung adeliger Lebenshaltung und auch als „Wanderer zwischen den Welten" haben sich bedeutende wissenschaftliche Arbeiten beschäftigt, wobei prosopographische, sozial- und bildungsgeschichtliche Fragen im Vordergrund standen, die auf verfassungsgeschichtlichen Ergebnissen aufbauen konnten [15]. Und doch scheint es, als sei der Bischof

---

[13] Zu erwähnen sind Horst E b l i n g, Prosopographie der Amtsträger des Merowingerreiches von Chlothar II. (613) bis Karl Martell (741) (Francia, Beiheft 2, 1974); Karin S e l l e - H o s b a c h, Prosopographie merowingischer Amtsträger in der Zeit von 511—613 (phil. Diss., Bonn 1974), vor allem aber die ausführliche Untersuchung von Heike G r a h n - H o e k, Die fränkische Oberschicht im 6. Jahrhundert. Studien zu ihrer rechtlichen und politischen Stellung (Vorträge und Forschungen. Sonderband 21, 1976). Eine kurze, aber informative Zusammenfassung der frühfränkischen Adelsproblematik findet sich auch bei Karl B o s l, Die Grundlagen der modernen Gesellschaft im Mittelalter. Eine deutsche Gesellschaftsgeschichte des Mittelalters. 1. (Monographien zur Geschichte des Mittelalters 4, 1972) 93 ff. Von sprachwissenschaftlicher Seite rückt dem Problem zu Leibe Gabriele von O l b e r g, Leod ‚Mann'. Soziale Schichtung im Spiegel volkssprachiger Wörter der Leges, in: Wörter und Sachen im Lichte der Bezeichnungsforschung (Arbeiten zur Frühmittelalterforschung 1, 1981) 92, 98 ff.

[14] Vgl. dazu Irsigler, Frühfränk. Adel 78 f.; sein Referat zeigt, daß die Diskussion zumindest für einige Zeit an einem Endpunkt angelangt ist.

[15] Grundlegend schon die Arbeit von Helene W i e r u s z o w s k i, Die Zusammensetzung des gallischen und fränkischen Episkopats bis zum Vertrag von Verdun (843) mit besonderer Berücksichtigung der Nationalität und des Standes. Ein Beitrag zur fränkischen Kirchen- und Verfassungsgeschichte (Bonner Jahrbücher 127, 1922); Karl Friedrich S t r o h e k e r, Der senatorische Adel im spätantiken Gallien (1948) und Friedrich P r i n z, Frühes Mönchtum im Frankenreich. Kultur und Gesellschaft in Gallien, den Rheinlanden und Bayern am Beispiel der monastischen Entwicklung

bisher zu sehr als Exponent seiner adeligen Umwelt gesehen worden; zu sehr als typischer Vertreter einer bestimmten sozialen Schicht, die im fränkisch-merowingischen Reich den Ton angab. Zudem wurden die einzelnen Komponenten, die in ihrer Gesamtheit schließlich den fränkischen Reichsepiskopat ergaben, in keinem der genannten Werke entsprechend dargelegt und berücksichtigt. Es gilt darüber hinaus zu fragen, inwieweit ein Bischof durch seine Herkunft geprägt wurde, wie er den Konflikt zwischen religiöser Forderung und gesellschaftlicher Verankerung zu lösen versuchte, wie (ganz allgemein) seine Reaktionen auf die lebendige Umwelt waren; und endlich, wodurch sein Handeln motiviert wurde. Man wird zeigen müssen, daß es den Typ d e s früh-mittelalterlichen (oder auch d e s fränkischen) Bischofs nicht gibt, ohne dabei außer acht zu lassen, daß der Mensch jener Zeit sich viel weniger als unverwechselbares Individuum, sondern sich so recht eigentlich als Teil eines alles überwölbenden, schützenden Kollektivs fühlte. Das war in unserem Falle vor allem die Familie, weniger die Geistlichkeit oder der fränkische Stamm. In dieser „Schwellenzeit" europäischer Geschichte trafen ja höchst divergierende Lebensordnungen aufeinander mit stark abweichenden Traditionen und Leitbildern, die keine richtige Sicherheit mehr bedeuteten und gewohnte Identifizierungen in Frage stellten. Germane oder Romane, Bischof oder Beamter, Christ oder Heide, Katholik oder Arianer waren die Gegensatzpaare — um nur einige aufzuzählen —, für die es galt, neue Einheiten zu schaffen, weil die Notwendigkeit der Stunde dazu zwang. Hier konnten konventionelle Haltungen höchstens vorübergehend helfen, aber keine dauernde Klarheit über die erforderliche neue Lebensauffassung geben. Neue Mentalitäten mußten sich bilden, mußten aus dem Widerstreit verschiedener Lebenskreise entstehen. Genauso konnten sich die fränkischen Reichsbischöfe nur durch eine Reihe von Metamorphosen aus den spätantiken römischen Bischöfen zu einer neuen sozialen Gruppe entwickeln, deren Mentalität maßgebend wurde, ohne zu einer wirklichen Typisierung zu führen.

Zunächst ist es notwendig, sich ein Bild von den Überlieferungen bischöflichen Lebensstils und bischöflicher Existenz zu machen. Dabei wird es erforderlich sein, einige Worte zu der einst so gering geschätzten, heute jedoch in ihrer Eigenart allmählich richtig bewerteten Quellengattung der Hagiographie zu sagen, der unleugbaren Hauptquelle unserer Untersuchung. Danach soll uns Abstammung und Herkunft des Bischofs im frühen Mittelalter vor-

---

(4. bis 8. Jahrhundert) (1965) sind bereits „Klassiker" geworden; neue Gesichtspunkte mit verstärkter Sicht von der Spätantike her brachte Martin H e i n z e l m a n n, Bischofsherrschaft in Gallien. Zur Kontinuität römischer Führungsschichten vom 4. bis zum 7. Jahrhundert. Soziale, prosopographische und bildungsgeschichtliche Aspekte (Francia. Beiheft 5, 1976).

wiegend im fränkisch-merowingischen Reich, in ihrer Brechung durch die literarischen Notwendigkeiten des hagiographischen Genus, beschäftigen.

Lange Zeit sah man die Hagiographie als einen Abkömmling von Märtyrerakten und bald legendenhaft verbrämten Lebensbeschreibungen christlicher Männer und Frauen der Verfolgungszeit, die an Gedächtnistagen vorgetragen wurden. Ob diese Viten in den liturgischen Dienst generell eingebaut wurden — was wir von einzelnen wissen (Martin von Tours, Maximus von Riez) —, oder ob sie gar dafür verfaßt wurden, ist strittig. Ihr relativ großer Umfang, ihr komplizierter Aufbau sprechen eher dagegen. Die von Caesarius von Arles (in seiner Predigt 281, PL 39, 2276) gegeißelten „otiosae et saeculares fabulae" beziehen sich keineswegs darauf. Im Zusammenhang mit diesen Lebensbeschreibungen entstanden im griechisch-syrischen Raum Asketenromane, die bald eine beachtliche Popularität erreichten und damit einer durchaus nicht immer christlichen Mode der Stadtflucht und des Ekels am Lebensstil der Einwohner der großen mittelmeerischen Städte entsprachen. Diese beiden Komponenten sind für die Entstehung der Hagiographie des westlichen Christentums unbestritten; doch wurde daneben eine ihrer Hauptwurzeln übersehen: die aus dem altrömischen Bereich stammende „laudatio funebris" für die Mitglieder der führenden römischen Familien, welche die Magistrate stellten [16]. Das Totenlob erfolgte nach bestimmten Schemata, die sich in den Kaiserbiographien Suetons — für die mittelalterliche Historiographie überaus vorbildliche Darstellungen — und auch den parallelen Lebensbeschreibungen Plutarchs wiederfinden [17]. Dieser regelhaften Abfolge entspricht auch das Gerüst der frühmittelalterlichen Viten im wesentlichen. Die „laudationes" enthalten auch bereits das Gemisch aus Topik und Tatsachen, das für das hagiographische Schrifttum charakteristisch ist. Darüber herrscht kein Zweifel, daß außer diesen formalen Ähnlichkeiten auch vom Inhalt her Zusammenhänge bestehen. Hauptgegenstand der Vitenliteratur sollte der Bischof werden, der in spätrömischer Zeit immer mehr in den Staat eingegliedert wurde und durch die Ausweitung und der von den Kaisern geförderten Bedeutung seines Amts zu einem der sichersten und machtvollsten Faktoren der Reichsverwaltung wurde: Eine Entwicklung, welche die germanischen Könige keineswegs eindämmten [18].

---

[16] Diese „laudationes" fußen zum Teil wieder auf der hellenistischen Panegyrik und dem Enkomion; vgl. dazu Martin H e i n z e l m a n n, Neue Aspekte der biographischen und hagiographischen Literatur in der lateinischen Welt (1.—6. Jahrhundert), in: Francia 1 (1973) 29.

[17] Heinzelmann, Neue Aspekte 33.

[18] Heinzelmann, Neue Aspekte 35 m. A. 49; das gilt auch für die arianischen Könige, vielleicht mit Ausnahme der Wandalen und Langobarden. Bei diesen erlangten die Bischöfe aber auch nach dem endgültigen Übertritt zum Katholizismus nur eine geringe Bedeutung für den Staat.

Die erste Bischofsvita im engeren Sinne, weitverbreitet und von großem Einfluß, war die des heiligen Martin von Sulpicius Severus, doch folgte sie noch stark den Bahnen, die von der Asketenliteratur vorgezeichnet wurden [19]. Bei ihm steht aber schon die Darstellung der „virtutes" im Vordergrund, wie es für die merowingerzeitlichen Viten charakteristisch werden sollte. Viele Viten dieser Zeit gehen freilich auf Wunderkataloge zurück, die oft schon bald nach dem Tode des heiligen Bischofs angelegt wurden und sich häufig auch am Schlusse der Lebensbeschreibungen finden. Eine hagiographische Schilderung, die den römischen Beamten auf seinem cursus honorum zeigt, der freilich in christlicher Abänderung im Bischofsamt mündet, erfuhr als wahrscheinlich erster Bischof Ambrosius von Mailand durch seinen Sekretär Paulinus. Die Vita ist im Aufbau ganz auf die letzte Lebensstation ausgerichtet und hat offensichtlich nicht mehr den Zweck, „den Weg des Heiligen zu Gott darzustellen, sondern den Erfolg des Bischofs in dieser Welt"[20]. Dieser Typ der Lebensbeschreibung setzte sich besonders in Gallien mit seinem selbstbewußten gallo-römischen Adel durch, dessen Spitzen häufig nach vollbrachter Tätigkeit im Staat als Bischöfe ihr Leben beschlossen und von den realen Umständen her ein besonderes Verständnis für diese Art der Bischofsvita mitbrachten. Es kann nicht bestritten werden, daß die Bischöfe, die seit der Verchristlichung des römischen Staates eine Reihe von öffentlichen Aufgaben übertragen bekommen hatten, zu den Amtsträgern gehörten, die einen Anspruch auf eine laudatio, auf eine Biographie, aufweisen konnten. Hier liegen ohne Frage die Anfänge einer christlichen Vitenliteratur im Westen, wobei die Züge der Asketenromane niemals ganz verschwanden (und Märtyrerlegenden gelegentlich miteinflossen). Im Werk des Hilarius von Arles über seinen Verwandten Honoratus [21] kommen alle diese Elemente zur Geltung. Die mönchische Schulung in Lérins mit ihrer das ganze Leben prägenden Form spielt darin eine bedeutende Rolle. Doch bestimmt wird die Person des Honoratus von seiner Abkunft aus einer Familie konsularischen Ranges, deren Einfluß auch in der Klosterzelle immer aufrecht bleibt. Von Abstammungstopik wird man hier kaum sprechen können. Zu sehr spiegeln sich die Verhältnisse Südgalliens in der Spätantike, die mächtigen Senatorenfamilien mit ihrer starken Bindung

---

[19] Als stilbildend erwiesen sich die Viten der beiden ägyptischen Mönchsväter Antonius und Paulus. Zum folgenden Martin H e i n z e l m a n n, Une source de base de la littérature hagiographique latine: le recueil de miracles, in: Hagiographie, Cultures et Sociétés IVe—XIIe siècles (Paris 1981) 243 ff. Erweiterungen von einfachen Mirakelbüchern entsprachen eben nicht dem Stil antiker Biographien.

[20] Heinzelmann, Neue Aspekte 36 f.

[21] Sermo de vita sancti Honorati, ed S. Cavallin, Vitae sanctorum Honorati et Hilarii episcoporum Arelatensium (Publications of the New Society of Letters 40, Lund 1952) 49 ff.

an altrömische Traditionen, und die neue Generation, welche sich den christlichen Lebensformen als den zukunftsorientierten verschreibt, die im Kreise der
Älteren noch mehr Gegenstand der gebildeten Diskussion waren [22]. Der „sanctus
episcopus" ist hier zugleich der „Adelsheilige" gallo-römischer Prägung, dem
durchaus christliche Grundsätze mit einer senatorischen Lebenshaltung verein-
bar scheinen und der auch asketisch-monastische Züge annehmen konnte.

Die Viten der sogenannten Juraväter [23], vornehmer Gallorömer, die in der
zweiten Hälfte des 5. Jahrhunderts in der öden Einsamkeit des Jura Klöster
gründeten [24], um in strenger Form das mönchische Leben zu pflegen, bedeuten
aber nur einen scheinbaren neuerlichen Durchbruch des Asketenvorbildes. Viele
„senatorische" Mönche in den Konventen sorgten dafür, daß der asketische
Vorsatz von „Aristokraten in einer aristokratisch geprägten Umwelt verwirk-
licht" [25] wurde. Wenn auch vielleicht die Darstellung einfacher frommer
Männer, in deren Umwelt der Geburtsadel bedeutungslos ist, das vordergrün-
dige Anliegen der Viten sein mag [26], so straft die bei aller Abgeschlossenheit
immer vorhandene Beziehung zu politischen Aktionen, in die sich die „Juraväter" einschalteten, diese Auffassung Lügen [27]. Wir finden dasselbe rücksichtslose öffentliche Auftreten, das auf dem adeligen Selbstbewußtsein beruhte, wie
es eben ein Lupicinus oder Eugendus mitbrachten, wie bei dem der Askese
so aufgeschlossenen „Mönchsbischof" Hilarius, der seinen Anhängern und Verwandten Bischofsstühle mit soldatischer Unterstützung verschaffte. Zugleich
erfahren wir vom Vitenschreiber über die verwöhnten jungen Männer, die

---

[22] Vgl. dazu Hieronymus und seinen Kreis gebildeter Frauen um die Witwen
Marcella und Paula in Rom, die stark dem asketischen Ideal zuneigten.

[23] Vitae patrum Iurensium (ed. Bruno Krusch) MGH SS rer. Merov. 3 (1896) 131—
166.

[24] Lupicinus und Romanus gründeten das berühmte Kloster Condat (heute
Saint-Claude) sowie Romainmôtier; ein weiteres, das namentlich nicht genannt wird,
war wohl das spätere Saint-Lupicin. Als dritter „Juravater" gilt Eugendus, der
im 6. Jahrhundert Abt von Condat war. Dazu Gérard M o y s e, La Bourgogne
Septentrionale et particulièrement le Diocèse Besançon de la fin du monde antique
au seuil de l'âge carolingien (Ve—VIIIe siècles), in: VuF 25 (1979) 470 und Ian W o o d,
A prelude to Columbanus: The monastic achievement in the Burgundian territories,
in: Columbanus and Merovingian Monasticism (BAR International Series 113, 1981)
4—8, 27 m. Anm. 118.

[25] Hagen K e l l e r, Mönchtum und Adel in den Vitae patrum Jurensium und in
der Vita Germani abbatis Grandivallensis. Beobachtungen zum frühmittelalterlichen Kulturwandel im alemannisch-burgundischen Grenzraum, in: Landesgeschichte und Geistesgeschichte (Veröffentlichungen der Kommission für geschicht-
liche Landeskunde in Baden-Württemberg 92, 1977) 10.

[26] Keller, Mönchtum 7.

[27] Vor allem Lupicinus und Eugendus; vgl. dazu Keller, Mönchtum 4.

nur deshalb in ein Kloster eintreten, um von hier aus eine steile, den Zeiten angemessene, geistliche Karriere zu machen [28]. Wir hören von Viventiolus, der sich so im Kloster bewährte, daß er als Nachfolger des Eugendus zum Abt vorgeschlagen wurde, dieses Amt aber zurückwies, um schließlich Bischof von Lyon zu werden [29], was seiner adeligen Herkunft weit angemessener war, zumal seine Familie dieses bedeutende Bistum schon lange beherrschte [30]. Gerade die Vitae Patrum Jurensium beweisen, wie wenig Aussicht bestand, das asketisch-monastische Ideal wieder zur gesellschaftlichen Norm, zum realen Ziel jugendlich-adeliger Bestrebungen zu machen. Der vierschrötige Heilige, wie ihn der asketische Martin verkörperte, der als ein Fremdkörper in der feinen Welt senatorischer Bischöfe wirkte, entsprach nicht dem Stil der Zeit und ließ seine Person — trotz der Vorbildfunktion seiner Vita in formaler und z. T. schematischer Hinsicht — vom Typ her doch eigentlich wenig nachahmenswert erscheinen. Das Modell dafür könnte man im 5. Jahrhundert eher in der Vita des Bischofs Germanus von Auxerre finden: ein hoher Amtsträger, der als Krönung seiner Laufbahn Bischof wird. Bei der Behandlung der bischöflichen virtutes wird man auf diese Vita noch einmal zurückkommen müssen [31]. Ein anderer Germanus — aus einer Trierer Senatorenfamilie des 7. Jahrhunderts, der Abt von Grandval-Granfelden wurde, erschien als junger Mann im berühmten Kloster Remiremont mit seinen Brüdern Numerian, dem späteren Bischof ihrer Vaterstadt, und dem bei Hofe einflußreichen Ophtamarus, um dort als Mönch einzutreten: „... omnes eum una cum germano suo ovantes excipiunt, referentes conditori gratias, quod de t a n t a e p r o s a p i a e g e n e r e sibi Dominus ad suum vocaret servitium" [32]. Heißt das wirklich nur, daß hohe Abkunft eine Voraussetzung für ein mönchisches Leben unter strengen Bedingungen war, weil eben nur d i e wahre Asketen sein konnten, die auf Glanz, Bequemlichkeit und Reichtum zu verzichten wußten, während es für einfache Menschen ja gar nicht so viel Verzichtbares in ihrem Alltag gab? [33] Oder spricht aus dieser Stelle auch das Empfinden, wie sehr viel mehr Gott geehrt werde durch den Dienst eines adeligen Geistlichen, selbst wenn er in demütig-

---

[28] Vita sancti Romani abbatis c. 6 (Vitae patrum Iurensium I 135).

[29] Aus den Lebensbeschreibungen der Juraväter geht diese Tatsache nicht hervor; sie läßt sich jedoch aus einem Brief des Bischofs Avitus von Vienne an Viventiolus erschließen. Alcimi Ecdicii Aviti Viennensis episcopi Opera quae supersunt (ed. Rudolf Peiper) MGH AA 6/2 (1883) Ep.XIX 50 ff. Dazu Alfred C o v i l l e, Recherches sur l'histoire de Lyon du Ve au IXe siècle (Paris 1928) 308 ff. und Heinzelmann, Bischofsherrschaft 115 f.

[30] Heinzelmann, Bischofsherrschaft 113 ff.

[31] Heinzelmann, Neue Aspekte 39.

[32] Vita Germani abbatis Grandivallensis auctore Boboleno presbytero (ed. Bruno Krusch) MGH SS rer. Merov. 5 (1910) V 35.

[33] Dazu auch Keller, Mönchtum 7.

asketischer Umgebung sich von den anderen Brüdern in nichts unterscheide? Aber seine Herkunft verlieh Germanus von Grandval eben einen „character indelebilis", der seine Lebenshaltung, sein sicheres Auftreten vor dem mächtigen Herzog Eticho für jeden Zeitgenossen nur allzu verständlich machte. Germanus hatte nicht nur die Heiligkeit für sich, sondern konnte auch auf eine hochgestellte und in Adelskreisen weitverzweigte Familie vertrauen. Sein Tod erfolgte „dementsprechend" durch die Hand eines Unfreien des elsässischen Herzogs, wenn dieser auch selbst vor einer gewaltsamen Bereinigung der strittigen Angelegenheit nicht zurückgeschreckt wäre. Man kann in Gallien kein Mönchtum feststellen, das lange außerhalb des bischöflichen hierarchischen Systems bestanden hätte [34]. Selbst Kolumban und seine Stiftungen hatten damit nur vorübergehend Erfolg. Was anfänglich wie ein Antagonismus aussah, wurde bald in der diözesanen Machtsphäre neutralisiert. Das Kloster wurde vielfach eine Durchgangsstation oder Ausbildungsstätte für höhere klerikale Positionen; noch mehr als im Frankenreich finden wir diese Entwicklung im westgotischen Spanien [35]. Der asketische Mönch östlicher Prägung ist im Westen nur eine merkwürdige, bestaunte, vor allem aber vorübergehende Erscheinung in seiner radikalen Position gegen die lokale geistliche Hierarchie. Ein Mann, der sich außer die Familie, außer die Sippe stellte, der alle Bande der verwandtschaftlichen Zusammengehörigkeit sprengte, fand weder in der gallo-römischen noch in der germanischen Welt Verständnis. Der adelige Bischof, der dem Staat wie in römischer Zeit verhaftet blieb, behauptete als Leitbild des vorbildlichen Christen das Feld. Wenn der Adelsheilige, wie ihn B o s l [36] und Prinz [37] immer wieder herausstellen, bei ihnen eigentlich erst im 7. Jahrhundert Gestalt gewinnt und förmlich zum Typ wird, so gehen sie dabei von einem ganz bestimmten Adelsverständnis aus, das für das 6. Jahrhundert noch nicht gültig ist. Das Zeitalter Chlodwigs und seiner Söhne stand noch zu sehr unter dem Gegensatz zwischen gallo-römischen Senatorengeschlechtern und fränkischem Adel; die Bischöfe entstammten überwiegend der ersteren Gruppe, die noch stark den spätantiken Lebensformen verhaftet und bei aller Eigenständigkeit und Un-

---

[34] Christian C o u r t o i s, L'évolution du monachisme en Gaule de St Martin à St Colomban, in: Il monachesimo nell'alto medioevo e la formazione della civiltà occidentale (Settimane di Studio del Centro italiano di studi sull'alto medioevo 4, 1956) 64. Georg S c h e i b e l r e i t e r, Königstöchter im Kloster. Radegund († 587) und der Nonnenaufstand von Poitiers (589), in: MIÖG 87 (1979) 9 f. mit den einschlägigen Synodalbestimmungen.

[35] Darüber siehe unten S. 94 f.

[36] Der „Adelsheilige". Idealtypus und Wirklichkeit. Gesellschaft und Kultur im merowingerzeitlichen Bayern des 7. und 8. Jahrhunderts. Gesellschaftsgeschichtliche Beiträge zu den Viten der bayerischen Stammesheiligen Emmeram, Rupert, Korbinian, in: Speculum Historiale (1965) 167—187.

[37] Frühes Mönchtum bes. 489 ff., 496 ff.

abhängigkeit vom staatlichen Dienst geprägt war, dessen letzte Stufe für
viele das Bischofsamt darstellte. Die Franken dagegen empfanden zum Großteil wohl noch oberflächlich für das Christentum und mußten erst in das
städtische Wesen, welches untrennbar mit der Stellung des Bischofs verknüpft
war, hineinwachsen. Das gegenseitige Näherkommen, — nicht immer erfolgte
ein Verschmelzen! — vor allem im Hofdienst und im kirchlichen Bereich
förderte den neuen Typus der Oberschicht, dessen Grundzüge allerdings eher
germanischer Provenienz waren. Lebensstil und innere Haltung waren jetzt auf
dem Stand angelangt, der im überwiegenden Teil des fränkischen Reichs
maßgebend wurde [38]. Dieser Adel, der von Verfassungshistorikern gern unzu-
reichend als Dienstadel bezeichnet wird, lieferte das alle Führungsbereiche,
also auch den kirchlichen, durchdringende genre de vie. In diesem Sinne ist
der von Karl Bosl geschaffene Terminus „Adelsheiliger" sicher berechtigt, doch
darf nicht übersehen werden, daß auch der heilige Bischof des 6. Jahrhundert
adeliger Abkunft war und seinen Stand auch im christlichen Gewand nicht
verleugnete. Er lebte und wirkte jedoch noch weitgehend in einer anderen
sozialen Umwelt und strahlte nicht über den Bereich gallo-römischer Fa-
milienzentren und „Senatorenlandschaften" hinaus: auch hier wird man wie
bei vielen anderen Fragen etwa die Loire als Grenze im Norden ansehen
können, während im Osten Jura und Vogesen das Ende des Dominanzbereiches
senatorischer Familien darstellen dürften. Jedenfalls wird man den Adelsheiligen nicht erst für das 9./10. Jahrhundert annehmen, wie das Keller in
seiner interessanten Studie über das Mönchtum getan hat [39]. Die adelige Herkunft der heiligen Bischöfe wird so zu einer Selbstverständlichkeit für das
Zeitverstehen, so daß sie in der Hagiographie allmählich topischen Charakter
annimmt. Selbst als ihr zeitweise in den Legenden nur eine geringe Bedeutung für die „Heiligenkarriere" zukommt, wird sie als leere Floskel angeführt [40]. Unabhängig von ihrer faktischen Richtigkeit, verfolgen die Vitenschreiber im Laufe der Zeit mit der Betonung der Vornehmheit ihres Helden
einen literarischen Doppelzweck: die Verdienste des Heiligen werden durch
seine edle Abstammung größer, da er ja seinen Reichtum aufgibt (asketischer
Zug), und zugleich wird seine Person erhöht, weil sie diesen Reichtum ver-
teilt (sozialer Zug). Das führt in der Folge oft zur Ablösung von der historischen Tatsache, nur um beide Elemente christlicher Haltung dem Hörer, dem

---

[38] Nur die Provence und der südliche Teil Aquitaniens blieben der spätantiken
Tradition bis zur Mitte des 8. Jahrhunderts verhaftet. Rudolf B u c h n e r, Die Provence in merowingischer Zeit. Verfassung—Wirtschaft—Kultur (Arbeiten zur deutschen Rechts- und Verfassungsgeschichte 9, 1933) 29.
   [39] Mönchtum 23.
   [40] Dazu František G r a u s, Volk, Herrscher und Heiliger im Reich der Merowinger. Studien zur Hagiographie der Merowingerzeit (Prag 1965) 68.

2*

Gläubigen so recht einzuprägen [41]. Allerdings bleiben diese Charakteristika nicht einmal die ganze merowingische Zeit hindurch aufrecht, da auch der reiche Heilige (vor allem ab Mitte des 7. Jahrhunderts) in den hagiographischen Quellen erscheint und der asketische Zug immer mehr verloren geht — was wohl auch den geschichtlichen Tatsachen entsprach. Obwohl also die adelige Herkunft der Heiligen zum Topos wird und manche von den Verfassern ihrer Lebensbeschreibung „nobilitiert" wurden, soll man der Standesangabe in den Viten nicht grundsätzlich nur dann glauben, wenn der Geschilderte geringer oder gar unfreier Herkunft ist [42], oder die Nobilität durch glaubwürdigere Quellengattungen erhärtet wird. Das gilt besonders für Viten, die zeitgenössisch sind oder noch in einem beachtlichen Nahbezug zur Hauptperson stehen [43]. Bergengruen führt die Punkte an, die seiner Meinung nach in einer Vita Glauben verdienen [44], die Abstammung ist jedoch nicht darunter. Doch folgt man Heinzelmann, wird man im Bischof als Amtsträger den Erben römischer Magistrate sehen müssen, einen Beamten, der Anspruch auf eine biographische Darstellung hat. So kann man bis etwa 600 überwiegend mit historischen Tatsachen in der Vita rechnen, selbst auf die Gefahr hin, die Hagiographie formal in zwei Gattungen zu spalten, von denen die erste mehr historische Schilderung ist, die zweite stärker einem literarischen Genos zuneigt [45].

Schon František Graus hat festgestellt, daß es keinen Heiligentyp gebe, der für Gallien charakteristisch sei, dabei aber wohl eher zum Ausdruck bringen wollen, daß man im gallo-fränkischen Reich die hagiographischen Modelle nicht selbst entwickelt, sondern sie aus dem griechisch-syrischen Osten übernommen habe [46]. Aber die Bestrebungen der gallischen Hierarchie haben den heiligen Bischof einigermaßen autochthon werden lassen. Die Ur-

---

[41] Graus, Merowinger 363.

[42] Das meint Bergengruen, Adel 18; Herkunft aus dem Stande der Unfreiheit ist mir bei keinem Heiligen der Merowingerzeit bekannt.

[43] Bergengruen a. a. O. sieht hier wohl etwas zu schwarz. Nicht alle „karolingischen" Bearbeitungen merowingischer Viten sind nur Spiegelbilder ihrer Zeit. Die Vita Remigii, die Hinkmar von Reims im Jahre 878 verfaßt hat, ist freilich ein schlechtes Beispiel, wenngleich auch sie interessante Nachrichten enthält. Ihre Tendenz ist zu offensichtlich. Doch beweist etwa die Historia Remensis ecclesiae des Flodoard, ed. Johannes Heller und Georg Waitz, MGH SS 13 (1881) 405—599, daß auch im 10. Jahrhundert wertvolle historische Aussagen über die Bischöfe der Merowingerzeit durchaus noch möglich waren.

[44] Seiner Meinung nach unterliegen nicht der Topik folgende Teile der Vita (Adel 23): der Name des Heiligen und seiner Eltern, die Angabe der Nationalität, der Geburtsort, seine Besitzungen, die er zu Stiftungen umwandelte, Orte von Wundern, sowie die Schilderung anderer Personen.

[45] Heinzelmann, Neue Aspekte 44 möchte aus diesem Grund einen Großteil der Viten vor allem des 6. Jahrhunderts nicht der eigentlichen Hagiographie zuzählen.

[46] Graus, Merowinger 175.

sachen dafür, daß gerade dieser Typ besonders ausformbar war, sieht Graus in der Tatsache, daß der Bischof als einziger Heiliger ein Vertreter der „vita activa" [47] sein mußte und als solcher immerhin für eine bestimmte Schicht exemplarischen Charakter haben konnte, während er andererseits eine „imitatio" durch den gewöhnlichen Christen nicht mehr zuließ, was aber bei einem Märtyrer oder Mönchsasketen noch weniger der Fall war [48]. Vielfach abweichend von der historischen Wirklichkeit konnte man dem Bischof noch Elemente des mönchischen Lebens in seine Lebensbeschreibung beifügen, die ihn zu einem Heiligen machten, der „alle Register christlicher Vollkommenheit zog und überdies nicht nur das eigene Seelenheil, wie der Mönch, der Einsiedler, der Asket, sogar der Märtyrer im Auge haben durfte". Hier half die Hagiographie mit, „sanctitas" und „nobilitas" untrennbar miteinander zu verknüpfen, wobei allmählich der Adel zur Voraussetzung der Heiligkeit wurde [49]. Über diese Zusammenhänge wird später noch ausführlicher zu sprechen sein [50]. Daß dieser Gedankengang in der Hagiographie schon bei der Beschreibung der Abstammung des Bischofs zum Ausdruck kommt, beweist die zum Topos gewordene Formel „nobilis natu, (sed) nobilior fide (mente)". Der Geburtsadel wird durch die persönliche Religiosität auf eine noch höhere Ebene gehoben, wie umgekehrt die „sanctitas" durch eine hohe Abkunft stets gesteigert wird [51]. Es ist bemerkenswert, daß wir keine Beispiele dieser Steigerungsformel aus einer Vita vor dem 7. Jahrhundert überliefert haben, sieht man von der Vita des Bischofs Melanius von Rennes ab, deren Entstehungszeit umstritten ist [52]. Bei Melanius findet sich immerhin noch die klassische kurze Form, erweitert durch eine längere Beifügung, in der darauf hingewiesen wird, daß die göttliche Gnade ihn noch mehr ausgezeichnet habe, als er es durch seine ruhmvolle irdische Stellung schon war [53]. In anderen Viten, die durchwegs der karolingi-

---

[47] Merowinger 116 f.

[48] Merowinger 447.

[49] Friedrich P r i n z, Monastische Zentren im Frankenreich, in: Studi Medievali. Serie 3, 19 (1978) 590.

[50] Vgl. auch Prinz, Frühes Mönchtum 493, 499.

[51] Siehe dazu Irsigler, Frühfränk. Adel 146. Franz Josef F e l t e n, Äbte und Laienäbte im Frankenreich. Studie zum Verhältnis von Staat und Kirche im frühen Mittelalter (Monographien zur Geschichte des Mittelalters. 20, 1980) 25 m. Anm. 48 stellt zurecht fest, daß auch bei zeitlichem Abstand der Vita dieser Abstammungstopos keineswegs die Realität verschleiern muß.

[52] Ed. Bruno Krusch, MGH SS rer. Merov. 3 (1896) 372—376. Nach Krusch, Vorrede zur Edition S. 370, stammt sie erst aus dem 9. Jahrhundert. Nach Friedrich L o t t e r, Methodisches zur Gewinnung historischer Erkenntnisse aus hagiographischen Quellen, in: HZ 229/2 (1979) 325 m. Anm. 109 geht das Prinzip des „nobilis genere, nobilior sanctitate" auf Hieronymus zurück.

[53] Vita Melanii c. 2, 372: „... saeculi dignitate inter suos clarus, sed divinorum munerum gratia precipuus."

schen Zeit entstammen, findet man interessante Abwandlungen des Grundtopos.
In der Vita des Sollemnis von Chartres haben wir die Gegensatzpaare natalis:
mens (nobilis) und opera: fides (clarus) [54], wodurch angedeutet scheint, daß
man den Adel seiner Abstammung durch geistige Haltung erhöht, während der
(angewandte) Glaube zu den Ruhmestaten gehört; freilich darf man Topoi nicht
zu sehr mit Überlegungen und Folgerungen belasten, da hier einfach die Freude
an der Variation eines bekannten Stilmittels vorliegen kann [55]. Die wohl
zwischen 788 und 811 entstandene Vita des Bischofs Vulframn von Sens bringt
in Abwandlung der bekannten Grundformen die Worte: „Fuit carnis origine
nobilis, sed culmine mentis nobilior" [56]. Man kann der theologisch schon geschulten Zeit Karls des Großen durchaus zutrauen, in diesen gängigen Topos,
eine bewußte Gegenüberstellung von Fleisch und Geist, wie sie durch die Worte
Christi am Ölberg (Matth. 26, 41) berühmt waren, einzubauen, wo doch sogar
Männer wie Alchvine als Hagiographen tätig waren. Das würde uns allerdings
vom merowingisch-fränkischen Adelsstolz des Bischofs wegführen und einen
Leib:Geist-Dualismus postulieren, der dem Sohn eines bedeutenden Militär-
beraters und Hofmannes Dagoberts I. sicher nicht gerecht würde. Die selbstverständliche Grundlage des heiligen Bischofs, seine adelige Herkunft, sein
Nahverhältnis zum Königtum würde dadurch in Frage gestellt werden [57]. Man
darf ja nicht vergessen, daß der Adel des Heiligen durch die „Wegnahme" der
sanctitas keineswegs belanglos würde; die persönliche Religiosität ist ein Mittel
zur Steigerung dieses Adels, der ohne sie aber ebenfalls bedeutungsvoll und
wichtig ist. Das Standesbewußtsein des merowingischen Adels darf hier nicht
außer acht gelassen werden; der Heilige ist grundsätzlich ein großer Herr [58].

Dem Bischof Mamatus von Vienne wird im 9. Jahrhundert von seinem
Nachfolger Ado [59] bestätigt, daß er „nobilis stemmate, sed nobilior vita et
eloquio" gewesen sei. Von fides und mens ist hier keine Rede mehr, (christliches)
Leben und Beredsamkeit (d. h. hier wohl Predigttätigkeit) sind es, die den

---

[54] Ed. Wilhelm Levison, MGH SS rer. Merov. 7 (1920) c. 2, 312.

[55] Die Vita Sollemnis stammt aus dem 8. Jahrhundert. In der Karolingerzeit
mit ihren Anfängen der Lehensterminologie ist das Wort „fides" jedenfalls mit Vorsicht zu beurteilen. Bei dieser Stelle scheint jedoch der Zusammenhang klar.

[56] Ed. Wilhelm Levison, MGH SS rer. Merov. 5 (1910) c. 1, 662.

[57] Prinz, Frühes Mönchtum 495.

[58] Prinz, Frühes Mönchtum 496; František G r a u s, Sozialgeschichtliche Aspekte
der Hagiographie der Merowinger- und Karolingerzeit. Die Viten der Heiligen des
südalemannischen Raumes und der sogenannte Adelsheilige, in: VuF 20 (1974) 169 ff.,
v. a. 173, 175 will das „Herrentum" des Heiligen von dem Bewußtsein seines Amtes
ableiten. Doch ist schon Ambrosius von Mailand durchaus familienstolzer Adeliger;
seit dem späten 6. Jahrhundert ist dann die Übernahme „weltlichen" Adelsbewußt-
seins bei den kirchlichen Amtsträgern deutlich zu merken.

[59] Chronicon (ed. Georg Heinrich Pertz) MGH SS 2 (1829) 317.

besonderen Adel verleihen. Man wird einwenden, daß es sich um Worte der Alltagssprache handle, die keiner philosophisch-theologischen Terminologie entstammen. Weiters kann hinzugefügt werden, daß Bischofschroniken von späterer Hand meist eine Aneinanderreihung der einzelnen Pontifikate bringen, wobei jedem bischöflichen Amtsträger ein paar Zeilen gewidmet sind, die mit mehr oder weniger charakteristischen Epitheta gefüllt werden. Das mag auch in diesem Falle zutreffen, doch sei nochmals betont, daß fides und mens hier durch vita und eloquium ersetzt werden. Im 6. und 7. Jahrhundert hätte man das nicht verstanden: vita, das war ja eine Folge von stemma, origo, natalis etc., nie konnte der Lebenswandel den Angehörigen der Oberschicht noch zusätzlich adeln. Jener war ein Akzidens des Adels, der lediglich durch religiösen Eifer gesteigert werden konnte, wie es so kennzeichnend von Eligius von Noyon heißt, er habe vor Gott u n d den fränkischen Herrschern Gnade gefunden [60]. Wir finden in diesen Worten nicht nur den Hinweis auf die religiöse und politische Doppelstellung des merowingischen Bischofsheiligen, sondern auch die oben schon mehrfach erwähnte Verbindung von adeligem Lebensstil und persönlicher Religiosität. Dieser Grundzug durchzieht zwar das ganze Mittelalter, aber seit dem Wirken der Angelsachsen im 8. Jahrhundert und den Krisen des 9. Jahrhunderts blieb der Typ des Adelsheiligen nicht unverändert erhalten, sondern machte einer neuen Vorstellung vom Bischof Platz, die mehr nach kanonischen Bestimmungen und ansatzweise auch theologischen Konzepten ausgerichtet war. Glaube und christlicher Geist waren wohl in jener Zeit, welche eine innere Mission kaum mehr nötig hatte, und in der der Adel viel stärker an das christliche Leben gebunden war, keine besonderen Auszeichnungen mehr, dafür aber ein tätiges Christentum. Hrodbert von Worms-Salzburg wird in seinen späten Gesta [61] hingegen wieder fides zugebilligt, vermehrt um besondere pietas [62], während der reiche Bischof Ebbo von Sens „non minus virtutibus, quam parentum nobilitate clarus" genannt wird [63], also in freier Umkehrung der Grundform, so daß der alte Topos gerade noch durchschimmert. Zugleich sehen wir, wie der Typ des Adelsheiligen immer weniger verstanden wird [64]; die Realität der zeitlichen Bedingungen hatte geänderte Verhältnisse geschaffen, in die weder die historische Erscheinung

---

[60] Vita Eligii episcopi Noviomagensis (ed. Bruno Krusch) MGH SS rer. Merov. 4 (1902) I 9, 676. Vgl. Prinz, Frühes Mönchtum 498.

[61] Vita Hrodberti episcopi Salisburgensis (ed. Wilhelm Levison) MGH SS rer. Merov. 6 (1913) c. 1, 157.

[62] Dazu Heinzelmann, Bischofsherrschaft bes. 157 ff.

[63] Zitiert nach Wieruszowski, Episkopat 69.

[64] So wird der Topos schon vielfach auf die Eltern übertragen; vgl. z. B. die Eltern des Bischofs Herifrid von Auxerre, die bereits als „nobiles genere, nobiliores sanctitate" bezeichnet werden; Gesta episcoporum Autissiodorensium (ed. Georg Waitz) MGH SS 13 (1881) c. 41, 400.

des merowingischen Adelsbischofs paßte, noch der Abstammungstopos der ihn zeitlich begleitenden Lebensbeschreibung.

Der Begriff „nobilis" beherrscht jedenfalls die Viten merowingischer Bischöfe, wenn von ihrer Herkunft gesprochen wird. Es scheint, daß dieses Wort ursprünglich nur die Standesqualität des senatorischen Adels bezeichnet habe: Gregor von Tours verwendet es fast ausschließlich zur Charakteristik seiner Standesgenossen und Verwandten [65]. Doch seit der politischen und sozialen Integration der fränkischen mit den burgundischen und galloromanischen Führungsschichten in der Zeit Chlothars II. und Dagoberts I., als der Königshof zum Mittelpunkt der geistigen Bestrebungen wurde, die die vornehmsten jungen Adeligen vereinte und mit den Reformideen Kolumbans und seiner Nachfolger vertraut machte, entstand ein Reichsadel, der in der Hagiographie seinen religiösen Ausdruck fand [66]. Nun wird das Wort „nobilis" unterschiedslos gebraucht, obwohl die „nationale" Herkunft der Heiligen manchmal besonders angeführt wird, aber Barbar ist jetzt eher der Nichtchrist, auch ein Franke kann „nobilis" sein. Das bleibt der gleichsam klassische Begriff für edle Herkunft: die meisten Quellen enthalten ihn im Positiv oder auch Superlativ kombiniert mit prosapia, genus, parentes, seltener mit sanguis, genealogia oder caro [67]. Erst in später Zeit wird „nobilis" im Zusammenhang mit der Abkunft

---

[65] Diese Verwendung des Wortes durch Gregor von Tours diente immer wieder als Argument gegen die Annahme eines sogenannten fränkischen Uradels.

[66] Irsigler, Frühfränk. Adel 235; Bosl, Adelsheiliger 179; Prinz, Frühes Mönchtum 493; Emil H. W a l t e r , Hagiographisches in Gregors Frankengeschichte, in: Archiv f. Kulturgeschichte 48 (1966) 295 f. will auch die Historia Francorum letztlich von hagiographischer Seite her sehen, was im engeren Sinne von Hagiographie sicherlich nicht richtig ist. Hingegen wird man ihm zustimmen, wenn er meint, eine Trennung von „historischem Kern" und hagiographischer Stilisierung sei grundsätzlich (methodisch) problematisch.

[67] Die Beispiele dafür sind Legion. Wir geben im folgenden eine Übersicht, die die Verbreitung des Herkunftstopos vom 5. bis ins 8. Jahrhundert zeigen soll, aber nur demonstrativen Charakter hat. Als „nobilis" werden bezeichnet: Amator von Auxerre (AA SS Maii I, c. 1, 52); Simplicius von Autun (Gregor von Tours, Gloria confessorum, ed. Bruno Krusch, MGH SS rer. Merov. 1, 1885, c. 75, 792); Maurilius von Angers (AA SS Sept. IV, c. 1, 73); Principius, Domnolus, Aiglibert, Herlemund von Le Mans (Actus pontificium Cenomannis in urbe degentium, ed. G. Busson und A. Ledru = Archives Historiques du Maine 2, Le Mans 1901, 50, 79, 193, 222); Romulf von Reims (Flodoard, Hist. Rem. eccl. II 4, 451); Audoin von Rouen (Vita Audoini episcopi Rotomagensis, ed. Wilhelm Levison, MGH SS rer. Merov. 5, 1910, c. 1, 555); Ansbert von Rouen (Vita Ansberti episcopi Rotomagensis, ed. Wilhelm Levison, MGH SS rer. Merov. 5, 1910, c. 1, 619); Chagnoald von Laon (Jonas, Vita Columbani abbatis discipulorumque eius, ed. Bruno Krusch, MGH SS rer. German. in us. schol., 1905, I 26, 209); Sigilaich von Tours (Vita Sigiramni abbatis Longoretensis, ed. Bruno Krusch, MGH SS rer. Merov. 4, 1902, c. 2, 607); Lantbert von Lyon (Vita Landberti abbatis Fontanellensis et episcopi Lugdunensis, ed. Wilhelm Levison, MGH SS rer. Merov. 5, 1910, c. 1, 608); Bonitus und Nordbert von Clermont (Vita Boniti episcopi

als gewöhnliches Adjektiv verwendet [68]. Bei bedeutenden Männern wird gern, wenn der Hagiograph oder Geschichtsschreiber auf ihre Abkunft zu sprechen kommt, eine längere Konstruktion angewendet, wie sie auf Epitaphien zu finden ist, dort freilich meist in Versform. Auch die Lob- oder Gedenkgedichte des Venantius Fortunatus führen das Geschlecht des Gefeierten in eleganten Worten an. In den meisten Fällen handelt es sich freilich nur um üppige oder auch umständliche Ausschmückungen der einfachen Form durch weitere Eigenschaften oder den Hinweis auf die Nationalität der Eltern [69]. Daneben findet sich die prächtige Wertung bischöflicher Abstammung. So wurden Pantagathus und Namatius, beide Bischöfe von Vienne, in feierlichen Worten wegen ihrer vornehmen Herkunft gerühmt [70]. Felix von Nantes erhält von Venantius Fortunatus eine bewundernde Beschreibung seiner Familie: „maxima progenies titulis ornata vetustis" [71]. Der Familie des Desiderius von Cahors wird nachgerühmt, daß sie „apud Gallicanas familias prae ceteris gratia generositatis ornatus" [72]. Hier ist schon ein Schritt weiter getan: die generositas drückt die adelige Abkunft aus, doch umfaßt dieser Begriff auch die edle Gesinnung. Beides ist bei Desiderius vereint [73]. Gerade diese ausladenden Lobhudeleien,

---

Arverni, ed. Bruno Krusch, MGH SS rer. Merov. 6, 1913, c. 1, 119 und c. 15, 127); Haimhramn (Arbeo, Vita vel Passio Haimhrammi episcopi et martyris Ratisbonensis, ed. Bruno Krusch, MGH SS rer. German. in us. schol. 1920, c. 3, 31); Raginfrid von Rouen (Gesta sanctorum patrum Fontanellensis coenobii, ed. F. Lohier und J. Laporte, Rouen–Paris 1936, VIII 1, 59); Quintilianus und Wibald von Auxerre (Gesta ep. Autis. c. 29, 395 und c. 40, 399); Chrodegang von Metz (Paulus Diaconus, Gesta episcoporum Mettensium, ed. Georg Heinrich Pertz, MGH SS 2, 1829, 267).

[68] So schreibt Ekkehard IV. über den Bischof Landolus von Treviso: „Suevus hic et nobilis erat...."; Casuum sancti Galli continuatio, ed. Gerold Meyer von Knonau, Mittheilungen zur vaterländischen Geschichte von St. Gallen 15/16 (1877) 82.

[69] Auch hier scheint das hagiographische Muster die ganze behandelte Zeit über wirksam; wir finden es z. B. bei Remigius von Reims (Vita sancti Remedii, ed. Bruno Krusch, MGH AA 4/2, 1885, I 2, 64), Caesarius von Arles (Vita Caesarii episcopi Arelatensis, ed. Bruno Krusch, MGH SS rer. Merov. 3, 1896, I 3, 458), Leontius I. und II. von Bordeaux (Venantius Fortunatus, Carmina, ed. Friedrich Leo, MGH AA 4/1, 1881, IV 9, Z. 11, 85 und IV 10, Z. 7, 86), Nivard von Reims (Almannus, Vita Nivardi episcopi Remensis, ed. Wilhelm Levison, MGH SS rer. Merov. 5, 1910, c. 1, 160), Audomar von Thérouanne (Vita Audomari, ed. Wilhelm Levison, MGH SS rer. Merov. 5, 1910, c. 1, 754), Berachar von Le Mans (Act. pont. Cen. 167), Ainmar von Auxerre (Gesta ep. Autis. c. 27, 394), Eucherius von Orléans (Vita Eucherii episcopi Aurelianensis, ed. Wilhelm Levison, MGH SS rer. Merov. 7, 1920, c. 1, 47).

[70] Sie finden sich auf ihren Epitaphien; Liber titulorum Gallicanorum (ed. Rudolf Peiper) MGH AA 6/2 (1883) IX v. 9 f., 187 und XI v. 13 f., bzw. 25, 189.

[71] Carmina III 8, v. 11, 58.

[72] Vita Desiderii Cadurcae urbis episcopi (ed. Bruno Krusch) MGH SS rer. Merov. 4 (1902) c. 1, 564.

[73] Ähnlich auch in der Passio Leudegarii episcopi et martyris Augustodunensis (= Passio I) (ed. Bruno Krusch) MGH SS rer. Merov. 5 (1910) c. 1, 283.

diese üppige Sprache sind Garanten für die tatsächliche adelige Abstammung
des Gefeierten: einerseits, weil hier etwas ausgesagt wird, was den Zeitgenossen einigermaßen überprüfbar war, andererseits spricht die Tatsache,
daß dem Betreffenden Gedichte und Inschriften gewidmet wurden, von selbst
für seine Vornehmheit. Daß Prinz völlig zu Recht auf die politische Instinkt-
handlung des fränkischen Adels verweist, der durch die „Selbstheiligung"
in der Hagiographie eine Form der Legitimierung und Festigung der Adelsherrschaft gefunden hatte [74], beweist unter anderem das Vorwort der zeitgenössischen Vita Geretrudis [75]. Daß die Arnulfinger und Pippiniden aber die
Heiligkeit eines Arnulf oder einer Gertrud bewußt dem merowingischen
Königsheil gegenübergestellt haben, geht noch aus der Stelle der Taten der
Bischöfe von Metz hervor, die Paulus Diaconus auf Veranlassung Karls des
Großen schrieb, in der von der Abstammung Arnulfs die Rede ist: „... vir per
omnia lumine sanctitatis et splendore generis clarus. Qui ex nobilissimo
fortissimoque Francorum stemmate ortus" [76]. Wir finden die Ingredienzien
für den hagiographischen Typ des Adelsheiligen: sanctitas und genus clarum.
Dabei arbeitet der Verfasser raffiniert mit der Verwandtschaft der Wörter
lumen und splendor. Letzteres stammt aus der kaiserlichen Sphäre und ist im
Umkreis Karls sicherlich das richtige Wort für den Ruhm des arnulfingischen
Hauses. Voran steht aber die Heiligkeit, dann erst folgt der Hinweis auf die
hervorragende Abkunft. Daran schließt sich ein Satz, in dem die Superlative
noch einmal die Abstammung betonen. In diesem Fall ist aber die politische
Tendenz im Vordergrund, die noch post eventum einem Karl dem Großen
wichtig war. Denn gerade von Arnulfs Vorfahren weiß man nichts, charakteristischerweise fehlen ihre Namen. Doch ist das auch gar nicht erforderlich, weil
Arnulf eben der ideale Spitzenahn der karolingischen Sippe war; vor ihm steht
darum wieder die allgemeine Formulierung, die mit dem doppelten Superlativ etwas aufgewertet werden soll. Bemerkenswert ist, daß in der zeitgenössischen Vita Arnulfs nur seine fränkische Abstammung (wieder keine
namentliche Nennung der Eltern!) erwähnt wird, er selbst als „nobilis", „altus
satis" und sehr reich bezeichnet wird [77].

---

[74] Prinz, Frühes Mönchtum 492 f.
[75] Vita sanctae Geretrudis (ed. Bruno Krusch) MGH SS rer. Merov. 2 (1886) 454;
dazu Irsigler, Frühfränk. Adel 235.
[76] Gesta epp. Mett. 264; der Kult der beiden Heiligen ging um 700 schon weit
über den Bereich der karolingischen Sippenklöster hinaus, vgl. Friedrich P r i n z,
Peregrinatio, Mönchtum und Mission, in: Die Kirche des frühen Mittelalters (Kirchengeschichte als Missionsgeschichte. 2, 1, 1978) 464.
[77] Vita sancti Arnulfi episcopi et confessoris (ed. Bruno Krusch) MGH SS rer.
Merov. 2 (1888) c. 1, 432. Gerade die Bezeichnung als „altus satis" deutet darauf hin,
daß Arnulf nicht aus einer der führenden fränkischen Adelsfamilien stammte. Ent-

Im Vergeich zu „nobilis" treten andere Bestimmungswörter, die die bedeutende Abstammung des Bischofs bezeichnen sollen, zurück. Manche leiten sich von der Beamtentitulatur des spätantiken römischen Hofes ab, wie „illuster", „spectabilis", „clarus" (und dessen altertümliche Formen „cluens", „inclitus") und „splendidus" [78]. Für den metrischen Gebrauch eignet sich besonders gut „fulgens" (auch als Zeitwort „praefulsit") [79]. „Generosus" [80] — dessen abstraktes Hauptwort uns schon in der Desiderius-Vita begegnet ist — gehört als Attribut zu jeder adeligen Familie, gleichgültig ob wir hier die Normen senatorischer Lebenshaltung oder germanischen Adelsdenkens anlegen. Farblos ist „eximius" [81]: es dient nur zur Hervorhebung ohne semantische Bedeutung. Selten ist der bloße Hinweis auf die materielle Wohlhabenheit („dives", „locuples") [82], der für den Adel Voraussetzung, aber nicht Gegenstand der „fama generis" war [83].

Von Germanus von Paris, dem hochangesehenen und weit über seine Diözese hinaus berühmten Mann, heißt es, er sei „honestis honoratisque parenti-

---

weder wußte der Verfasser der Vita wirklich nichts über seine Abstammung, oder er umschrieb eine mehr durchschnittliche mit diesen doch sehr wenig präzisen Worten, die Arnulfs Herkunft eher verschleiern als deutlich machen; die Voraussetzungen des hagiographischen Stils blieben dadurch jedenfalls gewahrt.

[78] I l l u s t e r: Lando von Reims (Flodoard, Hist. Rem. eccl. II 6, 455), Leudinus-Bodo von Toul (Vita Sadalbergae abbatissae Laudunensis, ed. Bruno Krusch, MGH SS rer. Merov. 5, 1910, c. 18, 60); s p e c t a b i l i s: Rigobert von Reims (Vita Rigoberti Remensis episcopi, ed. Wilhelm Levison, MGH SS rer. Merov. 7, 1920, c. 1, 61); c l a r u s: Eutropius von Orange (Vita Eutropii episcopi Arausionensis, AA SS Maii VI, c. 2, 699), Aredius von Gap (Vita Arigii sive Aredii episcopi Vapincensis, AA SS Maii I, c. 1, 110), Austrigisil von Bourges (Vita et miracula Austrigisili episcopi Biturigi, ed. Bruno Krusch MGH SS rer. Merov. 4, 1902, c. 1, 191), Genesius von Clermont (Grabschrift, abgedruckt in der Passio Praeiecti episcopi et martyris Averni, ed. Bruno Krusch, MGH SS rer. Merov. 5, 1910, 213); c l u e n s: Sacerdos von Lyon (CIL 13, 2398); i n c l i t u s: Amandus (Vita Amandi episcopi, ed. Bruno Krusch, MGH SS rer. Merov. 5, 1910, c. 1, 431 = Vita I), Audomar von Thérouanne (Vita c. 1, 754); s p l e n d i d u s: Germanus von Auxerre (Constantius, Vita Germani episcopi Autissiodorensis, ed. Wilhelm Levison, MGH SS rer. Merov. 7, 1920, c. 1, 251).

[79] Eumerus von Nantes (Venantius Fortunatus, Carmina IV 1, v. 7 ff., 79); Praeiectus von Clermont (Passio c. 1, 226).

[80] Z. B. bei Sigebald von Metz (Paulus Diaconus, Gesta epp. Mett. 267).

[81] Etwa bei Marcellus von Die (W. Kirner, Due vite inedite di s. Marcello vescovo di Die, Studi Storici 11, 1900, 302 m. A. 1 und 3).

[82] Palladius von Saintes (Gregor von Tours, Gloria conf. c. 59, 782); Landbert von Maastricht (Vita Landiberti, ed. Bruno Krusch, MGH SS rer. Merov. 6, 1913, c. 2, 354 = Vita I).

[83] Selten ist die Betonung des guten Mittelstandes wie bei Austrigisil von Bourges (Vita c. 1, 191).

bus" geboren [84]. Beides bedeutet etwa das gleiche, „honoratus" kann unter Umständen „hochgestellt" heißen, doch wird man beide Wörter, was ihre Aussage-
kraft in sozialer Hinsicht betrifft, nicht allzu hoch veranschlagen können [85].
Seine Eltern, Eleutherius und Eusebia, tragen latinisierte griechische Namen,
wie sie in den senatorischen Familien nicht vorkommen [86]. Auch Gregor von
Tours, der Germanus oft und mit höchster Bewunderung nennt, erwähnt niemals eine senatorische Abkunft des Pariser Bischofs. Germanus ist daher wohl
nicht den ersten Familien gallo-römischer Provenienz zuzuzählen. Er gehört zu
jenen Heiligen, deren Vita nach Bergengruen in diesem Punkte als absolut
glaubwürdig gelten kann [87], weil sie den Adelstopos der Abstammung nicht
aufweist. Man wird bei der Vita des Germanus noch hinzufügen müssen, daß
sie von Venantius Fortunatus stammt, der mit überschwänglichen Ruhmes- und
Ehrenbezeugungen im allgemeinen nicht kleinlich war und Germanus manches
Gedicht widmete [88]. Er hätte wohl kaum eine so bescheidene Formel für die
Abkunft seines Helden gefunden, wäre damit nur einigermaßen Staat zu
machen gewesen, obwohl er in seinen hagiographischen Werken weit nüchterner schrieb als in seinen carmina [89].

Mit der Lebensbeschreibung des Germanus von Paris leiten wir zu einer
Gruppe von Bischöfen über, deren Abstammung nicht den Vorstellungen von
senatorischen oder adeligen Heiligen entspricht. Es wird unsere Aufgabe sein,
zu untersuchen, inwieweit Angaben dieser Art Wirklichkeit widerspiegeln.
Weil man seinen Helden in adeliger Umwelt ja nicht durch eine für einen
Bischof wenig standesgemäße Herkunft kompromittieren konnte, erfolgten
die Hinweise darauf immer in Form einer negativen Feststellung, daß der
heilige Mann nicht „von schlechten Eltern" gewesen sei. Hinzugefügt wird
etwa, daß er zum guten Mittelstand gezählt habe [90], oder daß der durch die

---

[84] Vita Germani episcopi Parisiaci auctore Venantio Fortunato (ed. Bruno
Krusch) MGH SS rer. Merov. 7 (1920) c. 1, 372.

[85] Der Vergleich, den Krusch (a. a. O. 372 Anm. 2) mit der Vita des Germanus
von Auxerre anstellt, hinkt, weil dessen Herkunft „splendidissimus" war.

[86] Siehe deren Fehlen bei Stroheker, Adel 166 und 170, bzw. Heinzelmann, Bischofsherrschaft 270.

[87] Siehe oben S. 20 Anm. 44.

[88] Carmina II 9, v. 27 ff., 38; VIII 2, 180 f.; IX 11, v. 3, 217.

[89] Vgl. dazu Richard K ö b n e r , Venantius Fortunatus, seine Persönlichkeit und
seine Stellung in der geistigen Kultur des merowingischen Reiches (Beiträge zur
Kulturgeschichte des Mittelalters und der Renaissance 22, 1915) 80 f. und Franz
B r u n h ö l z l , Geschichte der lateinischen Literatur des Mittelalters 1 (1975) 127 f.

[90] Vita Gaugerici episcopi Camaracensis (ed. Bruno Krusch) MGH SS rer Merov.
3 (1896) c. 1, 652.

Biographie Geehrte ein würdiger Sproß würdiger Eltern sei [91]. Mancher Hagiograph reihte seinen Helden auch unter die Leute, deren Herkunft „clara" war, mußte dann aber eingestehen, daß die wirtschaftliche Lage der Familie des Bischofs einer solchen Zuschreibung nicht ganz entspreche [92]. Hat hier der übermächtige Topos der „nobilis progenies" den Verfasser zu seiner Angabe verleitet, die allgemeine Bekanntheit der wahren Tatsachen aber Einschränkungen erzwungen? Oder ist uns diese merkwürdige Nachricht ein Beweis dafür, daß es auch verarmte Adelsfamilien gab, die vom Namen her zu den ersten ihrer Region zählten, aber an materieller Macht Rückschläge erlitten hatten? Über diese Fragen kann hier nicht entschieden, es soll nur festgehalten werden, wie vorsichtig man mit dem Begriff der Topik umgehen muß, und wieviele Schattierungen Quellen zwischen der Wiedergabe historischer Fakten und der Verwendung von colores rhetorici haben können.

Zwei bedeutende Bischöfe aus freiem, aber nicht adeligem Stamme waren Iniuriosus von Tours und Eligius von Noyon [93]. Ersterer gehörte zu den wenigen Bischöfen der Stadt, die nicht aus der Verwandtschaft Gregors von Tours stammten. Er war ein Bürger seiner Bischofsstadt und wird in der Historia Francorum vom sonst so adelsstolzen Gregor ohne auf seine Herkunft bezogene Herablassung oder gar Ironie, sondern mit echter Anerkennung geschildert. Iniuriosus trat in der Frage des Kirchenzehnten angeblich als einziger Bischof König Chlothar I. entgegen, der sich seiner Ablehnung beugte, obwohl dieser Bischof von Tours keine wichtige und vorsichtig zu behandelnde Adelsgruppe hinter sich hatte [94]. Eucherius und Terrigia, die Eltern des Eligius, gehörten ebenfalls nicht zur obersten senatorischen Schicht Aquitaniens (in Limoges, der Gegend seiner Geburt, dominierten die berühmten Ruricier). Auch der weitere Werdegang des Eligius war eine Folge seiner Herkunft von einer kaum lokal bedeutsamen Familie. Wie wenig Vertrauen aber die Angaben über die einfache Abstammung mitunter verdienen, beweist die Vita des Abtbischofs Ermino von Lobbes-Laubach [95]. „Igitur sanctus Ermino oriundus fuit ... non infimis parentibus, sed ex mediocri gente Francorum. Et quamvis nobilis esset progenie, nobilior tamen erat mente." Hier war der Verfasser

---

[91] Passio Desiderii episcopi et Reginfridi diaconi martyrum (ed. Wilhelm Levison) MGH SS rer. Merov. 6 (1913) c. 1, 55. Ähnlich schon bei Albinus von Angers (Vita sancti Albini auctore Venantio Fortunato, ed. Buno Krusch, MGH AA 4/2, 1885, V 11, 29).

[92] So bei Austrigisil von Bourges; siehe oben S. 27 Anm. 83.

[93] Gregor von Tours, HF X 31 (15), 533: „Iniuriosus ... de inferioribus quidem populi, ingenuus tamen." — Eligius hatte ebenfalls „parentes ingenui" (Vita I 1, 670).

[94] HF IV 2, 136.

[95] Vita sancti Erminonis episcopi et abbatis Lobbiensis (ed. Wilhelm Levison) MGH SS rer. Merov. 6 (1913) c. 1, 462.

so in seine hagiographischen Vorbilder verstrickt[96], daß er den Widersinn seines Berichtes nicht merkte. Hier ist wohl beides als Topos anzusehen, wenn auch die mediokre Abstammung Erminos den Tatsachen entsprechen mag[97]; jedenfalls stellt schon dieser Anfang der Vita der weiteren Glaubwürdigkeit des Verfassers kein gutes Zeugnis aus.

Einen Fall, in dem niedrige Herkunft einem niederen Charakter parallel geht, schildert Gregor von Tours mit dem Bericht über seinen Archidiakon Rikulf[98]. Er wird als armer Leute Sohn bezeichnet, der schon als Diakon und dann als Priester hochmütig, eitel und aufgeblasen ist. Während Gregor auf der für ihn so gefährlichen Synode von Berny-la-Rivière (580) weilte, versuchte Rikulf das Bischofsamt in Tours mit brutaler Gewalt an sich zu reißen, nachdem er schon vorher gegen seinen Bischof intrigiert und dabei einen Meineid auf sein Gewissen geladen hatte. Der sicherlich authentische Bericht zeigt die so oft latente Feindschaft des Klerus der Bischofsstadt gegen seinen Oberhirten, der mitunter zu Mord und Totschlag führte. Er ist aber nicht nur ein Zeichen für die Abneigung des hochadeligen Gregor gegenüber sozial Tieferstehenden in höheren Positionen, sondern er läßt erkennen, daß niedrige Herkunft in der kirchlichen Hierarchie keine Chancen auf bischöfliche Stellung hatte, während das Grafenamt gelegentlich an Unfreie kam: Gregor erfuhr dies leidvoll an dem Grafen Leudastes[99]. Wir werden uns also auch die „non infimi" unter den Bischöfen als Abkömmlinge freier Familien vorstellen müssen, denen nicht jedes sozial qualifizierende Element abging. Aber auch bei einer weltlichen Karriere wurden Unfreie die Schlacken ihrer Herkunft nie ganz los, wozu sie durch ihr Verhalten allerdings meist beitrugen. Was den Bischof aus niedriger Familie grundsätzlich schlecht erscheinen läßt, ist die ambitio, die in der Kirche unter allen Umständen verboten war[100], andererseits für einen Mann niedriger Abkunft die einzige Möglichkeit bedeutete, etwas zu erreichen. Wirklich „gemeine" Abstammung finden wir bei keinem merowingischen Bischof, während sie in der spätkarolingischen Historiographie einige Male erwähnt wird, aber auch hier immer noch in topischer Form mit üblen Handlungen der betreffenden Bischöfe verknüpft ist, so daß dafür auch die

---

[96] Vor allem in die Vita Martini des Sulpicius Severus.

[97] Mediocer ist eine Standesbezeichnung; vgl. Georg W a i t z, Deutsche Verfassungsgeschichte 2/1 (⁴1953) 266 Anm. 2; über die sozialen Abstufungen u. a. Karl B o s l, Potens und pauper. Begriffsgeschichtliche Studien zur gesellschaftlichen Differenzierung im frühen Mittelalter und zum „Pauperismus" des Hochmittelalters, in: Alteuropa und die moderne Gesellschaft. Festschrift für Otto Brunner (1963) 64 und 72 f.

[98] HF V 49, 259.

[99] HF V 48 und 49, 257—263.

[100] Über die gesetzlichen Bestimmungen diesbezüglich siehe unten S. 139.

Wahrheit der Schilderung mitunter geopfert wird [101]. Zusammenhänge der angedeuteten Art werden uns noch in späteren Kapiteln beschäftigen.

Daß die nichtadelige Abstammung für einen späteren Bischof als Mangel empfunden wurde, beweist die Lebensbeschreibung Gaugerichs von Cambrai, in die der Verfasser zur mediokren sozialen Schicht der Eltern des Bischofs anfügt „christianitates vero religionem" [102]. Sollte das christliche Bekenntnis als Ersatz für den Adel eintreten oder erfolgte die Beifügung im Hinblick auf den Ort und die Gegend, in der Gaugerich geboren wurde? Eposium, das heutige Carignan, liegt in den Ardennen, einem Gebiet Austrasiens, dessen Bevölkerung im 6. Jahrhundert noch stark heidnisch war. Das Heidentum war aber aus verständlichen Gründen unter den kleinen Leuten viel weiter verbreitet als im Adel. Gaugerich gehörte nun zwar nicht zu jenen, aber auch nicht zur sozial höchsten Schicht, so daß die Versicherung, die Familie sei christlich, nicht unangebracht sein mochte [103]. Freilich lag das schon durch ihre Zugehörigkeit zur romanischen Bevölkerungsgruppe nahe. Wenn keine besonderen örtlichen Bedingungen vorliegen, ist es nicht ohne weiteres ersichtlich, warum die christliche Herkunft überhaupt erwähnt wird. Bei Praeiectus von Clermont findet sich mehrfach die Betonung der christlichen Abkunft, die sicherlich keine tiefere Bedeutung hat, wenn auch eine solche Häufung christlicher Epitheta sonst kaum überliefert ist [104]. Bei Eligius von Noyon etwa mag die nur ingenuine Abstammung durch das lange Christsein seiner Vorfahren ausgeglichen worden sein, was bei einer aquitanischen Familie allerdings sicher keine Seltenheit war [105]. Landbert von Maastricht-Lüttich hingegen, dessen Biograph die gleiche Formel von den Eltern, die „longa prosapia" Christen seien, aus der Eligiusvita übernommen und sie ziemlich ungeschickt zu dem Hinweis

---

[101] So wird schon bei Bischof Andegar von Tours betont, daß sein Vater ein Kaufmann war (Annales Petaviani, ed. Georg Heinrich Pertz, MGH SS 1, 1826, 17); von dem hochadeligen Erzbischof Hatto von Mainz heißt es bei Widukind im Zusammenhang mit der skrupellosen Überlistung des Babenbergers Adalbert, daß er „obscuro genere natus" sei (Widukindi monachi Corbeiensis rerum gestarum Saxonicarum libri tres, ed. Paul Hirsch und H. E. Lohmann MGH SS rer. German. in usum schol., 1935, I 22, 31 f.); über Hattos Herkunft und Verwandtschaft zuletzt Karl B r u n n e r, Oppositionelle Gruppen im Karolingerreich (Veröffentlichungen des Instituts für Österr. Geschichtsforschung 25, 1979) 159. Selbstverständlich wird auch die niedrige Herkunft Ebos von Reims hervorgehoben.

[102] Vita Gaugerici c. 1, 652.

[103] Wieruszowski 25.

[104] „Huius pater Gundolenus mater vero eius Eligia vocitata est, qui originem duxere ex longinqua prosapia, catholicis viris, religionem christiane dignissimis, per quos etiam Dominus multa miracula declaravit." (Passio c. 1, 226).

[105] Vita Eligii I 1, 670.

auf deren irdische Güter gestellt hat [106], stammte aus einer Gegend, in der
Heidentum tatsächlich auch in der 2. Hälfte des 7. Jahrhunderts noch vor-
kam. Dennoch wird man dabei in dieser Vita eher an einen Topos denken, da
ja die vornehme Verwandtschaft des Bischofs, die im Gegensatz zu den Pippiniden stand [107], über jeden Zweifel religiöser Art erhaben war. Was für Eligius
gilt, ist in noch höherem Maße für den Aquitanier Amandus [108] und den Neustrier
Audoin von Rouen gültig [109]: beide stammten aus vornehmen Familien, die Erwähnung ihrer Christlichkeit, die vom Verfasser der Vita Audoins in eine
wahrhaft poetische Form gekleidet ist, deutet vielleicht darauf hin, daß beide
notwendigen Komponenten, nobilitas und sanctitas, schon in den Familien
grundgelegt waren. Eine fast puritanische Auffassung klingt dagegen aus den
Worten des Hagiographen, der das Leben des Bischofs Eucherius von Orléans
beschrieb; er berichtet in altbekannter Topik vom Adel seines Helden und
nimmt an, daß die Familie eben Gott wohlgefällig sei. Eucherius, der zur Sippe
des gewaltigen Bischofs Savarich von Auxerre gehörte, wurde auch von Gottes
Wohlwollen getragen, als dieser waffengewohnte Kleriker, der dabei war,
eine Bischofsherrschaft über Burgund aufzubauen, von Karl Martell gestürzt
wurde. Eucherius arrangierte sich mit dem erfolgreichen Hausmeier und erhielt
von diesem, obwohl er aus der politisch belasteten Familie stammte, das Bistum
Orléans [110]. Der Verfasser der Vita hat post eventum Glück, Reichtum und
augenscheinliche Gottgefälligkeit dieser Sippe nicht unberechtigt dem Eucherius
schon in die Wiege gelegt; freilich ist sein ruhmloses Ende in der Verbannung
damit nicht erklärt [111].

---

[106] „... Landibertus ... oriundus fuit et alitus ex parentibus locupletis (!) secundum dignitatem saeculi, inter presidis venerandis et longa prosapia christianis."
(Vita Landiberti I c. 2, 354).

[107] Die Parteistellung der Familie Landberts ist wohl nicht eindeutig aus den
spärlichen Angaben der Quellen zu erschließen. Vielleicht war sie als Anhängerin
des Hausmeiers Wulfoald zunächst anti-arnulfingisch — eine Haltung, die auch Landbert als Bischof bis zu seiner Exilierung geteilt haben dürfte — und wandte sich nach
dem Tode Ebroins erst Pippin d. M. zu; vgl. dazu Matthias W e r n e r, Der Lütticher
Raum in frühkarolingischer Zeit. Untersuchungen zur Geschichte einer karolingischen
Stammlandschaft (Veröffentlichungen des Max-Planck-Instituts für Geschichte 62,
1980) 243 ff., 266.

[108] Vita I c. 1, 431.

[109] Vita c. 1, 554.

[110] Zu den Ereignissen Theodor B r e y s i g, Jahrbücher des fränkischen Reiches
714—741. Die Zeit Karl Martells (1869) 70 f. Eugen E w i g, Die civitas Ubiorum, die
Francia Rinensis und das Land Ribuarien, in: Rhein. Vierteljahrsblätter 19 (1954) 26;
Neudruck in d e r s., Spätantikes und fränkisches Gallien. Gesammelte Schriften
(1952—1973) 1 (1976) 500; Eugen E w i g, Milo et eiusmodi similes, in: Sankt Bonifatius.
Gedenkgabe zum 1200. Todestag (1954) 427 f.; Neudruck in ders., Spätantikes und
fränkisches Gallien 2 (1979) 204 ff.

[111] Genauer darüber unten S. 183.

Ein Fall aus viel späterer Zeit zeigt uns, wie sehr man die Betonung einer christlichen Abstammung in einer Vita ernst nehmen soll, wenn nicht alle anderen Angaben dagegensprechen: Bischof Ratbod von Utrecht sei „ab inclitis Francorum parentibus et christianissimis editus ...“ [112]. Dabei erfährt man später, daß der „attavus“ seiner Mutter der gleichnamige Herzog der Friesen gewesen sei, welcher als unerbittlicher Feind der Christen, Gegner Pippins des Mittleren und Vertreiber des heiligen Willibrord allgemein gehaßt und gefürchtet war [113]. Bei einem solchen Vorfahren empfand es der Viten-schreiber sicherlich als günstig, das besondere Christentum (es steht nicht um-sonst im Superlativ!) der Familie Ratbods hervorzukehren. Denn obgleich der Ruhm mit der fränkischen väterlichen Seite verknüpft wird, ist doch anzu-nehmen, daß der berühmteste Ahne des Bischofs jener ehemalige Christen-verfolger aus Friesland war, dessen Name (oder der selbst?) in dem Kind weiterlebte. Das Gleichgewicht zwischen Adel und Heiligkeit ist hier schon empfindlich gestört und außerhalb der Vitentopik kaum mehr vorhanden.

Bei den spanischen Bischöfen stand die adelige Abstammung lange Zeit nicht so sehr im Vordergrund wie im Frankenreich. Die Gründe dafür sind recht einleuchtend: zunächst gab es in Spanien, seit die aquitanischen Gebiete für die Westgoten verloren waren, keinen dermaßen bedeutenden senatorischen Adel wie den gallo-römischen. Freilich stammten einzelne Bischöfe aus solch vornehmen römischen Familien, aber diesen kam nicht die gleiche politische Bedeutung zu wie in Gallien [114]. Die Westgoten aber bekannten sich bis 589 offiziell zum Arianismus. So war adelige Herkunft — vor allem aus einer einflußreichen und weitverzweigten Familie — wohl eine gute Empfehlung für einen spanischen Bischofsthron [115], ohne daß ihr Fehlen einen Ausschließungs-grund bedeutet hätte. Wir wissen, daß Paulus von Mérida Arzt gewesen war, während Bischof Fidelis, sein Nachfolger und Verwandter, griechischen Kauf-leuten diente [116]. Wissen, Bildung und praktische Tüchtigkeit wurden anschei-nend im allgemeinen als Voraussetzung für das Bischofsamt recht hoch be-wertet. Man muß es aber als sehr ungewöhnlich bezeichnen, daß auf den

---

[112] Vita Radbodi episcopi Traiectensis (ed. Oswald Holder-Egger) MGH SS 15 (1887) c. 1, 569.

[113] Dabei war der Herzog selbst schon unmittelbar vor der Taufe gestanden, schreckte dann aber — wegen einer groben psychologischen Ungeschicklichkeit des missionierenden Bischofs Vulframn von Sens — im letzten Augenblick davor zurück; Vita Vulframni c. 9, 668.

[114] Über gewisse Differenzen zwischen Romanen und Westgoten Stroheker, Adel 91 und Dietrich C l a u d e, Adel, Kirche und Königtum im Westgotenreich (Vor-träge und Forschungen. Sonderband 8, 1971) 44 ff.

[115] Vgl. Claude, Westgotenreich 108 ff.

[116] Dietrich C l a u d e, Geschichte der Westgoten (1970) 103 und E. A. T h o m p-s o n, The Goths in Spain (Oxford 1969) 43.

Bischofsstuhl ein Mann jüdischer Abkunft gelangen konnte: Julian von Toledo. Es ist verwunderlich, daß diese Tatsache in der Literatur bisher kaum beachtet oder nur wenig gewürdigt wurde [117]. Gestützt wird sie durch die Aussage eines der anonymen Fortsetzer Isidors von Sevilla, der Julian „... ex t r a d u c e I u d e o r u m, ut flores rosarum deinter vepres spinarum ...“ nennt [118]. Zugleich allerdings heißt es von dem berühmten Metropoliten, er sei „etiam a parentibus Christianis progenitus“. Vergleicht man diese Quelle mit der kurzen Lebensbeschreibung Julians, die sein Nachfolger Felix von Toledo verfaßt hat [119], so sucht man in der Vita vergeblich nach einem derartigen Hinweis. Doch gleitet Felix über die Abstammung Julians hinweg und berichtet nur davon, daß dieser ein Bürger Toledos gewesen sei, in dessen Hauptkirche „sacrosancti baptismatis fluentis est lotus, et illic ab ipsis rudimentis infantiae est enutritus“ [120].

Das Schweigen des Amtsnachfolgers über die Herkunft des großen Kirchenfürsten ist nun in der Tat ein wenig auffällig: gehört doch der Name der Eltern und die Kennzeichnung der wirtschaftlichen und sozialen Verhältnisse des Helden zum festen Schema der hagiographischen Gattung. Man wird grundsätzlich aus dem Fehlen dieser Angabe nicht auf einen Makel in der Herkunft Julians von Toledo schließen dürfen, aber im Zusammenhang mit der bedeutsamen Nachricht des Continuators Isidors wird man bedenklich gestimmt. Es konnte ja dem Ansehen des wichtigsten Bischofssitzes von ganz Spanien nicht zuträglich sein, an der Herkunft eines seiner gewaltigsten Inhaber Zweifel zu erregen. Andererseits ist zu bedenken, daß Julian ja von christlichen E l t e r n stammte, was der Verfasser der Continuatio Isidors mit „etiam“ hervorhebt; d. h. sie waren getaufte Juden. Man wird an der für eine geistliche Laufbahn nicht eben förderlichen Abkunft des Erzbischofs nicht rütteln können [121].

---

[117] Keine Erwähnung findet sich bei Pius Bonifacius G a m s, Die Kirchengeschichte von Spanien 2/2 (1864, Neudruck 1956) 159, 166; Claude, Westgotenreich 154 ff.; Eugen E w i g, Die Ostgermanen und der Katholizismus. Der Übertritt der Spaniensweben und Westgoten zum Katholizismus und die Nachblüte der christlichen Antike in der gotisch-spanischen Landeskirche, in: Handbuch der Kirchengeschichte 2/2 (1975) 148, 151. Unsicher ist Max M a n i t i u s, Geschichte der lateinischen Literatur des Mittelalters 1 (1911) 129; ebenso Joseph F. O'C a l l a g h a n, A history of medieval Spain (Ithaka—London 1975) 72; neuerdings dazu Roger C o l l i n s, Julian of Toledo and the royal succession in late seventh-century Spain, in: Early Medieval Kingship (Leeds 1977) 36.

[118] Isidori Iunioris episcopi Hispalensis Historia Gothorum continuatio Hispana ad a. DCCLIV (ed. Theodor Mommsen) MGH AA 11 (1894) 349.

[119] Vita seu Elogium sancti Iuliani auctore Felice Toletano episcopo (ed. J. P. Migne) PL 96 (1862) 445.

[120] Ebenda c. 1; noch vor der Herkunft Julians wird berichtet, daß er von Eugen II., dem Metropoliten von Toledo, erzogen wurde.

[121] Thompson, Goths 238 geht als einziger etwas näher auf dieses Problem ein; Claude, Geschichte der Westgoten 103 ohne Hinweis auf die Stelle der Vita.

Es ist verständlich, daß man damit kein Aufhebens machte. Doch überrascht es, zu sehen, daß rassisches Judentum kein Grund war, die höchsten Stellen der kirchlichen Hierarchie nicht zu erreichen, wenn man die tiefgehende Abneigung der mittelalterlichen Gesellschaft gegen die Juden, deren Bewertung freilich von Zeit zu Zeit schwankte, in Betracht zieht. Das gilt noch mehr als für das Franken- oder Langobardenreich, für das westgotische Spanien, auf dessen Synoden sehr strenge und restriktive Judengesetze erlassen wurden. Julian allerdings war schon in zweiter Generation Christ und seit frühesten Tagen ganz erfüllt von der christlichen Lehre — wie uns der Continuator gleich bei seiner Abkunft berichtet [122] — und schrieb gegen die Juden die (verlorenen) „Responsiones" und später das berühmte „Prognostikon"; außerdem war er einer der schärfsten Verfechter der antijüdischen Synodalgesetzgebung [123]: all das stammt wohl aus der auch in späteren Jahrhunderten in Spanien herrschenden Glaubensstrenge, z. T. vielleicht aus seinem Proselytentum [124]. Die Abstammung von christlichen E l t e r n zu betonen war also bei Julian von Toledo wirklich eine Notwendigkeit; sie wird durch den Hinweis auf seine christliche Gelehrtheit noch unterstützt.

Im allgemeinen verweisen die Hagiographien gern auf die Christlichkeit der Eltern bei Bischöfen, die in Gebieten zu Hause waren, in denen das Heidentum noch nicht gänzlich verschwunden war. Bei Ratbod von Utrecht mußte man noch in viel späteren Zeiten die Herkunft von einem berühmten heidnischen, christenfeindlichen Fürsten durch die Erwähnung der besonderen christlichen Haltung seiner Familie egalisieren, da man einerseits auf diesen Vorfahren stolz war und seine Nennung nicht vermeiden wollte, andererseits sicher noch jedermann am Niederrhein die Namenszusammenhänge klar waren. Zuletzt ist festzustellen, daß man gern bei Geschlechtern, deren Herkunft nicht glänzend war, die besondere „christianitas" hervorkehrte.

Die Bedeutung, die der adeligen Welt im Leben des Bischofs zukam, da sie auch seine Zugehörigkeit und Herkunft bestimmte, spiegelt sich in der Haltung des Bischofs auch gegen die bewußten Intentionen des Vitenschreibers. Denn nur dann konnte der heilige Bischof Vorbild für die maßgebenden Schichten sein, wenn er ihrem Erfahrungshorizont verständlich blieb. Der Asket und der Märtyrer konnten diese Funktion nicht erfüllen: sie kamen aus der medi-

---

[122] Isidori Hist. Goth. cont. Hisp. 349: „... productus omnibus mundi partibus in doctrina Christi manet preclarus, qui etiam a parentibus Christianis progenitus splendide in omni prudentia Toleto manet edoctus...".

[123] Vgl. Toletanum XII (681) c. 9, ed. José Vives, Concilios Visigóticos e Hispano-Romanos (Barcelona—Madrid 1963) 395 ff.

[124] Dazu Bernard S. B a c h r a c h, A Reassessment of Visigothic Jewish Policy 589—711, in: AHR 78 (1973) 26 f. und F. J. R i v e r a R e c i o, Los arzobispos de Toledo desde sus orígenes hasta fines del siglo XI (1973) 118 f.

terranen hellenisierten Welt, deren gesellschaftliche Umwelt dem gallo-römischen Aristokraten nicht allzu vertraut war und dem Germanen überhaupt fremd blieb [125]. Wie sehr diese adelige Haltung dem hagiographischen Schema widersprach, sieht man etwa an Ansbert von Rouen, der in seiner Jugend nicht jagen wollte, obwohl ihn sein Vater dazu drängte [126]. Die Jagd war für das adelige Leben besonders charakteristisch, und Ansbert sollte durch seine Ablehnung als ein Mann von hervorragender Heiligkeit gezeigt werden. Hier setzte sich der Typ des asketischen Heiligen gegenüber dem allen verständlichen adeligen Bischof durch, doch ist nicht zu scheiden, wie weit diese Schilderung der Wirklichkeit entsprach: sie paßt allzu sehr in den typischen Vitenstil, der ja den Heiligen keiner Entwicklung oder gar Abkehr und Wandlung unterwirft, sondern ihn von Anfang an auf gleicher Ebene der Heiligkeit zeigt. Daß dabei manches vom adeligen Stil unter Umständen verchristlicht erhalten blieb, beweist die Verbannung Ansberts: Er wurde ins Kloster Hautmont verwiesen und lebte dort „cum his quos secum in exilio habuerat" [127]. Dieses geistliche Gefolge gehörte eben zum Bischof, der auch im Exil der entsprechenden Dienstmannschaft bedurfte, was ihm von niemandem bestritten wurde. Wir wissen, daß Arbeo von Freising in seine beiden Lebensbeschreibungen genug von adeliger Lebenshaltung einfließen ließ, daß die hagiographischen Topoi bei den Schilderungen Haimhramns und Korbinians oft nur mühsam aufrecht erhalten werden konnten. Besonders Korbinian zeigt viele Züge des merowingischen „potens", der auch im priesterlichen Kleid vor Gewalt nicht zurückschreckte [128]. Wir werden diese Frage noch ausführlicher behandeln müssen [129]. Hier sei nur angemerkt, daß gerade Arbeo selbst eine Harmonisierung von Heiligenideal und Realität des adeligen Lebens nicht gelang, daß sein Drang nach politischer Betätigung über ein Leben innerer und äußerer Abgeschiedenheit im Kloster Scharnitz-Schlehdorf siegte. Die starke Verwobenheit des heiligen Bischofs in die adelige Welt seines Herkommens ist auch aus dem Schicksal Gregors von Utrecht ersichtlich, der von Bonifatius als Nachfolger in Friesland ausersehen war. Sein Bruder tötete aus Blutrache einen Oheim des Hausmeiers Karlmann, weshalb Gregor als Bischof

---

[125] Bosl, Adelsheiliger 184.
[126] Vgl. dazu Irsigler, Frühfränk. Adel 248; Felten, Äbte 21.
[127] Vita c. 27, 637.
[128] Heinz L ö w e, Arbeo von Freising. Eine Studie zu Religiosität und Bildung im 8. Jahrhundert, in: Rhein. Vierteljahrsblätter 15/16 (1950/51) 115 und Prinz, Mönchtum 389. Freilich enthält die Vita Haimhramns genug Elemente, die nicht auf Adelsbewußtsein zurückzuführen sind. Darunter finden sich ebenso volkstümliche Lokaltraditionen, wie vorchristliche Vorstellungen: Haimhramn selbst trägt auch Züge des sonderbaren Asketen, die aus den syrischen Heiligenromanen stammen. Graus, Sozialgeschichtliche Aspekte 174 f.
[129] Siehe unten S. 205 m. A. 13.

nicht mehr in Frage kam, obwohl er an der Tat unschuldig war und sich als
Mitarbeiter und Vertreter von Bonifatius hohe Verdienste erworben hatte:
die Sippengegensätze waren eben viel tiefer in den Menschen verwurzelt als
die christliche Religion; und das selbst im Geschlecht der Arnulfinger, das die
Verbreitung des Christentums so sehr förderte. Es kann daher nicht verwundern, daß selbst Bonifatius in dieser Angelegenheit — wenn auch mit Bedauern — Verständnis zeigte [130]. Auch die Teilnahme des Heiligen am „pran-
dium", dessen Bedeutung als Element des politischen Lebens evident ist,
gehört hierher: der Heilige beweist dadurch ausdrücklich seine Standesqualität,
die ihm in der säkularen Verfassung aufgrund seiner Herkunft einen ebenbürtigen Platz anwies.

Nicht selten gehen der Geburt des heiligen Bischofs Ereignisse voraus, die
auf dessen zukünftige Bedeutung hinweisen. Das Motiv des auserwählten
Kindes ist uralt; es findet sich unter anderem schon im alten Testament oder
etwa vor der Geburt Johannes des Täufers (Lk. 1, 5—25; 1, 57—66). František
Graus hat die Wurzeln dieser Vorstellung eingehend untersucht und mit
Beispielen aus der merowingischen Hagiographie belegt [131]. Es genügt, auf
seine Untersuchung zu verweisen, doch sollen hier einige Besonderheiten angeführt werden, die einer Betrachtung wert sind. Grundsätzlich scheidet die
Hagiographie zwei Typen von Geburtsprophetien: der Mutter wird die Zukunft ihres Sohnes durch einen Traum oder eine Vision offenbar; sie
kann aber auch aus dem Munde eines Fremden, eines Geistlichen, der zufällig im Hause ist, das Schicksal des ungeborenen Kindes erfahren. Die Stilisierung nach biblischen Vorbildern kann dabei sehr weit gehen, wie uns die
Vita des Eucherius von Orléans zeigt. Daß die große Frömmigkeit seiner Eltern
ausdrücklich hervorgehoben wird, haben wir gesehen [132]; so kommt auch seine
Mutter gerade von der Messe und will zu Bett gehen, als ihr ein Engel erscheint und sie mit den Worten „gegrüßt seist du von Gott Geliebte, gesegnet
sei der Knabe, den du in deinem Schoße trägst ..." anspricht, sich zu erkennen
gibt und ihr verkündet, daß ihr Sohn in dieser Stadt Orléans Bischof werden
würde [133]. Eingerahmt wird das ganze von einem Dialog zwischen Mutter und

---

[130] Brief an Papst Zacharias von Anfang 742; Die Briefe des heiligen Bonifatius
und Lullus (ed. Michael Tangl) MGH Epp. selectae 1 (1916) nr. 50, 83. Dazu auch
Franz F l a s k a m p, Wilbrord—Clemens und Wynfrith—Bonifatius, in: Sankt Bonifatius Gedenkgabe zum 1200. Todestag (1954) 167 f. und Theodor S c h i e f f e r,
Winfrid—Bonifatius und die christliche Grundlegung Europas (²1972) 207.

[131] Merowinger 68 f.

[132] Oben S. 32.

[133] „Ave, Deo dilecta benedictum in utero tuo ferens puerum, et scias eum in hac
urbe a Deo futurum electum antestitem!" (Vita Eucherii c. 1, 47).

Engel, der sich wohl nicht mehr mit dem Hinweis auf die besondere Gottgefälligkeit der Familie, die zahlreiche Bischöfe zu ihren Angehörigen zählte,
allein erklären läßt. Die Anklänge an Mariae Verkündigung sind bedeutend
und mußten dem zeitgenössischen Publikum noch viel stärker ins Bewußtsein
treten als heutzutage. Hinter dieser Formulierung steht nicht nur ein der
literarischen Gattung entsprechender Topos, sondern das gewaltige Selbstgefühl einer mächtigen burgundischen Adelsgruppe, die Heiligkeit und Gottesnähe als Teile ihrer sozialen Stellung empfand. Daß eine solche Beschreibung
blasphemisch wirkt, hätte niemand verstanden. Wir kommen hier in Bereiche,
die einer Auffassung vom Gottesdienst entspricht, wie sie (vom germanischen
Adel) noch weit bis ins 9. Jahrhundert vertreten wurde. Eucherius freilich
gehörte wohl einer romanischen Familie an, doch wird man in der zweiten
Hälfte des 7. Jahrhunderts schon mit einer gewissen „Germanisierung" christlichen Denkens auch bei einer herkunftsmäßig andersartigen Adelsfamilie
rechnen können, ohne in dieser Zeit die Begriffe romanisch-germanisch als
Gegenpole ansehen zu wollen[134]. Daß man die Auserwähltheit nicht nur
des Neugeborenen aber sehr bewußt dokumentierte, beweist die Taufe des
Eucherius durch den Bischof Ansbert von Autun, der wohl ebenfalls zur Familie zählte. Wenn die Vita dazu bemerkt, das sei alles wegen der vom Engel
verkündeten Offenbarung geschehen, mochte das ganz zu den Intentionen der
Sippe passen und auf der Linie ihres Selbstverständnisses liegen[135].

Die Mutter des Praeiectus von Clermont erfuhr „per extasi(n)" vom
Schicksal ihres Kindes; eine Woge von Blut folgte dem Neugeborenen in ihrer
Traumvision nach, was sie in höchste Bestürzung versetzte. Der verzweifelten
Mutter deutete ein „vir sanctissimus", der Archipresbyter Peladius, dieses
schreckliche Traumgesicht im Hinblick auf die Klerikerlaufbahn des Praeiectus,
die durch den Märtyrertod ihr Ende finden würde[136]. Formal ist hier die
Verbindung beider Vorhersagetypen zu erwähnen: Vision und Deutung durch
den gelehrten, frommen Geistlichen. Die Realistik des Traums ist auch in der
merowingischen Hagiographie — soweit ich sehe — ohne Beispiel. Inhaltlich
ist die Weissagung deshalb von Bedeutung, weil sie post eventum mit einiger
Mühe die politischen Kämpfe der Zeit um 670 in die Sphäre des Religiösen
zu ziehen versucht[137].

---

[134] Über das Verschmelzen romanischer und germanischer Anschauungen vor
allem bei der Erziehung seit dem Beginn des 7. Jahrhunderts siehe unten S. 73 f.

[135] Vgl. Vita Eucherii c. 2, 47.

[136] Passio Praeiecti c. 1, 226.

[137] Noch stärker versuchte das Ursinus von Ligugé in seiner Passio Leudegarii
episcopi et martyris Augustodunensis (= Passio II) (ed. Bruno Krusch) MGH SS rer.
Merov. 5 (1910) 323 ff. Einige Hinweise zu diesem „Visionstyp" bei Jacques Le G o f f,
Les rêves dans la culture et la psychologie collective de l'Occident médiéval, in:
Pour un autre Moyen Age. Temps, travail et culture en Occident (Paris 1977) 305 und

Die Grundform dieser Prophetien ist die Vorhersage einer bischöflichen Karriere des Ungeborenen oder gerade Geborenen durch einen Fremdling, der meist aus Italien kommt. Die nachträglichen Prophezeiungen sind stets einfach gehalten, werden durch nichts motiviert und entsprechen den alten Topoi, wie sie ja schon in außerchristlichen Kulturen geprägt wurden [138]. Ein Ableger dieser Grundsituation ist die Bitte eines (fremden oder herbeigeholten) Priesters, das Kind im Leibe der Schwangeren möge ihn segnen, statt — wie verlangt — umgekehrt [139]. Beides ist mit den vorgenannten Beispielen nicht zu vergleichen und lediglich hagiographische Routine, wie sie vor allem bei Bischöfen wie Arnulf von Metz, dessen Herkunft zumindest nicht glänzend war, zur Stützung seines Ansehens der Lebensbeschreibung hinzugefügt wurde. Daß die Auserwähltheit aber auch anders als durch Weissagung gezeigt werden konnte, beweist ein Fall, der ganz aus dem Rahmen des gewöhnlichen Schemas tritt und auch im übrigen Mittelalter wenige Parallelen haben dürfte. Die edle Eusebia von Autun schämte sich, daß sie bald nach der Geburt eines Kindes schon wieder schwanger war und versuchte aus diesem Grund, ihre Leibesfrucht abzutreiben! Sie trinkt einen Absud, der den Abortus bewirken soll, dann versucht sie durch ihr eigenes Körpergewicht das Ungeborene zu erdrücken, und als das beides nichts nützt, entwickelt sich ein — im Detail nicht mehr beschriebener — Kampf zwischen Mutter und Kind, bei dem sich Eusebia verletzt, der Embryo aber alles unbeschädigt übersteht und gesund zur Welt kommt: der spätere große Bischof Germanus von Paris [140]. Hier wird ein grundsätzliches Legendenmotiv — das ungeliebte, zunächst unerwünschte Kind (manchmal auch ein „Nachzügler") , welches sich unter schwierigsten Verhältnissen bewähren muß und schließlich zu Macht und Ehren gelangt — mit einer Tatsache des wirklichen Lebens vereint, um Gottes Pläne zu verdeutlichen. Auch im Fall des Germanus von Paris wird man daran denken müssen, daß der Verfasser der Vita im Auge hatte, den Heiligen schon vor der Geburt mit jener Aura des Wunderbaren zu umgeben, die den Bischof das ganze Leben lang nicht mehr verließ, wie wir aus der weiteren Lebensbeschreibung ersehen können: der Wunderkatalog des Germanus von Paris ist von einer ausnehmenden Länge! Der Vitenschreiber denkt nicht einen Augenblick daran, daß er die gleich am Beginn seiner Schilderung honesta und honorata genannte Mutter des heiligen Bischofs in Mißkredit bringen könnte; obwohl Eusebia, s e i n e r Meinung nach, einen Kindesmord plante und ver-

---

bei Peter D i n z e l b a c h e r, Vision und Visionsliteratur im Mittelalter (Monographien zur Geschichte des Mittelalters 23, 1981) 40 f. Doch gehen beide Werke auf die merowingische Hagiographie außerhalb Gregors von Tours nicht ein.

[138] Als Beispiel sei die Vita Arnulfi c. 2, 432 angeführt.

[139] Vita Boniti c. 1, 119 f.

[140] Vita Germani c. 1, 372.

suchte, genügt ihm als Rechtfertigung der „pudor muliebris" aus gesellschaft-lichen, vielleicht auch religiösen Gründen. Die Mutter ist auch in ihrem Fehlen ganz Werkzeug Gottes, an der dieser Wunderkraft erweisen will, der Vater Eleutherius spielt in dem Geschehen überhaupt keine Rolle. Das Sujet ist für das Mittelalter überaus ungewöhnlich, für das Bild, das sich die Zeitgenossen von Germanus machten, aber charakteristisch: seine große Heiligkeit offenbart sich so gewaltig bereits vor seiner Geburt. Menschlicher und lebensechter trotz aller Topik wirkt da die Beschreibung des Unglücks, das der Mutter Bischof Liudgers von Münster vor dessen Geburt zustieß [141].

Wie gut man mit dem Prophezeiungsschema das wirkliche Geschehen ver-schleiern konnte, beweist die Geschichte von Florentinus und Artemia, die uns Gregor von Tours in den Vitae patrum überliefert [142]. Den heimkehrenden Ehegatten, der das Bistum Genf übernehmen will, bewegt Artemia zum Ver-zicht auf das Bischofsamt, indem sie ihm von ihrer Schwangerschaft berichtet und darauf verweist, daß das ungeborene Kind der künftige Bischof (von Genf?) sein werde. Die Tatsache, daß Florentinus sich um das Bistum bewarb, läßt den Schluß zu, er sei nicht mehr ganz jung gewesen; denn erst am Ende staatlicher Amtstätigkeit pflegte ein Mitglied senatorischer Familien ein Bi-schofsamt zu übernehmen. Gregor, um dessen Sippe es sich handelt, berichtet nur, daß das Ehepaar zwei Kinder gehabt habe. Doch wird unsere Vermutung das Richtige treffen, da Florentinus sich als „vir sapiens" verhält und mit Abraham verglichen wird, dem Gott befahl, er möge seiner Frau Sarah glauben, auch wenn ihm ihre Rede unglaublich scheine [143]. Gregor ist hier nicht unge-schickt zu Werke gegangen. Florentinus scheitert an den kanonischen Bestim-mungen, die es nicht zuließen, daß ein Mann mit seiner Frau weiterhin in ehelicher Gemeinschaft lebte, wenn er Bischof werden wollte [144]. Dieses ist auch der Kern der Mitteilungen Artemias, die ihren Mann darauf hinweist, daß durch ihre Schwangerschaft die Übernahme des bischöflichen Amtes für ihn

---

[141] Sie eilte ihrem Mann Thiadgrim, der von einer Reise zurückkehrte, in hochschwangerem Zustand freudig entgegen. Dabei stürzte sie und stieß sich einen Holzpfahl in die Seite. Durch ein Wunder überlebte die Schwerverletzte und auch der bald darauf geborene Knabe Liudger war gänzlich unverletzt. (Vita sancti Liud-geri auctore Altfrido, ed. Wilhelm Diekamp, in: Die Geschichtsquellen des Bisthums Münster 44, 1881, c. 8, 12).

[142] VIII 1, 691.

[143] Gen. 21, 12.

[144] Der Kampf um den Zölibat und die damit zusammenhängenden Fragen rei-chen in der westlichen Kirche bis zum Konzil von Elvira (um 300) zurück. Im 5. und 6. Jahrhundert wurde die grundsätzliche Pflicht, die Ehe nicht mehr fortzusetzen, wenn man die höheren Weihen erhalten hatte, allerdings nicht durchgehend befolgt. Im Osten sorgte Justinian für die rechtliche Fixierung der Ehelosigkeit der Bischöfe. Darüber ausführlich Willibald M. P l ö c h l, Geschichte des Kirchenrechts 1 (1953) 166 ff.

unmöglich geworden sei. Zugleich tröstet sie ihn aber mit der Hoffnung, ja mit der Gewißheit, der noch ungeborene Sohn werde diese Stellung erreichen. Man muß das nicht nur als Prophezeiung ex eventu nehmen; der einflußreichen Senatorenfamilie, der Florentinus und Artemia angehörten, war es auch möglich, bereits in dieser Art die Zukunft eines ihrer Mitglieder zu planen [145]. Was man nicht verhindern konnte, war, daß das Bistum Genf vorübergehend der familiären Einflußsphäre entglitt [146]. Gregor hat diese für sein Geschlecht eher ungünstige Angelegenheit zu einer Weissagungsgeschichte umgebogen und den späteren Bischof Nicetius von Lyon zu ihrer Hauptfigur gemacht [147], dessen Name von den Eltern bewußt und bedeutungsvoll gewählt wurde, um ihre „sieghafte" Zuversicht auszudrücken. Daß wir hier richtig sehen, beweist die unvollkommene und den Normen entsprechende Art der Weissagung durch die Mutter selbst, wobei uns Gregor verschweigt, woher sie ihre Gewißheit erhalten habe: weder ein Traum, eine Vision, noch ein „peregrinus" sind Ursache dafür. Daß die Prophezeiung ursprünglich nur ein Trost für den wahrscheinlich enttäuschten Florentinus war, schimmert auch im topischen Gewande noch durch. — Auch ganz einfache, äußerliche Momente konnten den Anlaß bieten, bei der Geburt eines Kindes dessen Auserwähltheit oder vielleicht dessen zukünftige Bestimmung zu deuten, wie der natürliche Kranz feiner Haare um den sonst kahlen Kopf des neugeborenen Nicetius von Trier [148]: hier liegen volkstümliche Anschauungen vor, die mit einem besonderen Stilelement der Vita nichts mehr zu tun haben.

Bedeutende Vorfahren gehören zum Wesen des Adels. Auch in den Viten der Bischöfe wird selbstverständlich auf Personen, deren Namen allgemein bekannt waren, Bezug genommen; doch findet man dabei weniger die Namen einzelner Persönlichkeiten, als Leitnamen, die dem Kundigen bereits alle erwünschte Auskunft gewährten. Es überrascht aber doch, keinen heiligen Bischof zu finden, der sich königlicher Abstammung rühmen konnte. Das gilt natürlich nur für den germanischen Adel und den sogenannten Reichsadel, wie er sich etwa ab der Mitte des 7. Jahrhunderts herausgebildet hatte. Von zeitgenössischen Quellen wird nur dem Bischof Berthramn von Bordeaux eine entfernte Verwandtschaft mit dem Königshaus zugeschrieben. Seine Mutter Ingtrud

---

[145] Über die Familienverbindungen siehe Heinzelmann, Bischofsherrschaft 146 f. m. Anm. 322, 324.

[146] An Stelle des Florentinus wurde Maximus Bischof von Genf, der wohl nicht zur Familie des ersteren gehörte; über ihn weder Stroheker, Adel noch Heinzelmann, Bischofsherrschaft; das Wenige, das man über ihn weiß, ist zusammengefaßt bei L. D u c h e s n e, Fastes épiscopaux de l'ancienne Gaule 1 (1894) 223.

[147] Über ihn ausführlich Heinzelmann, Bischofsherrschaft 152 ff.

[148] Gregor von Tours, Liber vitae patrum (künftig: LVP) XVII 1, 728.

war eine Schwester Ingunds, der ersten Frau Chlothars I. und Mutter seiner älteren Söhne [149]. Berthramn genoß auch die Förderung seines königlichen Vetters in hohem Maße: er ist einer der ersten germanischen Bischöfe im aquitanischen Raum. Im Synodalprozeß gegen Gregor von Tours in Berny-la-Rivière 580 ließ er sich von Chilperich die Rolle des Anklägers aufdrängen [150], gehörte aber im Gund(o)wald-Aufstand 585 zum engsten Anhang des Thronprätendenten und mußte sich vor Gunthramn verantworten, der ihn in seinem Amt beließ, wofür die Verwandtschaft mit den Merowingern wohl entscheidend war [151]. Hier sei auch einmal auf die beachtenswerte Tatsache hingewiesen, daß von den Merowingern niemand in den geistlichen Stand trat, ein Bischofsamt oder die Abtswürde bekleidete [152]. Man wird die Frage, warum dies der Fall ist, noch genauer untersuchen müssen, doch scheint es mit dem merowingischen Königsheil zusammenzuhängen, das wohl seit dem Übertritt Chlodwigs I. zum Katholizismus verchristlicht, aber heidnisch-gentilen Wurzeln verpflichtet war [153]. Diese magische Aura, die über dem ganzen Geschlecht stand, ließ den Übertritt zu einem anderen ordo nicht zu und hinderte die Wirksamkeit geistlichen Heils [154].

---

[149] Gregor von Tours, HF IX 33, 452 f. Dazu Wieruszowski 20; Sprandel, Adel 27 und Irsigler, Frühfränk. Adel 123 m. Anm. 257.

[150] Doch wird man ihn deswegen nicht als merowingischen Funktionär bezeichnen können, wie Sprandel a. a. O.

[151] HF VIII 2, 371 f.

[152] Bemerkenswert ist es auch, daß kein Fall von Mönchung eines Merowingers überliefert ist, mit Ausnahme des späteren Königs Childerich II., der vom Hausmeier Grimoald 656 in Begleitung des Bischofs Dido von Poitiers nach Irland geschickt wurde, um dort Mönch zu werden. Auch der Fall Chlodoalds, des Sohnes Chlodomers, der durch den Eintritt ins Kloster der Ermordung durch seinen Onkel Chlothar I. entging, gehört nicht in diesen Zusammenhang.

[153] Vgl. den berühmten Brief des Avitus von Vienne an Chlodwig, nr. 46, 75 f., sowie dazu Karl H a u c k, Geblütsheiligkeit, in: Liber floridus. FS Paul Lehmann (1950) 194 f. Königssalbung fand im fränkischen Reich ja vor Pippin keine statt.

[154] Das Phänomen, daß Königssöhne nicht in den geistlichen Stand eintraten, findet sich auch bei den anderen germanischen Stämmen. Dem Verfasser sind keine Bischöfe oder Äbte aus der stirps regia bei Westgoten, Sweben oder Langobarden bekannt. Bei den Angelsachsen scheint es gleichfalls vor Erzbischof Ecgberht von York (732/34—766), Bruder König Eadberhts von Northumbrien, keinen Prälaten aus direkter königlicher Linie gegeben zu haben. Über ihn Alchvine in seinen „Versus de patribus regibus et sanctis Euboricensis ecclesiae" (ed. Ernst Dümmler) MGH Poetae Latini aevi Carolini 1 (1881) 197, vv. 1250, 1280 ff. Dazu Frank M. S t e n t o n, Anglo-Saxon England (Oxford ³1971) 92. Cyril R. H a r t, The Early Charters of Eastern England (Leicester 1966) 117 vermutet, daß auch Bischof Earkonwald von London (675—693) königlichen Blutes war, doch gründet er seine Annahme nur auf den Namen des Bischofs. (Freundlicher Hinweis von Anton S c h a r e r). Königliches Blut finden wir jedoch bei vielen Prälaten des Merowingerreiches; fest steht, daß kein Sohn oder Bruder eines Königs in vorkarolingischer Zeit Bischof wurde. Dieser Tatsache sollte man einmal nachgehen.

Eine nähere Verwandtschaft mit dem merowingischen Haus erkennt Paulus Diaconus dem Bischof Agiulf von Metz zu [155]). Sein Vater soll der gallorömischen Adelsschicht angehört haben, die Mutter soll eine Tochter Chlodwigs I. gewesen sein. Doch bestehen gegen diese Angaben berechtigte Bedenken: die Taten der Metzer Bischöfe schrieb Paulus im Auftrage Karls des Großen in den letzten Jahrzehnten des 8. Jahrhunderts, und für die Zeit vor Bischof Arnulf wirken sie sehr summarisch [156]. Man weiß, daß Karl das Hausbistum seiner Vorfahren besonders hervorheben lassen wollte, um damit zugleich der karolingischen Überlieferung zu dienen. Auf Agiulf, der nach einer langen Reihe bloßer Namen als erster einen erläuternden Satz mit seiner Herkunftsangabe erhielt, folgt sein angeblicher Neffe Arnold, dann ein Pappolus — wieder nur ein Name — und schließlich Arnulf. Es ist nicht zu übersehen, daß die Verwandtschaft der drei Namen Agiulf, Arnold, Arnulf an eine leibliche Verwandtschaft ihrer Träger denken läßt [157], ohne daß Arnulf mit seinen Vorgängern vom Verfasser verbunden wird. Daß aber Arnulf mit den Merowingern nicht verwandt war, wohl nicht einmal aus den ersten fränkischen Adelsfamilien stammte, mußte den Zeitgenossen bekannt sein. Weder in seiner Vita noch in den Gesta episcoporum Mettensium wird der Name der Eltern genannt, was für unsere Behauptungen ein — wenn auch negatives — Indiz darstellt. Aber über den Vorgänger Arnold und dessen Onkel Agiulf konnte ein Zusammenhang mit der Königssippe hergestellt werden, der natürlich in direkter Anknüpfung zu Chlodwig I. führte. Doch etwas wurde dabei übersehen: der Name des wichtigen Bischofs. Es ist kaum anzunehmen, daß ein Enkel Chlodwigs einen Namen erhalten hätte, der außerhalb der merowingischen Tradition steht. Einen Agiulf oder aus den beiden Etyma gebildete Namen gab es in der fränkischen Königsdynastie nicht [158]! Die Behauptung der königlichen Abstammung Bischof Agiulfs ist nichts anderes als ein später Versuch, die Karolinger schon von ihrem bischöflichen Ahnherrn an mit den Merowingern verwandtschaftlich zu verknüpfen [159].

---

[155] Gesta epp. Mett. 264.

[156] Es ist dies eher der für inhaltsarme Bischofskataloge charakteristische Stil. Über ihn in anderem Zusammenhang noch später S. 239 f.

[157] Siehe auch Sprandel, Adel 30 f.

[158] Ein römischer Name ist Agiulf aber auch nicht, was freilich grundsätzlich nichts gegen die Möglichkeit einer Abstammung von einem gallo-römischen Vater aussagt.

[159] Agiulf von Metz ist zweifellos mit dem Agiulf identisch, der bei Venantius Fortunatus, Carmina App. VII 280 erwähnt wird. Auffallend ist nur, daß der sonst mit Epitheta ornantia so freigebige Dichter auf das Bischofsamt des Genannten nicht eingeht und keine geistlichen Tugenden hervorhebt. Vgl. dazu auch J. D o s t a l , Über Identität und Zeit von Personen bei Venantius Fortunatus, in: Programm d. k. k. Staats-Obergymnasiums zu Wiener Neustadt (1900) 3 f. — Bedeutsam in diesem Zu-

An den Rändern des fränkischen Gallien, in der Bretagne, deren halb-souveräne Stellung immer Anlaß für Unruhen bot, finden wir den einzigen Mann aus königlichem Geschlecht, der ein Bischofsamt bekleidete: Macliav, von seinem Bruder Chanao vertrieben, flüchtete nach Vannes, ließ sich die Haare scheren und wurde Bischof in dieser Stadt; doch nach dem Tode des Bruders und Usurpators, als ihm die Haare wieder nachgewachsen waren, nahm er seine Frau abermals zu sich, verließ seine Bischofsstadt und regierte in der Bretagne als königgleicher Fürst. Die fränkischen Bischöfe bannten ihren entflohenen Amtsbruder, doch blieb Macliav davon unberührt und wurde später bei neuerlichen Thronstreitigkeiten erschlagen [160].

Leider weiß man nichts über die Bischofzeit Macliavs. Es ist kaum anzu-nehmen, daß dieser „Häuptling" als geistlicher Würdenträger und Mitglied des gallo-fränkischen Reichsklerus ein besonderes Selbstverständnis entwickelt hat. Das Bischofsamt war ihm nur eine Warteposition, bis seine Stunde als Thron-werber in der Bretagne wieder gekommen war. Lupus von Sens und Nivard von Reims waren mit den Merowingern verwandt, doch nur über Königinnen ganz anderer Herkunft.

Zuletzt sei nochmals auf Hrodbert von Worms-Salzburg in diesem Zu-sammenhang verwiesen. Von ihm berichten sowohl die Gesta sancti Hrodberti confessoris [161] als auch die Conversio Bagoariorum et Carantanorum [162], daß er königlicher Abstammung gewesen sei. Bei beiden Quellen ist allerdings ihre späte Abfassungszeit (2. Hälfte des 9. Jahrhunderts) [163] zu berücksichtigen. Wie wir gehört haben, war Hrodbert mit den mächtigen Hrodbertinern des

---

sammenhang bleibt allerdings der Name von Arnulfs älterem Sohn und späterem Nachfolger in Metz, Chlodulf. Das Etymon Chlod- kommt sonst in der arnulfingisch-pippinischen Namensgebung nicht vor und ist typisch merowingisch! Über die mythi-sche Kraft dieses Namensbestandteils und seine Bedeutung für die Merowinger vgl. Georg S c h e i b e l r e i t e r, Tiernamen und Wappenwesen (Veröffentl. des Instituts für Österr. Geschichtsforschung 24, 1976) 39 f. Es ist grundsätzlich anzunehmen, daß das Etymon Chlod- als Namenselement der merowingischen Dynastie vorbehalten blieb. Insofern könnte sich im Namen des Arnulfsohnes eine Verwandtschaft mit der Königssippe spiegeln. Doch wird in keiner Quelle darauf hingewiesen, wie auch das Etymon erst wieder bei Ludwig dem Frommen in der arnulfingischen Sippe auf-taucht.

[160] Gregor von Tours, HF IV 4 137 f. Wieruszowski 23.

[161] Ed. Wilhelm Levison, MGH SS rer. Merov. 6 (1913) c. 1, 157.

[162] Ed. Milko Kos, Razprave Znanstvenega društva v Ljubljani 11, Historični 3 (1936) c. 1, 126; Herwig W o l f r a m, Conversio Bagoariorum et Carantanorum. Das Weißbuch der Salzburger Kirche über die erfolgreiche Mission in Karantanien und Pannonien (Böhlau Quellenbücher 1979) 34 f., ders., Der heilige Rupert und die anti-karolingische Adelsopposition, in: MIÖG 80 (1972) 25 m. Anm. 84 und ders., Die Zeit der Agilolfinger. Rupert und Virgil. Geschichte Salzburgs-Stadt und Land 1 (1980) 130.

[163] Wolfram, Conversio 26 f.

Mittelrheingebietes verwandt, in deren Einflußbereich auch sein Bistum Worms lag [164]. Doch bedingt das keine königliche Herkunft; Hrodbert gehörte zur Adelsopposition gegen die Karolinger [165], ob er aber verwandtschaftliche Beziehungen zu den Merowingern hatte, läßt sich nicht sagen [166]. Sollte dies der Fall gewesen sein, dann war die Verwandtschaft auch nach damaligen Begriffen nicht sehr eng, was aber die Historiographen des 9. Jahrhunderts, die Salzburgs Ehre im Sinne hatten, nicht hinderte, die besondere Abkunft Hrodberts zu betonen. Es ist jedoch wenig wahrscheinlich, daß man zur Zeit, in der die beiden Quellen abgefaßt wurden, noch genaue Kunde von der Herkunft des ersten Salzburger „Bischofs" hatte.

Daß man mit Vorfahren prahlte, um die Bedeutung des bischöflichen Geschlechts zu erhöhen, auch wenn diese vom christlichen Standpunkt aus für den heiligen Mann keine Empfehlung bedeuteten, haben wir bei Ratbod von Utrecht gezeigt [167]. Doch gehört er schon dem 10. Jahrhundert an: zwischen dem 5. und dem 8. Jahrhundert ist meines Wissens dergleichen nicht zu finden. Ganz anders aber war das Bewußtsein, wenn man sich auf einen Großen der christlichen Vergangenheit berufen konnte. Gregor von Tours betrachtete es als hohe Auszeichnung für sein Geschlecht, daß es von dem berühmten Vettius Epagathus abstammte, der bei der Christenverfolgung Mark Aurels 177 in Lyon als Märtyrer ums Leben gekommen war [168]. Dieser Vorfahre verlieh der Standesqualität der gallo-römischen Senatorenfamilie Gregors eine besondere Färbung. Die Herkunft von einem Glaubenshelden und das Bewußtsein senatorischer Tradition schufen für den Bischof von Tours einen gesteigerten Adel, der nicht sobald von einem anderen erreicht werden konnte [169].

Über den senatorischen Adel, dessen Exponenten die gallischen Bischöfe des fünften, weitgehend des sechsten und in geringem Maße des siebenten Jahrhunderts waren, soll hier keine Untersuchung angestellt werden. Karl Strohekers grundlegendes Werk über den Gegenstand [170] ist durch Martin Heinzelmanns Detailforschungen gerade im Hinblick auf den Bischof ergänzt worden [171], so daß nur für den Zusammenhang einige Bemerkungen notwendig sind. Es ist für die Mentalität der Adelsbischöfe von höchster Bedeutung, daß die

---

[164] Vgl. Erich Z ö l l n e r, Woher stammte der heilige Rupert?, in: MIÖG 57 (1949) 16 f.
[165] Wolfram, Rupert 20; eine gute Übersicht über die „Rupert-Kontroversen" bei Prinz, Mönchtum 394 ff.
[166] Wolfram, Rupert 26.
[167] Siehe oben S. 33.
[168] Dazu Karl Hauck, Geblütsheiligkeit 194; Stroheker, Adel 129.
[169] Irsigler, Frühfränk. Adel 84.
[170] Siehe oben Anm. 15.
[171] Siehe oben Anm. 15.

kirchlichen Dignitäten — und zwar vom Diakon an! — (spätestens seit 442) in
die Klasse der „illustres" aufgenommen wurden [172] und so in der vertikalen
Gliederung der römischen Staatsbeamten einen führenden Rang erhielten.
Hier liegen die Wurzeln für die zweifache Nobilität eines Bischofs senatorischer
Herkunft, ohne dabei die Stellung in der christlichen Hierarchie oder gar das
besondere religiöse Heil zu berücksichtigen. Der Bischof bekam schon im
4. Jahrhundert das Recht, gewisse kaiserliche Insignien zu führen, sein Amtsantritt wurde wie der eines römischen Staatsbeamten gefeiert [173]. So sehr war das
Bischofsamt in den cursus honorum eingebaut, daß kaum jemand darauf achtete,
ob die Kandidaten aus senatorischem Stand die entsprechenden Weihegrade besaßen. Die meisten wurden aus Laien zu Bischöfen [174], bei Eufronius von Tours
wird hervorgehoben, daß er von Jugend an Geistlicher war und zum Zeitpunkt
seiner Einsetzung sogar Priester [175]! Zu dieser bedeutsamen Stellung, in der,
aus zwei Quellen gespeist, das Recht auf Herrschaft beschlossen lag, kam noch
das christliche Ideal, welches die sittliche Vervollkommnung förderte. Daraus
entstand der „vir sacerdotalis" als höchste Synthese adelig-christlichen Men-
schentums [176]. Die geistigen und politischen Fähigkeiten des gallo-römischen
Adels fanden statt wie bisher im römischen Staat in der katholischen Hierarchie
ihr Betätigungsfeld. Ein Vertreter dieses neuen Ideals war Bischof Avitus von
Vienne, der, den Traditionen des römischen Hochadels verpflichtet, voll Stolz
seine Herkunft betonte und ein starkes Gefühl für die Zusammengehörigkeit
der führenden Familien hatte. Während aber Apollinaris Sidonius vom Christentum nicht wirklich innerlich berührt wurde, war Avitus tief von der christlichen Lehre durchdrungen: sein Bestreben richtete sich auf den Sieg des
Katholizismus über die arianische Häresie im Reich der Burgunder [177]. Nichts
zeigt aber besser, daß die Grundlagen seines Lebens römischer Adelsstolz
waren, als der Huldigungsbrief an Kaiser Anastasios, den er im Auftrag des
burgundischen Königs Sigismund verfaßte [178]. Wie stark die Adelsmentalität

[172] Cod. Iust. 1, 3, 21. Dazu Theodor K l a u s e r, Der Ursprung der bischöflichen Insignien und Ehrenrechte (1948), Neudruck in: d e r s., Gesammelte Arbeiten zur Litur-
giegeschichte, Kirchengeschichte und christlichen Archäologie (Jahrbuch für Antike
und Christentum. Erg. Bd. 3, 1974) 197 ff.; kurz dazu Friedrich L o t t e r, Zu den
Anredeformen und ehrenden Epitheta der Bischöfe in Spätantike und frühem
Mittelalter, in: DA 27 (1971) 514 f.
[173] Carl S c h n e i d e r, Geistesgeschichte des frühen Christentums 2 (1954) 213
und Heinzelmann, Neue Aspekte 36.
[174] Darüber ausführlich unten S. 115 ff.
[175] Gregor von Tours, HF X 31 (XVIII), 534.
[176] Dazu Heinzelmann, Bischofsherrschaft 211.
[177] Über seine Bemühungen und seine theologischen Gespräche mit dem Burgun-
derkönig Gundobad unten S. 57 f.
[178] Ep. nr. 93, 100 f.; vgl. auch Stroheker, Adel 102.

die christlichen Anschauungen der Zeit prägte, ersehen wir daraus, daß man glaubte, die irdische Stellung gebe auch im Jenseits ein Anrecht auf führende Positionen: wie sich die beiden Bischöfe Ruricius von Limoges schon auf Erden ein Anrecht auf den himmlischen Senat erworben hätten, „so würde auch der Senator und Bischof Ennodius von Pavia in der patria caelestis Senator sein" [179]. Obwohl von Venantius Fortunatus, dürfen wir in dieser Aussage keine blumige, jedes Maß überschreitende, aber letztlich doch leere Huldigung sehen. Der Dichter entspricht hier den in senatorischen Adelskreisen vertretenen Anschauungen, die bei Familien wie den Ruriciern, die sich von den berühmten stadtrömischen Aniciern herleiteten [180], gang und gäbe waren. Durch ihre geistliche Stellung und die dem Bischofsamt in spätrömischer Zeit zugefallenen staatlichen Ehren übertrafen sie aber noch ihre großen avi und maiores. Dieses Bewußtsein neuer Größe, das durch die oben angedeutende Synthese zustandekam, findet sich wiederholt in Gedichten des Venantius, die bischöflichen Mitgliedern bedeutender senatorischer Geschlechter gewidmet waren, und in die Wünsche und Ansichten der Gefeierten und ihrer Familien einflossen [181].

Von der bedeutenden Geltung des senatorischen Adels gibt uns Gregor von Tours manches Beispiel: doch keines scheint charakteristischer als die Erzählung von seinem Onkel Gallus, der nicht heiraten wollte und — bezeichnenderweise — mit einem Diener das Haus seines Vaters Georgius verließ. Er begab sich in das Kloster Cournon bei Clermont und begehrte vom Abt, die Tonsur zu erhalten. Als dieser aber von der Abkunft des jungen Mannes erfuhr, wagte er das nicht zu tun und schickte erst Boten zum Vater, „interrogantes, quid de puero observari iubet" [182]. Die Besitzungen der gallo-römischen, senatorischen Familien erstreckten sich über ganz Gallien, desgleichen ihre Beziehungen [183]; doch war das Schwergewicht von jeher in der Auvergne gelegen, und nördlich der Loire war die Bedeutung der Senatorenfamilien sicher geringer, vielleicht

---

[179] Heinzelmann, Bischofsherrschaft 207 f.; Venantius Fortunatus, Carm. IV 5 vv. 19 f., 83; in demselben Sinne schreibt Abt Florianus von Romeno an Bischof Nicetius von Trier über Ennodius von Pavia (Epistolae Austrasicae, ed. Wilhelm Gundlach, MGH EE 3, 1892, nr. 5, 116).

[180] Stroheker, Adel 113; Heinzelmann Bischofsherrschaft, 215 ff. Allgemein über die Stellung und Bedeutung dieses Geschlechts Arnaldo M o m i g l i a n o , Gli Anicii e la storiografia latina del VI sec. D. C., in: d e r s., Secondo Contributo alla storia degli studi classici (Roma 1960) 237 m. Anm. 36.

[181] Deutlich zu erkennen bei den Gedichten über Eumerius von Nantes (Carm. IV 1 vv. 7 ff., 79) und über Leontius I. von Bordeaux (ebenda IV 10 vv. 7 ff., 86).

[182] LVP VI 1, 680.

[183] Sprandel, Adel 11 f.; doch gingen sie oft durch personale Beziehungen darüber hinaus: man vergleiche den Gallier Ennodius als Bischof von Pavia! Siehe auch Hans von S c h u b e r t, Geschichte der christlichen Kirche im frühen Mittelalter (1921) 67 f.

mit Ausnahme von Trier, das vorübergehend kaiserliche Residenz gewesen
war [184]. Allerdings ist es merkwürdig, daß Trier zu jenen austrasischen Städten
zählte, für die Theuderich I. und sein Nachfolger Kleriker aus Aquitanien holte,
was bei einem in der Stadt blühenden gallo-römischen Adel kaum notwendig
gewesen wäre. Doch lebte jedenfalls um die Mitte des 7. Jahrhunderts in Trier
noch eine bedeutende Familie romanischer Provenienz, aus der der Bischof
Numerianus und sein Bruder Germanus, Abt von Grandval-Granfelden (und
schließlich Märtyrer) kam [185]. Wenn wir fragen, wie lange der gallo-römische
Adel im Frankenreich weiterwirkte, so werden wir mit aller gebotenen Vorsicht
das 8. Jahrhundert nennen. Es ist einleuchtend, daß wir hier mit regionalen
Unterschieden rechnen müssen. In der Provence hielten sich jene Strukturen
am längsten, die für den gallo-römischen Adel die Voraussetzung bildeten [186].
Hier kam es erst im Zusammenhang mit den sarazenischen Angriffen und den
Kriegszügen Karl Martells zu einer Umgestaltung auch in sozialer Hinsicht.
Ins 8. Jahrhundert reichen auch noch die machtpolitischen Versuche der bur-
gundo-romanischen Savaricus-Sippe [187], die sich mit den Zentren Auxerre,
Orléans und Autun ein beachtliches ephemeres „Herrschaftsgebiet" schuf [188].
Doch scheint es fraglich, ob man sie noch zu den senatorischen Familien des
klassischen Typs rechnen kann [189]. Bis zu der Wende vom 7. zum 8. Jahrhundert
läßt sich die Sippe des Bischofs Bonitus von Clermont verfolgen. In ihr lebten
die adeligen Traditionen noch weiter, wie man aus der Erziehung des jungen
Bonitus ersehen kann [190]. Durch seine Mutter Syagria war die Familie mit den
bedeutenden Syagriern verwandt [191], die zu den allerersten Familien des südgallischen Raums gehörten und sich von dem Konsul Fl. Afranius Syagrius
(381) [192] herleiteten. Mit ihnen verwandtschaftlich verbunden war auch die
Familie, aus der die Bischöfe Rusticus und Desiderius von Cahors hervorgingen [193]. Alle diese Familien lassen sich kaum über das 7. Jahrhundert hinauf
verfolgen, die berühmten Geschlechter, denen Gregor von Tours, bzw. Felix

---

[184] Eugen E w i g, Trier im Merowingerreich. Civitas, Stadt, Bistum (1954) 25;
Matthias W e r n e r, Zu den Anfängen des Klosters St. Irminen-Oeren in Trier, in:
Rhein. Vierteljahrsblätter 42 (1978) 36 f.
[185] Ewig, Trier 129 ff.
[186] Buchner, Provence 29.
[187] Vita Eucherii c. 7, 49.
[188] Ewig, Milo 204 ff.
[189] Die Bezeichnung als „gens ferocissima" spricht für einen Lebensstil, der
nicht mehr wesentlich von den spätantiken Traditionen geprägt war.
[190] Darüber genauer unten S. 60 f.
[191] Vita Boniti c. 1, 119.
[192] Vgl. Coville, Recherches 5 ff.; Stroheker, Adel 122 und Heinzelmann, Bischofsherrschaft 112 f. m. Anm. 103.
[193] Sprandel, Adel 33; alle „Rustici" bei Heinzelmann a. a. O. 101 ff.

von Nantes angehörten, kaum über das 6. Jahrhundert [194]. Man sieht also, daß die maßgebenden Familien des römischen Gallien, die fast ausschließlich die Bischöfe stellten als Westgoten, Burgunder und Franken das Land eroberten, langsam gegenüber einer neuen Führungsschicht zurücktraten, die sich a u c h — aber nicht nur — aus ihren Kreisen rekrutierte und den Typ des (eher germanischen) Adelsbischofs schuf. Schon bei Venantius Fortunatus sehen wir ein anderes Verständnis des Adeligen: Es war nicht auf die Interessen und den Lebensstil des senatorischen Adels ausgerichtet; „nobilis" ist man bei ihm nicht ausschließlich als Mitglied dieses Standes.

Eine erste Anpassung an die neuen politischen Verhältnisse erfolgte durch die Namengebung. Obwohl noch an der Grenze zum 8. Jahrhundert die Leitnamen der großen Familien in den Quellen zu finden sind, traten schon im 6. Jahrhundert germanische Namen auch bei römischen Adelsgeschlechtern auf: Gundulf, Magnulf, Ramulf. Es ist bemerkenswert, daß die eben genannten Personen aus den führenden romanischen Kreisen stammten [195]. Dasselbe kann man von Gaugerich nicht behaupten, der ebenfalls als Sohn romanischer Eltern einen germanischen Namen erhielt [196]. Ganz anders verhält es sich mit der Namengebung etwa bei Langobarden oder Westgoten vor ihrem Übertritt zum Katholizismus. Solange die Germanen dieser Reiche arianisch bleiben, findet sich kaum ein germanischer Name in einer romanischen Familie [197]. Man wird daher das stärkere Aufkommen germanischer Namen nicht allein als Mode bezeichnen können, die beim senatorischen Adel mindestens bis um 600 gegen die eigene stolze Tradition, die sich ja betont von den Barbaren distanzierte, kaum eine Chance gehabt hätte. Es ist darin sicher eine bewußte Tendenz zu erblicken, die den langsam sich vollziehenden politischen Wandel in einem — für unsere Zeiten kaum verständlich — wichtigen Bereich spiegelte und ein verändertes Selbstverständnis anzeigt. Bischöfe, deren Eltern verschiedener Nationalität waren, wie Medardus von Noyon, Audomar von Thérouanne, Rigobert von Reims tragen sämtlich germanische Namen. Allerdings kann bei dieser Feststellung nicht übersehen werden, daß die angeführten Beispiele aus dem Norden und Nordosten Galliens stammen, aus Gebieten, in denen das romanische Bevölkerungselement immer mehr zurücktrat. Doch kündigt sich in diesen Erscheinungen ein Wandel an, der auch in der Mentalität der führenden Schichten seine Spuren hinterließ.

---

[194] Venant. Fort., Carm. III 8, 58; Heinzelmann a. a. O. 213 ff.; über Felix: Stroheker, Adel 116 und Émile M â l e, La fin du paganisme en Gaule et les plus anciennes basiliques chrétiennes (Paris 1950) 167.

[195] Gundulf gehörte dem Geschlechte Gregors von Tours an; Stroheker, Adel 180 und Heinzelmann, Bischofsherrschaft 173.

[196] Siehe oben S. 31.

[197] Vgl. Wieruszowski 15.

Das Ideal des aristokratischen Bischofs aber bleibt mit einigen Korrekturen erhalten, nur die Bischöfe selbst stammen nicht mehr alle aus den Reihen der gallo-römischen Oberschichten. Wie angesehen diese aber noch im späten 8. Jahrhundert waren, zeigt die vorhin erwähnte Tatsache, daß Paulus Diaconus den Bischof Agiulf (oder Aigulf) von Metz — wohl einen Vorfahren der Karolinger — väterlicherseits aus „nobili senatorum familia ortus" sein ließ, weil diese Abstammung ein besonderes Gütezeichen war.

Daß die Selbstverständlichkeit, mit welcher der senatorische Adel die Rücksichtnahme auf seine Interessen bei der Vergabe von Bischofsstühlen erzwang, oft auf den Widerstand eines andersgesinnten Klerus oder einer feindlichen Stadtbevölkerung traf, und man dann weder finanzielle noch militärische Mittel zur Durchsetzung der eigenen Position scheute, wird uns noch zu beschäftigen haben [198].

---

[198] Unten S. 132 ff.

2. DIE BILDUNG

„Der menschliche Geist vergißt nie, was er einst gelernt und geliebt hat, und wenn es nicht gelingt, ihn unablässig an die Beschäftigung mit den heiligen Texten zu binden, werden die Erinnerungen an das zurückkehren, was ihn während der Kindheit erfüllt hat" [1]. Mit diesen Worten verweist Cassian von Marseille auf die Problematik des Mönches, der fortwährend im Kampf mit der Vergangenheit stehen muß, da er sonst das Ziel seines strengen Lebens aus den Augen verliert, wenn er sich nicht von den traditionellen Bindungen lösen kann. Diese sind ja durch die räumliche Trennung vom Elternhaus, von Familie und Sippe nicht von selbst erloschen, sondern wirken vor allem durch das zähe Festhalten an erworbenen Erfahrungen und angelerntem Wissen weiter [2]. Diese Bindungen entstehen in der Jugend oder schon in der Kindheit. Hier lagen die Gefahren für die christlichen Wertvorstellungen, bestand aber auch die Chance, bei entsprechendem Einsatz einen christlichen Nachwuchs heran-zubilden, der vor den Versuchungen der heidnisch-klassischen Bildung gefeit war. Es ist bemerkenswert, wie wenig Platz die Hagiographen der Kindheit und Jugend ihres Helden in den Lebensbeschreibungen einräumen. Man muß nicht an die besonderen Aufgaben und Ziele der hagiographischen Darstellung denken, um die Tatsache zu erklären, daß das Leben des späteren Bischofs oder Abtes von der Geburt bis zur Aufnahme des (weltlichen oder) geistlichen Dienstes meist summarisch mit einigen Gemeinplätzen abgetan wird. Es handelt sich um eine bewußte Zurückdrängung dieser Periode des menschlichen Lebens. In jenem Lebensabschnitt werden die die Persönlichkeit prägenden Erfahrun-gen gemacht, welche häufig einer späteren Conversio zu radikaleren christlichen Lebensformen starke Hindernisse entgegensetzen. Kurz, die Kindheit ist ein Teil des Lebens, mit dem der Hagiograph nichts anfangen kann, weil der heilige Mensch „gewissermaßen ohne Kindheit" ist [3]: er muß ja von Haus aus gerade

---

[1] Iohannis Cassiani Conlationes, ed. Michael Petschenig, CSEL 13/2 (1886) XVI 13, 414.

[2] Detlef I l l m e r, Totum namque in sola experientia usuque consistit. Eine Stu-die zur monastischen Erziehung und Sprache, in: Mönchtum und Gesellschaft im frü-hen Mittelalter (Wege der Forschung 312, 1976) 438.

[3] Illmer, Totum 455; Lotter, Methodisches 312 und 322 ff. verweist darauf, daß in der Beschreibung der Jugendzeit die meiste Topik vorhanden ist. Das ist richtig,

jene Züge vermissen lassen, die diesem Entwicklungsabschnitt des menschlichen Lebens eigentümlich sind, nämlich Unbefangenheit, Beeinflußbarkeit, stärkere Erlebnis- und Aufnahmefähigkeit. Die Kindheit des Heiligen verläuft recht monoton, zeigt oft ein auffällig ethisch hochstehendes Verhalten, das ganz und gar unkindlich ist. Nur selten dringt durch diese vorgegebene Form ein individueller Zug, der ein glaubhaft kindliches Benehmen auch im Streben nach modellhafter Darstellung nicht verdecken kann. In den Viten der Merowingerzeit ist das freilich seltener zu finden, und um dafür ein treffendes Beispiel zu bringen, müssen wir ins 9. Jahrhundert hinaufgehen zur Vita Liudgeri. Der kleine Liudger soll, sobald er gehen und sprechen konnte, Baumrinden, zarte Häute und dergleichen gesammelt haben, sie zu Büchern zusammengeheftet und vorgegeben haben, darin den ganzen Tag zu lesen [4]. Natürlich wird auch hier auf die vorausdeutende Symbolik des Geschehens hingewiesen und die besondere Auserwähltheit des Knaben betont, doch kann das die erfrischende Realität der Darstellung kindlichen Treibens nicht auslöschen [5]. In der Regel lebt aber der spätere Bischof insoweit „supra naturam", als er diese Stufe der Entwicklung gar nicht benötigt, sondern schon als Kind die Einsicht und das Wissen eines klugen und frommen Greises besitzt. Das bekannte Ideal vom puer-senex beherrschte die Geister, welche in der senectus den Höhepunkt christlichen Denkens und Wirkens, in der pueritia aber die Zeit sahen, in der man Erfahrungen und Wissensstoff „ausgesetzt" war, die nicht nach den Vorschriften des Christentums genormt waren und daher eine Gefährdung des Menschen bedeuten konnten. Diese gefährliche Entwicklungsphase war also mit unkindlichen Inhalten, mit „gravitas" und „maturitas", zu erfüllen und so zu überbrücken. Es war das höchste, was man von einem Kind oder einem jungen Menschen sagen konnte, wenn man an ihm die Reife eines Erwachsenen und die Weisheit des Alters konstatierte. Und obwohl das ein Gemeinplatz war, der sich bis zu Ambrosius von Mailand zurückverfolgen läßt [6], reflektierte es doch eine Realität des zeitlichen Denkens und Wollens [7]. Hagiographie und

---

läßt aber den Eindruck entstehen, als würde dieser Lebensabschnitt des Helden ausführlich behandelt, was keineswegs der Fall ist.

[4] Vita auct. Altfr. c. 8, 12 f.

[5] In diesem Punkt ist die Vita eben nicht ganz dem „Heiligenleben" verpflichtet, wie Karl S c h m i d, Die „Liudgeriden". Erscheinung und Problematik einer Adelsfamilie, in: Geschichtsschreibung und geistiges Leben im Mittelalter, FS Heinz Löwe (1978) 79 behauptet.

[6] Expositio Evangelii secundum Lucam, ed. M. Adriaen, CCL 14 (1957) II 30, 43 f. Zum Topos des „puer senex" vgl. Ernst Robert C u r t i u s, Europäische Literatur und lateinisches Mittelalter (²1954) 108 ff. und Leonid A r b u s o w, Colores rhetorici. Eine Auswahl rhetorischer Figuren und Gemeinplätze als Hilfsmittel für akademische Übungen an mittelalterlichen Texten (²1963) 118.

[7] Pierre R i c h é, Éducation et culture dans l'Occident barbare, VIᵉ—VIIIᵉ siècles (Patristica Sorbonensia 4, 1962) 276.

Wirklichkeit ergänzen sich hier aufs beste. Am längsten fortwirkend sind Wendungen wie „et immatura iam aetate mores habendo seniles" [8]. Viel deutlicher aber ist der Gegensatz zwischen kindlichem Äußeren und greisenhaftem Geist in Alchvines Lebensbeschreibung seines Landsmannes Willibrord ausgedrückt: „... sed sic cotidie boni indolis puer proficiebat, ut teneros pueritiae annos morum gravitate t r a n s c e n d e r e t, factusque est grandevus sensu, qui corpusculo fuit modicus et fragilis" [9]. Die Jugendjahre — in denen für den Christen so viel gefährliche Unruhe liegen konnte — werden in der Würde des Benehmens „durchschritten".

In den Viten der Bischöfe Nicetius von Lyon und Rigobert von Reims wird der Topos abgewandelt, und die strenge Ausrichtung auf religiöse Ziele bereits in der Jugend aufgezeigt [10]. Ausführlicher werden die Vitenschreiber meist nur, wenn es gilt, den jungen Heiligen von Fremden oder Mitschülern abzuheben, die ihren Sinn auf „puerilia" und „levitates" gerichtet haben. Mit ihnen hat der Heilige nichts zu tun; er meidet sie, um zu beten oder frommen Betrachtungen zu obliegen [11].

Kinder scheinen bis ins 6. Jahrhundert überwiegend zu Hause privat unterrichtet worden zu sein, wobei unter Umständen die Eltern selbst die Rolle des Lehrers übernommen haben mögen [12]. Im 7. Jahrhundert wurde diese Erscheinung schon selten, doch kommt noch immer häuslicher Unterricht vor: so erfahren wir über Bischof Folcwin von Thérouanne, daß er erst nach einer Erziehung im Hause seiner Eltern der „scola aecclesiae" übergeben wurde [13]. Noch ausführlicher hört man vom heiligen Remaclus, daß er von seinen Eltern „sublimiter" erzogen wurde, „prout illis suppetebat plurima copia saecularium facultatum" [14]. Remaclus stammt aus Aquitanien. In seiner Familie wird man auch im 7. Jahrhundert noch eine beachtliche „klassische" Bildung voraussetzen

[8] Vita Radbodi c. 1, 569; noch „klassischer" ist diese Wendung in der Vita Sollemnis c. 2, 312.

[9] Vita Willibrordi archiepiscopi Traiectensis auctore Alcvino (ed. Wilhelm Levison) MGH SS rer. Merov. 7 (1920) c. 3, 118.

[10] Vita beati Nicetii Lugdunensis episcopi (ed. Bruno Krusch) MGH SS rer. Merov. 3 (1896) c. 2, 521: „...ab infantia religionis cultum non minus servavit in sensu, quam suscepit in habitu..."; Vita Rigoberti episcopi Remensis (ed. Wilhelm Levison) MGH SS rer. Merov. 7 (1920) c. 1, 61: „Ab aetatis primaevae tyrocinio totum se caelestibus mancipavit disciplinis...".

[11] Der junge Rimbert fiel durch dieses Verhalten dem Bischof Anskar von Hamburg auf; (Vita Rimberti, ed. Georg Waitz, MGH SS rer. German. in usum schol., 1884, c. 3, 82 f.).

[12] Riché, Éducation 235, mit Verweis auf Sulpicius II. von Bourges.

[13] Vita Folquini episcopi Morinensis auctore Folquino abbate Laubiensi (ed. Oswald Holder-Egger) MGH SS 15 (1887) c. 4, 427.

[14] Vita Remacli episcopi et abbatis (ed. Bruno Krusch) MGH SS rer. Merov. 5 (1910) c. 1, 104 f.

dürfen. Nicetius von Trier, der aus dem Limousin stammte, scheint ebenfalls bereits im Elternhaus mit den „litterae" bekannt gemacht worden zu sein [15]. Betharius von Chartres genoß eine besondere Ausbildung in frühester Jugend. Seine römische Herkunft mochte ihm die Aura außergewöhnlicher und intensiver christlicher Erziehung geben, doch wird auch die antike Bildung erwähnt, wie das inhaltlich verschwommene Wort „philosophia" auszudrücken scheint [16]. Man kann vermuten, daß hinter dieser Bezeichnung eine häusliche Erziehung stand, in der verschiedene Elemente christlicher und antiker Erudition wenig systematisch zusammenflossen. Doch lag das Schwergewicht wahrscheinlich auf der heidnisch-klassischen Komponente [17]. In der zweiten Hälfte des 7. Jahrhunderts war die Qualität solch einer weitgehend privaten Erziehung vor allem im nordgallischen Bereich sicher schon gering. Das geht aus den nichtssagenden Worten hervor, mit denen etwa die erste Erziehung des Bischofs Audomar von Thérouanne geschildert wird: die besonders strenge christliche Haltung der Eltern bildet dabei den Ausgangspunkt [18]. Der arnulfingische „Groß-Bischof" Hugo von Rouen-Paris-Bayeux, der zugleich Abt von Jumièges und St. Wandrille wurde, erhielt die früheste Erziehung bei Ansfled, seiner Großmutter mütterlicherseits, die in erster Linie darauf sah, daß er „omnibus quae habebat Dei servitio manciparet" [19], was schon sehr weit von der elterlichen Bildung gallo-römischer Art des 5. und 6. Jahrhunderts entfernt war.

Besonders günstig stand es in senatorischen Familien Galliens, die hohe Kleriker zu ihren Mitgliedern zählten. Diese übernahmen dann häufig die Erziehung und Ausbildung ihrer jungen Verwandten. Gregor von Tours selbst ist dafür ein Beispiel: er wurde von seinem Onkel Gallus und dann von dessen Nachfolger Avitus von Clermont erzogen [20]. Allerdings beschränkte sich das bei Gregor nicht auf die Kinderjahre. Ennodius von Pavia hingegen lehnte es ab, einen Verwandten in den artes liberales zu unterrichten, obwohl er diese hervorragend beherrscht haben soll. Doch war er seit seiner Conversio der klassischen Bildung abhold [21].

Wir haben schon angedeutet, daß man mit der Conversio Erwachsener, die sich nach Aufgabe ihrer weltlichen Amtsgeschäfte der kirchlichen Laufbahn

---

[15] LVP XVII 1, 728.

[16] Vita Betharii episcopi Carnotensis (ed. Bruno Krusch) MGH SS rer. Merov. 3 (1896) c. 2, 614.

[17] D. h. die christliche Erziehung mußte später noch vertieft werden.

[18] Vita Audomari c. 1, 754.

[19] Gesta s. patr. Font. coen. IV 1, 39.

[20] Dazu auch Otto D e n k, Geschichte des gallo-fränkischen Unterrichts- und Bildungswesens von den älteren Zeiten bis auf Karl d. Gr (1892) 231 und Henri Irénée M a r r o u, Geschichte der Erziehung im klassischen Altertum (1977) 608.

[21] Darüber später S. 68.

zuwandten, bald nicht mehr das Auslangen finden konnte[22]. Der Umweg über eine von der heidnisch-antiken Erziehung beherrschte Welt mußte ja den Kleriker immer wieder den „Gefahren" dieser Bildung aussetzen. Das Streben, einen davon unbeeinflußten christlichen Nachwuchs heranzuziehen, führte zu den Versuchen, von christlicher Seite her eine gezielte Kindererziehung zu betreiben und den jungen Christen schon früh mit „heiligen Studien" auszufüllen. Deshalb mußte ein Erziehungssystem gefunden werden, das den zukünftigen Prälaten von frühester Jugend an mit den Quellen der christlichen Lehre — in möglichst einprägsamer Form — bekannt und vertraut machte und überdies die individuellen Erfahrungsbereiche nach Tunlichkeit ausschaltete. Das Ergebnis war die kollektive Erziehung im Kloster oder am Bischofshof, vereinzelt auch in den schulischen Einrichtungen der Parochien. Zweifellos wurde dabei eine Einförmigkeit und Verallgemeinerung der christlichen Bildung bewußt in Kauf genommen.

Wie stark und wie weit wirkte nun aber der antike Humanismus auf die christliche Erziehung? Ging die klassische Bildung nebenher, oder war sie Voraussetzung für ein Studium der christlichen Lehre? Entwickelte diese eigene Formen des Unterrichts, oder folgte man dem überlieferten System?

Augustinus hatte die septem artes liberales der antiken Bildung als berechtigt und für den christlichen Unterricht unbedingt erforderlich erachtet[23]. Das war nicht eine sentimentale Reminiszenz an die Zeit der eigenen Ausbildung oder ein heimlicher Stolz darauf, sondern das nüchterne Ergebnis seiner praktischen Erfahrung und seines mediterran-antiken Weltbildes. Aber eine wirkliche profunde literarische Bildung — wie sie Fulgentius von Ruspe noch besessen haben soll — war auch in der engeren Heimat des Augustinus, in Nordafrika, im fünften und sechsten Jahrhundert eine Seltenheit[24]. Dafür kann man nicht, einer allzu billigen Katastrophentheorie folgend, die wandalische Eroberung verantwortlich machen, obwohl die Verfolgung des Katholizismus sicher auch den antiken Bildungsbetrieb negativ beeinflußte. Die Könige der Wandalen waren (im Rahmen der damaligen Zeit) z. T. hochgebildet: besonders Thrasamund, der den verbannten Fulgentius zu religiösen Diskussionen aus Sardinien nach Karthago schaffen ließ, um einen ebenbürtigen Gesprächspartner zu haben[25]. Er unterband auch die Beziehungen zwischen den verbann-

---

[22] Illmer, Totum 441.

[23] De doctrina Christiana (PL 34) II 8—14, 40 ff.

[24] Vgl. Schubert, Christl. Kirche 81.

[25] Das widerspricht der Auffassung von Herbert G r u n d m a n n, Litteratus-illiteratus, in: AfK 40 (1958) 31 f., der sich freilich seinerseits auf ein Zitat des Fulgentius stützt, der in gehässiger Weise über die Schriftfeindlichkeit der Wandalen spricht. Fulgentius ließ in Cagliari das Werk des Hilarius „De trinitate" für Thrasa-

ten Bischöfen und ihren Gemeinden nicht. Allerdings ließ Thrasamund vakante Bischofsstühle unbesetzt und hoffte wohl, auf diese Weise den katholischen Klerus durch allmähliche Auflösung seiner Organisation entscheidend zu schwächen. Er hatte aber nicht den gewünschten Erfolg, und unter Hilderich begann mit einer probyzantinischen auch eine den Katholizismus wieder fördernde Politik. Den Grund für den Niedergang des spätantiken Schulwesens in Nordafrika muß man wohl eher in einer Erschöpfung des geistigen Potentials der Bevölkerung und in der zunehmenden Isolierung der nordafrikanischen Provinzen suchen, die sich auch im religiös-kirchlichen Bereich immer stärker bemerkbar machte [26].

In Gallien und Spanien lagen die Bildungsverhältnisse ganz anders. Stroheker hat darauf hingewiesen [27], daß der gallo-römische Adel besonders bestrebt war, sich durch seine Bildung von der Masse abzuheben, nachdem die römische Herrschaft den barbarischen Staatenbildungen Platz gemacht hatte, weil es nun keine einem Mitglied senatorischer Familien würdigen Staatsämter mehr zu verwalten gab. Das antike Lebensgefühl spielte eine dominierende Rolle, und dazu gehörte eine kulturelle Erziehung, die nicht als Luxus, sondern als Teil der eigenen Lebensform angesehen und empfunden wurde. Die Bischöfe gingen daher nicht aus nach christlichen Kriterien eingerichteten Schulen hervor: sie rekrutierten sich aus senatorischen Kreisen, deren Bildung auf den bekannten klassischen Traditionen beruhte. Man wird die antike Bildung aber nicht als etwas Unveränderliches ansehen dürfen, das ein Gleichmaß in der Vermittlung der „artes" bewahrte. Es ist in Rechnung zu stellen, wie sehr sie den geänderten politischen Verhältnissen bei aller klassischen Verankerung Tribut zollen mußte. Weil ihr der reiche Nährboden einer allgemeinen Gültigkeit fehlte, wurde die antik-heidnische Erziehung immer künstlicher und wirklichkeitsferner, die Gegenstände des Triviums, allen voran die Rhetorik, begannen

---

mund abschreiben. In seinem Brief an den König nennt er diesen „piissime rex" und bringt überhaupt zum Ausdruck, daß er es mit einem gebildeten Mann, der theologische Anspielungen verstehen kann, zu tun hat; (PL 65, 223 ff.). Dagegen ist seine Haltung gegen die Arianer (und ihren König) sehr radikal im sog. „Psalmus abecedarius" (ed. C. Lambot, Révue bénédictine 48, 1936, 233), wo er deren Kirchen mit Räuberhöhlen vergleicht. Dazu Pierre Courcelle, Histoire littéraire des grandes invasions germaniques ([3]1964) 197 ff. Zum Verhältnis Fulgentius zu Thrasamund vgl. Viktor von Tunnuna (ed. Th. Mommsen) MGH AA 11 (1893) 193, 197; über die gesamte Problematik zusammenfassend Hans-Joachim Diesner, Die Auswirkungen der Religionspolitik Thrasamunds und Hilderichs auf Ostgoten und Byzantiner, in: SB der sächs. Akademie d. Wiss. Leipzig, Phil.-hist. Kl. 113 (1967) 6, 8, 12 ff., 19.

[26] Die Beziehungen zum westgotischen und vor allem byzantinischen Spanien blieben zwar weiter aufrecht, doch scheint die schöpferische Kraft auf theologischem Gebiet ziemlich nachgelassen zu haben.

[27] Adel 84.

das Feld zu beherrschen. Die gallo-römischen Bischöfe blieben dann auch diesem Bildungsideal verpflichtet. Sie saßen in der Kirche vor dem Altar und predigten dem stehenden Publikum, indem sie alle rhetorischen Feinheiten ausspielten und mit ihren Zitaten aus klassischen Autoren prunkten [28]. Die Menge lohnte diese — formalen — Künste mit lautem Beifallsklatschen [29]. Die Bischöfe blieben gebildete Römer im geistlichen Gewand, Theologen oder Seelenhirten waren sie keine: als solche hätten sie auch gebildete Römer kaum angesprochen. So verwies Apollinaris Sidonius den comes Arbogast von Trier (später Bischof von Chartres) an die Bischöfe Lupus von Troyes und Auspicius von Toul, als jener ihn um die Auslegung schwieriger Bibelstellen ersuchte: der Bischof von Clermont fühlte sich nicht kompetent genug [30]. Auch Gregor von Langres war „bene litteris institutus" [31]; von einer christlichen Bildung hört man nichts.

Ganz außerordentlich gebildet war Bischof Faustus von Riez [32]. Sein rhetorischer Stil war frei von Schwulst und Überladenheit; Prinz hat wohl mit Recht darauf verwiesen, daß sich der geborene Brite (oder Bretone) wenig auf Autoritäten beruft und nur spärlich Klassiker zitiert. Daraus kann man schließen, „wie stark er noch unreflektiert in der Bildungstradition der Antike stand" [33]. Daran haben anscheinend auch Aufenthalt und Wirksamkeit in Lérins nichts ändern können, während zwei Generationen später bei Caesarius von Arles die mönchische Komponente alle anderen Bildungselemente absorbierte.

Wie bei vielen führenden Geistern des frühen westeuropäischen Christentums war auch bei Bischof Avitus von Vienne die Stellung zu den Werten der antiken Bildung widerspruchsvoll. Er wurde in ihrem Geiste erzogen, doch ist er bereits viel mehr Theologe als etwa Apollinaris Sidonius. In seinen Dichtungen sind noch manche Anklänge an Vergil enthalten, doch werden sie durch Bibelzitate und Stellen aus Kirchenvätern ergänzt. Avitus verfaßte ein Genesisepos, um seinen Schülern biblische Inhalte in klassischen Formen zu bieten [34]. Dies zeigt, wie sehr die gebildeten Kreise nach formalen Leistungen verlangten, um für die christliche Überlieferung wirklich gewonnen zu werden. Freilich war das keine zukunftsträchtige Lösung: in die Breite wirken mußte man durch einen schlichten Stil, durch Anpassung an das Verständnis einfacher Schichten. Ob Avitus bei der Abfassung seines Epos auf den Geschmack seiner Schüler

---

[28] So findet sich sogar im c. 15 des Konzils von Tours (567) ein Zitat Senecas, der freilich als Christ und Bekannter des Paulus galt.

[29] Vgl. das Euchariston des Apollinaris Sidonius auf den Bischof Faustus von Riez; Sollii Apollinaris Sidonii Epistulae et Carmina (ed. Christian Luetjohann) MGH AA 8 (1887) XVI vv. 124 ff., 242.

[30] Ep. IV 17, 68. Dazu auch Denk, Unterrichtswesen 182.

[31] LVP VII 1, 687.

[32] Prinz, Mönchtum 461 und Brunhölzl, Lat. Literatur 115.

[33] Prinz a. a. O. 462.

[34] Ep. 43, 73.

Rücksicht nehmen wollte, oder ob er selbst zu sehr in klassischen Dichtungs-
traditionen befangen war, muß offen bleiben [35]. Doch wird man letzteres für
wahrscheinlich halten, wenn man seine wütende Auseinandersetzung mit dem
Rhetor Viventiolus berücksichtigt, der ihm die falsche Quantität einer Silbe
während einer Predigt vorgeworfen hatte [36]. Gerade bei Avitus darf man aber
die andere Seite seiner bischöflichen Tätigkeit nicht übersehen: sein vorsichti-
ges, diplomatisches Bemühen um eine Bekehrung des arianischen burgundischen
Hofes, das durch den Übertritt des Prinzen Sigismund zum Katholizismus gekrönt wurde, und das praktische Wirken als Führer des Klerus von Burgund
weisen in die Zukunft. Er ist das Beispiel eines gallo-römischen Bischofs, der
senatorische Tradition und Erziehung mit den Notwendigkeiten seiner Gegenwart verband. Es wäre zuviel gesagt, diese Verbindung harmonisch zu nennen
oder sie gar eine höhere Synthese zu heißen. Dazu war seine Zeit noch nicht
reif, die beiden Positionen waren noch zu sehr von einander entfernt, Avitus
selbst fühlte zu sehr als Vertreter seines Standes. Doch steht der Bischof von
Vienne mit seinem Bemühen, römische Tradition zu wahren und dennoch
den katholischen Glauben zu fördern, zwischen den Fronten der esoterisch wirkenden Bischöfe, die sich der Bildung verschrieben hatten, und der zukunftsorientierten Radikalen, denen sein bedeutender Zeitgenosse Caesarius von Arles angehörte. Ein Mann wie Avitus beweist, wie falsch es wäre, im gallo-
römischen Bischof senatorischen Standes einen Typ zu sehen.

Die ausgezeichnete laikale Bildung blieb noch lange die wesentliche Grundlage bischöflichen Wirkens. Sulpicius von Bourges, Felix von Nantes, Firminus
und Ferreolus von Uzès galten zu ihrer Zeit als bedeutende Dichter und
glänzende Redner (d. h. wohl Prediger). Bei Bischöfen in der zweiten Hälfte
des 6. Jahrhunderts trug neben ihrer Bildung noch der Verkehr und sogar
Wettstreit mit dem Italiener Venantius Fortunatus dazu bei, ihr literarisches
Formgefühl zu fördern [37]. Eine spätere Ergänzung ihres Wissens durch eine
Art theologischen Studiums kam niemandem in den Sinn: hingegen bedauerte
Gregor von Tours umgekehrt die Lücken seiner weltlichen Bildung und suchte
sie, so gut er konnte, zu schließen [38].

---

[35] Die Metaphorik und Topik ist stark nach der klassischen Epik gestaltet,
Gott und der blitzende Jupiter, die Götterbotin Iris und die Engel sind gleichgesetzt;
Adam und Eva erfreuen sich im Paradies des „festivum ... hymen" (Romea I
vv. 189 ff., 208).
[36] Avitus, Ep. 57 85 ff. Dazu auch Stroheker, Adel 102.
[37] Riché, Éducation 231, 317; zu Sulpicius von Bourges: HF VI 39, 310.
[38] HF IV 12, 144 mit dem Tadel über den Mangel auch der weltlichen Bildung
bei Bischof Cautinus von Clermont. — Die theologische Erziehung ist allerdings
quellenmäßig schwer faßbar, weil sie die längste Zeit nicht in Form eines Lehr-
ganges wie die „artes liberales" erfolgte, sondern wohl peripatetisch und durch
Lektüre.

Eine der interessantesten Gestalten im gallo-römischen Episkopat der Merowingerzeit ist Desiderius von Vienne: sein Bildungsgang läßt sich jedoch nicht recht erkennen. Von Geburt an war er Gott geweiht, im Alter, in dem es „fas est doceri ... traditur ad studia literarum ... plenissime grammatica educatus" [39]. Weiter berichtet sein königlicher Biograph Sisebut, daß Desiderius „divinas autoritates" mit wunderbarer Schnelligkeit erlernte. Darauf folgen der übliche Preis seines bescheidenen Lebens, seiner guten Taten und schließlich der puer-senex — Topos in etwas eleganterer Form: nichts, was auf den Besuch einer bischöflichen Schule hinweist. Daß er in eine „Grammatikschule" geschickt wurde [40], läßt sich aus den angeführten Worten vermuten, d. h. in eine nach antik-heidnischem Stil bestehende Rhetorenschule. Die kirchlichen Autoritäten, deren Werke er studieren mußte, waren wohl an die Stelle (oder neben) die klassischen Autoren getreten, aus denen die gebildeten Römer sonst ihre Zitate zu nehmen pflegten. Man wird Henri Pirenne durchaus rechtgeben können, wenn er meint, die antiken Rhetorenschulen hätten im aquitanischen Teil Galliens auch noch im 7. Jahrhundert Bestand und Geltung gehabt [41]. Marrou sieht die Dinge zu einseitig: ein abruptes Verschwinden dieses bewährten Schultyps ist wenig wahrscheinlich [42]. Es ist allerdings anzunehmen, daß die Rhetorenschule schon seit längerer Zeit christlich geworden war. Lehrinhalte, exempla und dergleichen verchristlichten langsam, ohne daß die alten Bildungselemente gänzlich aufgegeben worden wären. Niemand wird sich Desiderius von Vienne in der Presbyterialschule vorstellen; gerade er gab ja seinerseits schon als Bischof ein beredtes Zeugnis seines für die Zeit hohen Grades antiker Bildung [43]. Die Worte der Quelle, die hier einmal über die gewöhnlichen nichtssagenden Floskeln — die sonst die Erziehung betreffen — etwas hinaus-

---

[39] Vita vel Passio sancti Desiderii a Sisebuto rege composita (ed. Bruno Krusch) MGH SS rer. Merov. 3 (1896) c. 2, 630.

[40] Henri P i r e n n e, De l'état de l'instruction des laiques à l'époque mérovingienne, in: Révue bénédictine 46 (1934) 173 m. Anm. 1.

[41] M. R o g e r, L'enseignement des lettres classiques d'Ausone à Alcuin. Introduction à l'histoire des écoles carolingiennes (1950) 81 glaubt, daß der rapide Verfall der Rhetorenschulen Südgalliens (Lyon, Clermont, Arles) schon nach 500 eingesetzt habe. Dagegen spricht nicht nur die hervorragende Ausbildung eines Desiderius von Vienne zu Ende des 6. Jahrhunderts, sondern auch die Wirkung dieses Schultyps noch um die Mitte des 7. Jahrhunderts, wie sie sich in der Erziehung der bischöflichen Brüder Avitus und Bonitus von Clermont spiegelt. Auch der Rückgang ihrer Breitenwirkung (innerhalb der gebildeten Schicht!) ist sicherlich erst um diese Zeit anzusetzen. R. R. B o l g a r, The classical heritage and its beneficiaries (Cambridge, 1977) 97 meint, das gallo-römische Schulsystem sei im Laufe des sechsten Jahrhunderts zusammengebrochen, doch gilt das sicher im vollen Umfange nur für die Gebiete nördlich der Loire.

[42] Geschichte der Erziehung 611 ff.

[43] Darüber später S. 66.

gehen, vermitteln ein gutes Bild von der Schulung eines jungen Mannes senatorischen Standes, der für die geistliche Laufbahn bestimmt war: noch bestehen die alten Werte, doch treten schon neue hinzu [44].

War die Krise der antiken Rhetorenschule schon lange offenkundig, so
lag das vor allem an der immer deutlicher werdenden Funktionslosigkeit,
an dem Mangel ihrer echten Notwendigkeit. Sie diente indirekt nur mehr der
Vorbereitung auf ein geistliches Amt, so daß die Bedürfnisse der Kirche allmählich stärker berücksichtigt werden mußten. Es wurde aus ihr zwar keine
theologische Anstalt [45], die alten studia litterarum bildeten noch immer die
Grundlage des Unterrichts, aber ihr Eigenleben wurde zusehends eingeschränkt.
Die alte Schule und ihre Prinzipien lebten nur noch aus der Traditionspflege
senatorischer Adelsfamilien. Refugien der alten Bildung waren die Zentren Südgalliens. Die Brüder Avitus und Bonitus, Syagrier und nacheinander Bischöfe
von Clermont, erhielten noch um die Mitte des siebenten Jahrhunderts eine
Erziehung herkömmlicher Art. Von Avitus wird nur überliefert, daß er „e x -
t e r i o r i b u s   s t u d i i s eruditus sacrisque litteris omnibusque officiis divinis
praepotens" war, d. h. also zu allererst in den profanen Wissenschaften gebildet [46]. Diese Formulierung des Hagiographen legt nahe, an eine Schule zu
denken, deren Lehrinhalt noch nicht völlig christlich „ausgehöhlt" war, sondern
wirklich klassisches Wissensgut vermittelte. Bonitus wurde zunächst von Gram-
matikern unterrichtet, dann aber auch juristisch ausgebildet, was sicher durch
Laien erfolgte, wie der Ausdruck „sophisti" beweist [47]. Ob unter den „gram-
matici" Hauslehrer zu verstehen sind, die die erste Erziehung leiteten, worauf
der Schulunterricht durch weltliche Lehrer folgte, kann nicht entschieden
werden [48]. Eine solche Reihenfolge würde zum Stil der vornehmen Syagrier
passen, doch läßt sich diese Auffassung vom Text her nicht stützen. Einschränkend ist festzustellen, daß bei Bonitus von einer geistlichen Bildung
(sacrae litterae) keine Rede ist; er tritt auch bald nach Vollendung seiner
Ausbildung und dem Tode des Vaters eine Stelle am Hofe Sigiberts III. an.
Bonitus kann deshalb nicht als Beispiel einer laikalen Ausbildung späterer
Bischöfe herangezogen werden: doch scheint auch der Königsdienst nicht
an eine solche weltliche Erziehung gebunden gewesen zu sein. Leider erfahren
wir von der Bildung seines Bruders Avitus nur in der oben zitierten Form

---

[44] Marrou, Geschichte der Erziehung 613 Anm. 86 nennt die geistige Erziehung
des Desiderius eine „Hauslehrerbildung", was mir höchstens für ihre Anfänge (in
der üblichen Form) zutreffend scheint; Riché, Éducation 231 bezeichnet sie als
„mal connue", denkt aber an einen ordentlichen Lehrgang.

[45] Dazu Denk, Unterrichtswesen 191 mit ebenfalls zu frühem zeitlichen Ansatz.

[46] Vita Boniti c. 4, 121.

[47] Ebenda c. 2, 120.

[48] Daran denkt Pirenne 173.

eines summarischen Nachrufs, der nicht erkennen läßt, wie und wo dieser Bischof von Clermont erzogen wurde. Jedenfalls wird diese Erziehung nicht viel anders ausgesehen haben als die des Bonitus, wenn wir auch kein wörtliches Zeugnis dafür haben [49].

Enger und wohl auch länger blieb der Kontakt zu den römischen Klassikern in Spanien erhalten. Hier hielt sich die antik-heidnische Überlieferung schon im Alltag viel stärker. Die Thermen, in denen die Körperkultur blühte, wurden eifrig besucht, und die leibliche Schönheit wurde in einem an die Griechen gemahnenden Ausmaß bewundert [50]. König Sisebut klagt in einem Brief an den Bischof Eusebius von Tarragona darüber, daß Bischöfe sogar Theater besuchten [51]! Martin von Braga kompilierte für den suebischen König Miro Stellen aus Seneca (der freilich als „Christ" betrachtet wurde!) und hatte keine Mühe, seinem Amtskollegen Witimir von Orense über die Lehren der Stoa Auskunft zu geben. Ein Beispiel für den Einfluß, den die antike Bildung auf den spanischen Episkopat im sechsten Jahrhundert ausübte, ist die Schlußansprache Bischof Leanders von Sevilla auf dem 3. Konzil von Toledo 589 [52]. Die Freude über die offizielle Konversion der Goten zum Katholizismus läßt Leander hymnische Worte finden, in denen sich dem Anlaß entsprechend biblische Anspielungen und Zitate finden; die Form der Rede ist aber nach bester römischer Oratorenmanier gestaltet und enthält eine große Zahl rhetorischer Figuren (und auch Klauseln). Manche spanische Bischöfe waren so sehr der klassischen Bildung verhaftet, daß sie mehr Philosophen glichen als Geistlichen. Der gelehrte Licinian von Cartagena mußte sich sogar vor Papst Gregor d. Gr. verantworten, weil ihm vorgeworfen wurde, er halte die Sterne für vernünftige Geister [53]. Trotz seiner Nähe zur Astrologie war Licinian zweifellos einer der geistig bedeutendsten Männer seiner Zeit, ein Gegner der Arianer und berühmt durch seinen Traktat über die Seele [54]. Nach Ende der arianischen Verfolgung blühte der Katholizismus in Spanien noch mehr auf: das siebente

[49] Die Vita Boniti ist erst in karolingischer Zeit entstanden, wodurch sie (für diese Frage) noch beweiskräftiger scheint. Katharina W e b e r , Kulturgeschichtliche Probleme der Merowingerzeit im Spiegel frühmittelalterlicher Heiligenleben, in: STMBO 48 (1930) 383 verweist in diesem Zusammenhang auf die juristische Ausbildung Leodegars von Autun und Desiderius' von Cahors. Zur Frage der „weltlichen" Ausbildung im 7. Jahrhundert vgl. Riché, Éducation 236.

[50] Das geht deutlich aus der Regula des Bischofs Leander von Sevilla (PL 72) c. 3, 882 und der Regula monachorum seines Bruders Isidor von Sevilla (PL 83) c. 21 und 22, 892 hervor.

[51] Epistolae Wisigoticae (ed. Wilhelm Gundlach) MGH EE 3 (1892) nr. 7, 668 f.

[52] Concilios visigóticos 139 ff.

[53] Gregorii I. papae Registrum epistolarum (ed. Paul Ewald, und Ludo Moritz Hartmann) MGH EE 1 (1891) I 41 a, 60 f.

[54] Riché, Éducation 322.

Jahrhundert sah eine Reihe großer Kirchenmänner, deren Verflochtenheit mit der antiken Bildung nicht mehr zu übersehen ist. Mit der gotischen Konversion zur katholischen Form des Christentums setzte vereinzelt auch eine Hinneigung vornehmer Goten zur profanen antiken Kultur ein, wie das Beispiel des Bischofs Renovatus von Mérida zeigt, der „multis nimirum artium disciplinis existebat eruditus" [55].

Drang auch der christliche Geist in das spanisch-westgotische Unterrichtswesen immer mehr ein, so wurden die Prinzipien der klassischen Bildung noch weniger verlassen als im Frankenreich, und neue Lehrbücher folgten stets den altheidnischen Vorbildern [56]. Doch wäre es sicher nicht richtig, in den spanischen Bischöfen eine einheitlich hochgebildete kirchliche Führungsschicht zu sehen, wie es nach dem eben Gesagten scheinen könnte. So stark das Bildungselement im Episkopat auch war, darf man nicht vergessen, daß wir die Elite betrachtet haben, der eine Mehrzahl von Bischöfen gegenüberstand, denen das Studium wenig bedeutete und keineswegs die wichtigste Voraussetzung für das kirchliche Amt war. Es waren dies Praktiker, denen die Kirche viel verdankt, für die der Rückgang der klassischen Bildung aber kein Grund zum Bedauern war. Was an Spanien besticht — will man einen Vergleich mit dem Frankenreich ziehen — ist der theologisch-literarische Hochstand noch im 7. Jahrhundert, dem man in Gallien nichts an die Seite zu setzen hatte [57].

Gregor von Tours war der Verlust der antiken Bildungsideale bewußt, und doch stand der aquitanisch-burgundische Raum zumindest im 6. Jahr-

---

[55] Vitae sanctorum patrum Emeretensium (ed. J. Garvin) Studies in Medieval and Renaissance Latin Language and Literature 19 (Washington 1946) V 1, 4, S. 254.

[56] So folgte die neue Grammatik des Julian von Toledo (natürlich) dem Donatus; sie vermehrte die exempla nur um solche aus Isidor von Sevilla. Vgl. auch Riché, Éducation 402 f.

[57] Die Zentren katholischer Theologie lagen an der spanischen Mittelmeerküste, d. h. an der Peripherie des westgotischen Reiches. Neben dem schon genannten Licinianus von Cartagena sind noch Eutropius von Valencia und Severus von Malaga zu nennen. Bedeutsam war auch die Polemik des Bischofs Justinian von Valencia gegen die Bonosianer. Deren Häresie gab den Anlaß für das ausführliche Credo, welches die Bischöfe den Bestimmungen des 11. Konzils von Toledo (675) voranstellten. Christologische und trinitarische Überlegungen dieser Art sind für das fränkische Christentum des 7. Jahrhunderts undenkbar und beweisen wohl den Kontakt, der zwischen dem westgotischen Reich und Byzanz bestand. — Doch war auch das lebendige Interesse der Adeligen an theologischen Fragen in Spanien ungleich höher als in Gallien; Braulio von Saragossa wechselte Briefe mit Laien, die mit ihm über Fragen der Exegese diskutierten. Vereinzelt ging dieses Interesse bis zum König: so beauftragte Chindaswinth den Bischof Taio von Saragossa, in Rom nach Werken Gregors des Großen zu suchen, und verpflichtete den Metropoliten Eugenius von Toledo, die Werke des Afrikaners Dracontius (zu denen allerdings auch die Sammlung Romulea zählte) zu revidieren; vgl. die Widmung des Erzbischofs vor „De laudibus Dei" (ed. Friedrich Vollmer) MGH AA 14 (1905) 27.

hundert noch unter ihrem Eindruck. Dagegen hatten der Norden und Osten Galliens starke Einbußen erlitten. Die Franken waren wohl nach der Übernahme des katholischen Christentums Förderer der Bildungsbestrebungen, doch betraf das fast ausschließlich die Hofkreise [58]. Man braucht nur an die von Venantius Fortunatus gerühmte Latinität König Chariberts zu denken oder an den Hof König Sigiberts I. und seines vornehmsten Adeligen Gogo. Hier sieht man eine durchaus rückwärts gewandte Kultur, deren Vertreter sich in formalen Nachahmungen Vergils gefielen und wenig Natürliches hervorbrachten [59]. Wir dürfen den für die soziale Stellung bedeutsamen Charakter dieser „höfischen" Kultur des sechsten Jahrhunderts nicht mißverstehen. Auch Bischöfe wie Berthramn von Bordeaux, ein Germane, beteiligten sich an diesem nach heidnischem Muster florierenden Kulturbetrieb [60]. Selbstgefühl und Adelsprestige bildeten dabei die Grundlage [61]. Ganz anders stand es mit der antiken Kultur und ihrer Weitergabe an den Klerus der am stärksten frankisierten Gebiete. Der Auffassung, daß den Franken weniger an der Erhaltung der römischen Bildung lag als den Goten oder Burgundern, wird man nur mit Einschränkungen zustimmen können. Sie übernahmen die römische Kultur nur nicht so bedingungslos wie die ostgermanischen Völkerschaften und gaben z. B. ihre Sprache nicht auf. Riché [62] verweist auf die Lex Salica, deren Bestimmungen ein Volk von Kriegern und Viehzüchtern reflektiere. Freilich gab es keine „Lex Romana Francorum", in Parallele zu den entsprechenden sogenannten Volksrechten der beiden anderen gentes. Doch taten die Franken durch ihren Übertritt zum Katholizismus indirekt viel mehr für die römische Kultur, als die arianischen Germanen mit ihren Sonderrechten für die romanische Bevölkerung. Chlodwig scheint schon früh zum gallo-römischen Episkopat Beziehungen aufgenommen zu haben [63]. Die zentrale kirchliche Gestalt des Nordosten Galliens war ohne Zweifel Bischof Remigius von Reims. Er galt als ein im klassischen Sinne hervorragend gebildeter Mann, der mit Apollinaris Sido-

---

[58] Dazu Grundmann, Litteratus 33 f.

[59] Sprandel, Adel 25.

[60] Vgl. Ven. Fort., Carm. III 18, 70.

[61] Doch darf man die Verdienste des Venantius Fortunatus deswegen nicht gering achten: er war der einzige, der den Geschmack der führenden Schichten Austrasiens in klassischer Hinsicht zu formen versuchte, so daß er nicht ausschließlich der religiösen Dichtung verpflichtet blieb, wie in der folgenden Zeit.

[62] Éducation 255.

[63] Stroheker, Adel 108 und Erich Zöllner, Geschichte der Franken bis zur Mitte des sechsten Jahrhunderts (1970) 63 f., 183 f. Über die Beziehungen des noch heidnischen Chlodwig zum gallo-römischen Episkopat vgl. im besonderen Georges Tessier, La Conversion de Clovis et la Christianisation des Francs, in: Settimane di Studio del Centro Italiano di Studi sull'Alto Medioevo 14 (1967) 153 ff. und Hans Hattenhauer, Das Recht der Heiligen (Schriften zur Rechtsgeschichte 12, 1976) 119 ff.

nius und Avitus von Vienne im Briefwechsel stand[64]. Als Verfasser eines
verlorengegangenen eloquium fand er den uneingeschränkten Beifall des Dich-
ter-Bischofs von Clermont. Remigius stand gegenüber den südgallischen Bischöfen
an Bildung sicher nicht zurück. Doch war er wie ein Fels in einer Ebene: weder
zu seiner Zeit noch gar danach findet sich ein auch nur annähernd so bedeutender Mann der Kirche im nördlichen Gallien. Die Loire wurde im
sechsten Jahrhundert zur Bildungsgrenze. Eine relativ einheitliche „Kultur-
landschaft" scheint es in dieser Zeit nicht mehr gegeben zu haben. Der Mangel
an Geistlichen war in jenen Gebieten so groß, daß Theuderich I. und noch Sigibert I. aus Aquitanien gebildete Geistliche an Rhein und Mosel verpflanzten,
um dem dort stark angeschlagenen christlichen Leben neue Anregungen zu
geben und die notwendigsten bischöflichen Aufgaben wahrnehmen zu lassen[65].
Man darf freilich nicht an ein völliges Veröden der Städte, an ein Erlöschen
oder Auswandern der senatorischen Familien denken: wir kennen solche Geschlechter noch im siebenten Jahrhundert. Allerdings war die zunehmende
Frankisierung dieser Gegenden ein Faktor, dem im überwiegend romanisch
verbliebenen Süden nichts entsprach, und der die natürlichen Grundlagen
der klassischen Kultur und Bildung auf lange Zeit verschüttete. Auch romanische Bischöfe konnten mit ihren Kollegen südlich der Loire bildungsmäßig nicht mithalten. Gut bekannt ist die Geschichte des Bischofs Domnolus
von Le Mans[66]: Als dieser Abt von St. Laurentius in Paris war, bot ihm
König Chlothar I. 560/61 das freigewordene Bistum Avignon an. Doch
Domnolus lehnte ab, weil er sich den glänzend gebildeten gallo-römischen
Adeligen der Provence nicht gewachsen fühlte und fürchtete, von ihnen als
halbbarbarischer Tölpel verspottet zu werden[67]. Aus dieser anekdotenhaften
Erzählung Gregors von Tours ersehen wir, was im Süden Galliens anscheinend
an klassisch-weltlicher Erziehung noch geleistet wurde, und wie spärlich diese
Traditionen bereits in Nordgallien gesät waren. Gregor übermittelt uns in der
Historia Francorum ein weiteres Beispiel für die anhaltende Bedeutung der
antiken Bildung der Bischöfe und deren verschiedene Intensität[68]. Auf der
2. Synode von Mâcon 585 trug Bischof Praetextatus von Rouen „orationes"
vor, die er im Exil geschrieben hatte. Der Beifall der versammelten Väter
war nicht ungeteilt, da man die Predigten teilweise als wenig kunstvoll und
nicht immer den rhetorischen Regeln gerecht empfand[69]. Es wirft ein be-

---

[64] Apollinaris Sidonius: Ep. IX 7, 154 f.; Avitus: Ep. 98, 103.
[65] Darüber später S. 194 f. Ewig, Trier 88 f.
[66] HF VI 9, 279.
[67] Dazu auch Stroheker, Adel 130; Riché, Éducation 232; Zöllner, Franken 119 m.
Anm. 3.
[68] HF VIII 20, 387.
[69] Riché, Éducation 317.

zeichnendes Licht auf eine Reichssynode, die, ohne einen Verstoß gegen den christlichen Zweck der Versammlung zu fürchten, sich in eine Art Akademie verwandeln ließ, in der nicht ethische, sondern ästhetische Kriterien maßgebend waren. Daneben zeigt die Angelegenheit, wie sehr man es noch immer für wichtig hielt, daß die christliche Unterweisung in ausgefeilter Form erfolgte. Das geschah kurz vor dem Wirken Papst Gregors d. Gr., der einen neuen Stil für die Verbreitung des Christentums propagierte, aber schon geraume Zeit nach der Ablehnung von rhetorischen und grammatischen Künsten in der Predigt durch den großen Caesarius von Arles.

Ein Gegner der formalistischen klassischen Bildung der Kleriker war Papst Gregor I. Seine kühle Haltung, die er inmitten der zahlreichen Klagen über den Verfall der antiken Weltbildung bewahrte, deutet auf ein neues Weltverständnis. Obgleich er selbst einer Senatorenfamilie entstammte, hatte er keinen Zugang, keine innere Beziehung zu den Werten der überlieferten Bildung. Dafür kam in ihm noch einmal die juristische Nüchternheit und politische Begabung des Römertums zur Geltung. Er sah in den Resten der Laienkultur vor allem Hilfsmittel pastoraler Wirksamkeit [70]. Es gibt wenige Gestalten des sechsten und siebenten Jahrhunderts, gegenüber deren Tätigkeit die antike Bildung so überholt und unzeitgemäß erscheint wie Gregor d. Gr. Sein Handeln geht derart in den geistlichen und politischen Belangen seiner Gegenwart auf, daß die theoretischen Grundlagen daneben unbedeutend werden. Seine Nüchternheit, die in den Briefen spürbar ist, wird zur Schlichtheit und Wahrhaftigkeit, gegen die sich die spätantike Rhetorik wie geistige Klopffechterei ausnimmt [71]. Sicher würde man die Gegensätze überbetonen und auch das Bild der klassischen Tradition verzeichnen, ginge man diesen Interpretationen zu weit nach: die mangelnde Fühlung mit der weltlichen Wissenschaft bedeutete zweifellos einen Rückschritt gegenüber einem Cassiodor oder selbst einem Isidor von Sevilla. Gregor ist der spätlateinischen Laienkultur aber nicht nur von der inneren Anlage her wenig zugetan und steht ihr dadurch schon kühler gegenüber als ein Augustinus oder Hieronymus, er weicht ihr auch bewußt aus, weil er für sie in der christlichen Zukunft keine Aufgabe sieht und ihm überdies die Beschäftigung mit weltlichem Wissensgut für die religiöse Entwicklung gefährlich scheinen mochte. Diese Anschauung findet man im Brief an Bischof Leander von Sevilla ausgesprochen, in dem Gregor ziemlich scharf gegen die „infructuosae loquacitatis levitas" der rhetorischen Bildung zu Felde zieht [72]. Wenn die mit voller Absicht

---

[70] Prinz, Mönchtum 464.
[71] Vgl. Schubert, Christl. Kirche 198.
[72] Ep. V 53 a (V), 357 f.

gesetzten Regelverstöße auch noch nicht für eine Art „Anti-Grammatik"
reichen[73], so überrascht die entschiedene und provokative Ablehnung der alten
Bildungsgrundlagen doch einigermaßen[74]. Der Papst schließt mit der Erklärung,
daß die „verba caelestis oraculi" sich nicht einer menschlichen Konvention —
wie es die Vorschriften des Donatus sind — unterordnen lassen. Wahrscheinlich
hat Gregor hier ein wenig die Flucht nach vorn angetreten und den Kritikern
der „unzulänglichen sprachlichen und intellektuellen Form" des Christentums
mit dem Hinweis auf die Unverrückbarkeit der sakralen Bibelsprache den
Wind aus den Segeln genommen[75]. Ähnlich hatte sich schon Cassiodor geäußert,
doch wollte er es noch Gott überlassen, ob diesem ein sprachliches Kunstwerk
oder eine einfache Rede besser gefalle[76].

Unter diesen Voraussetzungen muß man Gregors Brief an den Bischof
Desiderius von Vienne sehen, der „quibusdam" klassischen Unterricht erteilte[77]. Dieser berühmte Brief gehört zu den meiststrapazierten schriftlichen
Dokumenten des frühen Mittelalters. Prinz hält den Tadel, welcher hier dem
gallischen Bischof seiner unerhörten Tätigkeit wegen zuteil wird, für charakteristisch „gregorianisch"[78]. Riché hingegen meint, der Papst habe zwar in
dieser Angelegenheit „plus vivement" reagiert, sich aber nicht außergewöhn-
lich verhalten[79]. Die sogenannten Statuta Ecclesiae antiqua hätten bereits
dem Bischof verboten, profane Texte zu lesen[80], wieviel gravierender sei
dann der öffentliche Unterricht in solch heidnischer Literatur gewesen. Die
Zurechtweisung des Desiderius sei keine Verdammung der antiken Kultur,
sondern nur ein Verweis auf den Verstoß gegen die Statuta; außerdem sei
es Aufgabe des Bischofs, Seelen zu leiten und nicht als Professor zu wirken.
Von einer Verteufelung der klassischen Überlieferung soll man wirklich nicht
reden, aber davon abgesehen kann man Riché hier nicht zustimmen. Über die
Stellung Gregors zu den Statuta Ecclesiae antiqua und ihre Geltung ist kaum
etwas bekannt; der Brief bietet auch keinen diesbezüglichen Hinweis. Für
Gregor ist das literarische Lob Jupiters mit dem Preis Christi unvereinbar:
schon der fromme Laie sollte davor zurückschrecken, wieviel eher ein Bischof.

---

[73] Illmer, Totum 433.

[74] So erklärt Gregor (wie Anm. 72): „Nam sicut huius quoque epistolae tenor
enuntiat, non metacismi (?) collisionem fugio, non barbarismi confusionem devito,
situs (?) modosque et praepositionem casus servare contemno...".

[75] Illmer, Totum 434.

[76] „Maneat ubique incorrupta locutio quae Deo placuisse cognoscitur ita ut ful-
gore suo niteat, non humano desiderio carpienda subiacetat"; Institutiones, ed. R. A.
B. Mynors (Oxford 1937) I 15, 7, S. 45.

[77] Ep. XI 34, 303.

[78] Mönchtum 465; ähnlich schon Pirenne 173.

[79] Éducation 196 f.

[80] Darüber allgemein Charles M u n i e r, in: LThK 9 (1964) 1024.

Der Papst nennt den Unterricht, den Desiderius erteilt „grave" und „nefandum".
Die Beschäftigung mit klassischen Autoren, die Weitergabe und Interpretation ihrer Werke bezeichnet Gregor als „n u g i s et saecularibus litteris stu-
dere." Im übrigen ist von Blasphemie und Befleckung des Bischofs durch diese
bedenklichen „laudes" die Rede. Wir wissen vom Treiben des Desiderius und
der Ausübung seiner bischöflichen Pflichten fast nichts, und es unterliegt
keinem Zweifel, daß die Hauptbeschäftigung des Bischofs nicht der Schulunterricht sein konnte. Doch erwähnt Gregor in seinem Brief keine Versäumnisse des Desiderius. Im Gegenteil: „multa ... bona" würden dem Papst über
den Bischof von Vienne berichtet. Will man darin kein Stilmittel sehen,
das der „heidnischen Verfehlung" als gegensätzliche Folie dienen sollte, so ist
nicht zu bestreiten, daß der Papst nur die lehrende Tätigkeit des Desiderius
von Vienne beanstandete. Man wird also Gregors Angriff auf den gebildeten
Bischof weitgehend seiner Verständnislosigkeit der antiken Bildung gegenüber zuzuschreiben haben, die er im christlichen Bereich nicht mehr dulden
wollte. Daneben mochte auch bei ihm die Furcht mancher Christen bestehen,
daß durch die alte Bildung und ihr Medium, die besonders kunstvolle Sprache,
eine bekämpfte und überwunden geglaubte Weltanschauung einen neuen Aufschwung nähme. Dem wahren Christen bedeutete die Form nichts, der Kontakt mit der heidnischen Welt konnte dem Christentum keine Vorteile bringen.
Gregor fühlte vielleicht, daß in Gallien, in dem gebildete, traditionsstolze
Senatorenfamilien sich zusammenschlossen und von der Masse gallischer und
barbarischer illiterati sich vor allem durch ihre altklassische Bildung abheben
wollten, die Gefahr einer oberflächlichen Rhetorisierung des Christentums
besonders groß war. Daher sein entschiedenes Einschreiten, das ihm aber
wohl kein persönliches Opfer um der großen Sache willen bedeutete [81].

Die Haltung Gregors war keineswegs ohne Vorbilder. Schon Tertullian
warnte vor dem weltlichen Wissen, das ein Christ zumindest niemals lehrend
weitergeben sollte, weil er dadurch zur Verbreitung der Idololatrie (!) bei-

---

[81] Über diesen vieldiskutierten Brief vgl. neben den schon genannten Autoren
auch Roger, L'enseignement 156 f. und Johannes S p ö r l, Gregor der Große und die
Antike, in: FS Romano Guardini (1935) 198 ff.; zur Stellung Gregors in der Entwicklung der lateinischen Sprache Dag N o r b e r g, Le développement du Latin en Italie
de Saint Grégoire le Grand à Paul Diacre, in: Caratteri del secolo VII in occidente
(Settimane di Studio del Centro Italiano di Studi sull'Alto Medioevo 5, 1958) II 485 f.
Vollkommen verfehlt ist die Meinung Bolgars, Classical heritage 96 ff., daß Gregor
von der „selbstverständlichen" Bildung der Kleriker in den „Munizipalschulen" Italiens ausgehe und er für das Gallien des späten 6. Jahrhunderts dieselben soliden
säkulären Elementarkenntnisse voraussetze. Desiderius wollte eben diese seinen
Schülern bieten, was Gregor nicht verstehen konnte! Bolgar übersieht, daß sich
in Gallien Reste der antiken Bildung viel besser erhalten hatten als in Italien.

trage[82]. Die Kirchenväter nahmen durch ihre eigene Ausbildung beeinflußt
zur klassischen Erziehung eine schwankende Haltung ein. Augustinus brach
dafür zwar in seiner christlichen Doktrin eine Lanze, war aber doch besorgt,
ob dadurch nicht die Breitenwirkung der christlichen Botschaft Schaden erleiden würde. Andererseits förderte er die Beschäftigung mit der im engeren
Sinne antik-heidnischen Tradition: zuerst in Cassiciacum bei Mailand, dann
bei der christlichen Kommunität von Thagaste. Hier finden sich Anfänge eines
gelehrten „Mönchseins" schon lange vor den Bemühungen Cassiodors in
Vivarium[83]. Hieronymus hingegen sagte seiner Bildung ab, als er im Traum
von Gott als Ciceronianus getadelt wurde. Doch konnte er sich davon innerlich
nie ganz frei machen[84]. Vielfach hing diese Ablehnung antiken Wissensgutes
mit einer späteren Conversio zusammen. Über die Haltung des Ennodius von
Pavia haben wir in diesem Zusammenhang schon gehört[85]. Seine Abwendung
von den artes ist umso überraschender, als er sie früher als Heilmittel gegen
die Leiden der Zeit gepriesen hatte: nun will er nicht einmal mehr an ihren
Namen erinnert werden[86]. Wesentlich für die Haltung späterer christlicher
Generationen zu den weltlichen Wissenschaften, zu der stulta sapientia[87]
(oder dem Teufelswerk), war die Auffassung des Bischofs Caesarius von Arles.
Nachdem er seinen Aufenthalt im Adelskloster Lérins abgebrochen hatte,
studierte er in der Stadt seines späteren Wirkens bei dem weitbekannten
afrikanischen Rhetor Julianus Pomerius. Als er eines Nachts mit einem Buch
unter dem Kopfpolster eingeschlafen war, erschien ihm dieses als Drache, der
ihn in den Arm biß. Erschreckt aus dem Schlaf gerissen, floh Caesarius seither
die irdischen Wissenschaften, weil er eingesehen hatte, daß es unmöglich sei,
„lumen regulae salutaris stultae mundi sapientiae ... copulare"[88]. Die von ihm

---

[82] De idololatria (ed. August Reifferscheid und Georg Wissowa) CSEL 20/1
(1890) c. 10, 39 f.

[83] Gustave B a r d y, Les origines des écoles monastiques en Occident, in:
Sacris Erudiri 5 (1953) 93 f. Vgl. auch die Zusammenfassung bei Johannes von den
D r i e s c h—Josef E s t e r h u e s, Geschichte der Erziehung und Bildung (²1951) 125 ff.

[84] Sancti Eusebii Hieronymi Epistulae (ed. Isidor Hilberg) CSEL 54 (1910) XXII
30, 189 f. Noch im Alter zitierte er in seinen Bibelkommentaren Vergil, Horaz und sogar Plautus!

[85] Siehe oben S. 54.

[86] Magni Felicis Ennodii Opera omnia (ed. Wilhelm Hartel) CSEL 6 (1882)
Ep. IX 9, 234.

[87] Der Ausdruck stammt von Paulus: 1 Cor. 3, 19.

[88] Vita Caesarii I 9, 460; zu dieser im Traum erfolgten Warnung vor der Gefährlichkeit der weltlichen Wissenschaften und ihrer psychologischen Bedeutung
Prinz, Mönchtum 463 f.; weiters A. M a l n o r y, Saint Césaire, évêque d'Arles 503—
543 (Bibliothèque de l'École des Hautes Études 103, 1894) 18 f.; Thomas Scott H o l -
m e s, The origin and development of the Christian Church in Gaul during the
first six centuries of the Christian era (London 1911) 492 und Scheibelreiter, Königstöchter 23.

überlieferten Predigten sind auch tatsächlich in einfacher, weiten Kreisen verständlicher Sprache abgefaßt, die ihre Wirkung nicht verfehlt haben dürfte[89]. Ob zur Ablehnung der weltlichen Wissenschaften die Auswüchse, zu denen sie im siebenten Jahrhundert führten, beigetragen haben, läßt sich schwer entscheiden. Puerile Spielereien wie sie Vergilius Maro, das Haupt der Grammatikerschule von Toulouse, unter dem Vorwand wissenschaftlicher Geheimlehren betrieb und unterrichtete, sind aus dem sechsten Jahrhundert nicht überliefert[90]. Hingegen haben wir genügend Beispiele gebracht, daß man nach 500 in Gallien noch lange eine gute traditionelle Bildung erhalten konnte. Die Gegnerschaft zu dieser gründete sich eher auf ideologische Erwägungen und ergab sich nicht zuletzt durch das Problem der Massenbelehrung, die einfacherer, volksnäherer Formen bedurfte. Darum findet man Praktiker der Bekehrung und Organisatoren wie Caesarius von Arles und Papst Gregor d. Gr. an der Spitze der Gegner rhetorisch-laikaler Bildungsprinzipien. Beide gehörten auch dem Mönchtum an oder waren ihm zumindest vorübergehend verbunden: dort wurzelte die Askese, zu der der Verzicht auf Bildung ebenso gehörte wie derjenige auf materielle Güter. Es ist keine Frage, daß sich die antike Schule mindestens seit dem sechsten Jahrhundert in einem Verfalls- (oder vielleicht besser: Umwandlungs-)zustand befand, doch wird man weder den Barbaren[91] noch inneren Tendenzen die Schuld an ihrem Untergang geben können, sondern der gezielten Ablehnung ihrer Grundlagen durch mönchische und pragmatische, ausschließlich zukunftsorientierte Kreise der Kirche. Dem steht nicht entgegen, daß die Mehrzahl der Kleriker ihre Ausbildung noch in den traditionellen Formen erhielten.

Die Hagiographie wurde durch die Vorbilder eines Caesarius oder Gregor nachhaltig für die Ablehnung der weltlichen Gelehrsamkeit gewonnen, wobei der Einfluß der antiken Asketenromane nicht übersehen werden darf. Die „mundana sapientia" wird in all ihrer Hohlheit und Entbehrlichkeit gezeigt, meist sogar als verderblich und hinderlich auf dem Weg zu Gott. Dies ist umso

---

[89] Stroheker, Adel 94 f.; Friedrich A r n o l d, Cesarius von Arles und die gallische Kirche seiner Zeit (1894) 120 f. führt die bewußte Einfachheit der Predigten des Caesarius auf seinen Lehrer Julianus Pomerius zurück, was im Vergleich zum sonst beherrschenden asianistischen Stil der Rhetorik sicher richtig ist, doch eben nur innerhalb der Rhetorik.

[90] Denk, Unterrichtswesen 205 f.; Marrou, Geschichte der Erziehung 614 huldigt in dieser Hinsicht einer Katastrophentheorie, wonach ab dem 6. Jahrhundert die Bildung überhaupt nur mehr kirchlich gewesen sei (a. a. O. 623 f). Von der neueren mittellateinischen Forschung wird Vergilius Maro nicht als Produkt kultureller Ratlosigkeit am Ende einer Entwicklung, sondern als „Sprachironiker" verstanden, der die Hohlheit und formale Übersteigerung der zeitgenössischen Bildung parodierte. Klar entscheiden wird sich diese Frage wohl nicht mehr lassen. Vgl. Brunhölzl, Gesch. d. lat. Lit., 1, 151 f.

[91] Wie Marrou 623 und öfter.

bemerkenswerter, als die Bischöfe, als Haupthelden der merowingischen Vitenliteratur, zur Erfüllung ihrer Aufgaben durchaus eine weltliche Bildung benötigten. Doch ist es eben ein Kennzeichen der loci communes, daß sie ohne
Zusammenhang mit dem übrigen Inhalt der Vita vor den Leser oder Hörer
hingestellt werden. Eine logische Linie, eventuell im Sinne eines neuzeitlichen
Entwicklungsromanes, darf man sich in der fränkischen Hagiographie nicht
erwarten. Immerhin scheint es erwähnenswert, daß der Topos der Flucht vor
den weltlichen Wissenschaften ungleich häufiger im siebenten Jahrhundert (und
später) anzutreffen ist als etwa im sechsten Jahrhundert. Die ablehnende
Haltung des Caesarius hat augenscheinlich nicht sofort auf die Umwelt und
dadurch auf die Hagiographie gewirkt. Man kann annehmen, daß im sechsten
Jahrhundert die Befürworter der klassischen Bildung deren Kritiker noch
überwogen. Dazu kommt der natürliche Prozeß des Verfalls (oder der Umwandlung), der im siebenten Jahrhundert schon viel weiter fortgeschritten
war. Meist findet sich die Nachricht von der Abkehr des künftigen Bischofs
von den weltlichen Studien mitten in einem Katalog positiver Eigenschaften,
oft an deren Ende, gleichsam als Krönung. Dadurch wird der Eindruck erweckt,
als habe der fromme junge Mann diese Einsicht als Resumé seiner christlichen
Lebenserfahrung gezogen. Es gehört im siebenten Jahrhundert zu den aus-
zeichnenden Charakteristika des heiligen Mannes, die weltliche Weisheit zu
verachten und sich nur den „divinae lectiones" zu widmen [92].

Der Studienverlauf eines ausgezeichneten Jünglings wird uns in der Vita
des Bischofs Eucherius von Orléans vorgeführt [93]. Mit sieben Jahren wird der
gottgefällige Knabe den studia litterarum übergeben, wobei er sofort — in
gewohnter Manier — alle Mitstrebenden überragt. Vor allem in der „scientia
scripturarum(!)" tat es ihm bald niemand gleich. Davon wird noch zu
sprechen sein [94]. Nachdem Eucherius alles genau durchstudiert hat, kommt er
zur Paulusstelle über die Eitelkeit und Nichtigkeit irdischen Wissens [95]. Davon
überzeugt, verläßt er die Welt, d. h. auch die allgemein religiöse Ausbildung,
und tritt in das Kloster Jumièges ein. Der Ausdruck, den der Hagiograph dafür
verwendet, „relinquens militiae saeculi cingulum" spielt auf den spätantiken
Brauch an, daß der Staatsbeamte zum Zeichen der Übernahme seines Amtes
mit einem cingulum umgürtet wurde [96]. Eucherius hat aber eine Kleriker-

---

[92] Ein ausgezeichnetes Beispiel für diese Tendenz ist die Vita Sollemnis c. 2,
312; auch Arbeos Vita et Passio sancti Haimhrammi martyris = Leben und Leiden
des hl. Emmeram, ed. Bernhard Bischoff (1953) c. 1, 27 f. (Recensio A) gehört hierher.
[93] Vita Eucherii c. 3, 48.
[94] Siehe unten S. 72 und 80 f.
[95] Im Sinne des Pauluswortes 1 Cor. 3, 19 und 7, 31.
[96] Noch Ludwig der Fromme wurde als kleines Kind bei der Übernahme der
Herrschaft in Aquitanien 781 mit diesem „cingulum" umgürtet.

bildung erhalten und die klassische Erziehung höchstens in Rudimenten erfahren. Dennoch ist auch sein Wissen zu weltlich, zu sehr von den wahren
geistlichen Idealen der Zeit entfernt: der gewöhnliche Klerus lebt in einer
militia saeculi [97], seine Bildung scheint nicht viel mehr als die antik-laikale den
wirklichen Bedürfnissen des geistlichen Lebens entsprochen zu haben; zumindest
in den Augen des wohl mönchischen Hagiographen. Dieser mochte hier nicht
nur einem Gemeinplatz der Viten- und Asketenliteratur folgen und allgemeine
Anschauungen mönchischer Kreise wiedergeben, sondern auch aus den Erfahrungen und vor dem Hintergrund der Zeit Karl Martells schreiben, in der
ein wahrhaft geistliches Leben wenig Realität hatte. Bemerkenswert ist trotz
allem aber die Stärke jenes Topos, da gerade Eucherius ein sehr bewegtes
Leben als Bischof und Protegé des siegreichen Hausmeiers führte, und schließlich ein Opfer seines allzu großen und skrupellosen politischen Ehrgeizes wurde.

Was für einen Einfluß hatte die germanische Bevölkerung auf Bildung
und Erziehung? Oder besser gesagt, gab es eine germanische Komponente bei
der Ausbildung der zukünftigen Bischöfe? Die hagiographischen Quellen bleiben, daraufhin befragt, fast jede Antwort schuldig. Es paßte lange Zeit nichts
in den Kanon bischöflichen Werdegangs, was nicht antik-christlicher Provenienz
gewesen wäre. Das einzige, wovon wir erfahren, steht im Zusammenhang mit
der Ablehnung durch den Helden: die Jagd [98]. Im übrigen muß man sich mit
Anspielungen begnügen, und auch diese beginnen kaum vor dem siebenten Jahrhundert. Das ergibt sich einfach aus der Tatsache, daß erst um 600 Bischöfe
germanischer Herkunft zahlreicher werden [99].

Im allgemeinen stand in der germanischen Erziehung die körperliche Ertüchtigung obenan. So blieb es auch noch lange Zeit auf römischem Reichsboden. So gelang es Amalaswintha nicht, Athalarich eine klassische Bildung
vermitteln zu lassen, weil der gotische Adel sie zwang, den Königssohn

---

[97] „Cingulum militare" meint ganz allgemein das mit der Umlegung des Gürtels
symbolisch übertragene Amt; erst durch die Beifügung des Wortes „saeculi" wird der
für den Geistlichen negative Wert deutlich.

[98] Wie z. B. der junge Ansbert von Rouen; siehe oben S. 36. Über die Jagdlust
der Bischöfe (und Kleriker im allgemeinen) wurde schon früher wiederholt geklagt,
vgl. die Bestimmungen der Konzilien von Agde 506 (c. 55, vielleicht späteres Insert)
und von Epaon 517 (c. 4). Als Mittel körperlicher Ertüchtigung im Rahmen der Erziehung junger Adeliger war die Jagd aber germanischer Provenienz. Ansbert hebt sich
durch diese Weigerung deutlicher von seinen ebenbürtigen Altersgenossen ab, als
wenn er gallo-römischer Herkunft gewesen wäre.

[99] Dieses Phänomen gilt jedoch nur für das fränkische Reich; bei den Westgoten
und Langobarden überwogen auch nach deren Übertritt zum Katholizismus die
romanischen Bischöfe bei weitem, wenn auch z. B. im Langobardenreich regional
differenziert werden muß.

zu erziehen wie andere junge Adelige auch[100]. Die für die Verwaltung
unentbehrliche Schreibkunst wurde respektvoll betrachtet, aber es galt der
Grundsatz, daß auch diese nicht Sache des Kriegers oder gar des Königs sei[101].
Theodahad war ein abschreckendes Beispiel dafür, daß niemand ein furcht-
loser Krieger wird, der auf der Schulbank saß[102]. Die den Goten in Italien
folgenden Langobarden scheinen noch länger auf der ihnen eigentümlichen
Stufe der Erziehung gestanden zu sein. Die Masse der Krieger war ziemlich
einheitlich heidnisch, der Adel und das Heerkönigtum unter einer dünnen
arianisch-christlichen Schicht wohl ebenfalls. Das Geschehen im Zusammenhang mit der Eroberung Oberitaliens, Taten und Schicksal Alboins — mögen
dabei auch historische Fakten und sagenhafte Züge miteinander verwoben
sein —, zeigen eine noch recht ursprüngliche Lebensauffassung[103]. Nachdem
das Königtum wieder Fuß gefaßt hatte, wurde die Erziehung der adeligen
Knaben insofern verfeinert, als diese ihre Ausbildung jetzt am Königshof
erhielten, wo sie sich in die Gefolgschaft des Königs einreihten und im Krieg
und auf der Jagd um den Herrscher waren. Der illiterate Stil der Erziehung
blieb jedoch erhalten. Der religiöse Gegensatz zwischen Langobarden und Rö-
mern ließ eine Änderung der Bildungsprinzipien auch entbehrlich scheinen,
da der höhere geistliche Stand — anders als bei den Franken — fast ausschließlich eine römische Angelegenheit war, und langobardische Bischöfe
auch nach der arianischen Reaktion Rotharis nicht allzu oft anzutreffen sind[104].

Auch bei den Westgoten, die am längsten von allen Germanen auf römischem Reichsboden siedelten und ihre eigene Sprache im tolosanischen Reich
nahezu einbüßten[105], deren Hof in Spanien — über den Einfluß der lange
römischen Baetica — mehr dem byzantinischen Kaiserhof als etwa einer fränkischen Residenz glich, veränderten sich die Grundzüge der germanischen Er-

---

[100] Das galt nicht für die weiblichen Mitglieder der Königssippen wie Amalaswintha selbst, aber auch Mataswintha, Amalaberga, bei den Franken Chlodswintha
oder auch die Thüringerin Radegund beweisen. Bei den Franken der Enkelgeneration
Chlodwigs I. scheint jedoch bereits eine geistige Schulung neben der althergebrachten
erfolgt zu sein, wie das Beispiel eines Theudebert I. oder eines Charibert und Chilperich I. zeigen. Vgl. Zöllner, Franken 255 f.

[101] Grundmann, Litteratus 30 f.

[102] Ebenda.

[103] Paulus Diaconus, Historia Langobardorum (ed. Ludwig Bethmann und Georg
Waitz) MGH SS rer. Langob. (1878) II 25 und 27—29, 86—89; Ludo Moritz H a r t -
m a n n, Geschichte Italiens im Mittelalter 2/1 (1900) 36 f. und Reinhard S c h n e i d e r,
Königswahl und Königserhebung im Frühmittelalter. Untersuchungen zur Herr-
schaftsnachfolge bei den Langobarden und Merowingern (Monographien zur Geschichte des Mittelalters 3, 1972) 22 f.; Riché, Éducation 384.

[104] Vgl. Jarnut, Prosopographie 424.

[105] Wolfram, Goten 258.

ziehung kaum; die sportlich-kriegerische Komponente war ausschlaggebend[106]. Freilich ist dabei manches in Rechnung zu stellen: Westgoten wie Langobarden waren lange Arianer, mußten deshalb keine Bischöfe aus ihren Reihen heranbilden, und außerdem war schon in nachkonstantinischer Zeit ein Erziehungsstil à la barbare bei der romanischen Bevölkerung zeitweilig modern.

Auch über die Erziehungsformen des fränkischen Jungadels ist nichts anderes zu berichten: eine pagenhaft-militärische Ausbildung am königlichen Hof war ihr wesentlicher Bestandteil. Der Hausmeier, der auch die Gefolgschaft leitete, übernahm diese Aufgabe. So wurde noch Arnulf, Ahnherr der Karolinger, Gundulf, dem Hausmeier König Theudeberts II., übergeben[107]. Angeblich war er vorher in den Wissenschaften trefflich ausgebildet worden, was aber wenig glaubhaft scheint. Arnulf war ja keineswegs für ein geistliches Amt vorgesehen, und die Tätigkeit, die er am Hofe und in des Königs Auftrag ausübte, erforderte eher eine schwertgewohnte Hand und juristisch-administrative Kenntnisse. Es wird niemals später von einer religiösen Bildung Arnulfs gesprochen; entweder setzte sie der Hagiograph als selbstverständlich bei einem Bischof voraus (was wohl nicht der Fall war) oder sie steht gar nicht zur Debatte: der erfolgreiche Politiker und Kriegsmann überträgt einfach seine Fähigkeiten auf das geistliche Gebiet. Als Bischof von Metz erzog Arnulf dann den Thronfolger Dagobert. Über den Inhalt der Erziehung schweigen die Quellen: sie wird, was die studia litterarum betrifft, nicht besonders tiefgehend gewesen sein. Es war wohl ausreichend, dem Prinzen eine rudimentäre religiöse Bildung zu vermitteln. Diese konnte sich Arnulf aus seiner geistlichen Praxis angeeignet haben; man wird aus der Stellung als Erzieher keine vorherige klerikale Ausbildung des Bischofs ableiten können. Auch bei den Königssöhnen stand die militärisch-höfische Schulung an erster Stelle. Man denke dabei an die Erzieher Childeberts II., Gogo und Wandelen, die beide Laien waren.

Die ausklingende römische Bildungstradition und die modifizierte germanische Adelserziehung liefen schon während des 6. Jahrhunderts nebeneinander her, beide wurden verbindlich und schufen „literarisch-militärische" Bildungsformen, die dem neuen Stil des kolumbanisch geprägten Christentums gut entsprachen. Bischof Austrigisil von Bourges wurde in seiner Knabenzeit „sacris litteris ... institutus", dann aber von seinem Vater an den Hof König Gunthramns gesandt, wo er „seculari disciplina prudenter militavit". Er erhielt dort eine höfisch-adelige Erziehung, die seiner religiösen Grundausbildung folgte[108]. Der Verfasser der Vita läßt ihn schon während dieser

---

[106] Riché, Éducation 302 f.

[107] Vita Arnulfi c. 3, 433.

[108] Vita Austrigisili c. 1, 191; ähnlich auch die Schilderung der Erziehung Landberts von Maastricht — Vita I c. 2, 355 —, der nach einem Unterricht durch „sthorici" nach Hause zurückkehrt.

Zeit hauptsächlich darauf bedacht sein, Almosen zu spenden, zu beten und Nachtwachen abzuhalten. Doch durch diese „übliche Vorbereitung" auf den Eintritt in das Bischofsamt kann man die Tätigkeit Austrigisils als hervorragendes Mitglied der königlichen Gefolgschaft erkennen. Daß am neustrischen Hof in der ersten Hälfte des siebenten Jahrhunderts nicht nur die Jagd gepflegt wurde und Krieger ausgebildet wurden, beweist der Briefwechsel des Bischofs Desiderius von Cahors [109]. Daraus ersieht man, daß in Paris um den Prinzen Dagobert ein Kreis gebildeter junger Männer bestanden haben muß, aus dem einige führende Persönlichkeiten des fränkischen Reichs im 7. Jahrhundert hervorgingen [110]. Das Brieflatein der adeligen Freunde ist ungleich besser, als das des zeitgleichen „Fredegar", gleichgültig ob die Verfasser Romanen, Burgunder oder Franken waren. Die Bildung am Hofe muß daher in diesen Jahren nicht unbeachtlich gewesen sein [111]. Die engen Beziehungen des Kreises zu Kolumban und seinen Stiftungen Luxeuil und (sogar) Bobbio mögen das Ihre dazu beigetragen haben: die Träger dieser neuen Bewegung waren sichtlich geistig geschult worden, bevor sie am Hofe mehr praktisch und militärisch ausgebildet wurden. Dazu trat der geistliche Einfluß des irofränkischen Reformideals: diese „gemischte" Erziehung formte Männer, die den letzten Glanz des merowingischen Reiches ermöglichten und dabei überwiegend Bischöfe waren. Sie wirkten als Diplomaten und Literaten, die aber auch das Schwert zu führen wußten und bei allem adeligen Selbstverständnis sich der monastischen Bewegung der Zeit nicht verschlossen. Eines der am meisten hervorragenden Mitglieder jener Gruppe, Audoin von Rouen, war als Sohn des mächtigen Authari mit seinen beiden Brüdern von frühester Jugend an unter dem Einfluß kolumbanischer Ideale erzogen worden. Daher auch bei einem Franken die sonst nicht so selbstverständliche Ausbildung in den litterae, die Erziehung durch inlustres viri, dann aber als wichtige Ergänzung und Sprungbrett für die Zukunft der Hofdienst [112]. Gerade diese umfassende Bildung mit der starken Bindung an den Hof erzeugte eine Elite, die in kirchlichen Stellungen ebenso für die Reichseinheit wirkte wie auf weltlichen Posten. Audoin wurde neben dem in den Quellen so schwarz gezeichneten Hausmeier Ebroin zum führenden Vertreter — man gestatte den modernen Begriff — zentralistischer Tendenzen im neustrischen Reich. Erst nach beider Tod konnte sich die arnulfingisch-pippinidische Adelsopposition durchsetzen [113]. Neben Audoin standen aber

---

[109] Desiderii episcopi Cadurcensis epistolae (ed. Ernst Dümmler) MGH EE 3 (1892) bes. I 9 (an Abbo-Goerich von Metz) und I 10 (an Audoin von Rouen) 198 f.

[110] Prinz, Mönchtum 504 f.

[111] Ebenda 508.

[112] Vita Audoini c. 1, 554.

[113] Audoins Widerpart war Pippin der Mittlere, nicht Pippin der Ältere wie Prinz, Mönchtum 490 behauptet. Karl Ferdinand W e r n e r, Les principautés péri-

andere bedeutende Bischöfe und Äbte, deren Ausbildung in gleicher Umgebung in der gleichen Form erfolgt war und deren Zusammenhalt über Diözesen und Klöster hinweg dem fränkischen Reich im 7. Jahrhundert noch Halt gab. Daß aber auch abgesehen vom Pariser Hof germanische Erziehung und antike Bildung gleicherweise wirksam waren, sehen wir aus der Vita des Bischofs Ansbert von Rouen [114]. Er wurde von magistri strenui in den litterae unterrichtet, die in dieser Zeit wohl schon ziemlich verchristlicht waren: dennoch dichtete er im besten (und dunkelsten) Rhetorenstil [115]. Es ist symptomatisch, daß Ansberts Dichtungen im England Aldhelms bekannt und geschätzt waren.

Man kann nicht behaupten, die germanische Adelserziehung mit ihrem Ideal des Pagen und Kriegers und die (verchristlichte) antike Bildung seien in harmonischer Verschmelzung zu neuen Formen gelangt. Beide Stile wirkten nebeneinander: aber die Besten vermochten durch eine persönliche Synthese zu einem neuen Ideal des hohen Klerus zu gelangen. Erst jetzt auf dieser Grundlage wurde die Mission möglich: Die Bischöfe des sechsten Jahrhunderts — Gregor von Tours kann uns dabei als Beispiel dienen — gaben sich keine Mühe, die germanische Mentalität zu verstehen. In der Historia Francorum wird man vergeblich nach einer Schilderung fränkischer Bräuche oder selbst des Rechtslebens suchen; im Vordergrund steht das kirchliche Geschehen, und alles was damit zusammenhängt ist „römisch". Das stärkere Eindringen germanischer Bischöfe in die Hierarchie und die Erziehung am fränkischen Königshof auch von Romanen schufen ein neues Verständnis, das nun auch Berührungspunkte mit den heidnischen Germanen ergab.

Einen Spiegel dieser doppelten Bildung bietet uns der wahrscheinlich fiktive Briefwechsel zwischen Chrodbert und Importunus, zwei Bischöfen aus der Mitte des siebenten Jahrhunderts [116]. In witziger Form, voll obszöner An-

---

phériques dans le monde franc du VIIIe siècle, in: I problemi dell'Occidente nel secolo VIII. (XXa settimana del Centro italiano di Studi sull'Alto Medioevo, 1972) 491 meint, der Hausmeier sei „la préfiguration, le modèle d'autres pouvoirs régionaux, car il est l'incarnation d'une attitude anticentraliste." Das mag für das 8. Jahrhundert gültig sein; selbst dann aber nur für den Moment des Übergangs von der Erhebung gegen das merowingische Königtum bis zur Erlangung der Herrschaft, die ja notwendig zentralistisch war. Im 7. Jahrhundert geht die „attitude anticentraliste" sicherlich nicht vom Hausmeier aus, zumindest nicht vom neustrischen; und das trotz der das Königtum schwächenden Tendenzen seit dem Edikt Chlothars II. von 614.

[114] Vita Ansberti c. 1, 619 f.

[115] Siehe das kunstvolle Figurengedicht Ansberts zu Ehren Audoins von Rouen, in dessen Vita a. a. O. 542.

[116] Erhalten im Additamentum e codice Formularum Senonensium (ed. Karl Zeumer) MGH Formulae (1886, Neudruck 1963) 220 ff. Vgl. auch Karl Z e u m e r, Über die älteren fränkischen Formelsammlungen, in: NA 6 (1881) 75 f., sowie Léon L e v i l l a i n, La succession d'Austrasie au VIIe siècle, in: Revue historique 112 (1913) 71 f. Der fingierte Briefwechsel ist eines der seltenen (erhaltenen?) Beispiele mero-

spielungen, werfen beide einander Dinge vor, die sich mit dem Amt eines Bischofs grundsätzlich nicht vereinen lassen. Abgesehen davon, daß wir auch brauchbare Nachrichten in diesen Gedichten finden, sind sie uns ein Beweis für das ansprechende Bildungsniveau und das adelige Selbstverständnis der Bischöfe jener Zeit. Gleichgültig, ob der Briefwechsel echt ist oder ein Pamphlet aus der Umgebung der Bischöfe; er setzt immerhin eine gewisse sprachliche Gewandtheit voraus und eine geistige Beweglichkeit, die bei primitiven Haudegen im Bischofsgewand undenkbar wäre, wenn sie auch nicht mehr die Kunstfertigkeit eines Avitus von Vienne oder eines Venantius Fortunatus erreicht. Das ganze wirkt wie eine Mischung von römischer Facetie und germanischer Streitrede und ist in manchem ein früher Vorläufer der Vagantenpoesie. Die zufällige Überlieferung macht wahrscheinlich, daß derlei weit häufiger vorhanden war, aber nur selten schriftlich festgehalten wurde: man wird die bischöfliche Bildung im siebenten Jahrhundert auch nördlich der Loire — die Briefe stammen aus dem neustrischen Kernland — nicht ganz unterschätzen dürfen.

Bei allem Festhalten an der Bildung in ihrer überlieferten klassischen Form konnten auch die stolzesten Senatorenfamilien Galliens nicht verhindern, daß die laikalen Bildungsstätten zu geistlichen Anstalten wurden [117], in denen der den Bedürfnissen der Kirche entsprechende Stoff Vorrang hatte. Daß die Lehrinhalte im Sinne des Christentums tendenziös wurden und der Bildungshorizont sich verengte, beweist am besten Gregor von Tours. Zwar studierte er Martianus Capella und sogar den Codex Theodosianus, er kannte an Schriftstellern Plinius und Aulus Gellius, an Dichtern Vergil aber auch den christlichen Prudentius [118]. Doch überwog schon die christliche Seite der Erziehung: Psalmen und Evangelien bildeten ihren Hauptteil [119]. Wenn sich auch die klassische Bildung vereinzelt bis ins siebente Jahrhundert hielt, so gab es doch schon lange vorher Versuche einer organisierten christlichen Erziehung eines Teils der Jugend. Doch gelang es der christlichen Schule nicht, eigene didaktische Formen — modi intelligentiae — wie Cassiodor schreibt — hervorzubringen, die die bisher gültigen ersetzen konnten [120]. Stimmt es auch nicht, daß die

---

wingischer Reimprosa, dazu Karl P o l h e i m, Die lateinische Reimprosa (1925) 293; dem Urteil von Brunhölzl, Lat. Literatur 149 („Der Derbheit des Inhalts und des Tons steht die Rohheit der Sprache nicht nach") möchte ich mich nicht unbedingt anschließen.

[117] Aber nicht zu theologischen, wie Denk, Unterrichtswesen 191 sagt.

[118] Ebenda 231.

[119] Dieses Manko empfand Gregor selbst; Riché, Éducation 235 denkt an eine Erziehung Gregors in der Bischofsschule von Clermont unter der Leitung seines Onkels Avitus, was mir jedoch zweifelhaft scheint.

[120] Die Grammatik folgte immer noch dem Donatus; doch siehe oben S. 62,

wirkliche, fast künstlerische Sprachbeherrschung seit der Errichtung barbarischer Reiche als Voraussetzung für die Erringung von Ehrenstellen wegfiel [121], so gewann doch das Studium der Heiligen Schrift und die Kenntnis kanonischer Vorschriften und der Glaubenssätze stark an Bedeutung, nicht nur für die geistliche Laufbahn. Auch Laien wurden mehr und mehr in diesem modifizierten Stil der antiken Schule erzogen; die höhere geistige Bildung kam „durch das Sieb der Kirche" [122]. Wie vehement gegen die artes liberales von Papst Gregor d. Gr. Stellung genommen wurde, haben wir aus seinem Brief an Bischof Desiderius von Vienne gesehen [123]. Gerade im Umkreis adeliger Bischöfe war die traditionelle Sprachpflege mit ihren heidnischen Grundlagen immer noch vorhanden und machte die Geister auf gefährliche Weise unempfänglich für den schlichten, wenig eindrucksvollen und ziemlich regellosen Stil, in dem die christliche Botschaft verfaßt war. Daß hier ein besonderes Problem für die Verbreitung und vor allem für die Vertiefung der christlichen Lehre bestand, blieb schon Augustinus und Hieronymus nicht verborgen. Wir haben gesehen, daß noch Avitus von Vienne versuchte, den christlichen Inhalt in klassische Formen zu gießen [124]; aber das waren Versuche, die der augenblicklichen und örtlichen Situation entsprangen, jedoch nicht zukunftsweisend waren. Illmer hat zurecht betont, „daß die christliche Doktrin einen nicht unbeträchtlichen Teil ihrer propagandistischen Dynamik aus der Opposition gegen die traditionell gebildete Intelligenz und ihre Bildungsvorstellungen und Institutionen gewonnen hat" [125]. Es wurde schon darauf hingewiesen, wie sehr die Predigten im Munde der gallo-römischen Bischöfe zu rhetorischen Glanzleistungen wurden, die bald den Inhalt vergessen ließen und bei allem Beifall der Gebildeten der großen Menge unverständlich blieben. Hier setzte Caesarius von Arles mit seiner „Volkspredigt" an. Wenn er auch die klassischen Formen der Erziehung nicht beseitigte — er selbst konnte seine Ausbildung bei Julianus Pomerius nicht ganz vergessen machen —, so begann sich der Gedanke durchzusetzen, daß der christliche Bischof kein Philosoph sein sollte. Was nützten alle an Vergil oder Cicero geschulten sprachlichen Feinheiten, wenn die Heilsbotschaft weiten Kreisen gar nicht nahe gebracht werden konnte, da die Verständnisschwierigkeiten durch den stets wachsenden Abstand zwischen der Sprache

---

Anm. 56 über die Versuche, eine christliche Grammatik in Spanien zu schaffen. Zu der Wirkung des Donatus: Curtius, Europäische Literatur 53 ff.; Illmer, Totum 436 f.

[121] So Denk, Unterrichtswesen 224 f.

[122] Graus, Merowinger 205; doch ist das „literarisch" interessierte Publikum in der Merowingerzeit nicht ganz weggefallen, wie die — wenn auch kleinen, ephemeren — gebildeten Kreise am Hofe Sigiberts I. oder Dagoberts beweisen.

[123] Siehe oben S. 66 f.

[124] Siehe oben S. 58 m. Anm. 35.

[125] Totum 431.

der Klassiker und dem späten Volkslatein immer größer wurden? Ein „schlechtes" Latein war ja geradezu notwendig, damit die vielen Ungebildeten überhaupt imstande waren, der Predigt zu folgen. Der Prediger sollte seine wahre Aufgabe nicht vergessen; das Lob, welches einem Deklamator zustand, durfte nicht sein Ziel sein. Stand nicht das Christentum von allem Anfang her in Opposition gegen die Pharisäer, die Hüter des W o r t s? War es nicht eine Reaktion auf deren hochmütige Anmaßung, allein die berechtigten Verwalter der göttlichen Botschaft zu sein? Der Welt war das Heil durch Fischer und Zöllner, nicht durch Rhetoren und Grammatiker verkündet worden [126].

Im Grunde sprach gegen eine christliche Schule, daß es beim Christentum nicht um eine vorbildliche, philosophische Lebenshaltung ging, die nach gewissen Vorschriften und Lehrsätzen tradierbar war und erlernt werden konnte. Die christliche Lehre war eigentlich nur durch persönliche Versenkung in die Texte begreif- und erfahrbar, sie konnte ihrem Wesen nach nicht als Schulgegenstand dienen. Doch zwang die Realität hier zu einigen Konzessionen: solang die so sehr bekämpfte heidnisch-klassische Bildung bei den angehenden Klerikern vorausgesetzt werden konnte, brauchte sich die Kirche, zumindest was die gebildeten Kreise betraf, um die Verkündigung ihrer Lehre kaum Sorgen zu machen. Als diese Bildung aber abnahm, die klassische Erziehung verflachte und auch die Conversio Erwachsener seltener wurde, mußte man darangehen, eine regelrechte Klerikerausbildung zu schaffen.

Wenn wir heute von Dom- oder Kathedralschulen reden, entspricht das dem Bild, welches wir uns von einer modernen Schule machen. Richtige Lehranstalten wurden aber nicht geschaffen. Es war ganz im Sinne Cassians oder Cassiodors, daß man das Schwergewicht auf den Kontakt zwischen jungen, unerfahrenen und älteren, reifen Christen legte; doch wurde aus dem mehr zufälligen Gespräch, wie es Cassiodor vorschwebte, jetzt ein regelmäßiges [127]. Relativ früh scheinen solche Einrichtungen in Italien bestanden zu haben [128], da sich der berühmte Kanon 1 der Provinzialsynode von Vaison 529 bereits auf die dortigen Verhältnisse als Vorbild beruft [128a]; Caesarius von Arles, der sich ja für eine spezifisch christliche Ausbildung einsetzte, war wohl der spiritus rector dieser Verfügung [129]. Es wurde festgesetzt, daß Presbyter junge Leute

---

[126] Vgl. dazu Weber, Kulturgeschichtl. Probleme 382 f.; zur „Fischersprache", die sich bewußt gegen die klassische und spätantike Rhetorik wendet, Fedor S c h n e i d e r, Rom und Romgedanke im Mittelalter (1926) 70 ff.

[127] Die „confabulatio" Cassiodors; dazu Illmer, Totum 432 f.

[128] Doch schließt Riché, Éducation 78 aus der Tatsache, daß Fulgentius, der spätere Bischof von Ruspe, nach einer häuslichen Erziehung in ein „Auditorium" geschickt wurde, auf einen christlichen Schulunterricht in Afrika bereits um 480.

[128a] „... secundum consuetudinem, quam per totam Italiam satis salubriter teneri cognovemus...".

[129] Schubert, Christl. Kirche 70; Marrou, Geschichte der Erziehung 611.

als Lektoren ins Haus aufnehmen und dort erziehen sollten, damit diese einst ihre würdigen Nachfolger würden. Über diese „iuniores", wohl angehende Kleriker, erfahren wir aus dem Testament des Bischofs Remigius von Reims (ed. J. M. Pardessus 1843, I 82), in dem sie in der kirchlichen Hierarchie nach den Lektoren genannt werden. In Spanien hatte schon das 2. Konzil von Toledo (527) eine ähnliche Einrichtung geschaffen — die Episkopalschule — [130], doch erst auf der Synode von Mérida (666) entschloß sich die westgotische Kirche für eine Presbyterialschule [131]. Der Lehrinhalt war in beiden Fällen recht bescheiden: die Zöglinge hatten die unvermeidlichen Psalmen zu lernen [132] und weiters das Neue Testament und die „lex Domini" zu kennen. Ausführlich genannt findet sich das nur in der Bestimmung von Vaison; den spanischen Bischöfen ging es nicht um eine Kopie der burgundischen Bestimmungen. In Mérida scheint auch der Ausgangspunkt ein ganz anderer gewesen zu sein: es wurde die Klage laut, daß sich Priester das ganze Kirchengut angeeignet aber versäumt hätten, andere Kleriker zu liturgischen Zwecken heranzuziehen, so daß kirchliche Feiern vielfach nicht stattfinden konnten. Diesen Verhältnissen sollte in Mérida gesteuert werden. Die versammelten Bischöfe ordneten an, daß solche Priester sich aus der familia ecclesiae suae Kleriker erziehen sollten, um stets jemanden zur Ausübung des kirchlichen Dienstes zur Verfügung zu haben. Ferner wird bestimmt, daß die Priester jene Jungkleriker kleiden und nähren mußten, daß sie diese aber nicht nur zu kirchlichen Zwecken verwenden könnten, sondern auch „ad servitium suum". Auch bestand keine Möglichkeit für die Kleriker, mit 18 Jahren wieder ins weltliche Leben zurückzukehren und zu heiraten, wie es nach c. 1 von Vaison erlaubt war. Der Anlaß für die beiden so gleichartig klingenden Regelungen war also verschieden, nur das gemeinsame Leben im Priesterhaus und die Erziehungsfunktion des Presbyters finden sich in den Bestimmungen von Vaison u n d Mérida. Auch der Inhalt der Studien wird wohl recht ähnlich gewesen sein, wie der christliche „Lehrplan" ja überhaupt nicht sehr viele verschiedene Möglichkeiten bot. Allerdings wird man kaum die beiden Bestimmungen als Einschnitt in der Schulgeschichte bezeichnen können, der uns die Dorfschule bescherte, wie sie bis ins 19. Jahrhundert weit verbreitet war: mit dem Pfarrer als Lehrer [133].

Alles in allem blieb der Bildungsstand der Kleriker, die aus der Pfarrschule kamen, eher gering. Wer nicht eine gute „heidnische" Erziehung mitbrachte, war für die höheren Ämter der Kirche nicht sehr geeignet. Das ging bis zum Presbyter, dessen Ausbildung auch als ordentliche Voraussetzung für das Bischofsamt in den Mittelpunkt des Interesses rückte. In dieser Hin-

---

[130] C. 1, 42 f.
[131] C. 18, 338.
[132] Riché, Éducation 326 glaubt an ein gleichzeitiges Erlernen der Notation.
[133] Marrou, Geschichte der Erziehung 611.

sicht ging Spanien voran. Während in Italien noch in langobardischer Zeit Grammatikerschulen dominierten, und die Bischöfe Crispus von Mailand oder Gison von Modena selbst die septem artes liberales unterrichteten [134], beschlossen die spanischen Bischöfe auf der 2. Synode von Toledo 527, daß die pueri oblati im Hause des Bischofs selbst erzogen und gebildet werden sollten [135]. In der domus ecclesiae standen sie unter der Aufsicht des Bischofs und wurden vom Praepositus unterrichtet. Doch blieb die Möglichkeit, mit 18 Jahren die Klerikerlaufbahn zu verlassen, wenn sich der in der Bischofsschule erzogene Kandidat nach einer öffentlichen Befragung dafür entschied. Im anderen Falle studierte der Kandidat an Ort und Stelle weiter. Das wesentlich Neue an dieser Schule war die dabei verlangte vita communis der zukünftigen Kleriker. Riché [136] und Dereine [137] haben die Frage nach dem Unterschied zwischen dieser und der klösterlichen Erziehung gestellt. Die enge Bindung an die Kathedrale ist immer gegeben, auch nach dem 18. Lebensjahr. Wahrscheinlich sollten die Gefahren, denen ein junger Mann vor allem auf sexuellem Gebiet in der Entwicklung ausgesetzt ist, möglichst ausgeschaltet werden; man konnte so aber auch den Einfluß der weltlichen Wissenschaften besser unter Kontrolle bringen. Die vita communis schien außerdem die einzige Möglichkeit zu sein, die christliche Lehre unangefochten von äußeren Störungen und unabhängig von bedeutenden Einzelpersönlichkeiten zu tradieren [138]. Daß die Zeitgenossen zwischen dem Zusammenleben der Kleriker im Hause des Bischofs und dem klösterlichen Leben aber Unterschiede sahen, geht aus einer Bestimmung des 4. Konzils von Toledo 633 hervor [139]. Darin werden die Gefahren des Jünglingsalters betont, und wird die Rolle des senior als „magister doctrinae" und „testis vitae" unterstrichen. Wer sich in dieses System nicht fügt, wird ins Kloster gesteckt. Der klösterliche Lebensstil muß demnach als strenger und gegenüber dem gemeinsamen Leben der studierenden Kleriker als Verschärfung angesehen worden sein.

Das Lehrprogramm der Bischofsschule in Spanien unterschied sich nicht allzu sehr von dem der Presbyterialschule, doch scheinen die Gegenstände etwas mehr vertieft worden zu sein. Liturgische Texte standen im Vordergrund, wobei Rhetorik und Grammatik vorausgesetzt wurden [140]; daneben lernte man Gesang und anscheinend auch eine Art „Grundzüge der Verwaltung", die von einem „senior scribarum" vorgetragen wurden [141]. In der Pariser Bi-

---

[134] Vgl. Denk, Unterrichtswesen 244.
[135] Wie Anm. 131.
[136] Éducation 168.
[137] Art. Chanoines, in: DHGE 12 (1953) 363 f.
[138] Darauf kann hier nicht näher eingegangen werden; vgl. Illmer, Totum 442 ff.
[139] Concilios visigóticos 201 f.
[140] Isidor von Sevilla, De ecclesiasticis officiis (PL 83) II 11, 2, Sp. 791.
[141] Riché, Éducation 332 f.

schofsschule ist später manchmal wohl auch eine „ars notaria" unterrichtet worden. Das läßt sich aus den Widmungsworten Markulfs für seine Formularsammlung schließen. Er beruft sich auf den Befehl Bischof Landerichs, der ihn zur Abfassung des Werks gedrängt habe: das ist hier kein „Auftragstopos"! Markulf habe es daraufhin „ad exercenda initia puerorum" zusammengestellt [142]. Ewig vermutet, daß für die Verbreitung der bekannten Sammlung die Bistumsschulen der Francia bedeutsamer gewesen seien als die Klöster [143]. Darum wird man diesen Bischofsschulen neben der theoretischen Ausbildung vielleicht eine gewisse Praxisbezogenheit nicht absprechen können. Es erhebt sich die Frage, der hier aber nicht weiter nachgegangen werden kann, inwieweit man die Anfänge einer bischöflichen Kanzlei und die nordfranzösischen Kathedralschulen zusammensehen muß; obligat wird in jener eine Art „Referendarausbildung" nicht gewesen sein [144], denn wir erfahren aus dem 8. Kanon der 10. Synode von Toledo 653, was ein Priester beherrschen mußte: den Psalter, Gesänge und Hymnen sowie den Taufritus [145]. Doch beweisen immer wiederkehrende Synodalbestimmungen, daß man ernstlich um die Hebung des geistlichen Niveaus der sog. Majoristen bemüht war. Zugleich sieht man aber, daß es trotzdem eine beachtliche Zahl illiterater Diakone und Priester gegeben haben muß, obwohl deren Weihe streng untersagt war; die Bischöfe huldigten dem Grundsatz: „ignorantia mater cunctorum errorum" [146]. Auch hier wurde Widerstrebenden, die keine Bildung annehmen wollten, mit der Einweisung ins Kloster gedroht, wo sie zum Lesenlernen gezwungen wurden, weil man anders das Volk (in der Predigt) nicht erbauen könne [147].

In Spanien nahmen sich die Bischöfe oft genug selbst des Unterrichts in ihren Domschulen an oder verfaßten Werke für den Schulgebrauch. Isidor von Sevilla versuchte dabei, alles wegzulassen, was über den engeren kirchlichen

---

[142] Formulae Marculfi, ed. Karl Zeumer (wie Anm. 116) 37. Über die Entstehung der Formularsammlung und die Beziehungen Bischof Landerichs zu Markulf vgl. Léon L e v i l l a i n, Le Formulaire de Marculf et la critique moderne, in: BEC 74 (1923) 21 ff., 65 und Franz B e y e r l e, Das Formelbuch des westfränkischen Mönchs Markulf und Dagoberts Urkunde für Rebais a. 635, in: DA 9 (1952) 44.

[143] Eugen E w i g, Das Fortleben römischer Institutionen in Gallien und Germanien, in: Congresso internazionale di scienze storiche. Relazioni 6 (Florenz 1955) = Spätantikes und fränkisches Gallien 1 (1976) 414.

[144] Über bischöfliche Referendare und Notare siehe Peter C l a s s e n, Kaiserreskript und Königsurkunde. Diplomatische Studien zum Problem der Kontinuität zwischen Altertum und Mittelalter (Byzantina keimena kai meletai 15, 1977) 108 m. Anm. 5, 203.

[145] Concilios visigóticos 281;

[146] II Orléans (533) c. 16, 63; IV Toledo (633) c. 25, c. 26 (mit der Vorschrift, dem neugeweihten Priester den „libellus officialis" auszuhändigen) 202.

[147] Vgl. auch die Synode von Narbonne (589) c. 11, 148 f.

Bedarf hinausging [148]; doch gelang es ihm nicht vollständig: er kam an einer teilweisen Übernahme der klassisch-heidnischen Bildung nicht vorbei, da die Voraussetzungen für eine christlich-lateinische Grammatik nicht gegeben waren, und außerdem das „Bildungsheidentum" in Spanien viel stärker verankert war und länger nachwirkte als in anderen Teilen des ehemaligen Imperium [149]. Über die unmittelbaren Auswirkungen der synodalen Bestimmung von 527 kann man nur schwer urteilen. Doch brachte die Schule von Toledo immerhin bereits um die Mitte des 6. Jahrhunderts zwei gelehrte Bischöfe hervor, die bedeutende Exegeten waren: Justus von Urgel und Apringius von Beja [150].

Es mag sein, daß das Bildungsstreben des spanischen Klerus nach dem Tod Isidors von Sevilla im allgemeinen zurückging [151]; auf den von ihm beeinflußten Synoden war dekretiert worden, daß nur gebildete Kleriker zu Bischöfen geweiht werden durften [152]. Daher erwuchsen dem katholisch gewordenen Westgotenreich noch nach der Mitte des 7. Jahrhunderts eine Reihe geistig hochstehender Bischöfe, deren Wirken auch als Lehrer hervorgehoben werden muß. So schrieb z. B. Julian von Toledo eine Grammatik für seine Schüler, die sich an das spätantike Vorbild des Donatus hielt, aber christliche exempla bis zu den Werken Isidors verwendete. Julians Vorgänger, Eugenius I. von Toledo, versuchte, die rhetorischen Studien im christlichen Unterricht auf eine neue Basis zu stellen; daneben verfaßte er für den Schulgebrauch Naturgedichte und Poemata über Gegenstände des Alltags [153]. Beides ist umso bemerkenswerter, als in den Synodalbestimmungen, die sich mit Fragen der Bischofsschule befassen, von einem Grammatik- oder Rhetorikunterricht keine Rede ist. Man wird in diesen Kanones entweder geforderte Mindestvoraussetzungen sehen müssen oder man vertraute in Spanien auf eine nichtchristliche Vorbildung der jungen Kleriker. Letzteres scheint für das 7. Jahrhundert aber eher unwahrscheinlich, da mit der Verschiebung der kulturellen Zentren von der alten Provinz Baetica ins Innere des Landes und nach Norden die lebendige Bindung zum byzantinischen Raum schwächer wurde. Bei allem Lob, das man dem spanischen Bildungsstreben spenden muß, darf man eines nicht außer acht lassen: im Mittelpunkt der höheren Klerikerbildung stand der Wunsch, gut zu

---

[148] Prinz, Mönchtum 466.

[149] PL 83, 685; Isidor sah wohl in erster Linie im Studium klassischer Texte eine Gefahr für im Christentum noch zu wenig gefestigte Geister.

[150] Justus verfaßte einen Kommentar zum Canticum Canticorum, Apringius zur Apokalypse; zu ihnen Martin S c h a n z, Geschichte der römischen Literatur 4/2 (1920) 629, sowie Pierre de L a b r i o l l e, Histoire de la Littérature latine chrétienne II. (Paris, ³1947) 817 f. und Riché, Éducation 169.

[151] Schubert, Christl. Kirche 185.

[152] So z. B. II Sevilla (619) c. 7, 167 f. oder auf der schon genannten vierten Synode von Toledo (633); vgl. Anm. 146.

[153] Siehe seine Carmina (wie Anm. 57) 267 ff.

sprechen (= predigen) und ebenso gut zu schreiben. Diese formalen Fähigkeiten entsprachen dem Zeitideal, wie es noch immer ein Erbe der sinkenden klassischen Erziehung war; eine Schulung des Denkens wurde nicht versucht.

Schulen dieser Art gab es auch überall im Frankenreich. Fragen wir nach der Herkunft der Zöglinge, so finden wir pueri oblati, Absolventen von Pfarrschulen, Priestersöhne, Waisen und auch Verwandte des Bischofs [154]. Was die letzteren betrifft, so wissen wir, daß manche von ihnen noch in guter Tradition „zu Hause" (aber vom Bischof!) erzogen wurden [155]. Man wird daher fragen müssen, ob zwischen individueller Erziehung durch den Bischof und Besuch der Domschule überhaupt ein Unterschied bestand. Im 6. Jahrhundert scheint sich der Bischof in Gallien tatsächlich noch persönlich um die Erziehung Verwandter gekümmert zu haben, doch bleibt die Frage offen, ob das schon im Hinblick auf eine geistliche Laufbahn des jungen Mannes geschah. Andererseits kennen wir Fälle, in denen Bischöfe ihre Nachfolger herangebildet haben: so war Magnerich von Trier ein Schüler seines Vorgängers Nicetius, wie Venantius Fortunatus berichtet [156]. Gallus von Clermont wurde von Bischof Quintianus unterrichtet [157]. In beiden Fällen wird man nicht an eine Schule, sondern an eine private Erziehung denken dürfen. In Trier lag trotz aller gallo-römischen Traditionen das kirchliche Leben so darnieder, daß die Herrscher des austrasischen Reichsteils aus dem aquitanischen Raum Kleriker an Rhein und Mosel berufen mußten, um dem Christentum in diesen Gegenden wieder aufzuhelfen [158]. Nicetius, der aus dem Limousin stammte, war auf diese Weise nach Trier gekommen: es ist wenig glaubhaft, daß er dort gleich eine Bistumsschule eingerichtet haben wird, bevor die äußeren Bedingungen für eine solche

---

[154] Vgl. Riché, Éducation 328 f.

[155] Siehe oben S. 53 f.

[156] Carmina, Appendix 34, vv. 5 ff., 291.

[157] Ven. Fort., Carm. IV 4, vv. 13 ff., 81.

[158] Eugen E w i g, Der Raum zwischen Selz und Andernach vom 5. bis zum 7. Jahrhundert, in: VuF 25 (1979) 290 f. meint, in Trier sei unter König Theuderich I., ein „Missionsseminar" eingerichtet worden, aus dem sich die rheinischen Bischöfe in der Folgezeit rekrutierten. Entfaltet habe sich diese Klerikerschule jedenfalls unter Nicetius von Trier. Bischof Sidonius von Mainz, der erste bekannte Oberhirte jener Stadt seit der Mitte des 5. Jahrhunderts, kam sicher aus Aquitanien, wie sein sprechender Name vermuten läßt; dazu Eugen E w i g, Der Mittelrhein im Merowingerreich. Eine historische Skizze, in: Nassauische Annalen 82 (1971) 54 f. = Spätantikes und fränkisches Gallien 1 (1976) 441. Seine Nachfolger scheinen jedoch Burgunder gewesen zu sein, was ihre Namen Sigimund, Leudegasius nahelegen. Ist diese Annahme richtig, wird man sie mit der Vorliebe der Königin Brunhild für Burgund in Zusammenhang sehen können. Leudegasius blieb ja einer ihrer wenigen Anhänger über die Jahre 612/613 hinaus. Zu den neuen Anfängen der Mainzer Bistumsorganisation um die Mitte des sechsten Jahrhunderts und zu den ersten Bischöfen in dieser Zeit vgl. Karl H e i n e m e y e r, Das Erzbistum Mainz in römischer und fränkischer Zeit 1 (Veröffentl. d. Histor. Kommission für Hessen 39, 1979) 11 m. Anm. 25, 16.

geistliche Pflanzstätte geschaffen waren; zudem liegt der Beginn seines Ponti-
fikates (525) noch vor den Schulnormen der gallischen Synoden.

Allerdings gab es nahe dem ebenfalls austrasischen Reims, in Mouzon,
unter Bischof Remigius eine berühmte schola, in die auch Laienschüler aufgenommen wurden [159], doch ist man sich über den Charakter dieser Schule
nicht recht im klaren. Auch hört man von dieser Bildungsstätte nach dem Tode
des Bischofs nichts mehr. Nicetius von Trier brachte die richtigen Voraussetzungen für einen Lehrer mit: er war einer der ganz wenigen theologisch
interessierten und einigermaßen gebildeten merowingischen Bischöfe seiner Zeit.
Ihm ist der Privatunterricht eines ausgewählten Schülers zuzutrauen; „. . . tanto
informante magistro", sagt Venantius Fortunatus über die Ursachen der Gelehrsamkeit Magnerichs.

Für die persönliche Erziehung des jungen Gallus durch Bischof Quintianus
sprechen andere Gründe. Venantius berichtet darüber kurz aber nachdrücklich
im Epitaph des Gallus: „Quintiano demum sancto erudiente magistro." Dieser
wurde aus Rodez von den Westgoten wegen angeblich frankenfreundlicher
Gesinnung nach 511 vertrieben, er stammte aus Nordafrika und war von Theuderich I. als präsumptiver Bischof von Clermont vorgesehen [160]. Es ist wahrscheinlich, daß dieser bedeutende Flüchtling in der Auvergne von den vornehmen Familien zur Erziehung ihrer Söhne herangezogen wurde; kam er doch
aus der Heimat des großen Augustinus. Es scheint mir gar nicht sicher, daß
Quintianus eine geistliche Bildung für zukünftige Kleriker vermittelt hat. Man
wird seine Unterrichtstätigkeit vielleicht doch eher in den Bereich der klassisch-
antiken Schule einreihen können.

Die beiden berüchtigten Bischöfe Salonius von Embrun und Sagittarius von
Gap sollen vom heiligen Nicetius von Lyon erzogen worden sein [161]. Auch
hier ist wohl nicht der Besuch einer bischöflichen Schule gemeint, in der
ein Praepositus oder Primicerius den Unterricht leitete, während der Bischof
nur gegenwärtig war. Alle unsere versuchten Unterscheidungen der Bildungs-
und Erziehungsformen junger Kleriker kranken nicht nur an einem Mangel
der Überlieferung, sondern auch daran, daß die vorhandenen Quellen so wenig
eindeutig sind. Man kann stets mit der Anwesenheit von Klerikern in der
domus ecclesiae rechnen, gleichgültig, ob es sich um die vita communis einer
größeren Zahl junger Männer im Rahmen einer „Schule" handelt oder um
die persönliche Erziehung eines Einzelschülers. Doch kann man festhalten, daß

---

[159] Ep. Austr. nr. 4, 114 ff. (Brief des Remigius an Bischof Falco von Tongern).
Dazu Denk, Unterrichtswesen 192 und Marrou, Gesch. d. Erziehung 609. Zu diesem
Streit siehe auch Edouard de M o r e a u, Histoire de l'Église en Belgique des origines
aux débuts du XIIe siècle 1 (Brüssel 1940) 52 f.

[160] Darüber ausführlicher unten S. 167 f.

[161] Gregor von Tours, HF V 20, 227.

die geistlichen Schulen, wie sie in Vaison oder II Orléans (533) angeordnet wurden, sich im Frankenreich bis zur Mitte des sechsten Jahrhunderts als nicht sehr zugkräftig erwiesen haben und kaum eine Alternative zur etablierten Bildungsform darstellten. Im Gegensatz zu Spanien dürften sie auch nicht für eine geistliche Karriere von grundlegender Bedeutung gewesen sein.

Auch im siebenten Jahrhundert hatte sich eine einheitliche Schulung von Geistlichen, so sehr das auch den Intentionen eines Papstes Gregor entsprochen hätte, nicht durchgesetzt. Remaclus von Lüttich wurde dem heiligen Eligius von Noyon zur Ausbildung übergeben. Dabei spielte wohl nicht nur das Ansehen eine Rolle, welches der ehemalige Goldschmied im Frankenreich genoß, sondern auch die Tatsache, daß er ein engerer Landsmann des jungen Remaclus war. Doch erfährt man des weiteren nur, daß Remaclus im Kloster Solignac, der Gründung des Eligius, erzogen wurde [162]; und auch dort nicht von Eligius selbst und sicher mehr in moralischer Hinsicht. Das kann man aus den reichlich allgemeinen Worten des Hagiographen entnehmen [163].

Sehr interessant ist die Schilderung des Bildungsganges, der nach der zeitgenössischen Lebensbeschreibung dem bedeutenden Leodegar von Autun zuteil wurde. Gemäß der wohl unmittelbar nach dem Tode des Bischofs (677?) geschriebenen Vita I wurde Leodegar seinem Onkel Bischof Dido von Poitiers übergeben, einem weitberühmten Manne, der ihn sorgfältig erzog und auch Dinge lehrte, die sonst ausschließlich adeligen Laien vorbehalten waren [164]. Man wird dabei ruhigen Gewissens auch um die Mitte des 7. Jahrhunderts an eine persönliche Betreuung Leodegars durch seinen bischöflichen Onkel denken können. Die „studia, quae saeculi potentes studire solent" betrafen vor allem Fähigkeiten, die einer praktischen Wirksamkeit förderlich waren. Leodegars Erziehung steht — was die Überlieferung angeht — vereinzelt da. Wir wissen nicht, ob der spätere Bischof von Autun von Anfang an für eine geistliche Laufbahn bestimmt war und ob dieser eventuelle Gesichtspunkt seine Erziehung beeinflußte. Die Vita II aus dem 8. Jahrhundert, die der burgundische Kleriker Ursinus verfaßte, ist in vielem schon traditioneller, vitenhafter. Wie die ganze Lebensbeschreibung, so ist auch der Abschnitt über die Erziehung Leodegars abgerundeter, banaler und dem Stil des Heiligenlebens stärker angeglichen [165]. Der junge Mann kommt zu seinem Oheim „ad . . .

---

[162] Vita Remacli c. 1, 104.

[163] Der Autor wird also wohl gar nichts über den Inhalt der Erziehung seines Helden gewußt oder das Selbstverständliche der damaligen Zeit nicht notiert haben.

[164] „Cumque a Didone avunculo suo Pectavi urbe episcopo, qui ultra adfines suos prudentia divitiarumque opibus insigne copia erat repletus fuisset strinue aenutritus et ad diversis *studiis*, quae *saeculi potentes studire* solent, adplene in omnibus disciplinae esse lima politus . . .“; (Passio Leudegarii I, c. 1, 283).

[165] Passio Leudegarii II, c. 1, 324 f. Zu dieser zweiten Lebensbeschreibung siehe Graus, Merowinger 378 f. m. Anm. 453.

inbuendo(!) litterarum studiis". Doch ganz so topisch geht es nicht weiter. Bischof Dido übernimmt nicht selbst die Erziehung seines Verwandten, sondern beauftragt einen Priester von hoher Bildung damit. Nach Ursinus habe dieser Unterricht viele Jahre gedauert und zu einer ausgezeichneten Ausbildung Leodegars geführt. Der Priester könnte Praepositus, Grammaticus oder Primicerius gewesen sein, der der Bischofsschule von Poitiers vorstand. Was aber gegen eine derartige Annahme bedenklich stimmt, ist die folgende Angabe des Hagiographen, wonach Dido von Poitiers seinen Neffen anschließend „secum suis cubiculis sub custodia disciplinae retenuit" [166]. Das bischöfliche cubiculum gilt zwar nach der Terminologie der Quellen auch als Bischofsschule, doch ist aus dem weiteren Zusammenhang zu schließen, daß im cubiculum asketische Übungen abgehalten wurden, die der Bischof persönlich überwachte. Alles in allem wird man bei reiflicher Überlegung auch nach dem (späten) Bericht des Ursinus eine eher individuelle Ausbildung Leodegars annehmen können. Daß in Poitiers zur Zeit Didos und seines Neffen gebildete Geistliche wirkten, beweist der sogenannte Defensor, der eine Sammlung lehrhafter Sätze christlicher Autoren zusammenstellte [167], Leodegar nahegestanden haben soll und der ein „weitreichendes Wissen ebenso wie Aufnahmefähigkeit" voraussetzt [168]: ein solcher Gelehrter hätte der sacerdos eruditissimus Leodegars sein können.

Beide Lebensbeschreibungen erlauben den Schluß, daß Leodegar von Autun persönlich von Bischof Dido und vielleicht von dessen Vertrauensleuten erzogen wurde. Im übrigen wird man sich aber mehr an die Angaben der Vita I halten, die realistischer, unbekümmerter ist als die stärker den Normen der typischen Heiligenleben verpflichtete karolingerzeitliche Vita des Ursinus. Daß der junge Mann mit Dingen vertraut gemacht wurde, die eigentlich zur Laienbildung gehören, überrascht zunächst. Doch untermauerte eine solche Erziehung nicht nur die Adelsqualität des Geistlichen, sondern befähigte ihn zugleich, sich in beiden Welten zu bewegen und zu bewähren. Handfeste Argumente durfte auch der Bischof nicht scheuen, wie etwa die Anfänge Leodegars in Autun zeigen sollten.

Ähnlich der ersten Vita Leodegars betont auch der Verfasser der Lebensbeschreibung des Bischofs Desiderius von Rennes (oder Rodez?), daß dieser „omnes disciplinae artes" zu hoher Perfektion gebracht habe [169]. Da jedoch sonst nur von sacrae litterae und dem Inhalt der sancta volumina gesprochen wird, darf man darin wohl nur eine Umschreibung der üblichen geistlichen

---

[166] Passio II, c. 1, 325.
[167] Defensoris Locogiacensis monachi Liber Scintillarum, ed. Henricus M. Rochais (CCL 117/1, 1957).
[168] Prinz, Mönchtum 507 f.
[169] Passio Desiderii (wie S. 29 Anm. 91) c. 1, 55.

Ausbildung durch Psalter und Evangelientexte sehen. Auffällig ist, daß die wenig glaubwürdige Vita, die im wesentlichen aus den Akten des heiligen Sebastian — die als hagiographisches Vorbild überhaupt sehr beliebt waren —, der Vita Albini des Venantius Fortunatus und der Vita des Bischofs Sulpicius II. von Bourges kontaminiert wurde, gerade im Bericht über die Ausbildung des Bischofs unabhängig ist.

In den meisten anderen Fällen haben wir wahrscheinlich eine richtige Schulbildung der späteren Bischöfe vor uns, wenn wir auch selten darüber informiert werden wie bei Gaugerich von Cambrai, der eine Pfarrschule besuchte und dem auf einer Visitationsreise befindlichen Bischof Magnerich von Trier durch sein Wissen auffiel [170]. Der Bischof versprach dem hoffnungsvollen Schüler die Würde eines Diakons, sollte er den Psalter binnen Jahresfrist auswendig können. Riché meint, daran könne man deutlich den Rückgang der Klerikerbildung im Verlauf des sechsten Jahrhunderts vor allem im Norden Galliens erkennen, weil Caesarius von Arles für den Diakonat noch ein viermaliges Durchstudieren der Bibel verlangt habe [171]. Das dürfte allgemein gesehen vielleicht stimmen, was den Norden betraf aber gewiß nicht: In Austrasien und dem gegen die Nordsee und den Niederrhein gelegenen Teil Neustriens war die christliche Bildung erst im Aufbau begriffen. Hier herrschte in vielen Gebieten ein religiöser Synkretismus oder ein heimliches Heidentum im Gewande christlicher Indifferenz. Wir haben da nicht die gleichen Grundlagen wie im Süden Galliens; schon der Bestand einer Parochialschule in der Diözese Trier um die Mitte des sechsten Jahrhunderts ist ein Zeichen der guten religiösen Neuorganisation in dieser Gegend. Der Mangel an ausgebildeten Geistlichen mag einen Rückgang der bildungsmäßigen Forderungen verursacht haben; doch trifft das in erster Linie für die Gebiete südlich der Loire zu, da es in Nordgallien von jeher keinen blühenden Klerus gegeben hat. Ein derartiger Mangel scheint in Lyon auch im siebenten Jahrhundert noch nicht bestanden zu haben. Die Stadt galt als ein weitbekanntes Zentrum geistlicher Bildung [172]: Wilfrid von York wurde hier von „doctores valde eruditi" ausgebildet [173] und zählte dann zu den fähigsten und romtreuen Prälaten der englischen Kirche, die überhaupt zur Kirche von Lyon enge Beziehungen unterhielt [174]. Klerikerschulen sind sicher auch gemeint, wenn von einer Ausbildung durch summi

---

[170] Vita Gaugerici c. 2, c. 4, 652 f. Marrou, Geschichte d. Erziehung 611; Moreau, Histoire 1, 60.

[171] Dazu Riché, Éducation 331.

[172] Darüber unten S. 90 Anm. 187.

[173] Vita Wilfridi I. episcopi Eboracensis auctore Stephano (ed. Wilhelm Levison) MGH SS rer. Merov. 6 (1913) c. 6, 199; siehe auch Prinz, Peregrinatio 450.

[174] Die Bischöfe von Lyon waren wiederholt Bindeglied zwischen dem Papst und und der angelsächsischen Kirche.

sacerdotes [175] oder durch auctores sanctarum scripturarum die Rede ist [176]. Der heilige Trudo etwa wurde von seinem Bischof dem custos ecclesiae zum Unterricht übergeben [177]. An anderen Stellen werden magistri oder magistri catholici als Erzieher der jungen Kleriker genannt [178]. So auch bei Bischof Praeiectus von Clermont, der anschließend von seinen Eltern dem Archidiakon Genesius von Lyon „in aula" anvertraut wurde, der ihn „paternali affectu cum omni diligentia enutrivit ac erudivit ..." [179]. Man darf also annehmen, daß die Aula, in die Praeiectus eintrat, die Bistumsschule von Lyon war, die vom Archidiakon geleitet wurde. Das heißt wiederum, daß der Unterricht durch die magistri entweder zu Hause oder in einer Presbyterialschule erfolgte. Der Begriff des Magisters ist sehr schillernd und das nicht nur im frühen Mittelalter [180]. Er kann genauso gut den Hauslehrer meinen, wie auch denjenigen Geistlichen, der in der Pfarr- oder Bischofsschule lehrte. Am Beispiel des Praeiectus sieht man, daß manche Bischöfe theoretisch wie praktisch eine für die Zeitumstände sorgfältige Erziehung erhielten. Daß man seine Kinder einem hervorragenden Gelehrten anvertraute, kam in merowingischer Zeit nicht vor, soweit es sich nicht um einen angesehenen Verwandten der Familie handelte. Eine Ausnahme stellt Quintianus von Rodez-Clermont dar, welcher allerdings nur zufällig zur Verfügung stand [181].

Im großen und ganzen war das Niveau der geistlichen Schulen bescheiden, eine gute „alte" Bildung konnten sie nicht aufwiegen [182]. Gregor d. Gr. klagt wiederholt über die Mittelmäßigkeit des Klerus in intellektueller Hinsicht. Er mußte verbieten, Illiteraten zu Priestern zu weihen, und den Bischöfen einschärfen, daß eine schöne Stimme allein nicht für den Diakonat ausreiche.

---

[175] Vita Melanii episcopi Redonici (ed. Bruno Krusch) MGH SS rer. Merov. 3 (1896) c. 2, 372.

[176] Vita Ursmari episcopi et abbatis Lobbiensis auctore Ansone (ed. Wilhelm Levison) MGH SS rer. Merov. 6 (1913) c. 2, 454.

[177] Vita Trudonis confessoris Hasbaniensis auctore Donato (ed. Wilhelm Levison) MGH SS rer. Merov. 6 (1913) c. 10, 284.

[178] Passio Praeiecti c. 2, 227; Vita Vulframni c. 1, 662.

[179] Passio c. 4, 228.

[180] Zum Titel „Magister" in der Kanzlei des römisch-deutschen Königs im 12. Jahrhundert Rainer M. H e r k e n r a t h, Studien zum Magistertitel in der frühen Stauferzeit, in: MIÖG 88 (1980) 3—35.

[181] Das änderte sich unter den Karolingern, als mancher angehende Kleriker zu einem berühmten Lehrer geschickt wurde. Doch scheint das nicht immer klar zu trennende Nebeneinander von Domschule und „Privatunterricht" auch noch im 9. Jahrhundert bestanden zu haben. Vgl. Vita Liudgeri auct. Altfr. c. 9, 13; Gesta epp. Autiss. c. 40, 399; Vita Radbodi c. 1, 569.

[182] „Men trained in the atmosphere of the Empire, and in the schools of the rhetors in Bordeaux, Arles, and Rome, give way to men trained in local monasteries or in the households of bishops"; Holmes, The origin 511.

Auch die Bischöfe zeigten sich oft genug nicht auf der Höhe, die ihrem Amte zukommen sollte. Der Papst versuchte diesem Übelstand abzuhelfen, indem er erprobte Mönche bei der Einsetzung von Bischöfen bevorzugte. Kleriker, die den Psalter auswendig konnten und Kenntnisse hatten, die für einen Abt notwendig waren, schienen in den Augen des Papstes ebenfalls für das Bischofsamt qualifiziert [183]. Allerdings sind hier die Verhältnisse in Italien gemeint, die gewiß schlimmer waren als in Spanien und selbst im Frankenreich. Schuld daran war aber keine „Langobardisierung" des Landes, sondern ein innerer Verfall der Bildung, der von den Bestrebungen der christlichen Hierarchie keinesfalls wettgemacht werden konnte. Dazu scheint sich in Italien ein Mangel an klerikalem Nachwuchs bemerkbar gemacht zu haben, der immer noch dazu zwang, Laien im fortgeschrittenen Alter höhere Weihen zu erteilen [184]. Dagegen hatte sich in Chur ein Zentrum antiker Tradition erhalten, dem eine Synthese mit dem christlichen Geist mehr oder weniger gelungen zu sein scheint. Die rätische Bischofsstadt blieb noch bis ins achte Jahrhundert die wichtigste Ausbildungsstätte für den südalamannischen Raum [185]. Auch in der mit Italien so lang verbundenen Provence begann in der Generation nach Caesarius von Arles die Bildung des Klerus zu sinken. Das läßt sich natürlich nicht von den Kreisen sagen, die weiter ihre Ausbildung den Rhetorenschulen verdankten, die immer noch ein gewisses literates Niveau garantierten. Aber die von Caesarius so stark forcierte christliche Erziehung erzielte nicht die gewünschten Erfolge. Er selbst fußte ja noch intellektuell auf der von ihm bekämpften Bildung. Sein Lehrer Julianus Pomerius behandelte mit noch antiker Gestaltungskraft christliche Themen von höchster praktischer Bedeutung [186].

Im ganzen Westen mit Ausnahme vielleicht von Spanien krankte es an theologisch gebildeten Geistlichen. Selbst die heilige Schrift wurde nicht wirklich gedanklich durchdrungen. Für die meisten Bischöfe war die Bibel ein Zitatenschatz, den sie auf Grund ihrer am Auswendiglernen orientierten Bildung recht oberflächlich ausbeuteten. Eine vertiefte Kenntnis des Alten und Neuen Testaments, wie sie Bischof Maurilius von Cahors besaß, wird als ungewöhnlich hervorgehoben [187]. Kleriker aus vornehmen Adelsfamilien zeich-

---

[183] Vgl. Epp. V 51, 350; X 1, 236 f.; XIII 14, 381 f.; XIV 11, 429 f.

[184] Vgl. dazu Arles (524) c. 2, 36 f.

[185] Bruno B e h r, Das alemannische Herzogtum bis 750 (Geist und Werk der Zeiten 41, 1975) 151 und Elisabeth M e y e r - M a r t h a l e r, Rätien im frühen Mittelalter, in: Zs. f. schweizerische Geschichte. Beiheft 7 (1948) 23.

[186] De vita contemplativa (PL 59) 520; das geistliche Leben in der Welt ist wertvoll und dem Dasein als Mönch durchaus ebenbürtig.

[187] Gregor von Tours, HF V 42, 249. Am ehesten könnte man Burgund vorübergehend ein theologisches Zentrum des Frankenreichs nennen. Die Bischöfe Syagrius von Autun und Aunarius von Auxerre schufen durch ihre Beziehungen zum Papst-

neten sich durch eine Bildung „à la façon antique" aus und wirkten auf Gebieten, die ihnen dadurch gleichsam eine Verpflichtung waren: sie verwendeten ihr privates Vermögen zum Bau von Kirchen und zu deren Ausschmückung, sie beherrschten die Verwaltung der civitas, übten die Rechtsprechung und produzierten sich als Poeten (manchmal auch als Hagiographen). Wie gering das Interesse an Theologie war, beweist die Tatsache, daß außer dem Brief des Bischofs Nicetius von Trier an Kaiser Justinian bezüglich des Dreikapitelstreits keine dogmatischen Schriften überliefert sind [188]. Es gab zwar im Westen auch Irrlehren wie die der Bonosianer und Neopriscillianer [189] — ganz abgesehen vom Arianismus —, doch ist es charakteristisch, daß diese Häresien von Spanien ihren Ausgang nahmen und von dort ins Frankenreich eindrangen. Während in Spanien gelehrte Bischöfe, allen voran Licinian von Cartagena, in theologischen Traktaten gegen die Häretiker auftraten, gab es in Gallien nichts dergleichen [190]. Die häretischen Anschauungen wurden schlicht und einfach auf Synoden zurückgewiesen oder mit Sanktionen bedroht [191]. Eine wirkliche geistige Auseinandersetzung fand nicht statt; dafür brachten die fränkischen Bischöfe eben zu wenig geistiges Rüstzeug mit. Die bei Gregor von Tours überlieferten Disputationen mit Juden und Arianern zeigen ein recht bescheidenes Maß theologischer Gewandtheit [192]. Es mag sein, daß unter dem Einfluß Kolumbans im siebenten Jahrhundert eine Besserung der Bildung insoweit eintrat, als vereinzelt die Wissenschaft der Iren dem fränkischen Klerus nahegebracht werden konnte; zumindest nahm der Buchimport zu, der ja stets ein Gradmesser

---

tum, zu Spanien und dem byzantinischen Afrika, die Voraussetzungen für eine Beschäftigung mit theologischen Problemen. Doch blühte gerade in Burgund auch die Hagiographie und ein kanonistisches Sammlerwesen. Die Bischöfe von Lyon, wie Aetherius oder Aunemund, machten aus ihrer Stadt einen Mittelpunkt des kirchlichen Lebens, vor allem für die angelsächsische Kirche (Weihe Augustins von Canterbury durch Aetherius, Berctwalds von Canterbury durch Godwin von Lyon; die Bedeutung Lyons für Wilfrid von York vgl. oben S. 87 und unten S. 263).

[188] Ep. Austr. nr. 7, 118 f.

[189] Z. G a r c í a   V i l l a d a, Historia ecclesiastica de Espana 2/2 (1933) 142 f.; zuletzt dazu Knut S c h ä f e r d i e k, Die Kirche in den Reichen der Westgoten und Suewen bis zur Errichtung der westgotischen katholischen Staatskirche (Arbeiten zur Kirchengeschichte 39, 1967) 187 Anm. 167. Über die Wirkung dieser Häresien in Gallien vgl. Dominique A u p e s t - C o n d u c h é, L'hérésie bonosienne ou photinienne dans la Gaule du Ve au VIIe siècle et ses rapports avec le paganisme finissant, in: La Piété populaire au Moyen Age (Actes du 99e Congrès national des Sociétés savantes 1, Paris 1977) 321 ff.

[190] Zu den Leistungen der spanischen Bischöfe auf theologischem Gebiet siehe Schubert, Christl. Kirche 183 ff. Sie waren verpflichtet, bei Visitationen sowohl auf den Zustand der kirchlichen Bauten als auch auf das geistige Niveau der Priester zu achten!

[191] III Orléans (538) c. 34, IV Orléans (541) c. 4, Tours (567) c. 20.

[192] Etwa HF V 43, 249—252; VI 5, 268—272.

geistiger Aktivität zu sein pflegt [193]. Doch blieben diese Errungenschaften auf einzelne Bischöfe beschränkt; so scheint Leodegar von Autun davon bei seinem Oheim Dido von Poitiers profitiert zu haben. Man darf aber nicht vergessen, daß für eine dem byzantinischen Osten vergleichbare Theologie der Boden im Westen noch nicht bereit sein konnte. In einem Gebiet, in dem zahlreiche Menschen erst für das Christentum gewonnen werden mußten und bereits christianisierte noch recht oberflächlich mit dem Glauben verbunden waren, galt es andere Notwendigkeiten zu erfüllen. Die große Leistung des wenig gebildeten merowingischen Klerus lag darin, daß er sich in der Praxis bewährte, organisierte, gründete und verwaltete, die Armenfürsorge betrieb und die Grundlagen einer kirchlichen Ordnung schuf, in der gallo-römische und germanische Mentalität verankert waren und die der Kirche für viele Jahrhunderte die Richtung gab.

Die religiöse Kultur der Gebildeten unterschied sich bis ins 6. Jahrhundert nicht sehr von der profanen: sie war literarisch und rhetorisch. Das konnte bei der immer größer werdenden Zahl einfacher Menschen, die für das Christentum gewonnen wurden, nicht lange genügen. Deshalb wurde die Position der aus dem Mönchtum kommenden Rigoristen immer stärker. Viele Bischöfe fühlten die Unvereinbarkeit zwischen Christentum und profaner Kultur, eine Erscheinung, die im 5. Jahrhundert noch nicht zu bemerken ist [194]. So gingen die Forderungen nach der mönchischen Erziehung, womit man der weltlichen Kultur eine Absage erteilen und auf der Basis von Askese und vita communis eine neue für den Kleriker verbindliche Bildung schaffen wollte. Die Klosterschule, die es im Osten analog zu den Anfängen des Mönchtums schon einige Zeit gab, war im wesentlichen nur eine Stätte zur Erziehung des Mönchsnachwuchses und eher ein Ort der Askese und der Isolation inmitten einer gebildeten, urbanen Umwelt. Im Abendland hingegen sollte die Klosterschule eine elementare Bildungsfunktion in einer Umbruchszeit übernehmen: fast alle Regeln verlangen den Unterricht der jungen Klosterinsassen. Cassiodor redete noch grundlegenden profanen Studien der Mönche das Wort, weil dadurch das Verständnis der heiligen Schrift in nicht geringem Maße gefördert würde [195].

---

[193] Gefördert wurde das auch durch längere Aufenthalte fränkischer Geistlicher in Irland und England (Agilbert von Paris, Dido von Poitiers). Ausführlich darüber Wilhelm L e v i s o n, Irland und die fränkische Kirche, in: HZ 109 (1912) 1 ff. = Aus rheinischer und fränkischer Frühzeit (1948) 250 f.

[194] Man denke nur an Hilarius von Arles oder den hochgebildeten Agroecius von Sens; auch Hieronymus unterrichtete in Jerusalem (trotz seines Traums!) ganz in klassischem Sinne! Vgl. dazu Marrou, Gesch. d. Erziehung 604.

[195] Denk, Unterrichtswesen 223. Im fünften Jahrhundert war es einem gebildeten gallo-römischen Bischof noch unmöglich, eine Predigt anders als ein rhetorisch-literarisches Bravourstück zu sehen. Vgl. den Brief des Apollinaris Sidonius an

Damit stand er freilich allein. Im allgemeinen folgte ja der mönchische Unterricht gerade der Tendenz einer Abkehr vom weltlichen Studium.

Noch mehr als die Presbyterial- und Episkopalschule wurde die Klosterschule später zur wichtigsten Ausbildungsstätte für den Hochklerus. Viele Bischöfe kamen aus dem Mönchtum. Caesarius von Arles ist dabei eine Schlüsselfigur: er selbst spiegelt in seiner Entwicklung, aber auch in seiner Haltung der Bildung gegenüber gleichsam mikrokosmisch den Bruch mit der antiken Erziehung, die Unsicherheit danach und schließlich die Abkehr von der alten Elite, die selbstgewählte Beschränkung auf die neuen, intellektuell bescheidenen christlichen Inhalte wider. Das scheint ihm um so leichter gefallen zu sein, als er sichtlich kein Freund der sprachlichen Kunstfertigkeit war. Diese konnte ja keine Breitenwirkung haben und darum allein dürfte es Caesarius gegangen sein. Er war ein Mann der Organisation und der christlichen Praxis. Die überlieferten Formen der klassischen Bildung verdammte er nicht, aber sie schienen ihm nutzlos bei Leuten, die nur „pedestri sermone" das Wort Gottes verstehen konnten [196]. Was ihm an der klassischen Bildung brauchbar schien, übernahm er [197]. So war seine Abwendung von der „stulti mundi sapientia" keine absolute. Die nächste Generation, die seine Vita verfaßte, sah diese Dinge schon unproblematischer, einfacher, um nicht zu sagen radikaler [198]. Wir haben schon auf den Einfluß seines Lehrers Julianus Pomerius und dessen Werk „de vita contemplativa" hingewiesen [199]. Im Geist der Mönchsethik verfaßt, anerkennt es dennoch ein geistliches Leben in der Welt als wertvoll und dem klösterlichen Lebensstil gleichwertig. Das war beinahe eine theoretische Grundlegung des geistlichen Lebens, wie es Caesarius auffaßte: asketisch-mönchisch in seinen Prinzipien dabei aber nicht esoterisch, sondern nüchtern und praxis-orientiert, jegliche Entwicklung beobachtend, um sofort darauf zu reagieren [200].

Bischof Lupus von Troyes (ed. Christian Lütjohann) MGH AA 8 (1887) IX 11, 161. Andererseits begannen die Versuche, heidnische Bräuche zu christianisieren. So führte Bischof Mamertus von Vienne die Bittprozessionen ein, die an die Stelle der alten Ambarvalien traten. Dazu Édouard S a l i n, La civilisation mérovingienne d'après les sépultures, les textes et le laboratoire 1 (Paris 1949) 83 m. Anm. 5.

[196] Sermo 86: De conceptione sanctae Rebeccae (ed. Germanus Morin) CCL 103 (1953) 353.

[197] Das war vor allem die Rhetorik aber nur als Rahmentechnik, nicht mit den klassischen Inhalten, die etwa dem Grammatikstudium der Zeit entsprachen. Vergilzitate hörten die Zuhörer, auf die es nach Caesarius ankam, nicht heraus.

[198] Zu negativ beurteilt ihn Holmes, The origin 492; kaum entsprechend Riché, Éducation 132, der ihn „sans culture classique" nennt; im großen und ganzen zutreffend das Urteil von Prinz, Mönchtum 476.

[199] Siehe oben S. 89 Anm. 186.

[200] Riché, Éducation 132 leugnet den Einfluß des Julianus Pomerius auf den Predigtstil des Caesarius.

Warum gab es keine nennenswerte theologische Bildung in den fränkischen Klöstern? Schon in Lérins herrschte eine geistige Einfachheit, die sich von der rhetorischen Überladenheit der weltlichen Schulen unterschied, aber keinesfalls primitiv zu nennen ist. Die Predigten der Schüler von Lérins hatten aber einen spiritualistischen Charakter, der alle simplicitas wieder zunichte machte, und dem Christentum bei der einfachen Landbevölkerung kaum zu neuen Anhängern verhalf. Lérins wurde wohl auch deshalb nicht zum überragenden Bildungsinstitut einer neuen christlichen Elite, da die meisten seiner berühmten Absolventen ja längst profan gebildet waren. Der Versuch, Kloster und Schule hier zu einer Institution zu verschmelzen, wurde deshalb gar nicht gemacht. Man war in Lérins aber für dogmatische Fragen offen, und tatsächlich scheint das Inselkloster eine Zeitlang eine Hochburg des Semipelagianismus gewesen zu sein [201]. Doch gingen mit der Überwindung dieser Lehre und dem Niedergang Lérins auch die einzigen Ansätze einer selbständigen Theologie wieder verloren, und die Klöster blieben Bildungsstätten einfacherer Art, in denen nicht um die geistige Durchdringung christlicher Glaubenswahrheiten gerungen wurde.

Auch die irofränkischen Klöster erfüllten diese Aufgabe im siebenten Jahrhundert nicht. Kolumban selbst dürfte ein sehr gebildeter Mann gewesen sein, doch war sein einziges Anliegen, seinen Schülern eine religiöse Formung nach den eigenen Anschauungen zu geben [202]. Es war eher ein asketischer Zug, der die adelige Jugend des Frankenreiches nach Luxeuil ziehen ließ. Der Asket ist ja nie ein Förderer der „culture littéraire". Daß unter Kolumbans Nachfolger Eustasius eine beträchtliche Zahl späterer Bischöfe in Luxeuil erzogen wurde, war nicht der ungewöhnlichen oder besonders qualitätvollen Ausbildung in dem burgundischen Kloster zuzuschreiben. Das Kloster konnte keine anderen Bildungsinhalte bieten als die Dom- und Pfarrschulen; die vita communis der Studierenden war in beiden Fällen gegeben. Man kann auch nicht behaupten, daß die Bischöfe, die im Kloster unterrichtet wurden, in ihrem späteren Wirken eine besondere geistige Prägung erkennen lassen oder dem Mönchsleben näher verbunden blieben, wenn nicht eine persönliche Veranlagung dazu vorhanden war. Eine Ausnahme bilden die Bischöfe aus dem Hofkreis Dagoberts I., die vom Geist des iro-fränkischen Mönchtums durch-

---

[201] Über den Semipelagianismus in Lérins Malnory, Saint-Césaire 143 ff., Schubert, Christl. Kirche 83, und Prinz, Mönchtum 54 ff.

[202] Riché, Éducation 374. Dazu Roger, L'enseignement 412; ebenso Bardy, Écoles 88 und Karl Ferdinand W e r n e r, Le rôle de l'aristocratie dans la christianisation du Nord-Est de la Gaule, in: RHEF 63 (1976) 68. Über die Ursachen der Attraktivität Luxeuils für den fränkischen Laienadel vgl. Pierre R i c h é, Columbanus, his followers and the Merovingian church, in: Columbanus and Merovingian Monasticism (BAR International Series 113, 1981) 67 ff.

drungen waren. Sie entwickelten ein neues bischöfliches Selbstverständnis, wobei allerdings andere Prinzipien entscheidender waren als die Ausbildung im Kloster. Von Kolumban ging nicht ein bestimmtes Programm aus, das man streng zu erfüllen trachtete, trotz seiner Regel, die aber selbst in kolumbanischen Klöstern nicht lange rein bewahrt wurde. Es war mehr ein geistiges Aufrütteln, welches vor allem die Selbstsucht und den Egoismus — zwei elementare Eigenschaften des frühmittelalterlichen Menschen — zurückdämmen sollte, wobei es nicht um eine innere Reglementierung ging. Gerade so konnte sich der kolumbanische „Geist" ausbreiten und subsumierte andere asketische Anschauungen. Für die Bildung wurde damit nichts gewonnen. Kolumban blieb jenseits seiner allgemeinen Anregungen ein Einzelgänger, der in keiner Hinsicht „Schule" machte.

Auch die berühmtesten Klöster Galliens waren also keine Zentren gelehrter Studien, von denen ein Strahl auf den Unterricht gefallen wäre. Ganz anders verhielt es sich damit in Spanien. Klöster wie Agalí, Biclaro oder Dumio pflegten eine geistige Kultur, wie sie in Europa damals anderswo nicht gefunden wurde. Die Beziehungen zu Nordafrika und Süditalien (Lucullanum, Vivarium) im sechsten Jahrhundert hielten eine geistige Gemeinschaft mit der übrigen Mittelmeerwelt aufrecht und förderten Einflüsse aus der theologischen Welt der griechischen Oikumene. Die Schulung der Mönche war grundsätzlich nicht hervorragender als etwa in Gallien, doch fanden begabte Männer hier einen fruchtbareren Boden als nördlich der Pyrenäen. Die Bedingungen, unter welchen man in den Schulen der führenden Klöster erzogen wurde, waren in Spanien eben außerordentlich gut: es gab bedeutende Skriptorien und umfangreiche Bibliotheken [203]. Bischöfe kamen daher häufig aus dem Mönchtum; so stammten im siebenten Jahrhundert vier Metropoliten von Toledo aus dem Kloster Agalí, wo sie z. T. „ab infantia" ihr Leben verbracht hatten [204]. Der Einfluß der mönchischen Eruditionsprinzipien auf die Schulen des Weltklerus war hier recht bedeutend, weil die Mönchsbischöfe diesen Stil vielfach in ihre domus ecclesiae übernahmen. Die Unterschiede der beiden Institutionen wurden daher bildungsmäßig immer geringer, was allerdings auch für Gallien Geltung

---

[203] Riché 345.

[204] Helladius, Justus, Eugen I. und Ildefons; Eugen E w i g , Résidence et capitale pendant le Haut Moyen Age, in: Révue historique 230 (1963) 25 ff. = Spätantikes und fränkisches Gallien 1 (1976) 370. Dies ist ein wesentlicher Unterschied zum gallo-fränkischen Mönchtum. Bischöfe waren dort fast niemals „pueri oblati" gewesen. Der fränkische Bischof fördert das kolumbanische Mönchtum, gehört ihm aber nur vorübergehend an; meist nach einer durchaus weltlichen Erziehung. Vgl. auch Jean-François L e m a r i g n i e r , Quelques remarques sur l'organisation ecclésiastique de la Gaule du VIIe à la fin du IXe siècle principalement au nord de la Loire, in: Agricoltura e mondo rurale in occidente nell'Alto Medoevo (XIII Settimana del Centro italiano di Studi sull'Alto Medioevo 1965) 463 f.

hat, ohne daß man die gleichen Gründe dafür anführen könnte[205]. Daß man einzelne Klöster aufsuchte, weil dort große Lehrer wirkten, ist aber auch im westgotischen Spanien nicht belegt. Im neunten Jahrhundert trifft man das wiederholt, was freilich nicht nur ein Kennzeichen einer schon differenzierteren und fortgeschrittenen Klosterkultur ist, sondern mitunter auf eine gezielte Ausbildung für den höheren geistlichen Dienst deutet[206].

Im siebenten Jahrhundert gibt es auch im Frankenreich eine Reihe von Bischöfen, die im Kloster ihre Bildung erhielten. Es handelte sich dabei nicht um eine spezielle Ausbildung, sondern um einen Reflex der Bedeutung Luxeuils und der von ihm beeinflußten Klöster, die als Erziehungsstätten adeliger Jünglinge in Mode kamen. Wer etwa in Luxeuil oder St. Wandrille-Fontanelle erzogen wurde, hatte bei der engen Bindung dieser neuen irofränkischen Klöster zum merowingischen Königtum gute Aussichten auf eine führende Position in der fränkischen Hierarchie. Audomar von Thérouanne, ein Schüler des Eustasius, wurde von seinem Mitzögling Acharius, der mittlerweile Bischof von Noyon geworden war, an König Dagobert empfohlen[207]. Dieser errichtete das untergegangene Bistum Thérouanne neu und ließ den Luxeuil-Schüler als ersten Bischof in dieser noch stark heidnischen Gegend ordinieren, obwohl hinter Audomar keine mächtige Adelssippe stand[208]. Er hatte zusammen mit seinem Vater bereits als Kind auf die eigenen Besitzungen verzichtet, und es war daher vorauszusehen, daß seine bischöfliche Stellung schwierig werden würde[209]. Ansbert, später als Bischof von Rouen Nachfolger des großen Audoin, verließ die „aula regis" und ging nach Fontanelle, um sich nach den neuen Idealen ausbilden zu lassen. Als Kind war er von „magistri strenui" erzogen worden, dann an den Hof König Chlothars III. gekommen und hatte es bis zum Referendar gebracht[210]. Zu Fontanelle hatte Ansbert auch persönliche Beziehungen, so daß er schließlich überhaupt in das Kloster eintrat. Dort entwickelte er sich zum Wohlgefallen des Gründerabtes Wandregisil, der anordnete, dem neuen Mönch „voluminum copiam" zum Studium zu geben[211]. Die klösterliche

---

[205] Dereine, Chanoine Sp. 358 ff.

[206] Eine solch weit und breit angesehene Stellung nahm z. B. Ende des 9. Jahrhunderts in St. Gallen der Mönch Iso als Lehrer ein.

[207] Vita Audomari c. 4, 755;

[208] Sprandel, Adel 21.

[209] Darüber später S. 110.

[210] Vita Ansberti c. 5, 622.

[211] Ebenda c. 6, 622. Freilich muß man die Berichte der Vita Ansberti gerade in „bildungsmäßiger" Hinsicht mit Vorsicht aufnehmen. Abt Gerwold von St. Wandrille (788—806) fand einen Mönchskonvent vor, dessen Mitglieder beinahe durchgehend „ignari ... litterarum" waren. Er errichtete deshalb eine Klosterschule: im Zusammenhang mit diesem neuen Aufschwung entstanden nun die Viten der mit dem ehemals berühmten Kloster in enger Verbindung stehenden Bischöfe Ansbert,

Erziehung hing also sehr von der Begabung und dem eigenen Eifer ab. Jeden-falls scheint dabei die schon „benediktisierte" Kolumbanregel von Einfluß gewesen zu sein. Wie stark im engeren Sinne monastisch diese Bildung war, läßt sich nicht abschätzen. Doch hören wir von Ursmar von Lobbes, daß er „sacris litteris divinaque lege non mediocriter, sed perfecte; m i n i m e s a e c u l a r i t e r, sed monasterialiter ac regulariter" erzogen wurde [212]. Ursmar dürfte aber nicht im Kloster unterrichtet worden sein, sondern durch „auctores sanctarum scripturarum", in denen man wohl wird Weltkleriker sehen müssen. Daher ist unter „saecularis" sicher nicht klassische Erziehung zu verstehen, sondern an die gewöhnliche geistliche Ausbildung zu denken, weil sie als Gegensatz zur mönchischen, regelhaften hingestellt wird. Da aber im Lehr-inhalt zwischen Dom- und Klosterschule kaum ein Unterschied bestand, in beiden Psalter und Evangelien die Grundlage des Studiums waren, deutet diese Angabe wohl nur auf eine besonders strenge Lebensführung des jungen Mannes [213].

Vergleicht man die Ausbildung Ansberts und Ursmars, so ist folgendes festzustellen: nach einer frühen literarischen Schulung trat Ansbert in den Hofdienst, wobei er trotz seiner Stellung als Referendar mit dem adeligen Hofstil in Berührung kam. Daraufhin wandte er sich an eines der kolumba-nischen Klöster, in der ihm die moderne, klösterliche Bildung zuteil wurde, die freilich bei seinem Alter und wegen seines Eintritts nicht allzu viel „Schulisches" an sich gehabt haben wird. Mit diesem Lebenslauf und der dabei erlangten universalen Ausbildung war Ansbert der geeignete Mann für die Übernahme eines wichtigen Bistums und Metropolitansitzes an der Hei-dengrenze. Hier wurden Männer mit Tatkraft und diplomatischem Vermögen benötigt, die aber ebenso überzeugend als Glaubensboten und Organisatoren des christlichen Lebens wirken mußten. Ursmar war von Kindheit an auf das Klosterleben ausgerichtet und konnte alles „Säkulare" in der Ausbildung ent-behren: für seinen Horizont und späteren Wirkungsbereich reichte eine Er-ziehung „monasterialiter et regulariter" aus.

Anders war es bei Bischof Numerian von Trier. Von seinem Bruder Ger-manus wurde er nach Remiremont mitgenommen „parvulus adhuc aetate" und

---

Vulframn und Lantbert (von Lyon). Diese Lebensbeschreibungen haben allgemein die Tendenz, sich als Werke des frühesten 8. Jahrhunderts auszugeben. Vielleicht reflek-tiert die Belesenheit Ansberts also bloß die Verhältnisse im Kloster unter Abt Gerwold. Andererseits bleibt zu bedenken, daß der geistige Niedergang des Klosters erst unter Karl Martell einsetzte. Vgl. dazu Wilhelm L e v i s o n, Zur Kritik der Fontanellenser Geschichtsquellen, in: NA 25 (1900) 606 f.

[212] Vita Ursmari c. 2, 454.

[213] Freilich ist das c. 2 der Vita sehr reich an topischen Wendungen, so daß man mit einem Urteil vorsichtig sein muß.

erhielt dort eine geistliche Erziehung, in der das asketische Moment bestimmend war [214]. Später scheint er nach Luxeuil gewechselt zu sein, weil eine dortige Ausbildung eine verheißungsvolle Karriere in Aussicht stellte, wozu durch die vornehme Abstammung Numerians ja ohnehin die Grundlage gelegt war [215]. Durch ihn gelangte der irofränkische Reformgedanke auch an die Mosel [216].

Der im Kloster erzogene Bischof ist keine Seltenheit mehr wie noch ein Jahrhundert vorher [217]. Die Verfallserscheinungen des merowingischen Reiches in der 2. Hälfte des 7. Jahrhunderts dürfen uns nicht irre machen: die maßgebenden geistlichen Persönlichkeiten des Frankenreichs waren durch die kolumbanische Reform viel tiefer von religiösem Geist durchdrungen als die gallo-römischen Bischöfe des 6. Jahrhunderts. Manches davon wird man der klösterlichen Ausbildung zuschreiben können. Nicht so sehr wegen des Studieninhalts — der war wohl noch mehr von „heidnischen Schlacken" gereinigt als im 6. Jahrhundert und daher sicher ärmer an Qualität geworden —, sondern auf Grund des großen religiösen Ernstes und der persönlichen Strenge, die eine Erziehung in den vom Geist Kolumbans geprägten Klöstern vermittelte. Diese Form der Bildung konnte meist auf einer Erziehung aufbauen, die dem jungen germanischen Adeligen selbstverständlich war. Gerade jene beiden Komponenten scheinen den politisch aktiven und doch religiös festgegründeten, ja mitunter asketischen Bischof des 7. Jahrhunderts ermöglicht zu haben, den meist auch eine enge Beziehung zum königlichen Hof auszeichnete. Leodegar von Autun oder Audoin von Rouen, um nur zwei Vertreter zu nennen, verkörpern diesen Typus in hervorragender Weise. Aus ihm erwuchs auch der Missionsbischof iro-fränkischer Art, zu dem man Amandus, Haimhramn oder Korbinian zählen kann. Interessant sind dabei noch zwei Beobachtungen: die Missionsbischöfe sind überwiegend romanischer Herkunft (meist aus Aquitanien), während der Reichsbischof des 7. Jahrhunderts — wie wir ihn zu charakterisieren suchten — meist germanischer Provenienz war. Daß die germanischadelige Erziehung die Grundlage für die kolumbanische Klosterbildung wurde, kommt auch nicht von ungefähr. Tatsächlich erstreckte sich der Einfluß der irofränkischen Reform vor allem auf burgundisch-fränkisches Gebiet. Die romanischen Siedlungsgebiete südlich der Loire und westlich der Rhône wurden

---

[214] M. Werner, Anfänge 38.

[215] Vgl. auch die Ausbildung des jungen Willibrord in Ripon; Vita Willibrordi auct. Alcv. c. 3, 117 f.

[216] In dieser Zeit scheint die Klosterregel von Luxeuil nach St. Maximin bei Trier gelangt zu sein; Eugen E w i g, L'Aquitaine et les pays Rhénans au haut moyen âge, in: Cahiers de Civilisation médiévale 1 (1958) 37 ff. = Spätantikes und fränkisches Gallien 1, 562 und ders., Trier 129 f.

[217] Im fünften Jahrhundert waren die führenden Klöster Galliens (Lérins, Marmoutiers, Juraklöster) schon einmal Ausbildungsstätte des hohen Klerus gewesen; vgl. Heinzelmann, Bischofsherrschaft 197 f.

davon weit weniger berührt [218]. Hier wirkten die Traditionen von Lérins und
St. Viktor in Marseille noch nach [219]. Die meisten Romanen — wie Desiderius
von Cahors oder Eligius von Noyon —, die mit dem neuen Mönchsideal in Berührung kamen, erfuhren diese Begegnung am Hofe Chlothars II. oder seines
Sohnes Dagobert und nicht direkt in Luxeuil [220].

Will man die Bildung und Bildungsmöglichkeiten des Bischofs unseres Zeit-
raumes abschließend kurz charakterisieren, so muß man feststellen, daß die
klassische Rhetorenschule im 6. Jahrhundert noch das Feld beherrschte. Im
7. Jahrhundert ging ihre Bedeutung zurück, ohne daß sie ganz verschwunden wäre. Bischöfe des südgallischen Raumes waren ihr bis zum Ende des
Jahrhunderts bildungsmäßig verpflichtet. Die Gegner der alten Schule warfen
ihr heidnische Inhalte vor; hauptsächlich ging es jedoch darum, die Conversio
betagter Laien, welche die Bischofsstühle übernahmen, zurückzudrängen, und
das Bischofsamt wieder zum Endpunkt einer Klerikerlaufbahn zu machen,
die in einer christlichen Schule mit der Kindererziehung beginnen sollte. Die
daraufhin erlassenen Synodalbestimmungen wirkten unterschiedlich; in Spanien
schon im 6., in Gallien erst im 7. Jahrhundert. Doch blieb das Niveau der
Pfarr- und Bischofsschulen relativ bescheiden, so daß sie die Rhetorenschulen
nicht ganz zu verdrängen vermochten; vor allem solange der senatorische Adel
die Bistümer in Gallien überwiegend besetzte. Ähnliches gilt von der Klosterschule, während diese in Spanien für die Ausbildung von Bischöfen sich ausgezeichnet bewährte. Im Frankenreich ergab sich durch die germanische Adelserziehung und den Hofdienst in dem Augenblick eine neue bischöfliche Bil-
dungskomponente, als Germanen zusehends in die kirchliche Hierarchie ein-
rückten. Zusammen mit der christlich-römischen Erziehung, verstärkt durch
die Einflüsse der Reformen des Iren Kolumban, wurde der Dienst am Königshof zur Grundlage eines neuen Bischofstyps, wie er uns in der zweiten Hälfte
des 7. Jahrhunderts begegnet. Auf Grund dieser vielfachen Bildungseinflüsse
ist der Bischof nun fähig, die zwei großen Aufgaben der Zeit zu erfüllen: die
Heidenmission und den Zusammenhalt des auseinanderbrechenden Merowingerreiches. Im 8. Jahrhundert gerät dieses endgültig in die Abhängigkeit der
arnulfingisch geführten Adelsopposition; der gebildete Bischof muß dem der
Zeit mehr entsprechenden Parteimann und Militärstrategen, oft einem Illiteraten, den Platz räumen [221].

---

[218] Vgl. die Karten V und VII A bei Prinz, Mönchtum.
[219] Noch Romarich und Arnulf wollten nach Lérins; Vita Arnulfi c. 6, 433 f.
[220] Siehe unten S. 124 ff.
[221] Siehe unten S. 157 ff. und S. 280.

3. DER WERDEGANG

Zwischen der Erziehung eines jungen Mannes und seiner Einsetzung als Bischof liegt eine Zeit, die in der Hagiographie meist recht stiefmütterlich behandelt wird. Ein Mensch, dessen Kindheit und Jugend ganz unter dem Zeichen der göttlichen Auserwähltheit steht, ist für den höchsten Rang der geistlichen Hierarchie prädestiniert. In seinem Wirken als Bischof, in einem heiligmäßigen und vorbildlich christlichen Leben, erfüllt er seine Bestimmung. Alles, was vor dieser Zeit liegt, ist entbehrlich, soweit es sich nicht um stetigen kirchlichen Aufstieg handelt. Aber auch dieser ist meistens zu selbstverständlich und zu wenig markant, um vom Verfasser der Vita festgehalten zu werden. Ist diese schon kurz nach dem Tode des Bischofs entstanden, so mußte der Autor jedoch mit einem gewissen Bekanntheitsgrad der tatsächlichen Lebensumstände und Schicksale seines Helden rechnen [1]. Darauf mußte er Rücksicht nehmen, wenn auch das literarische Genos anderes verlangte. Damit aber der exemplarische Charakter der Lebensbeschreibung gewahrt bleibt, und die manches Mal allzu profanen Geschehnisse nicht zu sehr vom eigentlichen Ziel und Zweck der Darstellung ablenken, werden wir leitmotivartig an die eigentliche Bestimmung des Bischofs erinnert: auch während seiner weltlichen Geschäfte ist das Trachten des Heiligen im wesentlichen immer auf Gebet und gute Werke gerichtet [2].

Den Werdegang des späteren Bischofs zu untersuchen, bedeutet daher Arbeit an einem ziemlich spröden Gegenstand. Dennoch soll sie hier unternommen werden, weil eine systematische Zusammenfassung darüber fehlt; lediglich bei der Behandlung der bischöflichen Amtseinsetzung hat man den Werdegang des einzelnen in Parenthese angedeutet.

Eine regelmäßige geistliche Laufbahn gehörte in dem von uns behandelten Zeitraum zu den Seltenheiten. Bischöfe, die aus dem Priesterstand kamen, finden sich in den Quellen nicht allzu oft. Wir haben im vorigen Kapitel gesehen, daß Synodalbestimmungen, um die ordentliche Ausbildung des Klerikers zu

---

[1] Deutlich wird das bei der Passio Praeiecti oder der ersten Passio Leodegars von Autun; Graus, Merowinger 376 ff. und Keller, Mönchtum 15.
[2] Die Beispiele dafür sind Legion.

gewährleisten, eine richtiggehende Erziehung bis zum Priesteramt vorsahen [3]. Aber auch einem Bischof zur Erziehung anvertraute Kinder wurden mit dem Gedanken zu ihm gebracht, einen Kleriker heranzubilden. Die niederen Weihen, mit Ausnahme des auf die höheren vorbereitenden Subdiakonates, dürften recht schnell erteilt worden sein, vor allem das Lektorat war bald eine Domäne der Jüngsten. Die ordines minores verloren mit der Zeit ihren Amtscharakter, und die Karriere bis zum Subdiakonat wurde etwa einem klösterlichen Noviziat vergleichbar. Das Konzil von Braga 561 formulierte das endgültig [4]. Das Minoristentum machte dabei eine Wandlung durch: es wurde nicht mehr als eigener ordo angesehen, sondern verkörperte nun so etwas wie eine geistliche Jungmannschaft, den Nachwuchs, der noch einer pädagogischen Leitung bedurfte. Im Idealfall hätte die Ausbildung in der Presbyterial- oder in der Bischofsschule bis zur Erreichung des Diakonats dauern müssen, was nach den kanonischen Vorschriften nicht vor dem 25. Lebensjahr gewesen wäre. Die Bestimmungen der Synode von Vaison 529, in der die Presbyter aufgefordert wurden, sich „iuniores lectores" zu erziehen, „ut et sibi dignos successores provideant" [5], läßt sich wohl nicht so einschränkend auslegen, daß die Schüler bis zur Erlangung des Priesteramts an die Priesterschule gebunden waren; aber auch in diesem Fall wird man an eine Ausbildungszeit bis zum Diakonat zu denken haben. Daß die Praxis aber der Theorie nur sehr wenig entsprach, beweist unter anderem die Nachricht über Gaugerich von Cambrai, der in kürzester Zeit zum Diakon avancierte [6].

Berichte über Kleriker, die eine den Bestimmungen entsprechende geistliche Laufbahn hinter sich gebracht hatten und Priester waren, ehe sie mit einem Bistum betraut wurden, sind daher selten. Findet man einen derartigen Hinweis, ist er auf jeden Fall merkwürdig. So erfahren wir von Bischof Nivard von Reims, daß er jeden einzelnen Grad der kirchlichen Hierarchie durchgemacht hatte: eine Angabe, die trotz der folgenden Topik glaubhaft erscheint, weil Nivard bei seinem Vorgänger in Reims „von der Pike auf" diente [7]. Noch vorbildlicher durchlief Germanus, der spätere Bischof von Paris, die kirchlichen Ränge. Er erreichte die einzelnen Weihegrade „suo anno" [8]. Ähnliches wird auch von Eufronius von Reims berichtet, der von frühester Jugend an „clericus" gewesen sein soll [9]. Es ist bemerkenswert, daß er als einziger Bischof in Gregors

[3] Siehe oben S. 78 f.

[4] C. 20, 75; doch schon ähnlich Chalkedon (451) c. 5.

[5] C. 1, 56; vgl. oben S. 79.

[6] Dabei ist allerdings der Klerikermangel in den Gebieten Austrasiens im 6. Jahrhundert zu berücksichtigen. Vgl. auch Riché, Éducation 326.

[7] Vita Nivardi episcopi Remensis auctore Almanno monacho Altvillarensi (ed. Wilhelm Levison) MGH SS rer. Merov. 5 (1910) c. 5, 163.

[8] Vita Germani c. 3, 374.

[9] Gregor von Tours, HF X 31, 534.

Katalog der Nachfolger des heiligen Martin vor seiner Erhebung „presbiter" genannt wird. Genauso isoliert steht der Priester Heraclius aus Bordeaux, als er zum Bischof von Angoulême gemacht wurde [10]. Alle anderen Kandidaten und auch die Vorgänger brachten keine gleichwertige geistliche Voraussetzung für das Bischofsamt mit.

Es ist ohne Zweifel anzunehmen, daß der Rang eines Presbyters schon eine beachtliche geistliche Stellung bedeutete. Doch findet sich keine Bestimmung, wonach der Presbyterat die Voraussetzung für die Erlangung des Bischofsamts sei. So viel man über die kanonischen Vorschriften der Wahl des Bischofs weiß, so wenig ist über die notwendige persönliche Qualifikation des Kandidaten bekannt, sieht man von allgemeinen Bestimmungen ab, die im Grunde für jeden Geistlichen gelten. Daß die Kriterien zur Erreichung eines Bischofsstuhls in der Praxis des frühen Mittelalters überwiegend weltlicher Natur waren, ist eine Tatsache, die aber nicht weiterhilft.

Häufig genug führte daher der Weg zur Bischofswürde nicht über das Priesteramt. Dieses stellte vielmehr — wie wiederholt zu sehen ist — bei den meisten das Ende der geistlichen Karriere dar und war als Position innerhalb der geistlichen Hierarchie nicht zu verachten; vor allem in Gebieten außerhalb Italiens, in denen die Kleriker dünner gesät waren. Der Grund dafür lag aber auch in der hierarchischen Gliederung des Diözesanklerus, wie sie sich gegen Ende des 5. Jahrhunderts herausgebildet hatte. Demnach war nämlich nach dem Bischof der Archidiakon der bedeutendste Geistliche der Diözese [11]. Zunächst nur Verwalter der domus ecclesiae und ad-hoc-Vertreter des Bischofs in verschiedenen Angelegenheiten, wurde der Archidiakon zum einflußreichsten Kleriker am Bischofshof, obwohl seine Befugnisse nirgends genau definiert waren und lange Zeit den Charakter des Zufälligen behielten. Dazu kam, daß er als Diakon allen Priestern dem Weihegrad entsprechend nachgestellt war; dennoch erlangte der Archidiakon bald das Aufsichtsrecht über den gesamten Klerus der Diözese. Allmählich wurde er zu einer Art von Generalbevollmächtigtem des Bischofs, was die weltlichen Angelegenheiten der Diözese betraf [12]; in geistlichen Belangen trat er jedoch in dieser Hinsicht

---

[10] HF V 36, 242.

[11] Plöchl, Kirchenrecht 1, 154.

[12] Im Laufe des 6. Jahrhunderts begannen sich die Synoden mit den Befugnissen des Archidiakons zu beschäftigen. Der Anlaß dazu waren die Schwierigkeiten, die seiner Amtsführung von den Presbytern — die sich der Superiorität eines Diakons nicht fügen wollten — bereitet wurden. Doch blieb es bei Einzelbestimmungen: seine richterlichen Funktionen behandelten IV Orléans (541) c. 20, I Mâcon (583) c. 8, Auxerre (695) c. 43; die Gefangenenfürsorge V Orléans (549) c. 20; seine Absetzung Agde (506) c. 23; nach Autun (663/680?) c. 6 ist er Adressat der litterae commissoriae von Mönchen. Dazu kamen immer noch ad hoc-Aufträge durch den Bischof, wie die Leitung der Bischofsschule, die Vertretung des Bischofs auf Konzilien. Nach welt-

gegen den Archipresbyter zurück, da er ja an seinen Weihegrad gebunden war [13]. Mit der Priesterweihe war daher in der Regel der Verlust des Amtes verbunden. Durch eine derartige Promotion war dem Bischof ein Mittel an die Hand gegeben, allzu mächtig gewordene Archidiakone ohne sichtbare äußere Differenzen aus ihrem Amt zu entfernen und durch willfährige Kleriker zu ersetzen [14].

Der größte Einfluß erwuchs dem Archidiakon aus der Befugnis, die durch den Tod seines Bischofs verwaiste Diözese zu verwalten. Dafür hätte zwar jeder beliebige Priester oder Diakon bestellt werden können, doch setzte sich diese Praxis durch [15]. Bei jener Gelegenheit hatte der Archidiakon natürlich die Möglichkeit, sich selbst ins rechte Licht zu setzen oder von seiner Geneigtheit einiges abhängig zu machen. Man findet dabei schon direkte Wahlversprechungen, welche den Klerus des Bischofssitzes zur Wahl des Archidiakons bewegen sollten. Darum betont Gregor von Tours, daß sein Verwandter Avitus, der einen Teil seiner Erziehung geleitet hatte, nach dem Tode des Bischofs Cautinus keinerlei Versprechungen machte, auf niemanden Rücksicht nahm und doch von der versammelten Geistlichkeit Clermonts die Wahlurkunde erhielt [16]. Der Priester Eufrasius hingegen überhäufte König Sigibert I. mit Geschenken, um das Bistum zu bekommen [17]. Doch ging er leer aus, während Avitus Bischof wurde. Auch Cautinus von Clermont war Archidiakon gewesen. Er reiste zu König Theudebald I. nach Metz, um dem Priester Cato, der vom Klerus der Stadt zum Bischof gewählt worden war, die königliche Bestätigung zu erwirken. Der König aber beachtete die Wahl nicht und ließ den anwesenden Archidiakon gegen die kanonischen Vorschriften zum Bischof weihen [18]. Hier sieht man deutlich, daß der Archidiakon des verwaisten Bistums die besten Chancen auf die Bischofsnachfolge hatte. Zugleich zeigt das Beispiel Catos, der ständig

---

lichem Gesetz fertigte der Archidiakon die Freilassungsurkunde für die in der Kirche Freigelassenen (Lex Ribuaria 58, 1).

[13] Dennoch wurde ihm die Betreuung kleinerer Kirchen und Oratorien anvertraut; siehe unten S. 107.

[14] Es sind Fälle bekannt, wonach der Papst willkürlich zu Priestern gemachte Archidiakone in ihrem Amte restituierte; dazu Plöchl, Kirchenrecht 1, 154 f.

[15] II Orléans (533) c. 6; V Paris (614) c. 9; bei der Suspendierung des Contumeliosus von Riez (534) wird der Archidiakon mit der einstweiligen Vermögensverwaltung betraut (Jaffé 576); vgl. auch die Vita Winebaudi (AA SS April I) c. 8, 574 f. Zu Contumeliosus vgl. Ep. Arelatenses nr. 32 und 33, 46; nr. 37, 57; vgl. Émile Lesne, Histoire de la propriété ecclésiastique en France 1.: Époques romaine et mérovingienne (1910) 281.

[16] Gregor von Tours, HF IV 35, 167 f. Wenig ergiebig Classen, Kaiserreskript 139, 190 ff.

[17] Über die Bischofswahl und -einsetzung in Clermont 571 später ausführlich S. 140 f.

[18] HF IV 7, 139 f.

Cautinus bedrohte, wie gespannt das Verhältnis zwischen den Priestern und dem Archidiakon in der Diözese sein konnte.

Der bereits oben erwähnte Rikulf [19], der es als armer Leute Kind zum Archidiakon von Tours gebracht hatte, scheint als Priester diese Funktion beibehalten zu haben. Es wird berichtet, daß er während der Abwesenheit Bischof Gregors auf der Synode von Berny-la-Rivière 580 in die domus ecclesiae eindrang, dort alles in Besitz nahm, das Silbergerät „verzeichnete" und sich wie der neue Bischof gebärdete [20]. Nüchtern betrachtet waren das alles Handlungen, zu denen der Archidiakon im Falle einer Erledigung des Bistums verpflichtet war. Rikulf mußte trotz seiner geringen Herkunft auf Grund seiner Position berechtigte Hoffnungen hegen, die Bischofswürde zu erringen, wenn er zeitgerecht zur Stelle war und die maßgeblichen Kleriker von Tours auf seiner Seite wußte [21].

Die Stellung des Archidiakons war für die Nachfolge in der eigenen Diözese so aussichtsreich, daß daraus nicht selten starke Spannungen zum Bischof selbst entstanden, die sich manchmal in Mord und Totschlag entluden. Der Archidiakon befand sich eben auf einem Warteposten. Doch machten sich manche von ihnen sehr um die Diözesanverwaltung verdient, so daß der Bischof noch bei Lebzeiten ihre Aspirationen unterstützte, was in den meisten Fällen einen Erfolg verbürgte [22].

Als Archidiakon Bischof einer anderen Diözese zu werden, scheint hingegen nicht so leicht gewesen zu sein. Mehr als verwandtschaftliche Verbindun-

---

[19] Siehe oben S. 30.

[20] HF V 49, 258 ff.; daß Rikulf die höheren Kleriker beschenkt, die Minoristen hingegen hemmungslos geprügelt haben soll, ist ein Seitenhieb Gregors auf die niedrige Lebens- und Denkungsart seines Archidiakons. Die an dieser Stelle genannten „maiores" und „minores" clerici deuten m. E. eindeutig auf die Unterschiede im Weihegrad und nicht auf eine davon unabhängige soziale Schichtung innerhalb des Klerus von Tours, wie Johannes S c h n e i d e r , Bemerkungen zur Differenzierung der gallorömischen Unterschichten im sechsten Jahrhundert, in: Klio 48 (1967) 241 meint. — Immerhin beweist der Bericht, wie unbekümmert man vor der Bischofswahl einflußreiche Wähler bestach. Ob die Äußerung Rikulfs, „Turonicam urbem ab Avernis populis emundavit", bedeutet, daß man in Tours gern wieder einen „einheimischen" Bischof und nicht immer die Sippe Gregors gehabt hätte, läßt sich nur vermuten. Das ganze Vorgehen Rikulfs muß man im Zusammenhang mit der gefährdeten Stellung Gregors in Berny (580) sehen: wahrscheinlich glaubte der Archidiakon an dessen Absetzung.

[21] Wahrscheinlich rechnete er dabei mit einer gewissen antiauvergnatischen Einstellung des Klerus und der „potentes" von Tours; siehe die vorherige Anmerkung.

[22] Theodosius von Rodez oder Somnatius von Reims waren die rechte Hand ihrer Bischöfe, die ihnen viel verdankten und sie auch in ihrem Testament dem König als Nachfolger empfahlen; Gregor von Tours, HF V 46, 256 f. und Flodoard, Hist. Rem. Eccl. II 4, 451.

gen dürfte dabei königliche Förderung eine Rolle gespielt haben. Dagegen sprach die Auffassung, daß man es als Schande empfand, aus dem eigenen Klerus keinen geeigneten Kandidaten hervorgebracht zu haben. So findet man bei fast allen Nachrichten über Bischöfe, die ihr Amt als Archidiakone einer anderen Diözese erlangten, den Hinweis auf den König. In den seltensten Fällen konnte der neue Oberhirte sein Bistum daher ohne Schwierigkeiten überneh-men. Berthramn von Le Mans, vorher Archidiakon in Paris, geriet sofort in Streitigkeiten mit der Witwe seines Vorgängers Badegisil [23], Pappolus von Langres hatte das Unglück, ein Bistum zu übernehmen, welches durch Partei-kämpfe gespalten war, wobei er sich zwar halten konnte, aber die Unter-stützung keiner der beiden Machtgruppen genoß [24]. Hingegen scheint die Über-nahme des Bistums Poitiers durch den Archidiakon Plato von Tours 591 ohne weiteren Widerstand durch den poitevinischen Klerus vor sich gegangen zu sein. Allerdings dürften dabei auch Childebert II. und Brunhild ihre Hände im Spiel gehabt haben [25]. Daß die königliche Unterstützung in solchen Fällen wesentlich war, zeigt uns auch ein Beispiel aus Italien [26]. Leodegar von Autun wurde als Archidiakon von Poitiers 659 durch die Königin Balthild an den Ort seines späteren Wirkens berufen [27]. Er hatte sich wie Pappolus in Langres gegen zwei feindliche Parteien durchzusetzen, was ihm aber weit besser als diesem gelang. Freilich konnte Leodegar auf eine mächtige Familie vertrauen; dazu kam seine ausgezeichnete Bildung, die weltliche und geistliche Elemente vereinte und den neuen Typ des Prälaten schuf, der für das merowingische Reich so wichtig wurde. Für Leodegar scheint es charakteristisch, daß er Archi-diakon blieb und nicht Priester wurde: seine Begabung, andere zu lenken und eine Diözese zu verwalten, kam nur in dieser Stellung zur Geltung. Dabei war

---

[23] Gregor von Tours, HF VIII 39, 406. Die berüchtigte Magnatrud sah die Güter der Kirche von Le Mans, die während des Pontifikats ihres Mannes geschenkt wor-den waren, als eine Art „Dienstentschädigung" für diesen an und betrachtete sie als ihr Eigentum.

[24] HF V 5, 200 ff. Es war offensichtlich ein Kampf zwischen der Sippe Gregors, die einige Zeit den Bischof von Langres gestellt hatte, und jener des Lampadius. Pappolus und sein Nachfolger Mummolus waren ihren Namen nach zu schließen wohl aus Burgund. Über diese heikle Angelegenheit siehe unten S. 141.

[25] Ven. Fort., Carm. X 14, 248. Wenn wir auch mit einer gewissen Topik rech-nen müssen, so scheint doch festzustehen, daß Gregor mit seinem Archidiakon ein gutes Verhältnis gehabt hat. Die Freundschaft Gregors und Platos spiegelt auch die enge Verbundenheit der beiden Bischofssitze wider, die ja die hervorragendsten fränkischen Kultstätten besaßen. Vgl. dazu auch Gregor von Tours, De virtutibus sancti Martini IV 32, 658.

[26] Noch im 8. Jahrhundert wurde Calistus „...Tarvisianae ecclesiae archidiaconus *adnitente Liutprando* principe..." Patriarch von Aquileja; (Paulus Diaconus, Hist. Lang. VI 45, 180).

[27] Passio Leudegarii I, c. 2, 284 f.

er in Poitiers in der glücklichen Lage, durch seinen bischöflichen Onkel bei allem gedeckt zu sein.

Auf eine interessante Erscheinung sei noch hingewiesen: manche Archidiakone waren zugleich Äbte. Der eben erwähnte Leodegar wurde auf Befehl seines Oheims Abt von St. Maxentius in der Umgebung Poitiers [28]. Besonders in Ravenna findet man eine derartige Verbindung der beiden Ämter. Die Erzbischöfe Maurus, Reparatus, Gratiosus, Felix und Martin gehörten vor ihrer Erhebung den Klöstern St. Bartholomäus, St. Apollinaris und St. Andreas an [29]. Maurus übte auch das Amt des „yconomos" an der Domkirche aus; er hatte also einen beachtlichen Aufgabenkreis, den er wohl auch deshalb bewältigen konnte, weil er „fortis fuit viribus". Nun war diese Doppelstellung vom Weihegrad her durchaus möglich, doch vom Wesen der beiden Ämter her unverständlich. Der Abt hatte als Mönch dem weltlichen Treiben entsagt, während der Archidiakon (und gar erst der Ökonom!) fast ausschließlich mit den Temporalien der bischöflichen Herrschaft zu tun hatte. Man kann nicht einwenden, daß es sich um Klerikergemeinschaften gehandelt habe, wie sie im sechsten Jahrhundert in Arles oder Poitiers bei Frauenklöstern bestanden, und deren wichtigste Aufgabe die Betreuung des Nonnenfriedhofs war. Ihr Vorsteher wurde freilich auch Abt genannt, doch handelte es sich dabei nicht um Klöster im Vollsinn des Wortes [30]. Die angeführten Klöster in Ravenna waren wirkliche Mönchsgemeinschaften mit Regel, dasselbe gilt für St. Maixent. Mag sein, daß die regula mixta, wie sie in Gallien im 7. Jahrhundert beherrschend wurde, es dem Abt nicht verwehrte, die Stelle eines Archidiakons auszufüllen; in Italien hingegen kann man sich eine solche Situation kaum vorstellen. Es ist auch unwahrscheinlich anzunehmen, daß der Archidiakon eine Art „Laienabt" war, dem das Kloster als Pfründe diente. Am ehesten könnte man die Stellung Leodegars in St. Maxentius so sehen. Maurus, Reparatus, Gratiosus, Felix und Martin von Ravenna hingegen waren schon Äbte, als sie den Archidiakonat übernahmen. Vielleicht wird man nur eine Erklärung anführen können, der praktische Überlegungen zu Grunde lagen: möglicherweise gab es unter der Ravennater Domgeistlichkeit dieser Zeit keine geeigneten Männer für die Ver-

---

[28] Passio II, c. 3, 326.

[29] Agnelli qui et Andreas Liber Pontificalis Ecclesiae Ravennatis (ed. Oswald Holder-Egger) MGH SS rer. Langob. (1878) c. 110, 349; c. 115, 353; c. 136, 366; c. 164, 383; c. 167, 386 f.

[30] Ein solcher „Abt" war z. B. Pascentius, ehe er von Charibert zum Bischof von Poitiers erhoben wurde; Gregor von Tours, HF IV 18, 151. Über diese Institution Stefan H i l p i s c h, Die Doppelklöster. Entstehung und Organisation (Beiträge zur Geschichte des alten Mönchtums und des Benediktinerordens 15, 1928) 27; Leo U e d i n g, Geschichte der Klostergründungen der frühen Merowingerzeit (Eberings Historische Studien 261, 1935) 221, sowie Prinz, Mönchtum 158 und Scheibelreiter, Königstöchter 25.

waltung des großen Bistums, und der Bischof mußte auf die auch in wirtschaftlichen Angelegenheiten erfahrenen Äbte seiner Stadt zurückgreifen. Wie sich aber die Stellung als Archidiakon mit einer den mönchischen Prinzipien geweihten Lebenshaltung ohne Schwierigkeiten verbinden ließ, so daß auch Agnellus darin nichts ungewöhnliches fand, bleibt unerklärt [31].

In manchen Fällen läßt sich nicht feststellen, ob der spätere Bischof vor seiner Wahl und Weihe Archidiakon oder einfacher Diakon war. Der junge Auvergnate Gallus etwa zog im Gefolge König Theuderichs I. nach Köln, wo er mit einem „clericus" ein heidnisches Heiligtum in Brand steckte. Zu jener Zeit, berichtet sein Neffe Gregor von Tours, „fungebatur ... diaconatus officium" [32]. Gleich darauf erfahren wir von den Vorgängen, die in Clermont zu seiner Wahl zum Bischof der Stadt führten. Von Desiderius von Vienne wird mitgeteilt, daß er vor seiner Erhebung zum Bischof „in ordine diaconi ecclesiae Viennensis serviebat" [33]. Schließlich müssen wir noch Ragnemod von Paris erwähnen, der seinen Vorgänger Germanus auf einer Reise nach Tours begleitete, wobei Gregor von Tours über ihn sagt: „tunc diaconus, nunc episcopus, in servitium eius (d. h. Germanus) accessit" [34].

Jedesmal ist nur von „diaconus" die Rede; doch wird bei Desiderius und Ragnemod die Zugehörigkeit zu ihrer späteren Bischofskirche offenkundig. Desiderius diente der Kirche von Vienne, Ragnemod seinem Bischof; diese Formulierung der Quellen könnte auf eine Stellung als Archidiakon deuten. Schlüssig beweisen läßt sich das aber nicht. Es ist durchaus möglich, daß Bischof Germanus mit einem einfachen Diakon seiner Kirche auf Reisen ging, während der Archidiakon ihn eben bei solchen Gelegenheiten in der Diözese vertrat. Doch scheint es ebenso wahrscheinlich, daß der Bischof von Paris mit seinem Archidiakon als Begleiter eine Wallfahrt zum Grabe des heiligen Martin unternahm und nicht mit einem beliebigen Kleriker seines Hofes. Dazu kommt noch, daß Ragnemod sein Nachfolger wurde, was im Zusammenhang mit unseren anderen Überlegungen auf eine einflußreiche Stellung Ragnemods in der Diözese deutet.

Anders liegen die Dinge bei Gallus. Er war ein Günstling Theuderichs und wurde von diesem aus Clermont nach Köln mitgenommen. Er blieb aber weiterhin in der Umgebung des Königs und wurde nicht einer rheinischen

---

[31] Dieses Phänomen fand bisher in der Literatur keine Berücksichtigung; auch die einschlägigen Handbücher helfen dabei nicht weiter.

[32] LVP VI 2, 681.

[33] Ado von Vienne, Chronicon (ed. Georg Heinrich Pertz) MGH SS 2 (1829) 317. Die ausführlichere Lebensbeschreibung des Desiderius aus der Feder seines Zeitgenossen, des Westgotenkönigs Sisebut, bringt über die geistliche Laufbahn des späteren Bischofs leider keine Nachrichten.

[34] De virt. s. Martini II 12, 612.

Bischofskirche als Kleriker zugeteilt. In Clermont wirkte er zwar bei seinem „Entdecker", dem Bischof Quintianus, doch ist nicht bekannt, ob er irgendein Amt in der bischöflichen Verwaltung übernommen hat. Gallus dürfte also ein gewöhnlicher Diakon gewesen sein, wofür auch der oben zitierte Satz spricht, mit dem Gregor von Tours die Erzählung von der Verbrennung des heidnischen Tempels abschließt, und aus der — in seiner lapidaren Kürze — ein gewisser Stolz über den im Christentum so starken Verwandten spricht, der in seiner Jugend ein solches Werk verrichtete.

Wir haben im vorigen Kapitel gehört, daß der junge Praeiectus dem Archidiakon und späteren Bischof von Lyon, Genesius, zur Erziehung übergeben worden war [35]. Nach seiner Erhebung zum Bischof band Genesius den jungen Mann noch enger an sich, machte ihn zum Diakon und vertraute ihm wichtige Agenden an [36]. „Non post multo tempore" war es der Wille des Bischofs, daß er „sancto Preiecto diocesim Ociodrensem ad regendam committeret" [37]. Ohne daß von einer Priesterweihe des jungen Klerikers gesprochen würde, setzt ihn Genesius einer Kirche vor, die man, wie der Terminus „diocesis" sagt, als eine Pfarrkirche im damaligen Sinne verstehen muß. Nun wurden Diakone unter Umständen mit der Vornahme gottesdienstlicher Handlungen in Oratorien oder anderen kleinen Kirchen beauftragt, doch die Kirche einer diocesis blieb zweifellos einem Priester vorbehalten [38]. Man wird also Praeiectus auf Grund dieser Tatsache für einen Presbyter halten, wie verführerisch es auch wäre, hier den Entwicklungsgang eines Geistlichen zu vermuten, der anscheinend ungewöhnliche Voraussetzungen für eine höhere Laufbahn mitbrachte.

Daß man aber noch größere Sprünge machen konnte, als gemeinhin angenommen wird, beweist Aidulf von Auxerre, der vom Kantor zum Bischof erhoben wurde [39]. Allerdings gehört dieser Fall bereits der Zeit Karl Martells an, in der die unglaublichsten Karrieren auf geistlichem Sektor möglich wurden, die mit den kanonischen Vorschriften wenig zu tun hatten. In der allgemeinen Praxis aber war der Archidiakonat die günstigste Voraussetzung für die Erlangung des Bischofsamtes [40].

---

[35] Siehe oben S. 88.

[36] Der Hagiograph spricht davon, daß Praeiectus „consiliator" des Bischofs und „pecuniam commissam pauperum ... dispensator" wurde, worunter man wahrscheinlich den Archidiakonat verstehen muß; Passio Praeiecti c. 4, 228.

[37] Ebenda c. 5, 228 f.

[38] Edgar L o e n i n g, Geschichte des deutschen Kirchenrechts 2. Das Kirchenrecht im Reiche der Merowinger (1878) 355 f.

[39] Gesta epp. Autiss. c. 32, 395. Noch im Jahre 813 wurde Austrannus, „cantor ... de regis palatio" in Verdun zum Bischof „gewählt"; Gesta epp. Vird. c. 15, 44.

[40] Instruktiv ist in dieser Hinsicht der Streit um das Bischofsamt in Ravenna im Jahre 769 zwischen dem Archidiakon Leo und dem Michael „scriniarius qui nullo

„Les évêques cultivés sont donc très rares, en dehors de ceux qui viennent des milieux monastiques" [41]. Diese Aussage über das geringe Niveau der bischöflichen Amtsträger stützt sich vor allem auf die Mißstände der geistlichen Bildung, wie sie einem Papst Gregor d. Gr. vor Augen standen. Wir haben darüber schon im vorigen Kapitel gesprochen [42]. Sie treffen auch zu für die Zeit, in der der Bischof nicht mehr gleichsam selbstverständlich aus den Kreisen der spätantik gebildeten senatorischen Adelsgeschlechter kam. Freilich war auch die Bildung in den Klöstern keineswegs glänzend, aber die Grundlagen der christlichen Lehre wurden dem Mönch doch vermittelt und mußten ihm stets präsent sein, da Psalter und Evangelien im Ablauf des klösterlichen Alltags ihren ständigen Platz hatten. Damit war aber auch der durchschnittlich gebildete Mönch jedem Kleriker überlegen, der den Quellen des christ-

---

sacerdotali fungebatur honore". Lib. Pont. I, ed. Duchesne, XCVI 477 f. Daß auch die Stellung eines Archipresbyters ein Warteposten im Hinblick auf das Bischofsamt war, beweist u. a. die Geschichte des Munderich, der in Langres als Nachfolger von Bischof Tetricus vorgesehen war, in der Zwischenzeit aber die Burg Tonnerre als Archipresbyter verwalten sollte. Damit war ohne Zweifel ein Pfarrsprengel gemeint; (Gregor von Tours, HF V 5, 200 f.). Als Archipresbyter war man der erste Stellvertreter des Bischofs in seiner geistlichen Funktion, doch gingen auch einzelne weltliche Befugnisse auf ihn über (Fürsorge, Aufsicht), ohne daß er den Archidiakon aus dessen Funktionen verdrängen konnte. Meistens war der Archipresbyter aber wie der oben genannte Abbas ein untechnischer Titel für einen Weltpriester, der einen „klerikalen Amtsträger an einem größeren Heiligtum, sei es in der Bischofsstadt, sei es im suburbium, vor allem aber auf dem offenen Land, außerhalb der Bischofssitze" bezeichnete; Angelus Albert H ä u ß l i n g , Mönchskonvent und Eucharistiefeier (1973) 128 m. Anm. 75. Für die Wirtschaftsverwaltung sollte der Bischof einen Ökonomen bestellen, doch setzte sich dieses Amt trotz aller Strafsanktionen (Codex Theodosianus IX, 45, 3; Chalkedon c. 26) im Westen nicht durch. Charakteristischerweise findet man es in Ravenna, wo es vielfach zum Sprungbrett für das Bischofsamt wurde. — Einen merkwürdigen Werdegang nahm Nicetius von Lyon. Er kehrte, bereits als Kleriker, nach dem Tode seines Vaters Florentinus nach Hause zurück und betätigte sich zusammen mit den Knechten als Schwerarbeiter. Kaum dreißig Jahre alt, wurde er zum Priester geweiht, wandte sich aber den im Hause geborenen Kindern der Knechte zu, die er im Lesen und Schreiben unterrichtete und deren Lebenswandel er moralisch zu heben versuchte: eine in dieser Zeit einzigartig dastehende Sozialarbeit eines Privatmannes; (Gregor von Tours, LVP VIII 1, 691 und 4, 692). — Wie ungenau oder wenig aufschlußreich aber Quellen in Beziehung auf die geistliche Laufbahn von Bischöfen sind, zeigen etwa die Viten der Bischöfe Lupus (ed. Bruno Krusch, MGH SS rer. Merov. 4, 1902, c. 3, 179) und Vulframn von Sens (c. 1, 662), bei denen immer nur von „clericatus" die Rede ist. Unklar bleiben auch die Stationen der geistlichen Karriere Magnerichs von Trier, über den man nur weiß, daß er Schüler seines Vorgängers Nicetius war. Die viel spätere Vita läßt ihn Diakon sein; vgl. Ernst W i n h e l l e r , Die Lebensbeschreibung der vorkarolingischen Bischöfe von Trier (Rheinisches Archiv 27, 1935) 108.

[41] Riché, Éducation 216.
[42] Siehe oben S. 78 f.

lichen Lebensstils doch ferner stand. Gerade in Zeiten sinkender Bildung mußte etwa die sichere Kenntnis der Psalmen für den geistlichen Beruf besonders qualifizierend wirken. Wir haben gesehen, daß Gregor d. Gr. mit Vorliebe Äbte oder auch einfache ältere Mönche zu Bischöfen machte, weil er glaubte, bei ihnen ein Mindestmaß an geistlicher Bildung voraussetzen zu können; etwas, was bei den Klerikern seiner Zeit nicht unbedingt zutreffen mußte. Hinzu trat noch ein anderer Zug, der den Mönch in den Augen Gregors wohl für das Bischofsamt empfahl: der asketische. Dieses Ideal war in seiner abendländischen Form immer noch von großem Einfluß auf das geistliche Leben und galt als höchste Form der Nachfolge Christi. Eine derartige Lebensauffassung mußte für den stark in die Händel der Welt verstrickten Bischof von Vorteil sein und seinen Charakter veredeln.

Wir haben jedoch festgestellt, daß die Realität des bischöflichen Lebens eine zu einseitige Betonung des asketisch-mönchischen Ideals unmöglich machte. Diese Erkenntnis floß auch in die Lebensbeschreibungen ein, in denen der Bischof mitunter als persönlich entsagungsreich dargestellt, aber nie seine Verbindung zum Weltgetriebe aufgehoben wird. Auch in der Entwicklung des Heiligen ist der Askese höchstens ein Lebensabschnitt gewidmet. Geistliche mit extrem asketisch-weltflüchtigen Neigungen kommen selbst zur Einsicht, daß diese mit ihrem Amt auf die Dauer unvereinbar sind. Als Ausnahme davon kann man nur die sog. Juraväter anführen, die aber ebenfalls manchmal ins Weltgeschehen eingriffen. Ihre Schüler haben die asketische Lebensform, die man in den Juraklöstern pflegte, dann im wesentlichen als modische Voraussetzung für ein hohes geistliches Amt aufgefaßt und dadurch ihr Wesen verändert [43].

Am nächsten scheint diesem Lebensstil noch der Bischof Salvius von Albi vor seiner Einsetzung gekommen zu sein. Als königlicher Beamter ging er ins Kloster, wurde dort zum Abt gewählt, zog sich aber als solcher noch mehr zurück als früher [44]. Da er erkannte, daß diese Lebensweise sich mit der Stellung des Abts nicht vertrug, resignierte er und wurde Rekluse. Als er starb, wurde ihm jedoch die Aufnahme in den Himmel verwehrt: Gott selbst sandte ihn auf die Erde zurück, da Salvius für die Kirchen(!) notwendig sei [45]. Ohne Freude kehrte er auf die Erde zurück und führte sein Einsiedlerleben weiter, bis er gegen seinen Willen zum Bischof gewählt wurde. Soweit der stark hagiographische und in den Jenseitsschilderungen an die Apokalypse erinnernde Bericht Gregors, der mit Salvius persönlich befreundet war. Für

---

[43] Über die sogenannten Juraväter siehe oben S. 16 f. und Wood, Prelude 8.
[44] Gregor von Tours, HF VII 1, 323 ff.
[45] Ebenda: „Revertatur hic in saeculo, quoniam necessarius est aeclesiis nostris." Über die Dauer der „Entraffung" Dinzelbacher, Vision 141 ff., der aber auf Salvius nicht eingeht.

uns wichtig ist die lange Reklusenzeit des Salvius, aus der ihn die Wahl zum Bischof herausriß. Hier kommt alles zusammen: Dienst am Königshof, Stellung als Abt und asketisches Leben prädestinierten Salvius für sein Amt. Der Ruhm seines makellosen Eremitendaseins, seine Jenseitswanderung, seine prophetische Gabe [46], das alles machte ihn für seinen Biographen zum nachahmenswerten Vorbild christlichen Lebens und als solches zum idealen Bischof schlechthin. In Wirklichkeit mochten für Salvius die in den oben angeführten Stellungen gezeigten Fähigkeiten sprechen, wobei der Ruf seines Reklusentums nicht unterschätzt werden darf [47].

Ähnlich lautet die Schilderung über den jungen Korbinian [48]. Er baut sich bei einer verfallenen Kirche ein „ergastulum", in dem er nach Asketenart haust, die zu ihm strömenden Leute in den christlichen Wahrheiten belehrt und als Geschenk nur annimmt, was als „stipendium corporis" dienen konnte. Diesem Asketendasein waren geistliche Übungen vorausgegangen. Daß Korbinian dem achten Jahrhundert angehört, zeigen die „ministri", die seine Lebensform mit ihm teilten und die er für die Askese gewinnen wollte [49]. Im Gegensatz zu Salvius kam Korbinian nicht als Asket zum Bischofsamt, obwohl ihn sein Ruhm im christlich noch lange nicht gefestigten Baiern dafür sicher besonders empfahl.

Im siebenten Jahrhundert war die Schulung in einem iro-fränkischen Reformkloster für Adelige, die auch zum merowingischen Hof gute Kontakte hatten oder haben wollten, nichts Ungewöhnliches. Viele hatten schon eine Zeit des Hofdienstes hinter sich, andere traten noch als Jünglinge in Luxeuil, St. Wandrille-Fontanelle oder Jumièges ein, um als Mönche zu leben. Echte Überzeugung von den christlichen Idealen kolumbanischer Prägung und unverhülltes Karrierestreben gingen dabei eine merkwürdige Mischung ein. So bewirkte für Audomar, der zusammen mit seinem Vater Friulf in Luxeuil als Mönch und Schüler des großen Abtes Eustasius lebte, sein ehemaliger Mitbruder Acharius von Noyon bei Hofe, daß dem jungen Mönch das Bistum Thérouanne überantwortet wurde [50]. Ganz kraß ist der Gegensatz zwischen

---

[46] Er machte Gregor angeblich in einem persönlichen Gespräch auf den bevorstehenden Untergang Chilperichs I. aufmerksam; HF V 50, 263. Sein Ruf in dieser Hinsicht war sicher sehr verbreitet. Dazu Wilhelm L e v i s o n , Die Politik in den Jenseitsvisionen des frühen Mittelalters, in: FS Friedrich von Bezold (1921) 81 ff. = D e r s., Aus rheinischer und fränkischer Frühzeit (1948) 231.

[47] Über besondere Familienbeziehungen hört man bei Salvius nichts, doch scheint er sehr hoher Abkunft gewesen zu sein. Es ist typisch für diesen das asketische Ideal erfüllenden Bischof, daß seine Familie gar keine Rolle spielt.

[48] Arbeonis episcopi Frisingensis Vita Corbiniani episcopi Baiuvariorum (ed. Bruno Krusch) MGH SS rer. German. in usum schol. (1920) cc. 1—2, 189 f.

[49] Über Korbinian als Heiligentyp vgl. Bosl, Adelsheiliger 180 und Prinz, Mönchtum 388 f.

[50] Darüber oben S. 95.

Vitentopik und Realität im Falle des Eucherius von Orléans. Er trat nach eifrigem Studium ins Kloster Jumièges ein, weil er die Weltweisheit verachtete. Als Savarich, Bischof von Orléans, gestorben war, so berichtet die Vita, kamen Vertreter der „plebs" dieser Stadt zu Karl Martell und flehten ihn an, ihnen den Eucherius zum Bischof zu geben, was dieser gewährte. Der Abgesandte des Hausmeiers mußte freilich in Jumièges erst die typischen Beteuerungen der Indignität des jungen Mannes anhören, bis er ihn dann bewegen konnte, das Amt zu übernehmen [51]. Tatsächlich gehörte Eucherius zur mächtigen Sippe des Savarich, der in Burgund viele Bistümer regierte, und die Karl Martell im Kampf gegen Neustrien und das halb selbständige Südgallien dringend brauchte. Eucherius hatte die Herrschaft in einer burgundischen Diözese ziemlich sicher zu gewärtigen, doch war es eine Frage des Stils, daß man die Wartezeit in einem der berühmten Klöster der Zeit hinbrachte und sich auch mit dem modernen mönchischen Gedankengut vertraut machte. Daß zumindest bei Eucherius die innere Überzeugung für ein asketisches Leben fehlte, zeigen seine späteren Schicksale. Nicht sehr verschieden war der Lebensweg Numerians von Trier, was seine vorbischöfliche Zeit betrifft. Er hat nach Anfängen im alten Asketenkloster Remiremont in Luxeuil als Mönch gelebt, wobei der Einfluß seines asketischen Bruders Germanus von Grandval-Granfelden sicher nicht ohne Bedeutung war. Von Luxeuil wurde Numerianus direkt auf den Bischofsstuhl seiner Vaterstadt berufen. Daß seine mächtige Familie für ihn tätig war, läßt sich vermuten [52]. Die mönchische Askese scheint eine Zeitlang eher als Voraussetzung für eine höhere geistliche Laufbahn angesehen worden zu sein und entsprang weniger einer inneren Konversion. Man kann das daraus folgern, daß keiner der Bischöfe des 7. Jahrhunderts mit Mönchsvergangenheit — auch wenn er sich noch so sehr gegen seine Wahl gesträubt hatte — den mönchischen Lebensstil weiter pflegte [53].

Es läßt sich leicht einsehen, daß der Abt noch mehr Idoneität für das Bischofsamt besaß als der durchschnittliche Mönch. Der Abt sollte ja Vater und Vorbild seiner Gemeinschaft sein. Außerdem war es sicher berechtigt, ihm Geschick und Routine sowohl in der Menschenführung als auch in der Verwaltung zuzutrauen, zumal er überdies mehr als die übrigen Mönche mit der Welt in Berührung kam. Daher gab es unter den Bischöfen der Mero-

---

[51] Vita Eucherii cc. 3—4, 48.

[52] Beweisen kann man es jedoch nicht. Vgl. Ewig, Trier 129 f.; M. Werner, Anfänge 38; Prinz, Peregrinatio 454; Winheller, Bischöfe von Trier a. a. O. behandelt Numerian leider nicht.

[53] So wie der Mönch Fulgentius sich nach seiner Erhebung zum Bischof von Ruspe neben seiner Kathedrale ein Kloster errichtete, in das er sich öfters zurückzog; (Ferrandus, Vita Fulgentii episcopi Ruspensis, ed. G. Lapeyre, Paris 1929, II 15, 79). Vgl. auch Schubert, Christl. Kirche 81; Riché, Éducation 149.

wingerzeit viele, die vorher Äbte gewesen waren. Nicetius von Trier z. B. war ein „puer oblatus", der es bald zur Leitung des Klosters brachte [54] und auch nach seiner Einsetzung als Bischof noch am ehesten die Züge eines Mönchs behielt, und wegen seiner sittlichen Unbedingtheit am Hofe Theuderichs I. sehr angesehen war [55]. Daß man mit einem Abt auch häufig die Vorstellung von diplomatischem Geschick verband, können wir einer Nachricht Gregors von Tours über einen seiner bischöflichen Vorgänger, Gunther, entnehmen: als „vir valde prudens" hatte dieser Abt von St. Venantius mehrere Gesandtschaftsreisen innerhalb des fränkischen Reiches — von Residenz zu Residenz — unternehmen müssen [56]. Von einem solchen Mann war als Bischof geistliche Disziplin u n d politische Gewandtheit zu erhoffen [57]. Gerade diese günstige Ausgangsposition war jedoch für manchen Abt eine Versuchung, sich ganz einem Opportunismus zu verschreiben, der seiner weiteren Karriere dienlich sein sollte [58].

Als Geistlichen mit einer umfassenden praktischen „Ausbildung" wird man den bereits oft angeführten Praeiectus von Clermont auch in diesem Zusammenhang nennen müssen. Er hatte auf Befehl seines Bischofs Felix die „gerontica dignitas Candidensis monasterii" erhalten, weswegen er zu den Senioräbten der Diözese Clermont zählte, die bei der Vakanz des Bischofsthrons wichtige Aufgaben zu erfüllen hatten [59]. Als Presbyter und Seniorabt war Praeiectus in einer sehr starken Position, wenn die Frage der Bischofswahl in Clermont akut werden sollte. Er schien nun ähnlich hoch qualifiziert wie sein an Würden und Ämtern ebenbürtiger späterer Todfeind Leodegar von Autun. Als dieser gestürzt und verbannt wurde, erbat das Volk von Autun von König Childerich II. Hermenar, Abt von St. Symphorian, zum neuen Bischof [60]. Hermenar muß man hier anführen, weil er eine der seltenen Ausnahmen unter den karrieresüchtigen Äbten seiner Zeit darstellte. Er rettete seinen vertrie-

---

[54] Welches Kloster das war, läßt sich nicht feststellen; man wird eher an eines in der Auvergne denken als etwa im Gebiet von Reims, da Nicetius aus dem Limousin gebürtig war und schon als Kind ins Kloster kam.

[55] Gregor von Tours, LVP XVII 1, 728.

[56] HF X 31 (XVII), 533.

[57] Was sich gerade bei Gunther von Tours als großer Irrtum erweisen sollte, der sich als Bischof vollkommen der Trunkenheit ergab und dann „paene stolidus apparuit"; HF X 31 (XVII), 533.

[58] Solch ein Mann war wohl Domnolus von Le Mans, der sich als Abt von St. Laurentius in Paris Chlothar I. verpflichtete, indem er dessen Spione vor Childebert I. versteckte; Gregor von Tours, HF VI 9, 279. Über Chlothars Dank siehe oben S. 64. Auch Virgilius von Arles verdankte seinen Aufstieg der Parteinahme für Brunhild und Bischof Syagrius von Autun. Er war vorher Abt in Autun; HF 23, 443.

[59] Passio Praeiecti c. 10, 231; über die Einsetzung des Bischofs siehe unten Kap. 4, S. 137 f.

[60] Passio Leudegarii I, c. 12, 295.

benen Vorgänger vor dem Tod und machte sich weiter um Leodegar verdient, als er dem grausam Verstümmelten Pflege angedeihen ließ [61]. Er verhielt sich fast wie ein Platzhalter für den abgesetzten Vorgänger, statt sich skrupellos in den Besitz der Diözese zu setzen. Hermenars Menschlichkeit muß eindrucksvoll gewesen sein, da beide „Passionen" Leodegars nicht hagiographischer Tradition folgend Hermenar als finsteren Bösewicht neben den „Märtyrer" Leodegar stellten.

Im Zusammenhang mit der von den iro-fränkischen Reformklöstern ausgehenden religiösen Erneuerung des Frankenreichs wurden die neuen klösterlichen Zentren häufig auch Ausgangspunkte für eine Karriere von Bischöfen. Luxeuils Bedeutung ging in der zweiten Hälfte des 7. Jahrhunderts in dieser Beziehung zurück und wurde von den neustrischen Klöstern in den Schatten gestellt. Nicht nur die enge Bindung zum merowingischen Königshaus machte Jumièges oder St. Wandrille-Fontanelle zu Klöstern, in denen man die Grundlage für eine spätere geistliche Laufbahn legen konnte. Auch ihre Lage im Gebiet nahe der Heidengrenze verschaffte ihnen den Ruf, Reform und Mission zu einer höheren Einheit geistlicher Formung zu verbinden, die man anderswo gern übernehmen wollte. Ansbert, der nach seinem Wirken als Referendar am königlichen Hof in Fontanelle eingetreten war, hatte schon als junger Mann eine besondere Neigung für das Mönchsleben [62]. Es ist nicht uninteressant zu sehen, daß er dennoch „licet nolens" von seinem Vater an den Königshof gebracht, dort als Laie ausgebildet wurde und schließlich einen höchst bedeutsamen Posten erreichte, bevor ihm der Weg ins Kloster ermöglicht wurde [63]. In Fontanelle scheint er als gebildeter und ernster Mann das Wohlgefallen des heiligen Wandregisil gefunden zu haben. Dessen erster Nachfolger Lantbert war Ansberts Verwandter: was lag näher, als ihn bei nächster Gelegenheit selbst an die Spitze des Klosters zu bringen. Der gelehrte Ansbert hatte — wie es übrigens in Fontanelle auch bereits Haustradition war — sehr gute Verbindungen zu den fränkischen Königen [64] und dürfte

---

[61] Ebenda c. 30, 312.

[62] Vita Ansberti c. 4, 621; vgl. auch sein merkwürdiges, nicht ganz der Topik entsprechendes Verhalten bei seiner Verlobung, ebenda c. 2, 620 f; ebenso Prinz, Mönchtum 128.

[63] Die Erziehung bei Hofe spielte im 7. Jahrhundert auch für den zukünftigen Prälaten eine nicht unerhebliche Rolle. Zu diesem „Ganzheitsideal" oben S. 71 ff. Über diese Art der Erziehung, die besonders bei den Westgoten gepflegt wurde, Claudio S a n c h e z - A l b o r n o z, El Aula Regia y las asambleas politicas de los godos, in: Cuadernos de Historia de Espana 5 (1946) 70 f.

[64] In der Vita wird das durch einen Besuch des Prinzen Theuderich (III.) bei Ansbert illustriert, der am Feld als einfacher Mönch arbeitet, und dem jener im Fall seiner Königsherrschaft ein Bistum verspricht (ein bekanntes und verbreitetes Legendenthema).

daneben zu dem einflußreichen Audoin von Rouen, der ihm die Priesterweihe erteilt hatte, in enger Beziehung gestanden sein. All das zusammen erleichterte seine Erhebung auf den Metropolitansitz von Rouen, nachdem Audoin 684 gestorben war. Zweifellos brachte Ansbert für diesen schwierigen Posten — Rouen war das Zentrum aller nach Norden gehenden Mission — die erforderlichen Voraussetzungen mit: er gehörte zu jenen Bischöfen neuen Typs, denen asketische Lebensauffassung mit nüchternem Blick auf das Reale und ein beachtliches Organisationstalent eignete. Die Stellung als Abt von Fontanelle war aber die Garantie für den weiteren Aufstieg in der Hierarchie der fränkischen Kirche. Nun begann, wie Prinz richtig erkannt hat [65], erstmals eine geistige Bewegung von Norden nach Süden zu wirken, was sich auch in der Besetzung der Bischofsstühle manifestierte. So wurde Abt Lantbert von Fontanelle Bischof von Lyon [66], und der Mönch Erembert aus dem gleichen Kloster „iussu regum populique electione Tolosanae urbi ordinatus antistes" [67]. Sie sollten den neuen Geist iro-fränkischer Prägung in den von Kolumbans Reformdenken (und fränkischer Adelserziehung) wenig berührten Süden des Frankenreichs tragen und weiter verbreiten helfen.

Wir haben gehört, daß eine der wesentlichen und neuen Aufgaben des merowingischen Adels im 7. Jahrhundert die Mission wurde. So mußten die Kräfte der erneuerten fränkischen Kirche auch nach Norden und Osten ausstrahlen. Von den Missionsbischöfen im engeren Sinne ohne dauernden festen Sitz soll hier noch keine Rede sein [68]. Doch müssen wir in diesem Zusammenhang die Diözesen Noyon und Thérouanne erwähnen, die Ausgangspunkte für die Heidenbekehrung und für die Vertiefung des christlichen Glaubens bei einer religiös schwankenden Grenzbevölkerung waren. Bischof Audomar von Thérouanne gründete zu diesem Zweck das Kloster Sithiu und setzte seinen treuen Helfer Mummolinus als Abt ein. Bald jedoch wurde der Abt zum Bischof von Noyon erhoben [69], wozu er durch seine Erfahrung in der Mission und ihrer Organisation bestens geeignet war. Ein neuer Gesichtspunkt spielt jetzt bei der Bischofseinsetzung eine Rolle: in den Missionsbistümern werden „Experten" zu Bischöfen gemacht; aber sogar im Fall Mummolinus ist der Weg über den Abbatiat zielführend. Die allzu weitgehende Orientierung an der Praxis mochte zwar Erfolge bei der Bekehrung bringen, aber die christlichen Prinzipien konnten dadurch Schaden leiden. So mußte erst die klösterliche Disziplin mit ihrer Notwendigkeit, sich in die Glaubenswahrheiten zu ver-

---

[65] Mönchtum 312 ff., 547.
[66] Vita Landberti abb. Font. c. 1, 608.
[67] Vita Eremberti episcopi Tolosani (ed. Wilhelm Levison) MGH SS rer. Merov. 5 (1910) c. 1, 654.
[68] Darüber später v. a. S. 266 m. Anm. 114.
[69] Vita Audomari c. 12, 761.

tiefen, ein theoretisches Gegengewicht dazu schaffen, um den Erfordernissen bischöflicher Existenz nach beiden Seiten gerecht zu werden.

Daß es aber für wirklich dem Mönchsleben hingegebene Männer nicht leicht war, ein Bistum zu leiten, erkannte Papst Gregor d. Gr. Die weltlichen Verpflichtungen, die mit diesem Amte in steigendem Maße verbunden waren, bedeuteten in vielen Fällen ihren Trägern eine schwere Last [70]. Der Papst hatte aber zum Weltklerus nur wenig Vertrauen, das Bischofsamt in echt christlichem Geiste zu erfüllen. So war man immer noch auf jene angewiesen, die man aus der Hierarchie zu verdrängen suchte: die Laien. Zwei Formen eines laikalen Werdegangs späterer Bischöfe begegnen uns vor allem: einerseits im 5. und 6. Jahrhundert römische Staatsbeamte, die zum Teil auch noch unter barbarischer Herrschaft wirkten, und andererseits adelige Hofbeamte des 7. Jahrhunderts, die sich unter dem Einfluß des kolumbanischen Reformgedankens einem geistlichen Leben zuwandten.

Obwohl schon in spätantiker Zeit römische Beamte ihr Leben als Geistliche beschlossen, scheint doch der Höhepunkt solcher Konversionen erst um die Mitte des 6. Jahrhunderts anzusetzen zu sein. Gregor von Tours überliefert uns zahlreiche Fälle dieser Art [71], die auch zeigen, wie begehrt das Amt des Bischofs war, weil nicht nur Zivilbeamte sich darum bewarben, sondern auch noch aktive „duces" oder „comites". Besonders illustrativ ist dafür der Bericht über die Nachfolge des berühmten Bischofs Ferreolus von Uzès (581) [72]. Dynamius, der mächtige Rector Provinciae, ließ den Präfekten von Marseille, Albinus, ohne Wissen des Königs eigenmächtig zum neuen Bischof erheben [73]. Doch erfreute sich Albinus nur drei Monate lang seines Amtes. König Gunthramn wollte seine Absetzung, er aber starb, bevor dies geschehen konnte. Iovinus, der Vorgänger des Dynamius als Rector Provinciae, hatte die Gunst Gunthramns gewonnen und wurde von diesem als Bischof eingesetzt, doch kam ihm ein Diakon Marcellus, aus einflußreichem senatorischen Hause, zuvor und ließ sich zum Bischof weihen, wobei Dynamius wieder

---

[70] Vgl. Riché, Éducation 217.

[71] Siehe die Beispiele bei Carlo S e r v a t i u s, „Per ordinationem principis ordinetur". Zum Modus der Bischofsernennung im Edikt Chlothars II. vom Jahre 614; in: Zeitschrift für Kirchengeschichte 84 (1974) 15—19.

[72] Gregor von Tours, HF VI 7, 276 f.

[73] Daß sich Dynamius so selbstherrlich und unbekümmert um die königlichen Wünsche verhalten konnte, wird nicht nur auf seine Zugehörigkeit zu einem führenden Geschlecht des gallo-römischen Adels zurückzuführen sein. Die Ursache dafür mag auch sein, daß die Provence nach Sigiberts I. Tod zwischen Childebert II. und Gunthramn bis zum Vertrag von Andelot (587) umstritten war; dazu Anna M. D r a b e k, Der Merowingervertrag von Andelot aus dem Jahre 587, in: FS Heinrich Appelt = MIÖG 78 (1970) 34 ff. (mit allerdings rein formaldiplomatischer Fragestellung).

seine Hand im Spiel hatte. Iovinus belagerte den Rivalen mit Heeresmacht in der Stadt, wurde aber „muneribus" bewogen, die Belagerung und seinen Anspruch auf das Bistum aufzugeben. Das ganze sieht wie ein Streit der mächtigsten Beamten des südlichen Galliens um einen vakanten Bischofsstuhl aus, der seine Wurzeln schon in Rivalitäten weltlicher Art in der Zeit König Sigiberts I. hatte [74]. Daß Dynamius seinen Vorgänger im Amt nicht auf einem Bischofssitz seines Sprengels wissen wollte, läßt auf eine alte Feindschaft schließen, die wohl mit der Absetzung des Iovinus zu tun hat. Es überrascht die Heftigkeit, mit der man ohne und gegen die königlichen Verfügungen handelte, wenn man die Bedeutung des Bistums Uzès erwägt, die wohl nicht allzu groß war [75]. Außerdem läßt uns der Ausgang der Geschehnisse erkennen, daß die Laien im Bischofsamt häufig nur eine materielle Versorgung gesehen haben mögen. Sonst hätte wohl weder Iovinus seine Ansprüche gegen eine Art von „Entschädigung" so bald fallen lassen, noch wäre Gunthramn über diese für ihn doch peinliche Angelegenheit anscheinend hinweggegangen [76].

Anders verhielt sich der König vier Jahre später auf dem 2. Konzil von Mâcon: hier erhob er Nicetius, den Grafen von Dax, zum Bischof der gleichnamigen Stadt [77]. Dieser hatte Chilperich I. ein „decretum" — wie es bei Gregor heißt — herausgelockt, das ihm verbriefte, in das genannte Bischofsamt eingesetzt zu werden, sobald er die Tonsur erhalten habe [78]. Doch fiel der Amtsantritt des Nicetius mit dem gefährlichen Gundowald-Aufstand zusammen; der Thronprätendent stieß die Verordnung Chilperichs um und ließ einen gewissen Faustinianus zum Bischof von Dax weihen [79]. Nach dem Zusammenbruch des

---

[74] Sigibert hatte Iovinus abgesetzt; an seine Stelle rückte zunächst Albinus, der aber durch sein ungerechtfertigtes und hartes Vorgehen gegen den Archidiakon Vigilius bald darauf seines Amtes enthoben und Präfekt wurde. Sein Nachfolger als Rektor dürfte schon Dynamius gewesen sein; Gregor von Tours, HF V 43, 177 f. Vgl. dazu Dostal 11 f., Buchner, Provence 16, 93.
[75] Doch konnte auch ein weniger bedeutendes Bistum für die Arrondierung des (tatsächlichen Macht- oder) Einflußgebietes einer Familie wichtig sein.
[76] Heinzelmann, Bischofsherrschaft geht auf diesen interessanten Fall leider nicht ein.
[77] Gregor von Tours, HF VIII 20, 386.
[78] HF VII 31, 352. Seit dem 6. Jahrhundert waren die Kleriker verpflichtet, eine Tonsur zu tragen. Als Kleriker im juristischen Sinne galt man jedoch erst ab der Erteilung der Weihe. Eine Reihenfolge ist dabei aber nicht erkenntlich. Im Falle des Nicetius scheint es sich bei der Forderung des Königs um eine Art Sicherstellung gehandelt zu haben, daß dieser ernsthaft als Geistlicher wirken und nicht das Bistum als comes verwalten wolle. Mit einer Tonsur war man als adeliger Laie „unmöglich" geworden.
[79] Doch scheint den Bischöfen nicht ganz wohl bei dieser Sache gewesen zu sein. Berthramn von Bordeaux, als zuständiger Metropolit, trat bei der Weihe „cavens futura" zugunsten des Palladius von Saintes zurück. Beide hatten später auch tatsächlich u. a. darum große Schwierigkeiten bei König Gunthramn.

Aufstandes wurde dieser in den Priesterstand zurückversetzt, und Nicetius
erhielt das Bistum. Für uns interessant ist die Tatsache, daß Nicetius während
seiner Amtsperiode als „comes" von Dax das Bischofsamt ebendort anstrebte.
In beiden Fällen ist von keiner „conversio" die Rede: eine rein weltliche
Laufbahn mündet in eine geistliche, von einer Vorbereitung auf das geistliche
Amt erfährt man nichts; (es wird wohl eine Weihe per saltum vorgenommen
worden sein). In der Regel war seit der Spätantike, als sich die Einsetzungen
von Laien als Bischöfe zu häufen begannen, eine Prüfungszeit von einem Jahr
festgesetzt worden, über die Einhaltung dieser Frist sind wir jedoch kaum
unterrichtet [80].

Anders klingt die Beschreibung, die Gregor von seinem Urgroßvater Gregor
von Langres gibt. Dabei ist alles stärker nach einem Klischee gestaltet. Gregor
bewirbt sich um die Würde eines „comes" von Autun, erhält sie und übt das
Amt beispielhaft aus; besonders seine Strenge Übeltätern gegenüber wird
von seinem Urenkel lobend hervorgehoben [81]. Nach dem Tod seiner Frau
Armentaria [82] konvertiert er und wird vom Volk zum Bischof von Langres gewählt: zuerst ein musterhafter Beamter, dann ein vorbildlicher Bischof. In der
beispielgebenden Art, in der Gregor sein weltliches Amt verwaltet, liegt schon
die Fähigkeit beschlossen, auch auf geistlicher Ebene Maßstäbe für die anderen
zu setzen. Die „conversio" ist hier im guten Sinne ein mehr äußerlicher Akt,
da Gregor über die Erfordernisse eines römischen Amtsträgers hinaus schon
als „comes" Eigenschaften aufweist, die als Bischof zum Tragen kommen.
Bemerkenswert ist die nüchterne Knappheit, mit der Gregor von Tours den
Werdegang seines Urgroßvaters schildert. Wunder ereignen sich erst, als
Gregor Bischof von Langres geworden ist; wunderbares Geschehen ereignet
sich ja in der Umwelt der Geistlichen, es ist ein Bestandteil ihrer Existenz
und ein Beweis für ihre Auserwähltheit. Der „comes" wirkt im fünften Jahrhundert noch in einer Sphäre säkularer Bedingtheit. Insoweit ist also doch
eine „conversio morum" notwendig: sie führt den noch so vorbildlichen Laien
aus einer gottferneren Welt in die größere Gottesnähe des Geistlichen mit all
ihren irdischen Reflexen.

Diese feinen Unterschiede zwischen der spätantiken laikalen Beamtenwelt
und jener des bischöflichen Wirkens, die in der Schilderung Gregors von Tours
durchschimmern, finden sich in der durchschnittlichen Vitenliteratur des 7. Jahr-

---

[80] Diesbezügliche Bestimmungen finden sich in II Orléans (533) c. 16, III Orléans
(538) und V Orléans (549) c. 9; vgl. Albert H a u c k, Kirchengeschichte Deutschlands 1
(⁸1954) 204.

[81] LVP VII 1—2, 687.

[82] Heinzelmann, Bischofsherrschaft 213 f. hat auf den Bischof Armentarius von
Langres († vor 500) hingewiesen, den er für den Vater der Armentaria hält. Gregor
scheint also über die Verwandten seiner Frau zum Bistum Langres gelangt zu sein,
das er auf seinen Sohn Tetricus weiter „vererbte". Vgl. auch Stroheker, Adel 182.

hunderts nicht mehr. Bonitus von Clermont erhält von Childerich II. oder Theuderich III. in den sechziger Jahren dieses Jahrhunderts nach Beendigung seiner Laufbahn am Hof die Präfektur von Marseille. Doch wie übt Bonitus sein hohes Amt aus? „Non ut iudex, sed ut sacerdos", schreibt der Biograph [83]. Niemand wird mit Gefangenschaft oder Exilierung bestraft, „sed magis eos quos repperire potuisset venditos ... redimendo ad propria reducebat." Dazu kommen die Nachtwachen und das Fasten, mit denen Bonitus beweist, daß er des Bischofsamtes in höchstem Maße würdig ist. Hier ist die Topik schon fast zur Alleinherrscherin geworden. Sind Erziehung und Werdegang des Bonitus noch so sehr mit weltlichen Inhalten erfüllt und in eine weltliche Umgebung gestellt — das Trachten des Heiligen ist von früher Jugend an immer auf ein asketisches Prinzip gestellt. Er macht anscheinend nur äußerlich eine Entwicklung mit, die ihn auf verschiedene Posten führt. Innerlich bleibt er unverrückt der Gleiche; jederzeit könnte er ein Bistum übernehmen: die Welt des Heiligen ist von Geburt an sein Lebensraum. Hier war keine „conversio" vonnöten.

Genauso der Vitentopik verhaftet, aber in einer ganz anderen Form, ist der Werdegang Allowin-Bavos [84]. Der Hagiograph gibt uns gar keinen „Beruf" seines Helden an; wir erfahren nur, daß er aus gutem Hause war, eine ebenso vornehme Gemahlin und eine Tochter hatte, die später Nonne wurde. In seiner Jugend „beatus Bavo actibus pravis exercebat saeculi voluntatem". Er scheint keine Ämter angetreten zu haben und lebte wohl das übliche Leben eines reichen Adeligen. Daß ein solches von schändlichen Taten erfüllt war, ist für den Verfasser der Vita selbstverständlich. Doch nun kommt die Zeit der Einsicht: „Christo auxiliante" wendet sich Bavo Gott und seinen Geboten zu, die er pünktlich befolgt. Nun stirbt seine Frau, und Bavo eilt dem heiligen Amandus entgegen, wirft sich ihm zu Füßen, bekennt seine Laster und Untaten. Nachdem der Hagiograph Amandus eine halbe Buchseite lang mit Bibelzitaten die Überlegenheit des geistlichen Lebens gegenüber der Laienexistenz betonen hat lassen, wird Bavo zum Missionsgehilfen des Heiligen und beginnt seine geistliche Laufbahn. Beide Extreme werden durch eine geradezu „klassische conversio" miteinander verbunden: aus der schlechten oder als minder angesehenen Welt der Laien, in der „actus pravi", „vitia" und „obscaenitas" regieren, führt mit Hilfe Christi der Weg zum vollkommenen, d. h. asketisch-bedürfnislosen Leben des wahren Geistlichen.

Wir haben mit Bonitus von Clermont und Bavo zwei Beispiele aus dem siebenten Jahrhundert herausgegriffen, die die beiden Formen illustrieren, in denen man in der Hagiographie den weltlichen Werdegang späterer Bischöfe dar-

---

[83] Vita Boniti c. 3, 121.

[84] Vita sancti Bavonis confessoris Gandavensis (ed. Bruno Krusch) MGH SS rer. Merov. 4 (1902) c. 2—3, 535 f.

stellte. Prädestination oder conversio sind die beiden Schablonen, die man dabei verwendete [85]. Das ganze Leben war in der Anschauung des siebenten Jahrhunderts schon von den Kriterien christlicher Lebensformen beeinflußt. Im sechsten Jahrhundert gab es noch eine Welt, in der altüberlieferte säkulare Doktrinen maßgebend waren. Die christlichen Anschauungen vom Leben wurden schon damals durchaus anerkannt, doch veränderten sie nicht die Prinzipien des römischen Beamtentums, auch wenn dieses nur mehr rudimentär in Erscheinung trat. Gregor von Langres zeichnete sich als „comes" in Autun durch seine strenge Gerechtigkeit aus. Es ist noch der Stolz seines Urenkels, daß ihm kaum jemals ein Verbrecher entging. Bonitus hingegen wird dafür gelobt, daß er auch als Richter ganz von christlicher Milde erfüllt war. Ob er damit dem Richteramt und damit auch seinen Mitmenschen wirklich diente, ist für die Anschauungen des Hagiographen und seiner Zeit unerheblich, muß aber sehr bezweifelt werden [86].

Daß in mehreren Fällen Grafen das Bischofsamt übernahmen, hängt wohl mit dem Bedeutungsrückgang des Amtes eines „comes civitatis" zusammen, der zumindest in manchen Teilen des fränkischen Reiches als politischer Funktionär vom Bischof verdrängt wurde [87]. Darin dürfte auch die Ursache liegen, daß comites mitunter ins Bischofsamt wechselten [88]. So wurde Innozenz, comes von Javouls, Bischof von Rodez, als nach dem Tod des Bischofs Theodosius Unruhen und Tumulte in der Stadt ausbrachen, an denen der Priester Transobad führend beteiligt war. Dieser hatte sich schon nach dem Tode des heiligen Dalmatius um die Bischofswürde beworben, doch wurde ihm Theodosius vorgezogen [89]. Innozenz wurde mit Unterstützung Brunhilds eingesetzt: hier haben wir den Fall vor uns, in dem ein Graf einem Priester bei der Besetzung eines Bischofsstuhls vorgezogen wurde. Marachar, comes von Angoulême, wurde in seiner Stadt Bischof. Dabei berichtet Gregor von der raschen Verwandlung des Laien in einen Geistlichen [90]. Bemerkenswert ist die Formulierung, daß Marachar das Bischofsamt „officio completo" — gemeint ist der

---

[85] Doch ist der Typ des sorglos lebenden Reichen, der eine Wandlung durchmacht und als hervorragender Geistlicher schließlich zum Heiligen wird, in der gallofränkischen Hagiographie sehr selten.

[86] Hier steht der erbauliche Zweck der Vita natürlich im Vordergrund; vom typischen Richter der Vitenliteratur, der stets hartherzig und grausam ist, hob sich Bonitus dadurch vorteilhaft ab.

[87] Dietrich C l a u d e, Untersuchungen zum frühfränkischen Comitat, in: ZRG GA 81 (1964) 29 f. nimmt das im 7. Jahrhundert vor allem für die Gegend der Loire und für Burgund an.

[88] Friedrich P r i n z, Die bischöfliche Stadtherrschaft im Frankenreich vom 5. bis zum 7. Jahrhundert, in: HZ 217 (1974) 24.

[89] Gregor von Tours, HF VI 38, 309 und V 46, 256 f.

[90] „Quo officio completo, ecclesiae sociatur, clericusque factus, ordinatur episcopus." HF V 36, 242.

Comitat — antrat. Man wird im 6. Jahrhundert kaum daran interessiert gewesen sein, das Bischofsamt als eine Art Ausgedinge für weltliche Beamte
anzusehen. Wenn auch die militärischen Aufgaben des comes dem Bischof in der
Regel erlassen waren, so wollte man auch auf dem Bischofsthron einen körper-
lich tauglichen und leistungsfähigen Mann sehen [91]. Es wird wohl eher der
Glanz der bischöflichen Stellung gewesen sein, der einen Grafen beeinflußte,
sich um dieses Amt zu bewerben. Zugleich war es möglich, in dieser Stellung
einen annehmbaren Kompromiß zwischen geistlichen Anliegen und gewohnter
weltlicher Lebensweise zu schließen, was man als Abt nicht konnte. Diese
anerkannt weltliche Seite des Bischofsamtes ließ andererseits Mönche für die
Übernahme einer cathedra wenig geeignet erscheinen [92]. Daß die Könige daher
mitunter gern comites als Bischöfe einsetzten, ist nicht nur ein Beweis für die
fortschreitende weltliche Bedeutung dieses Amtes, sondern auch ein Zeichen
dafür, wie weit man sich schon trotz aller Synodalbeschlüsse von der eigentlichen geistlichen Grundlage des Episkopats entfernt hatte. Die bischöfliche
Predigt- und Lehrtätigkeit mußte bei solchen Zuständen eine untergeordnete
Rolle spielen. Der aus dem Laienstande kommende Bischof brachte dazu ja
kaum Voraussetzungen mit, selbst wenn er — im Idealfall — ein knappes Jahr
auf dieses Amt vorbereitet worden war [93]. Der Text Gregors von Tours legt
eine solche Ausbildung bei Marachar nahe, wenn auch die knappe, prägnante
Form des Ausdrucks die Verwandlung des comes und laicus in einen Bischof in
einem kürzeren Zeitraum wahrscheinlich macht [94]. Ein Mann, der ebenfalls
zunächst comes und dann Bischof in der gleichen Stadt war, ist Reolus von
Reims. Umfang und Bedeutung seines Comitats sollen hier nicht untersucht
werden [95]. Die Vita Nivardi, welche sonst durchaus nicht immer zuverlässig

---

[91] So konnte man immerhin die Gültigkeit der Wahl eines Bischofs, der an einem
Nasengeschwür litt, in Frage stellen. Dietrich C l a u d e, Die Bestellung der Bischöfe
im merowingischen Reiche, in: ZRG KA 49 (1963) 37 betont den Effekt der „Zur-
Ruhe-Setzung" nach einer weltlichen Laufbahn.

[92] Vgl. dazu den Brief Papst Gregors I. an Bischof Virgilius von Arles: Ep. V 58,
368 ff.; Servatius, „Per ordinationem" 15. Ein interessantes Zeugnis für diese Auffassung ist der Brief des Apollinaris Sidonius an Bischof Perpetuus von Tours, in dem
er die allgemeine Meinung zu dieser Frage wiedergibt; Ep. VII 9, 114. Dazu auch
Joachim W o l l a s c h, Mönchtum des Mittelalters zwischen Kirche und Welt (Mün-
stersche Mittelalter-Schriften 7, 1973) 49 und Felten, Äbte 77 m. Anm. 46.

[93] I Arles (524) c. 2.

[94] Siehe oben Anm. 90.

[95] Eugen E w i g, Die Stellung Ribuariens in der Verfassungsgeschichte des Merowingerreiches, in: Gesellschaft für Rheinische Geschichtskunde. Vorträge 18 (1969)
1 ff. = Spätantikes und fränkisches Gallien 1, 460; Rudolf S p r a n d e l, Bemerkungen zum frühfränkischen Comitat, in ZRG GA 82 (1965) 288 f.; Claude, Comitat 25 f.,
31 f. und d e r s., Zu Fragen frühfränkischer Verfassungsgeschichte, in: ZRG GA 83
(1966) 277 ff.

und frei von Topik ist, überliefert aber ein wertvolles Detail. Sie berichtet, daß Bischof Nivard von Reims den Grafen Reolus und einen gewissen Teodoramnus miteinander versöhnt habe. Diese hätten gegeneinander Fehde geführt, weil der comes die Söhne des Teodoramnus, die er des Raubes überführt hatte, hinrichten ließ. Daraufhin tötete dieser die Söhne des Reolus aus Rache. Solche Ereignisse waren wohl in der zweiten Hälfte des 7. Jahrhunderts nichts Ungewöhnliches, doch illustrieren sie das Vorleben des Reimser Bischofs und die Welt, aus der er recht unvermittelt zu seinem Bischofsamt kam. Im Gegensatz zu der etwa gleichzeitigen Vita des Bonitus von Clermont, findet man bei Reolus gar nichts von einer alle Stufen des Lebens verklärenden Christlichkeit, die im „laicus habitus" genauso zum Ausdruck kam wie im späteren Leben als Bischof. Leider erfährt man keine Details über eine conversio des comes Reolus, so daß man auch keine Vergleiche zu der Schilderung Gregors von Langres durch seinen Verwandten Gregor von Tours ziehen kann. Die „blutbefleckten" Hände des Laien waren kein Hindernis, die geistliche Hierarchie rasch zu erklimmen.

Mit welchen Unterschieden in der Vorbereitung auf das geistliche Amt wir bei allen Laien zu rechnen haben, zeigen Vergleiche des Werdegangs der duces Austrapius (von Poitiers), Waimar von Troyes und Liutwin von Trier[96]. Austrapius war ein Anhänger Chlothars I. und dux in der Auvergne; wie man aus dem Bericht Gregors wohl schließen darf, trat er in den geistlichen Stand, nachdem er vom heiligen Martin wunderbarerweise aus der Hand des gewalttätigen Chramn, des Sohnes und Gegners Chlothars I., gerettet worden war. Der König machte ihm Hoffnung auf die Nachfolge des Pientius von Poitiers und ließ ihn „apud Sellensim castrum" zum Bischof weihen, wobei er einige „dioceses" vom Bistum Poitiers abtrennte und sie Austrapius als eigene Kleindiözese zur Verwaltung übergab. Doch nach dem Tode des Pientius traf König Charibert eine andere Entscheidung und verwehrte Austrapius die Übernahme des Bistum Poitiers. Dieser kehrte unter Protest nach seiner Burg zurück und wurde bald darauf bei einem Aufstand erschlagen[97].

Liutwin, über den wir nur sehr spärliche zeitgenössische Nachrichten besitzen, soll ebenfalls dux gewesen sein, das Kloster Mettlach gegründet haben, dort Mönch und schließlich Bischof von Trier geworden sein[98].

Recht wenig wissen wir auch von Waimar, doch genügt es für unsere Zwecke. Er war dux der Champagne, ein Parteigänger des Hausmeiers Ebroin

---

[96] Es handelt sich um je ein Beispiel aus dem 6., 7. und 8. Jahrhundert.

[97] Gregor von Tours, HF IV 18, 151; seine „Pfarren" fielen wieder an Poitiers zurück.

[98] Über seine mächtige Familie Ewig, Milo 190 ff.; außerdem die durch die Viten des 11. Jahrhunderts beeinflußten Gesta Treverorum (ed. Georg Waitz) MGH SS 8 (1848) c. 24, 161.

und beteiligt an der gewaltsamen Absetzung und Verstümmelung des Bischofs Leodegar von Autun [99]. Von Ebroin „erhielt" Waimar dann das Bistum Troyes, zerfiel aber wieder mit ihm, wurde auf einer Synode abgesetzt und soll schließlich hingerichtet worden sein [100].

Die drei duces zeigen, wie verschieden der Weg eines mächtigen Laien zum Bischofsamt sein konnte. Austrapius scheint den Weg gegangen zu sein, der noch am ehesten den kanonischen Vorschriften entsprach. Wie schnell er die Weihegrade durchlief, wissen wir nicht, doch war wohl eine gewisse geistliche Schulung erfolgt, vor allem aber eine priesterliche Praxis gegeben, während sich Austrapius in Champtoceaux (Sellense castrum) aufhielt [101]. Dabei war er — man gestatte die Verwendung eines anachronistischen Ausdrucks aus dem spätmittelalterlichen Kirchenrecht — die ganze Zeit mit dem Bistum Poitiers providiert, mit einigen „Sprengeln" der Diözese als einer Art „Anzahlung und Sicherstellung". Der Laienkandidat und der König arbeiteten hier zusammen, um einen möglichst den Vorschriften entsprechenden Weg für die Erlangung des „futurus episcopatus" einzuschlagen.

Bei Liutwin und Waimar sehen die Dinge — soweit man es den Quellen entnehmen kann — anders aus. Wir kennen weder das Leben Liutwins als dux, noch läßt sich über seine geistliche Vorbildung etwas aussagen. Die späten Quellen geben uns nur einen schablonenhaften Bericht über den Werdegang dieses Bischofs von Trier [102]. Daß er das Kloster Mettlach an der Saar gegründet haben soll, ist glaubhaft: gehörten Stiftungen dieser Art doch zum religiösen Selbstverständnis der großen Familien Austrasiens des 7. und 8. Jahrhunderts [103]. Ob er dann selbst als Mönch dort gelebt hat, ist unsicher, doch nicht unwahrscheinlich. Die Bischofswürde dürfte er schon zu Lebzeiten seines Verwandten und Vorgängers Basinus erlangt haben. Doch wird er in einer

---

[99] Passio Leudegarii I, c. 25, 308 f.

[100] Diese durchaus nicht sichere Tatsache überliefert die Passio Leudegarii II, c. 16, 338 f.

[101] Ob Austrapius wirklich Bischof von „Sellense castrum" war, scheint mir zweifelhaft, auch wenn einige „dioceses" aus dem Bistumsverband von Poitiers gelöst wurden. Warum dann die Expektanz auf dieses? Interessant sind die Parallelen zur Schaffung des Bistums von Châteaudun aus der Diözese von Chartres durch Sigibert I. (HF VII 17, 338). Doch in diesem Fall spielten klar erkennbare politische Gründe eine Rolle und der Bischof von Chartres protestierte. Pientius von Poitiers scheint dagegen ruhig geblieben zu sein, und Gregor von Tours enthält sich auch jedes Kommentars. Austrapius dürfte eine Art Bischof „ohne Portefeuille" cum iure succedendi in Poitiers gewesen sein.

[102] Dazu Winheller, Bischöfe von Trier 94, 101 und Ewig, Trier 134 f.

[103] Jedenfalls war eine Bindung Mettlachs an den Trierer Bischofssitz immer gegeben: in karolingischer Zeit waren die Erzbischöfe Richbod, Wazzo, Hetti, Bertulf und Radbod zunächst Äbte von Mettlach.

Urkunde als „presbiter" bezeichnet [104], was nicht unbedingt der Irrtum eines
Abschreibers sein muß [105], da er noch zu Lebzeiten des Basinus so genannt wird.
Es wäre also an einen schrittweisen Aufbau der geistlichen Karriere Liutwins
zu denken, wobei man noch berücksichtigen muß, daß eine solche Ausbildung
quellenmäßig überhaupt schwer zu fassen ist. Es ist anzunehmen, daß Liutwin
von seinem Onkel Basinus zumindest in praktischen Fragen unterrichtet wurde,
als er zum Nachfolger im Bistum ausersehen war. Allzuviel an theoretischem
und theologischem Wissen wird man jedoch von einem fränkischen Geistlichen
um 700 nicht erwarten dürfen.

Waimar von Troyes steht als Beispiel für den abrupten Übergang eines
mächtigen Laien in den geistlichen Stand, wie er in Zeiten politischer Unsicherheit und ständig wechselnder Parteibildung besonders leicht möglich war.
Der „dux Campaniae" übernahm das kirchliche Amt wohl ohne jeden Ansatz
einer conversio: „... ab Ebroino ... episcopati grado dolosae (!) fuerat sub-
limatus" [106]. Man wird hier überhaupt nur bedingt von einem Übertritt in den
geistlichen Stand sprechen können, da in den Auseinandersetzungen Ebroins
mit den zentrifugalen Gewalten des Frankenreichs die Bistümer zum Teil wie
eine andere Kriegsbeute vergeben wurden: so auch bei Waimar, der in Troyes
zum Zuge kam [107]. In der Realität der Welt, die durch Ebroin verkörpert wurde,
galt der Bischof als politischer Funktionär, für dessen Ernennung eben einige
Formalitäten erforderlich waren, daß ihm auch eine bestimmte innere Haltung
eignen sollte, daran dachte man kaum [108].

Nicht selten findet man ehemalige Hofbeamte unter den Bischöfen des merowingischen Reiches; darunter vor allem Referendare. Es war naheliegend, sie
wegen ihrer relativ hohen Bildung, zu der literarische Kenntnisse ebenso
zählten wie juridische, mit dem Bischofsamt zu betrauen [109]. Außerdem waren
die Referendare gewiß besser imstande, die Verwaltung eines Bistums zu

---

[104] 699 Juli 1 für Echternach; Camillo W a m p a c h, Geschichte der Grundherrschaft Echternach im Frühmittelalter 1/2 (1930) nr. 6, 24 ff.

[105] Das meint Winheller, Bischöfe von Trier 86.

[106] Passio Leudegarii II, c. 16, 339.

[107] Man vergleiche die üble Charakteristik Waimars in der Passio Praeiecti (die
eine antileodegarische Tendenz hat!) c. 26, 241, in der auch alles über den Erwerb
des Bischofsstuhles durch den Laien Waimar gesagt wird: „... quendam perfidum et
nequissimum virum, qui postea Trecassinam i n c u b a v i t urbem...".

[108] In der Welt Ebroins scheinen sich zum Teil säkularere Tendenzen durchgesetzt zu haben als unter Karl Martell. Dennoch wird man dem neustrischen Hausmeier
Religiosität nicht absprechen können, wenn sie wohl wie bei den meisten Zeitgenossen
überwiegend formaler Natur war. Über die Hintergründe der negativen Darstellung
Ebroins in der Vitenliteratur schon A. Hauck, Kirchengeschichte 1, 368 f. Der Kampf
gegen die unkanonische Einsetzung von Klerikern wurde aber auch im 7. Jahrhundert
partikularrechtlich geführt; vgl. die Synode von Chalon-sur-Saône (650) c. 14.

[109] Vgl. Pirenne, Instruction 169.

leiten als andere Kandidaten. Dazu kamen leicht verständliche persönliche Gründe, die es den Königen nahelegen mochten, ein so wichtiges Amt an Männer zu vergeben, die sich am Hof in Vertrauensstellungen bewährt hatten. Alles in allem waren die Chancen für den Referendar, Bischof zu werden, im 6. Jahrhundert größer als später. Man wird die Erklärung dafür nicht ausschließlich in der günstigeren Quellenlage suchen dürfen: in einer Zeit, in der die römische Verwaltung in der civitas noch teilweise funktionierte, mußte ein rechtskundiger und in administrativen Angelegenheiten erfahrener Bischof, der auch mit dem Urkundenwesen vertraut sein sollte (Schriftlichkeit!), wichtiger sein als im siebenten oder achten Jahrhundert. Gregor von Tours berichtet von einer Reihe von Referendaren, die auf den Bischofsstuhl gelangten [110]. Bei keinem dieser Bischöfe wird auf eine geistliche Schulung zur Vorbereitung auf das neue Amt hingewiesen. Wenn auch den Zeitgenossen Selbstverständliches in den Quellen selten erwähnt wird, so wäre gleichsam ein umgekehrter Schluß ex silentio ebenfalls bedenklich. Sicherlich aber stand die geistliche Bildung der ehemaligen Referendare, die ja Laien waren, ihren praktischen Kenntnissen und Fähigkeiten bei weitem nach [111].

Das änderte sich einigermaßen, nachdem der kolumbanische Lebens- und Frömmigkeitsstil über die Klostermauern hinweg an den Königshof gedrungen war, und die führenden Hofkreise ein „genre de vie monastique" zu führen begannen [112]. Nun fügte sich zur „militia saecularis" der Referendare ein stark religiös-asketisches Element, das mitunter auch auf den Lebenswandel Einfluß gewann. So erzählt der sog. Fredegar, daß Judacaile, der Herzog der Bretonen, als er sich 637 am Königshof von Clichy einfand, nicht mit König Dagobert speisen wollte, sondern beim Referendar Dado = Audoin, dessen Frömmigkeit

---

[110] Ursicinus von Cahors war Referendar der Königin Ultrogotho, Baudinus von Tours bei Chlothar I., Flavius von Chalon-sur-Saône und Licerius von Arles bei Gunthramn, Charimer von Verdun am Hofe Childeberts II. Flavius war wohl auch mit Venantius Fortunatus befreundet, der ihm Carm. VII 18, 172 widmete, doch sicher kein Diakon wie Dostal 12 f. behauptet. Franz B e y e r l e, Die süddeutschen Leges und die merowingische Gesetzgebung. Volksrechtliche Studien 2, in: ZRG GA 49 (1929) 419 sieht darin die ersten Anzeichen einer „Vassifizierung der Staatskirche", die seiner Meinung nach unter Chlothar II. und Dagobert schon blühte. Über das Amt des Referendars Harry B r e s l a u, Handbuch der Urkundenlehre für Deutschland und Italien 1 (³1958) 360 ff.; Georges T e s s i e r, Diplomatique royale française (Paris 1962) 2 ff., 27 ff.; Classen, Kaiserreskript 188 f.

[111] Doch setzte das Edictum Chlotharii von 614 (c. 1) immerhin fest, daß Hofbeamte, die zu Bischöfen gewählt würden, durch „... meritum personae et doctrinae" ausgezeichnet sein sollten. Dazu auch Albert H a u c k, Die Bischofswahlen unter den Merowingern (1883) 46 m. Anm. 155.

[112] Riché, Éducation 377 f.

er rühmen gehört hatte [113]. Dem gegenüber steht der viel nüchternere Referendar des 6. Jahrhunderts, der mehr Verwandtschaft mit dem rein säkularen Beamtentyp der Spätantike hat. Einer der letzten Bischöfe, die aus dem „Stand" der Referendare kamen, war der große Chrodegang von Metz, dessen Organisationstalent am Hofe Karl Martells seine Ausbildung erfuhr, und bei dem sich die beiden Elemente Verwaltungskunst und religiöses Streben in äußerst glücklicher Weise verbunden hatten [114].

Auch andere laikale Hofbeamte machten eine Karriere, die sie zum Bischofsthron führte. Hausmeier finden wir aber selten dabei. Ihre Stellung als Führer der königlichen Gefolgschaft war eben nicht die günstigste Voraussetzung für ein geistliches Leben. Diese geringe Eignung beweist in besonders krasser Weise Bischof Badegisil von Le Mans. Er war als Maiordomus (Chilperichs I.?) zur Bischofswürde gelangt, wobei ihn merkwürdigerweise sein Vorgänger Domnolus vorgeschlagen hatte [115]. Er durcheilte die kirchlichen Weihegrade und war deshalb schon vierzig Tage nach dem Tode des Domnolus mit Zustimmung des Königs aus einem Laien zum Bischof geworden. Gregor läßt kein gutes Haar an ihm und beschreibt ihn und sein noch böseres Weib Magnatrud — von der er sich nicht zu trennen gedachte — als wahre Wüteriche [116]. In diesem Fall gibt uns die Quelle einmal die Vorbereitung eines weltlichen Kandidaten für ein hohes geistliches Amt an: man kann sich vorstellen, wieviel Raum bei einer solchen Eile, wobei nur der Form in oberflächlichster Weise Genüge geleistet wurde, für die wirkliche Erfassung der geistigen und geistlichen Seiten des Bischofsamtes blieb; an eine „conversio morum" ist nicht einmal entfernt zu denken.

Dem Hofkreis um Chlothar II. und Dagobert gehörten auch andere Männer an, die zu Bischöfen aufstiegen. Der geistige Horizont dieses „Hofbeamtenklubs" war nicht unbeträchtlich, seine Beziehungen reichten bis nach Ober-

---

[113] Chronicarum quae dicuntur Fredegarii Scholastici libri IV cum Continuationibus (ed. Bruno Krusch) MGH SS rer. Merov. 2 (1888) IV 78, 160. Ob die Erzählung den Tatsachen entspricht, ist zweifelhaft. Es ist nicht sehr glaubwürdig, daß ein bretonischer Herzog, der sich Dagobert unterwerfen mußte, die Teilnahme am Mahl des Königs ausschlagen konnte. Doch ist die Beschreibung Audoins als Referendar wichtig. Wie fromm und beliebt dieser bei Hofe war, berichtet, weit stärker in topischen Wendungen befangen, seine Vita c. 2, 555.

[114] Paulus Diaconus, Gesta epp. Mett. 267.

[115] Gregor von Tours, HF VI 9, 279. Die Ursache der Befürwortung durch Domnolus dürfte in Familienbeziehungen gelegen sein. Badegisils Bruder Nectarius war der Mann einer Domnola! Siehe dazu Dostal 26.

[116] HF VIII 39, 405 f. Manches an Gregors Schilderung wird man wohl dem Topos der bösen Frau und Ratgeberin zuschreiben können. Aber manche Details und die Schwierigkeiten, die der Nachfolger Badegisils mit ihr hatte, zeigen die Zügellosigkeit und den wilden Charakter Magnatruds. Vgl. dazu Irsigler, Frühfränk. Adel 226 Anm. 32.

italien[117]. Wir haben schon andernorts auf die doch relativ gute Latinität dieses Kreises hingewiesen[118]. Émile Mâle dachte dabei an eine Pfalzschule, die Dagobert zu dem Zwecke gründete, eine Elite heranzubilden. Die Absolventen dieser Schule sollten die höchsten Funktionen im Königreich einnehmen und schließlich vom König zu Bischöfen gemacht werden[119]. Es ist keine Frage, daß Mâle bei dieser Annahme moderne staatliche Förderungsmaßnahmen im Auge gehabt hat, die sicher für die Welt des siebenten Jahrhunderts keine Gültigkeit hatten. Doch unterhielt der Hofkreis nicht nur enge Beziehungen zum kolumbanischen Mönchtum, sondern auch zu Bischöfen der östlichen Reichshälfte, wobei er als Katalysator der neuen, von Luxeuil ausgehenden Ideen wirkte[120]. Andererseits wurden auch Probleme der bischöflichen Praxis stärker an den Hof herangetragen, was wohl die Fähigkeit, das Bischofsamt zu übernehmen, auch in den Laienkreisen des Königshofes förderte. Damit wurde eine Gewohnheit, gegen die von geistlicher Seite immer wieder Sturm gelaufen wurde[121], auch für diese einigermaßen akzeptabel. Denn die „electio de palatio" — über deren Form und rechtliche Bedeutung wir hier nicht sprechen wollen[122] — war schon im 6. Jahrhundert nicht selten. Die Viten zeigen uns freilich Männer des weltlichen Lebens, deren gute Taten und religiöse Gesinnung bei jeder Gelegenheit zum Ausdruck kommen, so daß die Allgemeinheit nicht genug darauf hinweisen kann, wie würdig sie für das Bischofsamt seien[123]. Diese Dignität war auch die wesentliche Voraussetzung, um Bischof zu werden, wie Papst Gregor d. Gr. selbst immer wieder betonte[124]. Wie sollten dann Männer wie Austrigisil von Bourges, der Mapparius König Gunthramns

---

[117] Prinz, Mönchtum 505.

[118] Siehe oben S. 74.

[119] Paganisme 172 f.

[120] Wilhelm L e v i s o n, Metz und Südfrankreich im frühen Mittelalter. Die Urkunde König Sigiberts III. für die Kölner und Metzer Kirche, in: Jahrbuch des Elsaß-Lothringischen wissenschaftl.. Gesellschaft zu Straßburg 11 (1938) 92 ff. = Aus rheinischer und fränkischer Frühzeit (1948) 149; Eugen E w i g, Die fränkischen Teilreiche im 7. Jahrhundert (613—714), in: Trierer Zeitschrift 22 (1953) 85 ff. = Spätantikes und fränkisches Gallien 1, 201 m. Anm. 119.

[121] Brief Gregors d. Gr. an Childebert II. vom Jahre 595; Epp. V 60, 373 ff.; vgl. Servatius, „Per ordinationem" 14 f., 19.

[122] Dazu F. Beyerle, Süddeutsche Leges 419, und die übersichtliche Untersuchung dieses Terminus mit reichen Quellenbelegen bei Servatius a. a. O. 19 f., 23. Der Ausdruck findet sich im Pariser Edikt Chlothars II. von 614 (ed. Alfred Boretius) MGH LL Capitularia regum Francorum 1 (1883) c. 1, 21.

[123] Besonders deutlich findet sich das in der Vita Remacli c. 2, 105.

[124] Vor allem in seinem Brief an die Königin Brunhild vom Jahre 597 (Epp. VIII 4, 5 ff.), worin er um Abschaffung der Simonie ersucht und dem Simonisten den richtigen Kandidaten für das Bischofsamt gegenüberstellt: „... sed ille ... quem dignum v i t a et m o r e s ostenderunt...". Diese Voraussetzungen konnte natürlich auch ein Laie erfüllen!

war und fast einen Zweikampf hätte ausfechten müssen[125], oder Genesius und Lantbert von Lyon, die schon als „milites regis" ihre Religiosität unter Beweis gestellt hatten[126], nicht auch als Bischöfe vorbildlich werden? Ganz zu schweigen von Eligius, der als königlicher Goldschmied bereits ein Leben geführt haben soll, daß dem strengsten Asketen zur Ehre gereicht hätte[127]. Daneben trat er als Klostergründer hervor und bewies sein politisches Geschick bei königlichen Gesandtschaften[128]. War diese „dignitas" nicht unvergleichlich höher als die irgendeines farblosen Klerikers? In jenem Bereich bedeutete das Wirken Kolumbans wirklich eine Zäsur: sollte die Erhebung eines laikalen Hofbeamten im sechsten Jahrhundert zum Bischof dazu dienen, einen Mann des königlichen Vertrauens mit praktischen administrativen und juridischen Kenntnissen an eine einflußreiche Stelle des Reiches zu bringen, war nach Kolumban das religiöse Moment auch im Leben des Laien am Hofe des Königs so wichtig geworden, daß die Dignität für das Bischofsamt auch aus moralischen Gründen gegeben schien.

---

[125] Vita Austrigisili c. 2, 192; cc. 4—5, 193 f. Zum Amt des Mapparius vgl. Waitz, Dt. Verfassungsgeschichte 2/2, 74.

[126] Vita sanctae Balthildis (ed. Bruno Krusch) MGH SS rer. Merov. 2 (1888) c. 4, 486 f., bzw. Vita Landberti abb. Font. c. 1, 608. Zu Genesius und seinem Werdegang vgl. Janet L. N e l s o n, Jezebels. The careers of Brunhild and Balthild in Merovingian History, in: Medieval Women, herausg. v. Derek Baker (Cambridge 1978) 60 f.

[127] Vita Eligii I c. 12, 679, wo nicht nur seine Reliquiensammlung und seine Bußgewänder geschildert werden, sondern auch seinen Gebeten und asketischen Übungen breiter Raum gewidmet wird.

[128] Ebenda c. 13, 680. Über die Gesandtschaften siehe genauer unten S. 232.

4. DIE EINSETZUNG

Wie in der Person des Bischofs politische und kirchliche Geschichte einander begegnen, so ist auch seine Einsetzung von zwei Seiten her zu betrachten: von der kirchlich-organisatorischen und der — modern gesprochen — verfassungsrechtlich-politischen. Beide Komponenten der bischöflichen Erhebung sind in der wissenschaftlichen Literatur behandelt und oft genug bis zu den vermeintlichen oder wirklichen Wurzeln in apostolische Zeit zurückverfolgt worden [1].

Wenn wir uns dieser Materie zuwenden, dient das nicht nur der Notwendigkeit des thematischen Zusammenhangs, sondern es erklärt sich auch aus der andersgearteten Betrachtungsweise, mit der wir an den Gegenstand herangehen wollen. Die kirchen- und staatsrechtlichen Ergebnisse, die die bisherigen Untersuchungen erbracht haben, werden dabei selbstverständlich nicht beiseitegeschoben. Doch soll die methodische Einseitigkeit der vorhandenen Arbeiten — auch der modernsten — vermieden werden. Bisher wurden aus den Angaben der Quellen, die uns ein gleichsam alltägliches Geschehen (wirklichkeitsgetreu oder in topischer Form) überliefern, deduktiv die Rechtsgrundsätze „gefiltert", nach denen ein Bischof in sein Amt eingesetzt wurde. Wenn man dabei auch mit großer Behutsamkeit vorging, und die besten Arbeiten jüngeren Datums keineswegs die Bezüge zur sogenannten Verfassungswirklichkeit außer acht gelassen haben, so bleiben auch sie erstaunlich stark der reinen Verfassungsgeschichte verhaftet. Sie beschreiben, erklären und weisen der Bischofserhebung den Platz zu, der ihr in der Rechtsordnung des frühen Mittelalters bzw. als Objekt politischer Taktik und Machtausübung zukommt. All das ist durchaus berechtigt; es zeigt die Bedeutung dieses Formalakts für das politische und rechtliche Leben der Zeit und verdeutlicht gleichzeitig den ständigen Zwiespalt zwischen gesatztem Recht und praktischer Notwendigkeit. Auch der Schacher um politischen Einfluß läßt sich vor dem Hintergrund der geltenden Rechtsgrundsätze gut veranschaulichen.

---

[1] Es genügt hier, die Namen Loening, Hinschius, A. Hauck, Vacandard, Plöchl, Hürten für die kirchenrechtliche, Schubert, Waitz, Claude, Lotter, Servatius für die verfassungsgeschichtliche Forschung zu nennen.

Mit Ausnahme von Prinz [2] ist man viel zu sehr von einer zeitlichen Einheit des frühen Mittelalters bei der Betrachtung dieser Fragen ausgegangen. Es genügt nicht, etwa die Herrschaft Karl Martells als negativ für die kirchliche Verfassung des fränkischen Reiches zu betrachten, als Zeit der Auflösung und des Niedergangs, in der eine „Germanisierung" oder „Frankisierung" der Kirche stattgefunden habe, und in der ein nahezu allmächtiger Maiordomus die Bistümer mit seinen Kreaturen ohne Rücksicht auf deren geistliche Eignung besetzte, und manche auch längere Zeit vakant ließ [3]. Man vergißt dabei allzu leicht, daß der Typ des merowingischen Bischofs, wie er unter Einfluß der kolumbanischen Reform und durch die Ausrichtung auf den König am Beginn des siebenten Jahrhunderts entstanden war, einem anderen wich, in dem sich das adelige agonale Prinzip stärker verkörperte als in früheren Tagen und der dem Hausmeier nur wenige Möglichkeiten bot, theologisch geschulte Geistliche auf die Bischofsstühle zu erheben, sofern es solche überhaupt gegeben hätte. Ein adeliges Selbstverständnis neuer Art war an die Stelle des alten gallorömischen oder adelig-asketischen getreten, welches den Bischof als eine geistliche Spielart des fränkischen Adeligen begriff [4]. Diese Bischöfe brachten sozusagen von sich aus ein säkulares Monument in die Kirche. Damals hat ein Wandel der gesellschaftlichen Struktur eine Veränderung des äußeren Erscheinungsbildes und der Mentalität des Bischofs bewirkt, deren Untersuchung wir hier mit einbeziehen wollen. Jedenfalls darf man in Karl Martells Politik der Bischofserhebungen nicht nur taktische Überlegungen eines Realpolitikers sehen, der die noch immer beste Organisation im fränkischen Reich — die Kirche — ohne Verständnis für deren wahre Aufgaben und Bedürfnisse seinen Zwecken opferte.

Die Erhebung des Remaclus zum Bischof von Maastricht ist ein gutes Beispiel dafür, wieviel subjektive Momente bei der Einsetzung eines Bischofs eine Rolle spielen können. Als Schüler des Eligius von Noyon, der in dessen

---

[2] Mönchtum passim.

[3] Die Mißstände charakterisiert am besten der Brief des Bonifatius, in dem er den neuen Papst Zacharias begrüßt. Darin heißt es unter anderem vom neuen Hausmeier Karlmann: „Et promisit se de ecclesiastica religione, que iam longe tempore, id est non minus quam per LX vel LXX annos, calcata et dissipata fuit, aliquid corrigere et emendare vellet." Ep. 50, 82. Hinzu kommt noch das Wirken der irischen Wanderbischöfe, deren Moral oft sehr lax war, und die sich wie der aus den Briefen des Bonifatius bekannte Clemens nicht scheuten, Ordinationen ganz unwürdiger Personen und gegen Geld vorzunehmen. — Andererseits trat Karl Martell für Bischof Heddo von Straßburg ein, der der Reformbewegung nahestand.

[4] Darunter verstehe ich nicht den Typ des Adelsheiligen, wie ihn Bosl herausgearbeitet hat, sondern den durchaus unheiligen Bischof der ersten Hälfte des 8. Jahrhunderts. Dieser war zwar Exponent des Adels, hatte aber sichtlich kein Bedürfnis nach Legitimation durch „Geblütsheiligkeit". Es scheint nicht uncharakteristisch, daß man Bischöfen dieser Art keine Lebensbeschreibung widmete.

Kloster Solignac erzogen [5] und schließlich dort sogar Abt wurde, gedachte man ihm eine ähnliche Position wie seinem Landsmann und Förderer zu: die Organisation vorgeschobener Bastionen des fränkischen Christentums in der heidnischen Welt und die Missionierung. Doch erwies sich Remaclus dafür als völlig ungeeignet, „magis diligens quiete Domino servire quam tumultuosa saeculi fluctuatione perpeti" [6]. Auch seine spätere Predigttätigkeit in den Ardennen dürfte wenige Erfolge gezeitigt haben, obwohl die Christianisierung dieses Gebiets den Intentionen Bischof Kuniberts von Köln entsprochen haben dürfte. Die Überwindung äußerer Widerstände war seine Sache nicht. König Childerich II. erlaubte dem Gescheiterten, sich in das Kloster Stablo zurückzuziehen und dort beschaulich zu leben. Gerade das Mißgeschick des Remaclus läßt vermuten, daß er zum Bischof auf Empfehlung des Eligius und mit der Absicht erhoben wurde, an der Heidenbekämpfung mitzuarbeiten, weil man in ihm einen Mann aus der „Schule" und Gedankenwelt des Eligius und seiner Mitbischöfe und Freunde, wie Audoin von Rouen oder Audomar von Thérouanne, vermutete. Man sieht daran, wie wenig man die Bischofseinsetzung mit rein formalen Methoden der Verfassungsgeschichte in den Griff bekommen kann.

Daß man nicht bei der Feststellung der Einsetzungskompetenz stehen bleiben sollte, beweist auch der Fall des Bischofs Eutropius von Orange, auf den Heinzelmann aufmerksam gemacht hat [7]. Von der relativ unbedeutenden Gemeinde um 460 zum Bischof gewählt, lehnte Eutropius ab und verbarg sich vor seinen Wählern. Hier liegt aber kein quellenbedingter Bescheidenheitstopos vor, sondern eine wirkliche Ablehnung aus angegebenen Gründen: Orange war dem Sohn eines vornehmen gallo-römischen Aristokraten aus Marseille nicht attraktiv genug; es war dort sicherlich in zu geringem Maße vorhanden, was einem jungen Adeligen das Bischofsamt anziehend machen konnte [8]. Eutropius wurde vom „populus" der „civitas" gewählt, was den

---

[5] Siehe oben S. 85.

[6] Überliefert in den Formulae Imperiales (ed. Karl Zeumer) MGH Formulae (1886) nr. 39, 317. Zum Wirken des Klosterbischofs Remaclus vgl. Ludwig D r e e s, Der heilige Remaclus, Gründer der Abtei Stavelot-Malmedy (1967) 21 m. Anm. 26 und d e r s., Der Kult des Mannus in den Ardennen. Die heidnische Kultstätte von Malmedy und ihre Christianisierung, in: Annalen d. histor. Vereins f. d. Niederrhein 175 (1973) 10.

[7] Bischofsherrschaft 220 f.

[8] „Nach diesem kostbaren, realistischen Zeugnis waren also vor allem Reichtum und Privilegierung der Kirchen, die auch durch die Anwesenheit zahlreicher Aristokraten glänzen sollten, die Kriterien, mit denen der Adel den Wert eines Bischofsamtes abwog." (Ebenda 221). Felten, Äbte 86, erklärt nicht mit Unrecht aus diesen Tatsachen, warum es (anscheinend) keine Laienäbte in merowingischer Zeit gegeben habe: Die Leitung eines Klosters war eben nicht Gegenstand eines weltlichen Ehrgeizes!

kirchlichen Vorschriften entsprach. Doch wie oberflächlich wäre unsere Kenntnis von den Vorgängen um die Einsetzung des späteren Bischofs, wenn wir uns mit diesem rechtlichen Tatbestand begnügten. So erhellt jenes „realistische Zeugnis" nicht nur die Voraussetzungen, die eine Kandidatur als Bischof erstrebenswert scheinen ließen, sondern auch die Mentalität der „bischofsfähigen" Geschlechter Galliens. Man wird gut daran tun, nach den vielen Untersuchungen über die rechtliche Zuständigkeit bei Wahl und Einsetzung des Bischofs, den Akzent der Forschung ein wenig zu verschieben.

Auf der Synode von Maslai 679 wurde Bischof Chramlin von Embrun abgesetzt, ihm aber der Besitz seiner Eigengüter und der Eintritt ins Kloster St. Denis gewährt. Die Königsurkunde, die uns diese Geschehnisse überliefert [9], berichtet auch über die „Einsetzung" Chramlins: „sua praesumcione vel per falsa carta seu per revellacionis audacia", aber nicht durch königliche Ordination habe er das Bistum erlangt; kein Bischof habe ihm die Weihe erteilt. Der Grund von Chramlins Absetzung war jedoch nicht der unkanonische Erwerb des Bistums und die mangelnde bischöfliche Legitimation, sondern seine „infidelitas" gegenüber König Theuderich III. Mit anderen Gegnern des Königs wurde auch ihm der Prozeß gemacht, der auf einer Rumpfsynode anscheinend ordnungsgemäß abgewickelt wurde. Wie sah es hier mit der Einsetzung aus? In den Wirren der inneren Kämpfe, die den Hausmeier Ebroin zum Urheber hatten, gelang es einem skrupellosen Burgunder [10], sich in den Besitz eines offenbar vakanten Bistums zu setzen. Die zugehörigen Komprovinzialen nahmen zwar keine Weihe an dem Intrusus vor, doch scheint man Chramlin im übrigen unbehelligt auf seinem unrechtmäßig erworbenen Sitz belassen zu haben. Erst politische Gründe gaben den Anlaß zu seiner Verurteilung [11]. Man darf also annehmen, daß der völlig gegen die kirchlichen Gesetze und die königlichen Ansprüche zum Bischof gewordene Chramlin von niemandem gehindert worden wäre, sein Amt auszuüben, hätte er nicht politische Fehler begangen. Die Art seiner „Einsetzung" wurde freilich in einer Art Urteilsbegründung angeführt, doch dürfte sie ursprünglich nur wenig ins Gewicht gefallen sein, da die Bischöfe erst zusammentraten, als es galt, über die „infidelitas" Chramlins zu urteilen [12]. Auch dieses letzte Beispiel verdeutlicht, wie wenig man für die

---

[9] Ed. K. A. F. Pertz, MGH DD regum Francorum e stirpe Merowingica (1872) nr. 48, 44.

[10] Sein Vater wird in der Urkunde genannt: er hieß Mietius, was an eine Verwandtschaft mit dem berühmten Bischof von Langres denken läßt, der zu den Gegnern Kolumbans gehörte.

[11] Es ist denkbar, daß Genesius von Lyon und die anderen Bischöfe der Kirchenprovinz nur über ein politisches Vergehen den Sturz des vorschriftswidrig als Bischof amtierenden Chramlin erreichen konnten.

[12] Auch wenn man dagegen anführen will, daß Chramlin eben eine gefälschte Urkunde vorwies, die ihm scheinbar einen Anspruch durch königliches Präzept gab,

historische Kenntnis gewinnt, wollte man diese Angelegenheit negativ als Mißbrauch des königlichen Einsetzungsrechts, der Wahl durch Klerus und Volk oder noch allgemeiner als „typisches Zeichen des Verfalls der kirchlichen Ordnung" ansehen.

Voraussetzung jeder Erhebung zum Bischof sollte die Vakanz des betreffenden Bischofsstuhls sein. Daß gegen dieses Prinzip verstoßen wurde, Nachfolgeregelungen, Absprachen und sogar Weihen zu Lebzeiten des amtierenden Bischofs vorkamen, ist aus den Quellen allzu bekannt. Doch trat häufig auch das Gegenteil ein: so scheinen etwa im fränkisch-gotischen Grenzraum zur Zeit der Auseinandersetzungen zwischen beiden Reichen im 6. Jahrhundert längere Vakanzen eingetreten zu sein [13]. Noch ärger war es wohl in dieser Hinsicht im frühen 8. Jahrhundert vor allem in Neustrien und Austrasien [14]. Die längsten Vakanzen dürfte es aber in Oberitalien gegeben haben: der Einbruch der Langobarden hat hier zu einer teilweisen Aufhebung der Episkopalverfassung geführt, die in einzelnen Gebieten erst nach einigen Generationen wieder auflebte [15]. Zwischen der Erledigung des Bischofsstuhls und seiner Neubesetzung sollte nicht zu viel Zeit vergehen. Schon das Konzil von Riez (439) sah für einen solchen Fall eine Zwischenregierung vor, die von einem anderen Bischof

---

so fällt doch auf, daß diese Fälschung plötzlich bei seiner Absetzung bekannt war, vorher jedoch nicht. Das würde eine beachtliche Gleichgültigkeit (oder das Fehlen realer Macht) gegenüber der formalen Einsetzung als Bischof bedeuten. Eine Weigerung der Bischöfe, Chramlin zu weihen, wäre aber dann unberechtigt oder zumindest schwer verständlich. Dazu auch Felten, Äbte 74.

[13] Doch sind aus den südgallischen Bistümern keine zuverlässigen Bischofslisten erhalten, um das genau überprüfen zu können. Als Beispiel mag Rodez dienen: vor 515 (schon 511?) floh Bischof Quintianus zu den Franken, erst 524 jedoch wurde sein Nachfolger Dalmatius erhoben. Eugen E w i g, Die fränkischen Teilungen und Teilreiche (511—613), in: Akad. d. Wiss. und Literatur Mainz. Abhandlungen der geistes- und sozialwissenschaftl. Kl. 9 (1953) 651 ff. = Spätantikes und fränkisches Gallien 1, 123 m. Anm. 48.

[14] Das betrifft vor allem die Suffraganbistümer von Rouen und Tours; aber auch in den Bistümern Verdun, Reims und Lyon (?) wird man damit zu rechnen haben. Köln und Mainz, sowie die kleineren rheinischen Bistümer hatten dagegen im sechsten Jahrhundert ihre schlimme Zeit, in der sogar die Kontinuität des Christentums bedroht schien. Dazu Ewig, Milo 203 f.

[15] Der Bischof von Mailand residierte jahrzehntelang (mit päpstlicher Billigung) in Genua im Exil, Siena war bis in die Zeit König Rotharis unbesetzt; in vielen Städten war die gesamte kirchliche Hierarchie außer Funktion, in anderen bestand ein Nebeneinander von katholischem und arianischem Bischof. Diese Zustände förderten auch die allmähliche Verwischung der Bistumsgrenzen, was später zu manch langwierigen Streitigkeiten führte, wie zwischen Siena und Arezzo (715). Vgl. dazu Schubert, Christl. Kirche 252 und Gerhard D i l c h e r, Bischof und Stadtverfassung in Oberitalien, in: ZRG GA 81 (1964) 229.

auszuüben sei [16]. Ein sogenannter Visitator konnte aber nicht nur beim Tod oder der Absetzung des Bischofs herangezogen werden, wenn eine Neuwahl verzögert wurde, sondern auch bei schwerer Krankheit desselben, die eine Ausübung des bischöflichen Amtes unmöglich machte. In Spanien wurde zu diesem Zweck der Bischof einer Nachbardiözese bemüht; einem solchen Kommentator konnte auch die Zwischenregierung einer Abtei übertragen werden [17]. Beide Synodalbestimmungen scheinen jedoch wenig Wirksamkeit erlangt zu haben, da aus den Quellen kein Beispiel eines solchen bischöflichen Interregnums bekannt ist [18].

Besonders in Gebieten, in denen der Schnittpunkt der Interessen einiger bedeutender Familien lag, wurde die Besetzung von Bischofsstühlen oft jahrelang verhindert, da sich mehrere Bewerber unter Einsatz aller nur denkbaren Mittel um das Bistum stritten. Wir werden auf ein besonders signifikantes Beispiel dieser Art noch zurückkommen. Kaum einer der Bischöfe des 6. und 7. Jahrhunderts im Frankenreich konnte sich darauf berufen, „caelitus electus" zu sein, „superna adminiculante gratia", wie es in der Vita Rigoberti über dessen Erhebung zum Reimser Oberhirten heißt [19]. Auch Rigobert war immerhin der Taufpate Karl Martells gewesen. In der Praxis kam es häufig zu Wahlkämpfen, die zugleich Parteikämpfe waren. Bestechungen von Beamten und Priestern, selbst Gewaltanwendung gehörten zu den Mitteln, ein Bistum zu erringen. Wo diese Dinge entscheidend waren, nahmen auch nur wenige Anstoß an der Erhebung eines Laien [20]. Die Vorgänge um die Bischofseinsetzung in Uzès nach dem Tode des Bischofs Ferreolus (581) haben wir schon in anderem Zusammenhang geschildert [21]. Die Machenschaften des Dynamius, der als Rector Provinciae seinen Kandidaten auch gegen den Willen des Königs zweimal durchsetzte, beweisen, wie wichtig es war, die lokalen oder regionalen Machthaber auf seiner Seite zu haben. Hier wurde das königliche Einsetzungsrecht nicht beachtet, aber nicht um den kanonischen Regeln zum Sieg zu verhelfen, sondern um die Adelslandschaft des südlichen Gallien nicht

---

[16] C. 3, 67 und c. 5, 69 (Concilia Galliae 314—506, ed. C. Munier, CCL 148, 1963).

[17] Konzil von Valencia (549) c. 2, 62 mit ausdrücklicher Bezugnahme auf die Bestimmungen des Konzils von Riez.

[18] Plöchl, Kirchenrecht 1, 162, behauptet, der Höhepunkt der Tätigkeit der Visitatoren sei unter dem Pontifikat Gregors d. Gr. festzustellen, ohne allerdings dafür Beispiele anzuführen. Gregor griff häufig in die Bischofswahlen und in die Verwaltung von Diözesen ein; es ist daher nicht unwahrscheinlich, daß er allzu lange Vakanzen durch Einsetzen von Visitatoren hintanzuhalten versuchte, die ja im Langobardenreich ohnehin nicht zu vermeiden waren.

[19] C. 1, 62.

[20] Albert W e r m i n g h o f f, Verfassungsgeschichte der deutschen Kirche im Mittelalter (²1913) 20.

[21] Siehe oben S. 115 f.

zu verändern und nicht neuen Einflüssen Tür und Tor zu öffnen. Freilich
nützte man kirchliche Vorschriften in seinem Sinne: der Diakon Marcellus
hatte ein Zusammentreten der „conprovinciales" erreicht, die seine Weihe vor-
nahmen. Damit war man dem Kandidaten König Gunthramns zuvorgekommen,
wobei aber auch der Formalakt nicht so ohne weiteres zustandegekommen
sein dürfte; was es heißt, daß der Diakon Marcellus „per consilium Dinami"
geweiht wurde, läßt sich leicht denken. Als Iovinus dann sein vermeintliches
Recht mit Waffengewalt durchsetzen wollte, konnte Marcellus die geistliche
Eignung für das Amt u n d die bereits mehr oder weniger kanonisch erfolgte
Einsetzung dagegen anführen. Er hatte also die moralische Berechtigung auf
seiner Seite. Doch waren das alles nur „Akzidentien": Marcellus machte
keinen Gebrauch davon und verteidigte sich tapfer in der eingeschlossenen
Stadt. Entscheiden mußten die Waffen, und als das Glück sich auf die Seite
des Iovinus neigte, „besiegte" jener seinen Gegner durch Geschenke, die den
Angreifer auf die weitere Durchsetzung seines Anspruches verzichten ließen [22].
Waren die Rechtstitel, um die hier gekämpft wurde, höchst anfechtbar, und
erwiesen sich die Machinationen eines laikalen Würdenträgers als ausschlaggebend für die Besetzung des Bistums Uzès, so konnte man auch viel dadurch
erreichen, daß man gleich nach dem Tod eines Bischofs den Diözesanklerus
zu gewinnen trachtete.

So versuchte es der Presbyter Transobad nach dem Tode des Bischofs
Dalmatius von Rodez mit einer doppelten Taktik, um sich die Nachfolge am
Ort zu sichern [23]. Sein Sohn weilte am Hofe König Childeberts II. und sollte
durch Gogo, den mächtigen „nutritor" des Königs, die Einsetzung seines Vaters
erwirken. Zugleich ließ es sich Transobad aber angelegen sein, den örtlichen
Klerus — zu dem er selbst gehörte — auf seine Seite zu bringen. Er veranstal-
tete deshalb ein Gastmahl, bei dem seine Kandidatur den Kollegen plausibel
gemacht werden sollte. Dabei ereiferte sich ein Priester so sehr über den
verstorbenen Bischof Dalmatius, daß er mitten im Schmähen und Lästern tot

---

[22] Gregor von Tours, HF VI 7, 277. Wie sehr man regionale Machthaber unter
Umständen für den Erfolg seiner Sache notwendig hatte, zeigt auch die Erhebung
des Epiphanius von Pavia: Sein Vorgänger, Bischof Crispinus, ging zum vir illuster
Rusticus nach Mailand und bat ihn, nach seinem Tod die Erhebung des Epiphanius
zu fördern; dies wurde unter Tumulten und gegen einen Teil der Diözesanen durchgesetzt; Magni Felicis Ennodii Vita beatissimi viri Epifani episcopi Ticinensis ecclesiae
(ed. Friedrich Vogel) MGH AA 7 (1885) cc. 37 ff., 88 f. Ähnlich auch die skrupellose
Einsetzung des Abtes Ranimir zum Bischof von Nîmes durch den dortigen Grafen
Childerich, den „socius perfidiae suae". Es fanden sich keine Bischöfe der entsprechenden Kirchenprovinz zur Weihe Ranimirs, so daß dieser schließlich gegen deren
Willen „ab externae gentis duobus tantum episcopis ordinatur". Historia Wambae
regis auctore Iuliano (ed. Wilhelm Levison) MGH SS rer. Merov. 5 (1910) c. 6, 505.
[23] HF V 46, 256 f.

umfiel. Die ominöse Bedeutung dieses Vorgangs kann man sich gut vorstellen: was eine Werbung für den Bischofskandidaten hätte sein sollen, verwandelte sich in ein negatives Vorzeichen. In der Tat zog Transobad gegen den Archidiakon Theodosius den kürzeren: dieser wurde auf Befehl des Königs ordiniert [24]. Aber Transobad gab nicht auf: nach dem Tode des Theodosius war er wieder zur Stelle und hoffte, diesmal den Bischofsstuhl zu erringen. Doch scheint seine Bewerbung wieder auf Widerspruch gestoßen zu sein. Es gab jedenfalls im Zusammenhang mit der Bewerbung um das Bistum „intentiones" und „scandala", wobei Kirchengeräte verschwanden und auch das übrige Vermögen von den Kandidaten nicht verschont wurde. Königin Brunhild setzte schließlich dem Treiben ein Ende, indem sie den Grafen Innozenz zum Bischof bestimmte [25]. Beide Male ist das Urteil des Herrschers entscheidend, und dennoch spielen sich die Bemühungen, das Bischofsamt zu erwerben, in ganz anderen Bereichen ab. Es geht dem Bewerber darum, sich eine günstige Ausgangsposition zu schaffen, eine feste Stellung im engeren Kreis der Diözesanen. Ist hier der Rückhalt stark und legen die regionalen Machthaber dem Bewerber nichts in den Weg, so kann er sich unter Umständen auch gegen einen königlichen Kandidaten durchsetzen.

Daß der eigenen Initiative und natürlich den materiellen Mitteln eine wesentliche Bedeutung beim Streben nach dem bischöflichen Amt zukam, auch wenn keine mächtige Adelsfamilie hinter dem Bewerber stand, beweist der Fall des syrischen Kaufmanns Eusebius. Als Bischof Ragnemod von Paris gestorben war, setzte dessen Bruder, der Priester Faramod, alle Hebel in Bewegung, Nachfolger auf dem Bischofsstuhl zu werden. So sehr er aber „pro episcopato concurreret", mußte er gegenüber dem Syrer Eusebius zurückstehen, der an die Stelle des Ragnemod gesetzt wurde [26]. Dieser hatte sich mit zahlreichen Geschenken die begehrte Position zu verschaffen gewußt. Überwiegend wird angenommen, daß der König Adressat dieser Schenkungen war. Doch scheint mir das wenig wahrscheinlich. Im Jahre 591/92, in welches das Geschehen fällt, gab es in Neustrien nur den etwa achtjährigen Chlothar II.,

[24] Charakteristisch auch hier wieder die günstige Position des Archidiakons für die Nachfolge im Bischofsamt.

[25] HF VI 38, 309. Dazu Nelson, Jezebels 53.

[26] HF X 26, 519. Zur Tatsache siehe Claude, Comitat 69; zu den syrischen Kolonien in Frankreich Salin, Civilisation mérovingienne 1, 144 f. Grundlegend noch immer Paul S c h e f f e r - B o i c h o r s t, Zur Geschichte der Syrer im Abendlande (Kleinere Forschungen zur Geschichte des Mittelalters 4), in: MIÖG 6 (1885) bes. 535 ff. und Louis B r é h i e r, Les colonies d'Orientaux en Occident au commencement de Moyen Age, in: BZ 12 (1903) 1 ff. Neuerdings zu Fragen der syrischen und jüdischen Händler im Merowingerreich Waltraut B l e i b e r, Naturalwirtschaft und Ware-Geld-Beziehungen zwischen Somme und Loire während des 7. Jahrhunderts (Forschungen zur mittelalterlichen Geschichte 27, 1981) 97 ff.

mit dem es zu Lebzeiten von Gunthramn und Childebert II. politisch nicht zum besten stand. Es wäre möglich, daß Eusebius seine „multa munera" an Fredegund oder die führenden Männer des Pariser Hofes gegeben hätte [27]. Doch möchte man eher glauben, daß es sich bei den Empfängern der Geschenke um den einflußreichen Klerus von Paris handelte, der auf diese Weise für den reichen Kaufmann gewonnen wurde. Es mochten Ressentiments gegen den Bruder des verstorbenen Bischofs bestehen, die in der Willfährigkeit gegenüber den Absichten des Eusebius ihren Ausdruck fanden. Daß der ehemalige Kaufmann die „schola" seines Vorgängers zugunsten eigener Landsleute entließ, spricht nicht gegen die vorgebrachte Behauptung, da man sich die Stimmung am Bischofshof gegen den reichen Syrer nur zu gut vorstellen kann, und es sich für Eusebius um eine Notwendigkeit handelte, ohne die er sein Amt kaum reibungslos ausüben konnte. Gregor behandelt die Angelegenheit recht knapp und eigentlich kommentarlos, was vermuten läßt, daß die Einsetzung des Eusebius zum Bischof von Paris trotz der Machenschaften Faramods kaum größeres Aufsehen erregt haben dürfte [28].

In der zweiten Hälfte des siebenten Jahrhunderts — nach einer für die kirchlichen Vorschriften günstigen Zeit unter Chlothar II. und Dagobert I. — scheinen die finanziellen Mittel für die Erlangung eines Bistums von größter Bedeutung gewesen zu sein. Dabei war es nicht der König, dem man dafür bezahlte, sondern diejenigen, die nach kanonischer Satzung einzig zur Wahl des Bischofs berechtigt waren: Klerus und Volk. So erwarb der Mönch Bettolen (um 650) das Bistum Soissons, indem er einen „thesaurus pecuniae" dafür aufwendete [29]. Es wird nicht ausdrücklich gesagt, wem er diesen Geldschatz übergeben hat, doch es heißt, er folgte seinem Vorgänger, „ne autem tantus populus diutius esset sine rectore, quod indecens erat, ...". Er wird vom Verfasser der Vita Drausii als Platzhalter und Förderer seines Helden gesehen. Doch ist er sich letztlich nicht klar darüber, wie er den Bettolenus beurteilen soll: ein hochverdienter frommer Mann, der Drausius zum Archidiakon macht und nach Kräften unterstützt, selbst resigniert und ihn zum Bischof weihen läßt, nachdem er sogar beim König für ihn gesprochen hat; andererseits ist er doch „indignus", weil er die Bischofsherrschaft an sich gerissen hat. Freilich ist das in der Absicht geschehen, eine lange Vakanz in Soissons zu vermeiden. Eine solche wäre der Kirche abträglich gewesen und hätte vielleicht zur Verschleuderung des Vermögens geführt. Also mußte Bettolenus eingreifen, um das

---

[27] In diesem Falle hätte Gregor sicher eine Erwähnung gemacht, da er es wohl kaum unterlassen hätte, seiner Feindin Fredegund den Makel der Simonie — noch dazu an einem so krassen Beispiel — anzukreiden.

[28] Dazu Claude (wie Anm. 26); Faramod setzte sich aber nach dem ziemlich kurzen Pontifikat des Eusebius durch; vgl. Duchesne, Fastes 2, 465, 468, 471.

[29] Vita sancti Drausii episcopi Suessionensis (AA SS März I) 406.

Schlimmste zu verhindern. Daß seine Methode nicht den Kanones entsprach, wird betont, doch scheint dem Verfasser der Vita dabei so etwas wie ein übergesetzlicher Notstand vorgeschwebt zu haben. Bettolen ist eine in der Vitenliteratur ungewöhnliche Gestalt, wenn ihr auch manche Züge eines vorbereitenden Vorläufers des wahren Helden eignen. Für uns besonders wichtig ist die Käuflichkeit eines Bischofsstuhls (noch dazu durch einen Außenstehenden!), wobei der „thesaurus pecuniae" anscheinend nicht an den königlichen Hof gegeben wurde. Es scheint weiters im Gegensatz zu den meisten Fällen in Soissons nach 650 keine geeigneten Kandidaten für das Bischofsamt gegeben zu haben. Gemessen an der Einsetzung des Drausius ist von Bettolen nichts Positives zu sagen. Drausius vereinigte nicht nur die Stimmen des Klerus auf sich, sondern wurde auch gleichermaßen von „potentes", „mediocres" und „pauperes" zum Bischof gewünscht und erlangte die Zustimmung des Königs. Bettolenus dagegen verdankte das Bistum nur seinem Geld, von einer Unterstützung durch irgendeine berechtigte Personengruppe erfährt man nichts. Die Selbstverständlichkeit, mit der die Quelle über diese Tatsache bei allen Ansätzen zur Kritik letztlich hinweggeht, wird nicht nur durch ihre Funktion als Gegensatz zur rechtmäßigen und musterhaften Erhebung des Drausius begreiflich, sondern bezieht gerade ihre Wahrscheinlichkeit daraus. Man kann vermuten, daß Bettolen in ein Machtvakuum stieß oder durch seine Bestechung drohende Parteikämpfe zurückdämmte. Klerus und „potentes" [30] dürften die Übernahme des Bistums durch ihn jedenfalls gedeckt haben, ohne daß die Angelegenheit weitere Kreise zog.

Was man im siebenten Jahrhundert alles unternehmen mußte, um sich im Wettstreit um ein Bistum durchzusetzen, zeigt die schon mehrfach herangezogene Passio des Bischofs Praeiectus von Clermont. Abgesehen davon bietet sie einen der seltenen Einblicke in die allgemeine Denkweise der Zeit. Nachdem der Bischof Felix gestorben war, wollte sich der Archidiakon Gariwald [31], an einen „ritus ... priscorum" anknüpfend, zum Nachfolger wählen lassen. Sicherheitshalber hatte er sich noch bei Lebzeiten des Bischofs von den fünf führenden Geistlichen der Diözese, zu denen auch Praeiectus zählte, eine schriftliche Garantie

---

[30] Es ist kein Zufall, daß bei der Wahl des Drausius die begeisterte Zustimmung der „mediocres et pauperes" erwähnt wird, Schichten, deren sich Bettolenus nicht versichern mußte: ihn stützten Geistliche und „proceres", vielleicht gegen den Willen der anderen Gruppen. Bis zum König scheint die Sache nicht gelangt zu sein. Die Tatsache, daß ein Mönch (der dann später wieder ins Kloster zurückkehrte) über ein beträchtliches Privatvermögen verfügte, scheint den Zeitgenossen hingegen nicht erwähnenswert gewesen zu sein.

[31] Gerwald wäre wohl die moderne, normalisierte Form von Garivaldus, Gerivaldus. Ich halte den Namen nicht für eine Umformung von Charivaldus (= Herwald) durch einen italienischen Vitenschreiber wie Bruno K r u s c h, Reise nach Frankreich im Frühjahr und Sommer 1892, in: NA 18 (1893) 639.

geben lassen, in der sie sich für Gariwalds Wahl verbürgten [32]. Doch nach der Bestattung des Bischofs Felix hielt sich Praeiectus nicht mehr daran: er erzählte öffentlich von einer Vision seiner Mutter, daß er für ein hohes Amt ausersehen sei. Daraufhin schwenkte der Klerus zu Praeiectus um, obwohl Gariwald die „epistola" mit den Wahlversprechungen in der Kirche verlas. Als dies nichts nützte, setzte er seine letzte Hoffnung auf die Laien, die er durch Zahlungen für sich gewann. Der „populus" erzwang schließlich gegen den Klerus mit Gewalt seine Erhebung zum Bischof. Doch starb Gariwald bereits nach 40 Tagen seines Pontifikats, den er „usurpaverat indignus, reliquit petenti se meliori". Nun war der Weg für Praeiectus frei.

Bei dem zeitgenössischen Bericht [33] fällt zu allererst auf, daß vom König als Einsetzungsinstanz keine Rede ist. Alles spielt sich zwischen Klerus und Volk von Clermont ab. Der kirchliche Brauch scheint eindeutig für den Archidiakon zu sprechen [34], doch läßt sich dieser überdies noch Sicherheitsgarantien geben. Der Klerus zerfällt bereits in zwei Gruppen: maßgebend sind die fünf „seniores abbates", die übrige Geistlichkeit wird auf die Zustimmung zu deren Entscheidung beschränkt. Wir haben es hier erstmals mit Wahlprärogativen zu tun, die über eine bloße Zufälligkeit hinausgehen, einen bestimmten Kreis von Personen umfassen, aber noch nicht institutionell sind. Doch auch die Sicherung erweist sich für Gariwald als trügerisch, er muß seine Zuflucht zu den Laien nehmen, die gegen den Klerus Front machen. Mit Gewalt kommt der ehemalige Archidiakon ans Ziel; Gott ist jedoch gegen ihn und hat längst für Praeiectus entschieden, dessen zukünftigen Aufstieg er schon vor seiner Geburt offenbart hat.

Die Haltung des Praeiectus selbst erscheint in der Angelegenheit nicht tadellos. Er bricht sein schriftliches Versprechen, als er seine Chance sieht. Um die „plebs" zu gewinnen, versucht er mit der ihm von seiner Mutter berichteten Vision Eindruck zu machen. Die Antwort, die ihm zuteil wird, enthält nun nichts vom vielzitierten Wunderglauben des „Volkes", sondern weist ihn unbeeindruckt auf die aktuellen Erfordernisse einer derartigen Kandidatur hin: ob er genug edles Metall habe, um ein solches Unternehmen (die Bewerbung um den Bischofssitz) finanziell durchzustehen [35]!

Als 551 Bischof Gallus von Clermont starb, empfing der Presbyter Cato

---

[32] Es handelt sich dabei um die sogenannten fünf „seniores abbates" der Diözese Clermont. Dazu auch Rudolf S c h i e f f e r, Die Entstehung von Domkapiteln in Deutschland (Bonner Historische Forschungen 43, 1976) 114.

[33] Dazu Krusch, Reise 629.

[34] Über dessen günstige Stellung siehe oben Kap. 3, S. 101 ff.

[35] Passio Praeiecti c. 12, 232. Die Ansicht von Krusch, daß dieses „Ammenmärchen" natürlich nicht „gezogen" habe, scheint allerdings etwas zu modern. Interessant ist, daß die Erzählung der Vision den Klerus beeindruckte, nicht hingegen das Volk (oder die führende Schicht?). Doch mag auch das zum topischen Stil gehören.

die „laudes" des Diözesanklerus [36]. Die bei dem Begräbnis anwesenden Bischöfe machten sich erbötig, die Weihe Catos sofort vorzunehmen, da sie die für ihn günstige Meinung des Volkes erkannt hatten [37]. Cato jedoch verzichtete hochmütig auf die guten Dienste der Nachbarbischöfe und berief sich auf sein bisheriges musterhaft religiöses Leben und seine regelmäßige Absolvierung der geistlichen Grade. Es sei offenkundig, daß Gott ihn für seine treuen Dienste belohnen werde, und außerdem fehle ihm nur mehr das Amt des Bischofs zum Abschluß seiner Laufbahn; er bedürfe niemandes Unterstützung dazu. Zugleich nahm er das Bischofsgut in Besitz, entfernte alle Beamten und Diener, um die Verwaltung selbst zu übernehmen.

Hier haben wir es im Gegensatz zum vorherigen Beispiel mit dem Ansatz einer regelrechten Bischofseinsetzung zu tun. Klerus und Volk einigen sich sofort auf Cato, die Nachbarbischöfe sind bereit zur Konsekration. Cato wollte jedoch zuerst den König benachrichtigen und nach dessen Zustimmung von sich aus die Bischöfe zur Weihe herbeirufen. Eine Vermittlung bei Theudebald lehnte er ab. Seine Auffassung von der Erwählung des besten Mannes (im christlichen Sinne), die von Gott gelenkt und das Ergebnis der entsprechenden Lebensart sei, ist im Denken der Zeit — soweit es überliefert ist — ohne Beispiel. Cato wollte alles nur sich selbst verdanken, was seinem gesteigerten Selbstgefühl entsprach. Eine „amtskonforme" Haltung war das freilich nicht. In den Anschauungen der Zeit war der Kandidat verpflichtet, seine Unwürdigkeit für das Bischofsamt deutlich zu manifestieren. Idoneität gewinnt man erst durch die Gnade Gottes, die dem „peccator" auf seine Bitten hin bei der Weihe zuteil wird. Diese (notwendige) Bescheidenheit, die schon Papst Leo d. Gr. forderte, wurde in der Regula pastoralis (I 3—5) moniert und findet sich sogar im Codex Iustinianus (I 3,30). Im übrigen war Cato wirklichkeitsfremd. Die Hilfe anderer konnte man auch bei einer den kanonischen Bestimmungen entsprechenden Einsetzung nicht verschmähen, Catos „frühchristlich-apostolischer" Standpunkt [38] konnte sich nicht durchsetzen, vor allem deshalb nicht, weil er anscheinend zusätzlich gar keine verwandtschaftlichen Machtmittel dafür einsetzen konnte.

---

[36] Gregor von Tours, HF IV 35, 167.

[37] HF IV 36, 168. Es ist dies die von der Forschung stark strapazierte Stelle, in der die Bischöfe Cato versichern, beim noch minderjährigen König Theudebald seine schnelle Einsetzung zu rechtfertigen. Die diesbezügliche Kompetenz des Königs war also grundsätzlich anerkannt. Siehe dazu unten S. 149 ff., sowie Irsigler, Frühfränk. Adel 106 f. und Severin C o r s t e n, Rheinische Adelsherrschaft im ersten Jahrtausend, in: Rheinische Vierteljahrsblätter 28 (1963) 91.

[38] Zum anderen Teil war Cato einfach geizig, wie ja auch sein Verhalten gegenüber dem Verwaltungs- und Bedienungspersonal zeigt. Zur Frage der Idoneität Schubert, Christl. Kirche 190 und Heinrich F i c h t e n a u, Zur Geschichte der Invokationen und „Devotionsformeln", in: Beiträge zur Mediävistik 2 (1977) 51.

Daß die Machenschaften eines mächtigen und bei Hofe einflußreichen Geschlechts aber nicht immer ausreichen, um einen seiner Angehörigen auf einen Bischofsstuhl zu bringen, zeigt — indirekt — die Einsetzung des Avitus von Clermont im Jahre 571. Nach dem Tode des Cautinus traten sehr viele Bewerber um das bischöfliche Amt auf [39]. Besonders hervor tat sich der Priester Eufrasius aus dem Geschlechte der Hortensier. Durch seine Verwandten Beregisil und Firminus, den Grafen von Clermont, bestürmte er König Sigibert, ihm das Bistum Clermont anzuvertrauen. Von jüdischen Händlern kaufte er „species magnas", die er dem König überbringen ließ, dadurch seine mangelnde Idoneität und seine geringen Verdienste ausgleichend [40]. Eufrasius hielt sich nicht bei der lokalen Geistlichkeit und den „cives" von Clermont auf, deren Zustimmung er als Eingesetzter des Königs und mit Hilfe seines Verwandten, des comes civitatis, wohl zu erzwingen dachte, sondern wandte sich gleich an König Sigibert. Die politischen Erfordernisse für das Amt des Bischofs ließen alle anderen Rücksichten in den Augen des sehr realistisch denkenden Priesters und seiner Förderer zurücktreten. Diese allzu geradlinige Art, das Bistum anzustreben, erwies sich aber als entscheidender Fehler [41].

Viel diplomatischer verfolgte der Archidiakon Avitus seinen Plan: er erreichte die Zustimmung des Diözesanklerus zur Wahl, ohne irgendwelche Versprechen abzugeben, und eilte mit der ordnungsgemäß erlangten Wahlurkunde zum König. Auch die mit simonistischen Mitteln versuchten Verzögerungsmanöver des Firminus konnten die Einsetzung des Avitus nicht mehr verhindern. Gregor unterstreicht die Tatsache, daß sein Onkel von Klerus und Volk gewählt wurde, um die Rechtmäßigkeit seiner Erhebung im Gegensatz zu den plumpen Machinationen des Eufrasius und seiner Partei hervorzukehren. Der besonderen Zuneigung des Königs schreibt Gregor es zu, daß jener Avitus nach Metz zur Weihe kommen ließ: Sigibert wollte sich von ihm die Eulogien (Segensbrote) spenden lassen [42].

---

[39] Gregor von Tours, HF IV 35, 168.

[40] Gregor, der in dieser Angelegenheit allerdings Partei ist, weist auf die Saufgelage des Eufrasius hin, die dieser mit „barbari" gehalten haben soll; für den Gallo-Römer sicher eine sehr negative Charakteristik, zu der noch die Fragwürdigkeit seines christlichen Verhaltens kommt: Eufrasius habe niemals Arme gespeist! Als Steigerung seiner Minderwertigkeit dient noch die Erwähnung seiner Käufe bei jüdischen Händlern, was bei einem Priester oder „episcopus futurus" besonders disqualifizierend wirkt.

[41] „Et credo, haec causa obstitit, ut non optineret, quia non per D e u m, sed per h o m i n e s adipisci voluit hos honores"; HF IV 35, 167. Dazu Irsigler, Frühfränk. Adel 133 m. Anm. 319.

[42] Dieser Wunsch erklärt den Verstoß gegen die bisher so genau eingehaltenen kirchlichen Einsetzungsvorschriften: Avitus hätte ja in Clermont geweiht werden müssen.

In den parallel berichteten Bewerbungen des Eufrasius und Avitus werden die beiden äußersten Möglichkeiten, die Bischofswürde zu erlangen, dargestellt. Von der einfachen Anpassung an den Lauf der kanonischen Bestimmungen bis zur unverhüllten Bestechung des Königs reichte die Skala der Bemühungen. Freilich idealisiert Gregor das Verhalten seines Verwandten, der sicherlich an seiner mächtigen Sippe einen starken Rückhalt hatte. Doch war Avitus behutsamer, er versicherte sich der Zustimmung der rechtlich entscheidenden Personengruppen im lokalen Bereich (wozu seine Familie gerade in Clermont gut in der Lage war). Er lernte wohl aus dem Fehler des Eufrasius, der Klerus und Volk gänzlich überging und ausschließlich auf die politische Bedeutung seiner Familie und auf materielle Mittel baute. Unter diesen Umständen war es für Avitus nicht schwer, die Basis für eine erfolgreiche Kandidatur auch ohne „promissiones" und „oblationes" zu schaffen.

Die Wichtigkeit einer Sicherung im regionalen Bereich, die Verankerung in der Diözese sind in den beiden letzten Beispielen aus Clermont deutlich zu erkennen; es genügte nicht, nach dem königlichen Einsetzungsdiktum mit allen Mitteln zu trachten. All diese Dinge verzerren und vereinfachen sich unberechtigterweise, sieht man sie lediglich von der Entscheidung des Königs her.

Ein Zusammenwirken ähnlicher Art von König, Diözesanklerus und „cives", mit verwandtschaftlicher Stütze, ist für manche Bischofseinsetzung im fränkischen Reich charakteristisch, so sehr der Umfang und die Grenzen des Einflusses umstritten waren [43]. Ein gutes Beispiel dieser Verflochtenheit, die sich nicht einem methodischen Raster fügt, ist die Einsetzung des Gallus von Clermont [44].

Zu einem wahren Intrigenstück gestaltete sich die Nachfolge des Bischofs Tetricus von Langres [45]. Parteiungen und offene Streitigkeiten ließen dieses Bistum lange Zeit unbesetzt: Regisseur des wechselvollen Geschehens scheint zum Großteil der Diakon Petrus, ein Bruder Gregors von Tours, gewesen zu sein. Bemerkenswert ist die stets wiederkehrende Betonung des Historiographen, daß die „clerici" oder die „Lingonici" um die Einsetzung eines bestimmten Geistlichen als Bischof baten. Klerus und/oder Volk scheinen hier vom Diakon Petrus gelenkt worden zu sein, während der Archidiakon Lampadius eine eigene Linie verfolgte, und auch der König manchmal fremde Geistliche (Pappolus, Mummolus) den „Lingonici" oktroyierte. Man könnte die Verhältnisse um die Bischofseinsetzung von Langres (572) gleichsam als Negativ der anscheinend harmonischen Zusammenarbeit in Clermont (Gallus, Avitus) bezeichnen.

Gar nicht selten waren Gewaltakte zur Erringung eines Bistums. Hier klaffen die Bestimmungen der Kirchengesetze und die sogenannte Verfassungs-

---

[43] Dazu Servatius, „Per ordinationem" 5.
[44] Gregor von Tours, LVP VI 3, 681 f.
[45] HF V 5, 200 ff. Siehe auch oben S. 104 Anm. 24.

wirklichkeit am weitesten auseinander. Denn ein Intrusus war nach kanonischen Vorschriften gar kein ordentlicher Bischof, und dennoch konnte er in den meisten Fällen sein angemaßtes Amt unangefochten bis zum Ende seines Lebens behalten. Besonders günstig dafür waren Zeiten eines politischen Umsturzes oder kirchlicher Spannungen. So wurde etwa der Abt Johannes zu Zeiten des Dreikapitelstreits (606) vom friulanischen „dux" Gisulf mit Zustimmung des (arianischen) Königs Agilulf in Aquileja zum Patriarchen eingesetzt: es fanden sich auch drei Bischöfe, die dem aufgezwungenen Patriarchen die Bischofsweihe erteilten [46]. War hier die — allerdings nichtkatholische — „Staatsgewalt" auf Seiten des Eindringlings und konnte er sich dadurch auch halten, nützte in Grado der „hereticus" Fortunatus denselben theologischen Streit, um sich in Besitz des Bistums zu setzen [47]. Fortunatus betrachtete die Gradenser Kirche jedoch nur als Quelle materieller Vorteile und wandte sich nach deren Ausplünderung nach Cormons. Daß Laien aus lokalen Adelsfamilien Bistümer an sich rissen, ist im Frankenreich jedoch im wesentlichen erst eine Erscheinung, die nach dem Niedergang merowingischer Königsherrschaft, ab dem späten siebenten Jahrhundert, anzutreffen ist. Hierbei ist etwa an den berüchtigten kriegerischen Bischof Savarich von Auxerre zu denken oder an den Grafen Agatheus von Nantes und Rennes, der sich auch des Bischofsamtes in den ihm anvertrauten Städten bemächtigte [48].

Auch die Beseitigung des Vorgängers war ein Mittel, sich in den Besitz eines Bischofsstuhles zu bringen. Die Ermordung des Praetextatus ließ sich Melantius 50 Solidi kosten, um an seiner Stelle Bischof von Rouen werden zu können [49]. Er war, von Fredegund gefördert, schon im Jahre 580 Bischof geworden, nachdem Praetextatus in einem höchst anfechtbaren Verfahren auf der Synode von Berny-la-Rivière abgesetzt worden war [50]. Melantius mußte nach der Rückkehr seines Vorgängers aus dem Exil wieder aus Rouen weichen und

---

[46] Chronica Patriarcharum Gradensium (ed. Georg Waitz) MGH SS rer. Langob. (1878) c. 3, 394; dazu vgl. Paulus Diaconus, Hist. Langob. IV 33, 127.

[47] Ebenda c. 5, 394.

[48] Über Savarich und seine Sippe ausführlich unten S. 170. Von Agatheus, „vocatus, sed non episcopus", ist sonst nur wenig überliefert. Immerhin scheint vom „weltlichen" Standpunkt aus die wachsende Annäherung der bischöflichen und gräflichen Agenden eine solche Vereinigung begünstigt zu haben.

[49] Gregor von Tours, HF VIII 41, 408.

[50] HF V 18, 223. Um eine Deposition im rechtlichen Sinne scheint es sich nicht gehandelt zu haben, obwohl dem Praetextatus die Kleider zerrissen wurden. Eher um eine Dispensierung und Verbannung, wenn man das unorthodoxe Eingreifen Chilperichs I. berücksichtigt. Ragnemod von Paris wurde jedenfalls von Gunthramn nach der Rückkehr des Praetextatus aus dem Exil darüber befragt; darauf antwortete der Bischof: „Scitote ei paenitentiam indictam a sacerdotibus, n o n tamen eum prursus ab episcopatum remotum."

zog mit seiner Gönnerin nach Vaudreuil, das ihr von Gunthramn als Witwensitz angewiesen worden war [51]. Nach der Ermordung des Praetextatus, die Fredegund angestiftet, und neben ihr und Melantius auch noch der Archidiakon der Kirche von Rouen bezahlt hatte, kam es zu einigen kirchenrechtlichen Maßnahmen, wie dem Interdikt, die auch von König Gunthramn unterstützt wurden: so fällte die von ihm eingesetzte bischöfliche Kommission den Spruch, daß „numquam in aeclesia illa Melantius, qui prius in loco Praetetati subrogatus fuerat, sacerdotes fungeretur officium" [52]. Die Entscheidung hatte jedoch keine praktische Wirkung; nachdem einige Zeit vergangen war, setzte Fredegund ihren treuen Anhänger wieder als Bischof ein [53]. Dagegen erhob sich kein Protest, nicht einmal Gregor von Tours, der Fredegund sehr negativ gegenüberstand, merkte etwas derartiges in seiner Historia an. Papst Gregor I. richtete 601 einen Brief an einige fränkische Bischöfe, in dem er ihnen seine Gesandten Laurentius und Melitus, die nach England zogen, empfiehlt [54]: unter den Adressaten befindet sich auch Melantius, der sein Amt allen Prinzipien und Rechtsgrundsätzen zum Trotz unangefochten ausübte.

Aber auch ohne herrscherliche Deckung war es möglich, sich in dieser gewaltsamen Weise durchzusetzen: Frontonius ließ den Bischof Marachar von Angoulême mit einem Fischgericht vergiften und riß sogleich das „freigewordene" Bistum an sich [55]. Wenn auch Gregor mit Genugtuung feststellt, daß Frontonius schon nach einem Jahr sein Leben aushauchte, so hatte doch während dieser Zeitspanne niemand an seiner Bischofsherrschaft ernstlich Anstoß genommen. Dabei wurde Frontonius nicht von einem der merowingischen Herrscher unterstützt und gehörte auch sichtlich keiner der führenden Familien Aquitaniens an [56], die ihn gedeckt hätte. Die Einsetzung der Bischöfe hing viel stärker von lokalen Verhältnissen ab — vor allem von der Stimmung des Diözesanklerus, bzw. dessen führender Männer —, als aus den Nachrichten über die rechtlichen und formalen Akte auf den ersten Blick zu erschließen ist. Viele Machenschaften richteten sich daher darauf, diese Personengruppe der Umgebung des Bischofs zu gewinnen. Damit war aber nach außen hin die immer wieder erneuerte Forderung nach der Wahl durch den Klerus

---

[51] HF VII 19, 339.
[52] HF VIII 31, 400. Es handelte sich um die Bischöfe Artemius von Sens, Veranus von Cavaillon und Agroecius von Troyes.
[53] „Fredegundis vero Melantium, quem prius episcopum posuerat, aeclesiae instituit." HF VIII 41, 408. Instituere ist hier wohl nicht als rechtlicher Terminus zu nehmen. Über die erste Einsetzung des Melantius im Jahre 580 erfahren wir leider nichts.
[54] Ep. XI 41, 314 f.
[55] HF V 36, 242.
[56] Er findet sich weder bei Stroheker, Adel noch bei Heinzelmann, Bischofsherrschaft. Auch ist der Name selten und läßt daher keine Rückschlüsse zu.

ebenfalls erfüllt. Gerade in der Position von kanonischer Legitimation u n d faktischem Rückhalt zusammen konnte der Bistumswerber nur schwer erschüttert werden; zugleich war diese doppelte Sicherheit ein idealer Ausgangspunkt für eine Bemühung um die königliche Zustimmung.

Allgemein sind die Klagen über die Simonie, wie sie vor allem im Frankenreich in der Zeit Brunhilds und nach dem Tode Dagoberts I. geherrscht haben mochte. Rechtlich denkende Bischöfe konnten sich dagegen trotz zeitweiliger Unterstützung durch den Papst (Gregor I.) nur schwer durchsetzen; synodale Bestimmungen, die immer wieder erneuert wurden, scheiterten oft an den Augenblicksverhältnissen [57]. Die einzig sinnvolle Möglichkeit, welche für Bischöfe, denen es mit den kirchenrechtlichen Bestimmungen ernst war, bestand, war der Versuch, Männer zu fördern und zur Einsetzung als Bischöfe zu empfehlen, die vom moralischen und rechtlichen Standpunkt aus für die Stelle geeignet waren. Man bekämpfte das Übel in der Praxis nicht an seiner Wurzel, aber schädliche Wirkungen konnten wenigstens auf diese Weise ausgeschaltet werden. So findet man wiederholt Bischöfe, die sich für Kandidaten anderer Bischofsstühle einsetzen, ohne dabei eine Politik der Verwandtenförderung zu betreiben oder sich gar davon materielle Vorteile zu versprechen. Abgesehen von der Sorge um die entsprechende Qualifikation des zukünftigen Bischofs stand das Interesse an der Einsetzung von Männern im Vordergrund, die für besondere Aufgaben geeignet waren oder bestimmte geistige Richtungen vertraten.

Als Chlodwig nach einem Alamannensieg nach Hause zurückkehrte, nahm er in Toul Vedastus, einen sehr frommen Mann, in sein Gefolge auf und empfahl ihn schließlich dem Bischof Remigius von Reims [58]. Dieser behielt ihn zunächst bei sich: doch bei längerer Bekanntschaft gewann Remigius die Überzeugung, daß jener durch den hohen Ernst seiner christlichen Lebensweise hervorragend für die Mission geeignet wäre. Daraufhin übertrug er Vedastus das Bistum Arras, in dem durch die starke fränkische Besiedlung das Christentum nahezu erloschen war und „antiqui malae consuetudinis errores" herrschten [59]. Bei der Einsetzung werden die Aufgaben des neuen Bischofs klar umrissen [60]. Über die Erhebung berichten beide Viten verschieden: nach der Vita I

---

[57] Man denke an die ambivalente Haltung Gunthramns in dieser Frage. Neben seinen Versprechen, den kirchlichen Gesetzen bei der Bischofswahl unbehindert Raum zu geben, steht die autoritative Einsetzung ihm genehmer Kandidaten. Anders wohl Chlothar II.

[58] Vita Vedastis episcopi Atrebatensis auctore Iona (= Vita I), ed. Bruno Krusch, MGH SS rer. Merov. 3 (1896) c. 3, 408.

[59] Vita Vedastis auctore Alcuino (= Vita II), ed. Bruno Krusch, ebenda c. 6, 420.

[60] Vita Vedastis I, c. 5, 409: „... quo Francorum gentem ad baptismi gratiam paulatim docendo ac de industria monendo adtrahere curaret."

wurde er einfach durch Remigius zum Bischof gemacht, während die Vita II davon spricht, daß Vedastus von seinem Reimser Protektor auf Grund göttlicher Anordnung und priesterlichen Rats zum Bischof geweiht worden sei [61]. Die erste Angabe scheint glaubhafter, wenn man sich die Stellung des Remigius im nördlichen Gallien vor Augen hält. Der König selbst ist in das Geschehen nur am Rande miteinbezogen; er hat an der Erhebung des Vedastus keinen Anteil. Doch konnte sich Remigius ausrechnen, daß Chlodwig gegen sein Vorgehen keine Einwände erheben würde. Die Einsetzung scheint er mit dessen Rückendeckung selbst vorgenommen zu haben. Die ziemlich zerrüttete Bistumsorganisation des gallischen Nordens und Ostens ließen an eine ordnungsgemäße Bischofseinsetzung wohl nicht denken. Man mußte versuchen, verbliebene christliche Zentren wieder zu besetzen und eine Bistumsorganisation in der neuen fränkischen Umwelt aufzubauen. Sicher war Remigius von Reims einer der Hauptakteure dieses Unternehmens: wieweit man die Einsetzung des Vedastus kirchenrechtlich vertreten kann, ist eine andere Frage. Daß Remigius kraft seines Status als Metropolit dazu ohne weiteres berechtigt war, ist wohl nicht richtig [62]). Doch werden wir an der Tatsache dieses Berichts der Vita I nicht zweifeln dürfen. Die andere Überlieferung folgt hier zu sehr den kanonischen Regeln, wenn wir in „salubre sacerdotum consilium" nicht nur einen formlosen nicht notwendig vorgeschriebenen Rat sehen wollen. Daß Remigius praktischen Erwägungen gemäß nicht immer die rechtlichen Vorschriften befolgte, ist ja auch aus einem anderen Beispiel bekannt [63]). Vedastus trat sein Amt jedenfalls ungehindert an.

Zu einer Metropolitangewalt wie in Spanien kam es in Gallien jedoch nicht, wenn auch die Bischöfe von Arles schon im fünften Jahrhundert in dieser Hinsicht ihre Macht auszuweiten suchten. In Spanien erreichte Erzbischof Julian von Toledo auf dem 12. Konzil in der gleichnamigen Stadt (681) das Recht, alle Bischöfe zu weihen, und sicherte seinem Metropolitansitz damit einen beträchtlichen Einfluß auf alle Bischofseinsetzungen [64].

---

[61] Vita II (wie Anm. 59): „Divina dispensatione et salubri sacerdotum consilio ...". Hier tönt nicht nur typischer Vitenstil; Alkuin schreibt dabei auch aus dem idealen Verständnis der karolingischen Kirchenreform.

[62] So A. Hauck, Bischofswahlen 11. Über die in der Westkirche nicht sehr bedeutenden Befugnisse des Metropoliten vgl. Plöchl, Kirchenrecht 1, 146, und Hans Erich F e i n e, Kirchliche Rechtsgeschichte. Die katholische Kirche. (⁵1972) 119 f.

[63] Vgl. die kanonisch nicht korrekte Priesterweihe, die er einem gewissen Claudius, einem Günstling Chlodwigs, erteilte. Sie brachte ihm den Protest dreier anderer gallischer Bischöfe ein, denen gegenüber er sich bloß mit praktischen und zeitgemäßen Gesichtspunkten rechtfertigte. Ep. Austrasicae nr. 3, 114; schon Hilarius von Arles wurde vorgeworfen, gewaltsam Bischöfe einzusetzen, ohne die Gemeinde zur Wahl zu versammeln; vgl. den Brief Leos I. (PL 54) nr. 10, cc. 5—6, Sp. 633 f.

[64] Kanon 6, 393 f. Als Begründung werden die langen Vakanzen angegeben, durch die „non minima creatur et officiorum divinorum offensio et ecclesiasticarum rerum

Ähnliche Intentionen wie Remigius hatte auch Bischof Audomar von Thérouanne. Er bestellte Mummolinus, seinen Mitarbeiter in der Mission, zum Abt
seiner Gründung Sithiu und förderte dann seine Erhebung zum Bischof von
Noyon [65]. Dieses Bistum war vor allem durch seine Oberhirten im siebenten
Jahrhundert, wie Acharius oder Eligius, zu einem der wichtigsten Mittelpunkte
missionarischer Tätigkeit geworden. Es ist verständlich, daß Audomar hier einen
Mann wirken sehen wollte, der von gleichen Absichten geleitet wurde, und dessen Einsetzung eine gezielte und gedeihliche Zusammenarbeit auf dem schwierigen Felde der Mission erwarten ließ. Auch die Frage der „Einflußsphären",
die nur allzu oft die wirkliche Arbeit behinderte, mußte so weniger problematisch werden. Audomar selbst war von seinem Mitschüler in Luxeuil, Acharius
(von Noyon), bei König Dagobert für ein neu zu errichtendes Bistum Thérouanne empfohlen worden [66]. Die Möglichkeiten zu einem relativ ungehinderten
Vorgehen, wie sie für Remigius zu Beginn des sechsten Jahrhunderts in dieser
Hinsicht bestanden hatten, waren jedoch jetzt nicht mehr vorhanden. Der Reimser Oberhirte setzte den ihm genehmen Mann einfach in sein Amt ein und war
in dieser seiner Machtvollkommenheit nur an die Zustimmung des Köngis gebunden, der er in jenem Fall sicher sein konnte. Mit der zunehmenden Erstar-
kung der kirchlichen Organisation des Frankenreiches, die durch Herrscher wie
Chlothar II. und Dagobert I. gefördert wurde, waren selbstherrliche Akte auch
bedeutender Bischöfe in diesem Bereich nicht mehr möglich. Kirchenrecht und
Bistumsorganisation legten hier große Einschränkungen auf: Förderung und
Empfehlung am königlichen Hof waren die einzigen Mittel, die eigenen Absichten und Wünsche durchzusetzen.

Noch stärker war die Förderung von Bischofskandidaten durch angelsächsische Missionsbischöfe. Die Bischofseinsetzung durch Bonifatius in Baiern 739
war eine Art „Pairsschub", um Männer seines Ideals in die leitenden Stellen
zu bringen und die Gegner auszuschalten [67]. Ebenso waren die Bischöfe Mit-

---

nocitura perditio." Dem König steht dabei das Recht der Auswahl zu, der Metropolit soll hingegen die Idoneität des vorgeschlagenen Kandidaten prüfen können.
Mit diesen Bestimmungen ist die westgotische Kirche ihrer Zeit weit voraus; eine
weitere ungestörte Entwicklung hätte vielleicht zur Autokephalie geführt. Zur Problematik des Primats der Erzbischöfe von Toledo vgl. Heide S c h w ö b e l, Synode und
König im Westgotenreich. Grundlagen und Formen ihrer Beziehung (Dissertationen
zur mittelalterlichen Geschichte 1, 1982) 27 f. m. Anm. 105.

[65] Vita Audomari c. 12, 761.
[66] Ebenda c. 4, 755 f.
[67] Georg Wilhelm S a n t e, Bonifatius, der Staat und die Kirche, in: St. Bonifatius. Gedenkgabe zum 1200. Todestag (1954) 215; dazu etwas vorsichtiger Schieffer, Winfrid-Bonifatius 183 f. Die Gegner waren vor allem die iroschottischen Wan-
der- und Klosterbischöfe, vor denen Papst Gregor III. warnte. Briefe des Bonifatius
nr. 44, 70 f.

teldeutschlands durchwegs Landsleute u n d Schüler des Bonifatius, durch die eine von einheitlichen Grundgedanken getragene kirchliche Organisation des neu dem Christentum gewonnenen Landes zu gewärtigen war [68]. Freilich handelt es sich bei diesen Einsetzungen um Sonderfälle, wie der Missionsbischof ohne festen Sitz überhaupt anders zu betrachten ist: Bonifatius hatte die Vollmacht des Papstes und konnte die Weihen selbst vornehmen. Dieselbe Stellung nahm — zumindest im friesischen Bereich — Willibrord ein [69]. Gerade an den Beispielen der Bischofseinsetzung wird der Unterschied zwischen den Ansätzen und der Wiederaufrichtung kirchlichen Lebens an den Grenzen der Gallia und dem erorberten Land im sechsten und achten Jahrhundert deutlich.

Daß sich Bischöfe für Mitarbeiter und Diözesangeistliche einsetzten, kam nicht selten vor; man braucht nur an Gregor von Tours zu denken, der mithalf, seinen Archidiakon Plato auf den Bischofsstuhl von Poitiers zu erheben. Venantius Fortunatus versinnbildlichte ihre geistige Verbundenheit dadurch, daß er sie mit Martin und Hilarius verglich, den beiden Patronen ihrer Bischofskirchen, die zugleich die vornehmsten Schützer des Frankenreichs waren [70]. Nicht immer aber waren die Absichten von den Gedanken an eine brüderliche Zusammenarbeit getragen. Ebenso wenig waren freundschaftliche Beziehungen stets die Grundlage zur Förderung eines Bischofskandidaten. Die Rivalitäten zwischen dem Priester Cato und dem Archidiakon Cautinus, wie sie nach dem Tode des Bischofs Gallus von Clermont ausbrachen, sind bekannt [71]. Cato stieß unverhüllt gefährliche Drohungen gegen den Archidiakon aus, der ihn zunächst im Streben nach der Bischofswürde unterstützte. Als aber Cautinus durch den Machtspruch König Theudebalds selbst Bischof geworden war, trachtete er danach, sich des gefährlichen Priesters, der über einen beträchtlichen Anhang in der Diözese verfügte, zu entledigen. Er verfolgte dabei einen diplomatischen Weg: der König sollte erwirken, daß man im vakanten Bistum Tours seinen

---

[68] Willibald von Eichstätt und Witta von Büraburg; Vita Willibaldi episcopi Eichstetensis = Das Leben des heiligen Willibald, ed. Andreas Bauch, Quellen zur Geschichte der Diözese Eichstätt 1 (1962) c. 5, 82. Burchard von Würzburg allerdings entwickelte sich „unter den Augen seines Lehrers Bonifatius zu einem spezifisch ,fränkischen Reichsbischof' "; Friedrich P r i n z, Stadtrömisch-italienische Märtyrerreliquien und fränkischer Reichsadel im Maas-Moselraum, in: Historisches Jahrbuch 87 (1967) 6.

[69] Venerabilis Baedae historia ecclesiastica gentis Anglorum, ed. Charles Plummer (Oxford 1896) V 11, 303. Dazu Wilhelm L e v i s o n, Willibrordiana, in: NA 33 (1908) 517 ff. = Aus rheinischer und fränkischer Frühzeit 334; zum Problem der bischöflichen Stellung Willibrords und Suidberhts siehe d e r s., St. Willibrord and his place in history, in: The Durham University Journal 32, N. S. 1 (1940) 23 ff. = Aus rheinischer und fränkischer Frühzeit 319.

[70] Carmina X 14, 248.

[71] Siehe oben S. 138 f.

Feind Cato zum Bischof wähle. Tatsächlich erschienen der Martyrarius und der „Abt" mit der Geistlichkeit von Tours, um Cato mit Zustimmung des Königs das Bischofsamt in der Stadt des heiligen Martin anzutragen [72]. Cato jedoch rechnete heimlich mit einem politischen Umsturz, der ihm in Clermont den Pontifikat bringen sollte, und begründete seine Ablehnung mit der Notwendigkeit seines dortigen karitativen Wirkens. Zur Bekräftigung dessen ließ er eine „Demonstration" veranstalten [73].

Syagrius von Autun verwendete sich für seinen „Abt" Virgilius, damit dieser Bischof von Arles werde (588) [74]. Neben der Unterstützung eines Mannes aus der eigenen Geistlichkeit wird man in diesem Akt den Einfluß der Besetzungspolitik der Königin Brunhild sehen dürfen, ebenso wie bei der Einsetzung des Bischofs Domnolus von Vienne auf dem Konzil von Chalon-sur Saône im Jahre 603 [75]. Obwohl in beiden Fällen anscheinend würdige Vertreter der fränkischen Kirche das Bischofsamt erlangten, hatten dabei politischen Interessen Vorrang. Ein Bemühen, Virgilius oder Domnolus aus moralischen und rechtlichen Gründen, aus Überzeugung von ihrer besonderen Eignung, das Bistum zu verschaffen, war dabei kaum vorhanden. Das Verhalten von Syagrius und noch mehr dasjenige des Aredius von Lyon auf der Synode als Sprachrohr und „Gehilfe" der Königin war dem Bestreben vieler ihrer Amtsbrüder, Simonie und weltliche Einmischung bei der Bischofserhebung möglichst hintanzuhalten, geradezu entgegen.

Zum Abschluß noch zwei Beispiele, bei denen die Unterstützung von Klerikern durch Bischöfe groteske Formen annahm, und die nur als Zeichen des Umbruches der bestehenden Ordnung verstanden werden können. Sie gehören nur am Rande zu unserer Thematik, müssen jedoch erwähnt werden. In Auxerre stimmte Bischof Ainmar zu, daß zu seinen Lebzeiten Theodramn die Bischofsweihe empfange [76]. Er selbst, der in den Gesta der Bischöfe von Auxerre stets als „vocatus episcopus" bezeichnet wird, scheint sie nicht besessen zu haben und benötigte jemanden, der die divina officia für ihn übernahm [77]. Ähnlich war die Situation in Reims, als Milo, Parteigänger Karl Martells und schon Bischof von Trier, dort sein Amt antrat. Er ließ den vom Hausmeier vertriebenen Bi-

---

[72] Gregor von Tours, HF IV 11, 141 f. Cato baute auf die Versprechungen Chramns, des rebellischen Sohnes Chlothars I., der Cautinus vertreiben wollte.

[73] Er ließ Arme und Bedürftige aufmarschieren, die über seinen bevorstehenden Weggang heulen und wehklagen mußten.

[74] HF IX 23, 443.

[75] Fredegar IV 24, 130.

[76] Gesta epp. Autiss. c. 28, 395. Dazu Ewig, Milo 205. Charakteristisch ist auch der Ausdruck der Quelle über seinen Pontifikat: „Ainmarus ... tenuit principatum."

[77] Ebenda.

schof Rigobert aus der Verbannung zurückholen und erlaubte ihm, Messen zu lesen und andere liturgische Handlungen vorzunehmen. Milo selbst „begnügte" sich mit der Nutzung der Temporalien seines zweiten Bistums. In beiden Fällen haben wir es mit einer Art Zweiteilung des Bistums zu tun, in welchem der „Oberbischof" die Herrschaftsrechte ausübte, aber einen geweihten Bischof notwendigerweise als seinen Vertreter „in spiritualibus" wirken ließ. Eine strenge Kompetenzverteilung wird freilich nicht stattgefunden haben, da man ja außerhalb der kirchlichen Gesetze agierte und lediglich an den Möglichkeiten der realen Machtverhältnisse orientiert war, die sich ja wieder ändern konnten.

Zu den Lieblingsthemen der Historiker des frühen Mittelalters gehören die Bischofswahlen in merowingischer Zeit. Vor allem der Gegensatz zwischen der Forderung nach einer Wahl durch Klerus und Volk und dem in der Praxis stärker werdenden Eingriffen des Königs hat immer wieder zu Untersuchungen gereizt [78]. Hier sieht man sich zum ersten Male mit der für das ganze Mittelalter charakteristischen Erscheinung des Wechselspiels zwischen weltlicher und geistlicher Macht konfrontiert, das seine Wurzeln wohl im spätantiken Staatsaufbau hat, aber erst durch die den Germanen eigene geistige Haltung, in der personale Bindungen viel, Institutionen wenig bedeuteten, problematisch wurde.

Chlodwig I. war an einer Zusammenarbeit mit den eingesessenen Adelsfamilien interessiert, daher erfolgten auch zunächst nur wenige Eingriffe in die Bischofswahlen. Die Kandidaten stammten überwiegend aus der regionalen Aristokratie, die sich um feste Mittelpunkte — die civitates — kristallisierte, und die die führenden Männer sowohl in der diözesanen Geistlichkeit als auch in der städtischen Bevölkerung stellte. Es war wohl einzusehen, daß die Mitglieder solcher Familien auf eine den kirchenrechtlichen Vorschriften weitgehend entsprechende und die Macht und das Ansehen ihres Geschlechts dokumentierende Art den Bischofsthron erlangten. Mit diesen Männern, die zugleich Exponenten ihrer Familie und ihrer Bischofsstadt waren, konnte der fränkische König die auf antiken Grundsätzen basierende Verwaltung in Gang halten, verbliebene Reste römischer Staatlichkeit pflegen, kurz, viel besser regieren. Realpolitische Klugheit ließ Chlodwig daher in der Frage der Bischofseinsetzung Rücksicht und Zurückhaltung üben, obwohl er sich seiner „Kirchenhoheit" durchaus bewußt gewesen zu sein scheint.

Seine Söhne und Enkel hatten ihre Macht über das eroberte Land aber konsolidiert, so daß sie bereits willkürlicher gegenüber der Kirche auftreten konnten. Hinzu kam das germanische Rechtsdenken, das die bischöfliche Gewalt in einer sehr persönlichen Form auffaßte und den Amtsgedanken zurücktreten

---

[78] Dazu vgl. oben S. 128 Anm. 1.

ließ [79]. Der König sah das Bistum als Objekt an, womit er den treuen Dienst eines Anhängers abgelten konnte; dabei geriet er in Konflikt mit den kanonischen Bestimmungen über die Wahl des Bischofs [80]. Alle gallischen Synoden des sechsten und siebenten Jarhunderts durchzog deshalb eine einzige Konstante: die Sicherung der freien Wahl von Klerus und Volk gegenüber dem Einfluß der „potentes" und schließlich vor allem des Königs [81]. Aber auch die am meisten kirchlich gesinnten Merowinger konnten den rechtlichen Anschauungen hinsichtlich der Bischofseinsetzung gegenüber den Erwartungen ihrer Gefolgsleute, die sich auf eine consuetudo gründeten, nicht immer Geltung verschaffen. Zudem war das politische Interesse, sichere Vertrauensleute auf dem eminent wichtigen Bischofsposten zu wissen, zu groß geworden, als daß dafür eine rein moralisch-rechtliche Qualifikation genügen konnte. Auf seiten der Bistumswerber trat die Bedeutung des Amts immer stärker vor Augen. Der politische Einfluß und die praktischen Möglichkeiten der rechtmäßigen Gewalt ließen eine Stellung als Bischof, die alle anderen Positionen — nicht nur in der civitas — bald überflügelte, als sehr begehrenswert selbst für „comites" und „duces" erscheinen. Diese Entwicklung führte zu einer beträchtlichen Überbetonung der temporalen Seite des Bischofsamts und in weiterer Folge zum Ämterkauf. Als Sonderform der Bestechung wurzelt er gewiß im römischen Denken. Der Episkopat war ein Amt, das schon in seiner spätantiken Umgebung viele der weltlichen Gewalt zugeordnete Agenden arrogiert und dadurch wohl manches von seinem sakralen Charakter verloren hatte. Für den gallo-römischen Adeligen war es daher ein Amt, um das man sich bewerben konnte, wie um andere auch, und dies unter Umständen mit dem Einsatz aller verfügbaren Mittel.

Anfangs bot der rechtmäßige Elekt dem König wohl nur Geld für das Dekret an, mit dem dieser seiner Weihe zustimmte [82]. Allmählich versuchte man jedoch, dem König Geld oder wertvolle Geschenke für die Gewährung eines Bistums anzubieten, ohne irgendeinen Gedanken an die Wahl durch Klerus und Volk der angestrebten Stadt zu verschwenden. Über den mißglückten Versuch des Priesters Eufrasius, mit dieser Methode zum Erfolg zu kommen, haben wir schon berichtet [83]. Erfolgreich jedoch war Apollinaris, der Sohn des berühmten gleichnamigen Dichters und Bischofs, der König Theuderich I. durch reiche Geschenke dazu bewog, ihn 515 zum Bischof von Clermont zu erheben, obwohl

---

[79] Eigenkirchliche Vorstellungen im engeren Sinne wird man zunächst nicht damit verbinden können.

[80] Vgl. die allgemeinen Bestimmungen darüber bei Hermann C o n r a d, Deutsche Rechtsgeschichte. 1. Frühzeit und Mittelalter (²1962) 123.

[81] Servatius, „Per ordinationem" 5.

[82] Ebenda 11.

[83] Siehe oben S. 140 f.

die Gemeinde der Stadt den aus Rodez vertriebenen Bischof Quintianus gewählt hatte [84].

König Gunthramn befand sich im Hinblick auf die Simonie im ständigen Kampf mit sich und seiner Umgebung. Er hatte die besten Absichten, jene nicht zu dulden und sich genau an die Bestimmungen des Kirchenrechts zu halten. Nach dem Tode des Bischofs Remigius von Bourges lehnte er zahlreiche Geschenke von Kandidaten für die Nachfolge ab und verwies selbst auf das üble Vorbild des Simon Magus. Schon vorher war in Bourges Sulpicius zum Bischof gewählt worden, von dem es aber hieß, er sei von Gunthramn begünstigt worden. Außerdem war Sulpicius Laie und wurde erst „ad clericatum deductus" [85]: der König verhinderte also die Simonie, eine ganz regelrechte Einsetzung scheint aber nicht stattgefunden zu haben. Gregor überliefert jedoch auch Fälle, in denen Gunthramn gegen ein simonistisches Geschenkangebot nichts einzuwenden hatte [86].

Unter Umständen war die Duldung, ja sogar Förderung der Simonie für den Herrscher ein Mittel, in Zeiten schwankender Herrschaft seine Macht zu befestigen. So war die Königin Brunhild nach der Ermordung Sigiberts im Kampf gegen den Adel auf eine rücksichtslose Politik bei der Besetzung der Bischofsstühle ebenso angewiesen wie auf Geldzahlungen aus demselben Anlaß [87]. Unter ihrer Regentschaft begann „die Pest der Simonie" aufzublühen [88], und erst die Wiederherstellung der Reichseinheit durch Chlothar II. brachte hier eine Wende zum Besseren. Papst Gregor I. führte einen vergeblichen Kampf gegen diese Mißstände und forderte Brunhild und die ihr nahestehenden Prälaten

---

[84] Gregor von Tours, HF III 2, 98 f. Darüber auch A. Hauck, Bischofswahlen 16, und Irsigler, Frühfränk. Adel 151.

[85] HF VI 39, 309 f.

[86] Etwa die Einsetzung des Bischofs Desiderius von Eauze oder des Bischofs Gundegisil von Bordeaux. Beide waren Laien; HF VIII 22, 388 f. Doch war wohl nicht immer die „auri sacra famis" Veranlassung zu derartigen unkanonischen Einsetzungen. Der von Bischof Berthramn designierte Diakon Waldo, der auch die Wahlurkunde von Klerus und Volk in Bordeaux besaß, brachte dem König ebenfalls zusätzlich Geschenke. Dennoch entschied sich Gunthramn für den Grafen Gundegisil von Saintes, über den nichts berichtet wird, was auf Simonie deutet. Der Grund für die Entscheidung des Königs ist wohl in der Tatsache zu suchen, daß Waldo ein enger Vertrauter — wenn nicht gar Verwandter Berthramns war (er erhielt in der Taufe den gleichen Namen). Dieser hatte sich jedoch beim Gundwald-Aufstand als unzuverlässig erwiesen, und Gunthramn erwog, ihn abzusetzen. Er hoffte wohl auf eine politische „Kurskorrektur" in Bordeaux unter Gundegisil, daher stand ein Vertrauter und Kandidat Berthramns in dieser Hinsicht auf verlorenem Posten.

[87] Vgl. den Brief Kolumbans an Papst Gregor d. Gr. — Columbae sive Columbani ... epistolae (ed. Wilhelm Gundlach) MGH EE 3 (1892) 1, 158 f. —, in dem er sich über die vielen simonistischen Bischöfe des Merowingerreiches beklagt.

[88] Vita Eligii II 1, 694.

auf, „Rücksicht auf das kirchliche Ethos und Gesetz bei der Besetzung der Bistümer" zu üben [89]. Während der Herrschaft Chlothars II. und Dagoberts scheint
die Simonie einigermaßen zurückgedrängt worden zu sein, doch war sie nicht
unbekannt, wie der Bericht über die Bischofsweihe der beiden Freunde und
„Musterbischöfe" Eligius von Noyon und Audoin von Rouen zeigt [90]. Aber schon
die Königinwitwe Balthild kämpfte „exortantibus bonis sacerdotibus" gegen die
„heresis Symoniaca", die nach den Angaben ihrer Lebensbeschreibung um die
Mitte des siebenten Jahrhunderts fast eine gewisse Automatik erreicht hatte [91].
Interessant ist in diesem Zusammenhang eine Stelle aus den Beschlüssen einer
Synode incerti loci, auf der die Simonie bei der Ernennung von Äbten und
Archipresbytern verboten wurde, die Bischofserhebung aber ungenannt blieb [92].

Im achten Jahrhundert ist zweifellos ein Rückgang der Simonie festzustellen. Die Ursachen dafür lagen aber nicht in einer höheren Moral oder gar in der
größeren Durchsetzbarkeit der kirchlichen Vorschriften, sondern in der geänderten politischen Situation. Die schweren Auseinandersetzungen, in die sich die
arnulfingischen Hausmeier auf dem Weg zur Herrschaft verstrickten, forderten
eine verläßliche Unterstützung vor allem durch den austrasischen Adel. Alle
freiwerdenden Bischofsstühle mußten daher nach Möglichkeit mit Parteigängern
Pippins d. M. und Karl Martells besetzt werden [93]. Diese politische Notwendigkeit ließ nur wenig Raum für simonistische Angebote: so verschwand das eine
Übel vorübergehend, um einem anderen Platz zu machen.

Die kanonischen Rechte verkümmerten keineswegs [94], sie wurden nur durch
die Umwandlungen, denen das spätantike Gallien und dann das Frankenreich
unterworfen waren, zur Seite geschoben und lebten auf dem Pergament weiter: als theoretische Grundlagen einer Ordnung, die nicht ganz eintreten wollte,
die aber auch nie ganz beseitigt werden konnte. Chlodwig ging mit der Kirche
und ihren Vertretern auch als Heide sehr vorsichtig um; die Bischofswahlen
beeinträchtigte er kaum, höchstens, daß er sich die Bestätigung vorbehielt, was
seine Nachkommen dann allerdings wiederholt zu einem Ernennungsrecht aus-
bauten [95]. In seinen letzten Jahren übte er eine ausgeprägte königliche Kirchen-

---

[89] Eugen E w i g, Zum christlichen Königsgedanken im Frühmittelalter, in: Das
Königtum. Seine geistigen und rechtlichen Grundlagen (Vorträge und Forschungen 3.
1956) 7 ff. = Spätantikes und fränkisches Gallien 1, 17. Klagen über die Mißstände
finden sich in Gregors Briefen häufig; siehe auch A. Hauck, Bischofswahlen 38 f.
[90] Vita Eligii II 2, 695.
[91] Vita Balthildis c. 6. 488. Dazu auch Nelson, Jezebels 61, 70 f., und Felten,
Äbte 72.
[92] C. 11, 195.
[93] Besonders signifikant ist der Fall des Reimser Bischofs Rigobert, der seinen
Posten deswegen verlassen mußte.
[94] Vgl. Schubert, Christl. Kirche 161 f.
[95] Feine, Kirchliche Rechtsgeschichte 137 m. Anm. 3.

herrschaft aus, die in der Synodalhoheit und in der notwendig bei ihm ein-
geholten Erlaubnis zum Eintritt in das geistliche Amt gipfelten. Hingegen hat
er über Bistümer nie schrankenlos verfügt wie manche der späteren Merowinger [96]. Freilich war es bisher ungewöhnlich gewesen, daß die Initiative zur Besetzung eines Bischofsstuhls vom König ausging. Gregor von Tours berichtet
von seinem Vorfahren Florentinus, daß er mit dem König Gundobad verhandelte, als er den Entschluß faßte, sich um das Bistum Genf zu bewerben [97].
Doch scheint eine solche Vorgangsweise in den Reichen arianischer Könige üblich gewesen zu sein. Diese waren wohl besorgt, daß keine ausgesprochenen
Feinde ihrer Herrschaft oder gar politische Verbindungsleute zu der katholischen Bevölkerung anderer Reiche die Bischofsstühle innehatten. Ansonsten ließ
man die romanischen Katholiken in ihrer eigenen Welt leben und sah keinen
Grund, in deren innerkirchliche Verhältnisse viel einzugreifen. Diese waren
mit der Herrschaft der Arianer mitunter nicht unzufrieden und nahmen manchmal zugunsten des „Staates" gegen den eigenen Klerus Stellung. So vertrieb
die gallo-römische Bevölkerung von Rodez ihren Oberhirten Quintianus, weil
dieser starke Sympathien für das katholische Frankenreich zeigte. Bischof
Aprunculus, der 485/86 aus seiner civitas Langres flüchten mußte, fand Aufnahme im Westgotenreich und wurde ohne Schwierigkeiten Bischof von Clermont.

Es ist begreiflich, daß diese Dinge im einheitlich katholischen Frankenreich
anders lagen: hier war dem König auch die Verantwortung auferlegt, das eini-
gende Band der Religion durch sein politisches Handeln fester zu knüpfen; das
geschah nun aber nicht immer mit den gleichen Mitteln. Römisch-kirchliches
Gedankengut wurde von germanischer Herrschaftsauffassung und germanischem
Rechtsempfinden überschichtet. Im siebenten Jahrhundert hat sich dann eine
christliche Anschauung vom Königtum in manchen Bereichen durchgesetzt, sie
legitimierte den König für Eingriffe in die Bistumsbesetzungen. In den Formulae Marculfi (I 5) findet sich die Aussage, daß es zu den obersten Aufgaben des Königs gehöre, daß er „pro salutae (!) animarum ... pontificalem
prespiciat committere dignitatem" [98]. Ähnliche Ansichten finden sich in den

---

[96] „Verfügt" hat er über Bistümer wohl überhaupt nicht, wie Knut S c h ä f e r -
d i e k, Übertritt Chlodwigs zum Christentum, in: Die Kirche des frühen Mittelalters
(Kirchengeschichte als Missionsgeschichte 2/1, 1978) 126, meint. Richtig hingegen ist, daß
Chlodwigs kirchliche Eingriffe im ganzen gesehen über „die von römischen Kaisern
wahrgenommenen kirchlichen Rechte hinausgingen", sie also nicht eine bewußte „imitatio imperii" darstellten. Chlodwig war in dieser Hinsicht unbefangener und auch un-
berechenbarer. Chilperich I. regierte in „die Kirche" rücksichtslos hinein; seine autokratischen Eingriffe zusammengestellt bei A. Hauck, Kirchengeschichte 1, 148 f.
[97] LVP VIII 1, 691.
[98] MGH Formulae (wie S. 75 Anm. 116) 45.

Supplementa der Formelsammlung, z. B. in der Carta de episcopatu [99]. Dabei
wird der Großen als eines beratenden Gremiums gedacht, weniger allerdings
des Klerus und des Volks, von denen doch der eigentliche Anstoß eines neuen
Einsetzungsverfahrens nach kanonischer Vorschrift ausgehen sollte. Aktiv handelt der König, der — stets wachsam auf das Wohl seines Reiches bedacht —
von sich aus zu sorgen hat, daß die Vakanzen des Bischofsstuhls nicht zu lange
dauern, und die Herde durch den Mangel eines Hirten keinen Schaden an ihrer
Seele erleide. Wenn es sich bei diesen Formulierungen auch um Arengengut
handelt, so zeigt sich doch, wie sehr man verchristlichte antike Vorstellungen
hier auf den fränkischen König und sein Verhältnis zur Bischofskirche anwandte.
Die Eingriffe des Königs in das Verfahren der Bischofseinsetzung, ja seine entscheidende Rolle dabei, wurden dadurch theoretisch untermauert: seine Sorgepflicht für die Reichskirche mußte ihn dazu veranlassen. Daß hiezu germanisch-
rechtliche Anschauungen kamen, die daraus wieder — über den Muntbegriff —
ein Gewaltverhältnis ableiteten, rückte die Sache schon näher an die Praxis
heran, in der freilich „realpolitische" Überlegungen den Ausschlag gaben. Wir
sehen also, daß der König trotz synodaler Satzungen, die ihn bei der Bestellung
eines Bischofs beschränken oder ganz ausschalten wollten, eine Berechtigung
dazu aus seinem Herrschaftsverständnis entwickeln konnte. Meist vergißt man
jedoch, wie viele Überlegungen selbst einer autoritativ scheinenden Einsetzung
vorausgegangen sein dürften, und wie sehr dabei die augenblickliche politische
Lage bedeutungsvoll war.

Als Beispiel ziehen wir dazu die Einsetzung des Bischofs Betharius von
Chartres heran. Betharius war Kapellan am Hofe des jungen Chlothar II. [100].
Dieser wird bei Freiwerden des Bischofsstuhls in Chartres von „cunctus clerus
et devotissimus Carnotensis populus" bestürmt, daß er ihnen Betharius zum
Bischof gebe. Der König und seine Großen sind darüber bestürzt, aber der Kö-
nig verschließt sich nicht den Wünschen der Bittenden, „sed ilico explevit fide-
lium votum." Auf seinen Befehl hin empfängt Betharius „Carnotensium aecle-
siae ... principatum" [101]. Die Geschichte ist in schönstem Vitenstil erzählt, die
„fideles" und der „principatus" verraten die karolingische Abfassungszeit der
Vita. Servatius hat mit Recht festgestellt, daß diese Schilderung — die etwas
Treuherziges (fast „Biedermeierliches") im Verhältnis zwischen König, Hof und
Untertanen an sich hat — wohl allzu eifrig die wirklichen Vorgänge verdecke.
In Wahrheit habe der König (oder hätten die leitenden Männer des Hofes, bzw.
Fredegund; Chlothar II. war zwischen 595 und 600 noch ein Knabe) einem seiner

---

[99] Ebenda 109. Zu den Vorstellungen vom Königtum Ewig, Königsgedanke 18 ff.
[100] Dazu Ewig, Teilungen 165 Anm. 281 und Servatius, „Per ordinationem" 23 f.,
der Betharius Erzkaplan nennt, was um 600 einen Anachronismus darstellt!
[101] Vita Betharii c. 6, 616.

Hofbeamten ein vakantes Bistum übergeben [102]. Man wird zugeben müssen, daß in einer für das neustrische Königtum wenig günstigen Zeit [103] Anlaß bestand, vertrauenswürdige Leute des Hofes auf Bischofssitze zu bringen. Der Anstoß zur Erhebung des Betharius wird also von Paris gekommen sein. Warum aber sollte man den Bürgern und Klerikern von Chartres einen Mann oktroyiert haben, der sie zum Widerstand reizen konnte? Wir wissen aus dem Vorleben des Betharius, daß er schon seit jungen Jahren mit der Stadt verbunden war und sich dort durch seine Gelehrsamkeit Anerkennung erwarb. Was die bloße Anwesenheit in Chartres betrifft, wird es sich ja wohl kaum um eine reine Erfindung des Hagiographen handeln. Aus diesem Zusammenhang muß man es daher als sehr wahrscheinlich ansehen, daß der königliche Hof und die Einwohner von Chartres relativ einträchtig gehandelt haben: die Einsetzung des Betharius ist wohl kein Akt königlicher Willkür [104].

Im sechsten Jahrhundert muß man, was die königlichen Eingriffe bei Bischofswahlen angeht, sehr differenzieren. Chilperich war in bezug auf sie sicherlich das, was man einen Autokraten nennt [105], während sein Bruder Sigibert äußerste Zurückhaltung und Kompromißbereitschaft zeigte [106]. Die Einsetzung Gregors von Tours ist dafür ein gutes Beispiel. Er selbst berichtet davon nur kurz im Zusammenhang mit einer wunderbaren Heilung, die er durch den Staub vom Grabe des heiligen Martin an sich selbst erlebte [107]. Das Wunder nimmt fast den ganzen Abschnitt seines Berichts ein; die Bischofserhebung dient nur als Mittel der zeitlichen Fixierung. Die Erklärung ist ganz auf das Walten Gottes ausgerichtet und im üblichen Ton affektierter Bescheidenheit gehalten. Von irgendwelchen Akten erfahren wir nichts. Hätten wir nicht ein Gedicht seines Freundes Venantius Fortunatus, in dem er den Bewohnern von Tours avi-

---

[102] Servatius (wie Anm. 100).

[103] Sein Königtum war alles andere als gefestigt. Es bestand die Gefahr, daß er von seinen austrasischen Vettern Theudebert II. und Theuderich II. auf Anstiftung der Brunhild aus seinem Reich verdrängt würde. Über den Zeitpunkt der Bischofserhebung siehe Duchesne, Fastes 2, 427.

[104] Ein anderer Fall, der im Dunkel bleibt, ist die Einsetzung Bischof Gaugerichs von Cambrai in den Jahren 584/90. Hier ist die Topik der Schilderung so dominierend, daß man von einer Muster-Bischofserhebung sprechen könnte: Gaugerich wird von den dazu Berechtigten gewählt — Gott läßt den König die entsprechende Inspiration haben — dieser gibt den Metropoliten den Befehl zur Weihe — bei der Weihehandlung schließlich „omnis populus vel clerici et universa plebs una voce clamarent, Gaugericum episcopatu esse dignissimum." Vgl. Bruno K r u s c h, Das Leben des Bischofs Gaugerich von Cambrai, in: NA 16 (1891) 230.

[105] Siehe oben Anm. 96.

[106] Brunhild als Witwe wich dann gänzlich von der milden Linie ihres Mannes ab. Siehe oben S. 151 f.

[107] De virtutibus s. Martini II 1, 608 f.

siert wird [108], so erführen wir über die Hintergründe seiner Bischofseinsetzung nichts. Im Gedicht heißt es (Verse 14—16):

„ut populum recreet, quem Radegundis amet.
huic Sigibercthus ovans favet et Brunichildis honori . . .",

und einige Zeilen später erfahren wir, daß Gregor seine Stellung „iudicio regis" erhalten habe. Gregor wurde also auf Befehl des Herrscherpaares eingesetzt; doch wird man nicht an eine autokratische Handlung denken (oder gar an Simonie). Das Wort „iudicium" drückt den Sachverhalt sehr genau aus: es werden wohl die kirchenrechtlichen Satzungen zum Tragen gekommen sein [109], und der Elekt wird bei Sigibert um Bestätigung seiner Wahl angesucht haben. Ein Musterbeispiel für die unumschränkte, skrupellose Kirchenherrschaft der Merowinger ist die Bischofseinsetzung Gregors von Tours gewiß nicht.

Unbekümmert um kirchliche Satzungen Bischofseinsetzungen vorzunehmen, begann man erst nach dem Tode Chlodwigs I. Seine Witwe, die Burgunderin Chrodhild, ernannte Theodorus und Proculus, zwei Landsleute, die ihr ins Frankenreich gefolgt waren, zu Bischöfen von Tours [110]. Dabei ließ man es zu, daß beide das bischöfliche Amt gemeinsam ausübten! Wie das in der Praxis ausgesehen haben mag, kann man sich nicht recht vorstellen, sollte das Bischofsamt auch nur einen Schimmer von Rechtmäßigkeit bewahren. Die weltliche Herrschaft des Bischofs ließ sich immerhin einigermaßen teilen. Die Doppeleinsetzung geschah nun wirklich nur über das herrscherliche Machtwort [111]. Einen der stärksten Eingriffe in die kanonische Bischofserhebung stellte im 6. Jahrhundert noch die Einsetzung des Emerius als Bischof von Saintes durch Chlothar I. dar. Der König hatte seinem Kandidaten ein Dekret ausstellen lassen, „ut absque metropolis consilium benediceretur" [112]. Nach Chlothars Tod ließ der Metropolit Leontius II. von Bordeaux Emerius wegen seiner ungesetzlichen Erhebung von einer Provinzialsynode des Bistums für verlustig erklären. Leontius II. erhob seinen Presbyter Heraclius zum neuen Bischof und ließ Clothars Nachfolger König Charibert den Wechsel in Saintes und seine Ursachen mitteilen. Dieser geriet darüber in Zorn, daß man das von seinem Vater gesetzte „factum" anzutasten wagte, stellte die alten Verhältnisse wieder her und belegte Leontius mit einer nicht unbeträchtlichen Geldbuße. Kirchenrechtlichen

---

[108] Carm. V 3, 106: Ad cives Turonicos de Gregorio episcopo.
[109] Dazu kam wohl auch die Tradition. Gregors Familie stellte ja bekanntlich sehr häufig den Bischof von Tours.
[110] HF III 17, 117 und X 31, 532.
[111] Andere Beispiele bei Gregor von Tours, HF III 17, 117; IV 3, 137; VIII 39, 406.
[112] HF IV 26, 157. Siehe auch A. Hauck, Bischofswahlen 22.

Argumenten zeigte sich Charibert nicht zugänglich, zumal Leontius den Fehler begangen hatte, die Anordnung Chlothars eigenmächtig umzustoßen. Aus der Antwort Chariberts kann man entnehmen, daß er den Darlegungen des Metropoliten vielleicht Gehör geschenkt hätte und auf sie eingegangen wäre, hätte man vorher mit ihm in dieser Richtung verhandelt [113]. Doch die undiplomatische Art, in der Leontius das Geschehene melden ließ, das hochtrabende Selbstgefühl („sedes apostolica“) und das blinde Vertrauen auf die Unantastbarkeit kirchenrechtlicher Bestimmungen machten die Emerius-Frage für Charibert zu einer Prestigeangelegenheit. Hier trafen zwei Männer aus entgegengesetzten Welten aufeinander: der souverän agierende gallo-römische Adelige [114], der in seinem Denken noch ganz der spätantik-christlichen Welt verhaftet war, und dem gesetzwidrige Anordnungen halbbarbarischer Herrscher, die diesen Kosmos beeinträchtigten, einerseits als unverzeihliche Kompetenzüberschreitung, andererseits als primitives Unverständnis erscheinen mochten, stand dem oberflächlich christianisierten germanischen König gegenüber, dem Schutz der Kirche auch Herrschaft und Verfügungsgewalt über sie bedeuteten. Aus diesen beiden Grundanschauungen entwickelte sich auch sonst oft genug Konfliktstoff in der Frage der Bischofseinsetzungen und der Stellung des Königs zur Kirche überhaupt.

Nachdem schon in den Auseinandersetzungen des Hausmeiers Ebroin mit dem austrasischen und burgundischen Adel Bischofssitze häufig unter dem Blickwinkel der Parteistellung vergeben worden waren, erreichte die freie Verfügbarkeit über die Bistümer unter Karl Martell den Höhepunkt: also in einer Epoche, die man schon eher nach den Karolingern zu benennen gewohnt ist. Prinz [115] hat darauf hingewiesen, daß die Politik der Bischofserhebung dieses Hausmeiers für die Karolinger politisch-strukturell von entscheidender Bedeutung war. Die in den Wirren des späten siebenten Jahrhunderts im Schatten der sinkenden Königsgewalt mächtig gewordenen Familien, die (vor allem in Burgund) ihren Einfluß auf mehrere „civitates“ und deren Bischofssitze ausdehnen konnten, wurden machtmäßig beschränkt und mußten von nun an ihre administrative und militärische Kraft im Dienste der neuen karolingischen Dynastie zur Anwendung bringen. Auch das kirchliche Apanagesystem begann erst unter der Hausmeierdynastie zu blühen, man denke nur an Hugo, den Neffen Karl Martells [116]. Karl hatte sich in den schwierigen Anfangsjahren seiner Herrschaft —

---

[113] Vgl. die Antwort dem Gesandten des Leontius gegenüber; HF IV 26, 158.

[114] Über ihn und seine Familie Stroheker, Adel 218 f., und Heinzelmann, Bischofsherrschaft 217 ff.

[115] Bischöfl. Stadtherrschaft 33 f. Zuwenig zeitbezogen scheint mir die Behandlung dieser Fragen durch Jean D e v i o s s e, Charles Martel (1978) 188 ff.

[116] Er war zugleich Bischof von Rouen, Bayeux und Paris, sowie Abt von

etwa zwischen 715 und 717 — vor allem auf die Familien des Rhein-Moselgebiets stützen können und war aus politischen Erwägungen gezwungen, ihnen die Bistümer der Gegend auszuliefern [117]. Unter den Angehörigen dieser Geschlechter befanden sich zwar Geistliche und Klostergründer, doch auch diese führten das Leben kriegerischer Adeliger und verwalteten Bistümer und Abteien oft mehr schlecht als recht. Über den säkularen Geist dieser Zeit haben wir schon gesprochen [118]. Jetzt gab es keine Fragen bezüglich der moralischen, keine Konflikte um die geistliche Qualifikation für das Bischofsamt mehr, wie ja auch keine Synoden stattfanden, auf denen die alten kanonischen Grundsätze wiederholt und neue, aktuelle erarbeitet wurden. Nicht nur die Auffassung vom sakralen Charakter des Bischofsamts hatte sich gewandelt, auch das spätantike Amtsdenken hatte aufgehört, die Stellung des Bischofs mit einem realen Inhalt zu erfüllen. Das Amt war personalisiert worden, Beziehungen zwischen Personen waren jetzt überall das Wesentliche. Aber Personalisierung allein mußte noch nicht die „Verweltlichung" des Amts bedeuten. Maßgebend dafür war der Mangel einer traditionellen Vorstellung von der Idoneität des Geistlichen für das Amt. Man kannte nur die „adelige Idoneität": aus einem Dienst an Brüdern war jetzt die Herrschaft über eine familia geworden. Bischöfe wie Raginfrid von Rouen, Gerold von Mainz oder Milo von Trier sind die Träger einer radikalen Umformung der Bistumsorganisation in ein Instrument, das ausschließlich dem Interesse der neuen Dynastie oder der adeligen Herrschaftsausübung dienen sollte. In dieser geänderten Welt war die Bischofseinsetzung ein selbstverständliches Recht des Herrschers, d. h. des Hausmeiers, genauso wie das Recht, Grafen zu ernennen, weil die spirituelle Seite der bischöflichen Existenz zusehends verblaßte. Die geistlichen Pflichten, die liturgischen Dienste wurden zur seelenlosen Routine; kein lebendiger Geist wirkte hinter der Ober-

---

Jumièges und St. Wandrille-Fontanelle (vielleicht auch von St. Denis und St. Médard in Soissons). Eugen E w i g , Descriptio Franciae, in: Karl der Große 1. Persönlichkeit und Geschichte (1965) 143 ff. = Spätantikes und fränkisches Gallien 1, 303 m. Anm. 118, spricht von „eine(r) Art kirchlicher Statthalterschaft an der Seine." Es ist bezeichnend, weil Merowinger niemals Geistliche wurden! Siehe dazu auch Felten, Äbte 120 f.

[117] Das bezieht sich vor allem auf die Geschlechter des Rhein-Moselraums. Liutwin war Bischof von Trier, Reims und Laon, vgl. die späten Gesta Trever. c. 24, 161, die verfälschend von einer Wahl durch die christlichen Gemeinden dieser Städte berichten, was jedoch als bloßer Formalakt richtig sein könnte. Milo erhielt Trier und Reims; Felix von Metz war zugleich Bischof von Chalon-sur-Saône, sein Nachfolger Sigibald daneben auch Bischof von Laon. Politisch bedeutsam und ein treuer Anhänger Karl Martells war auch Bischof Peppo von Verdun. Vgl. die Gesta episcoporum Virdunensium auctore Bertario, ed. Georg Waitz, MGH SS 4 (1841, Neudruck 1925) 43; sowie A. Hauck, Kirchengeschichte 1, 383 und Ewig, Milo 195.

[118] Siehe oben S. 122 ff.

fläche eines Christentums, das mehr äußerlicher Kult als wahre „religio" geworden war. Die Periode zwischen dem letzten Jahrzehnt des siebenten und den dreißiger Jahren des achten Jahrhunderts gehört in bezug auf religiöse Kraft und Lebendigkeit zu den ärmsten Zeiten in der Entwicklung des Christentums auf dem Kontinent: [119] im Gegensatz zur folgenden Epoche. In einer solchen geistig-sozialen Umwelt wäre selbst ein Prälat vom Typ der „dagobertschen" Bischöfe nicht am Platz gewesen. Man kann durchaus von einer Krise des Bischofsamtes sprechen, die erst durch die Neuansätze der angelsächsischen Mission behoben wurde [120].

---

[119] Das gilt nicht für England, das nach der Neuorganisation durch Bischof Theodor von Tarsos/Canterbury kirchlich einen neuen Aufschwung nahm.

[120] In manchen Fällen ist mit der Einsetzung durch den König eine klare Intention verbunden, deren Durchsetzung keine wie immer gearteten Kompromisse von seiten der wahlberechtigten Personengruppen duldete. Etwa bei der Erhebung des Aquitaniers Nicetius zum Bischof von Trier, der das Christentum an der Mosel wieder stärken sollte; bei der Erhebung Leodegars zum Bischof von Autun durch die Königin Balthild, die die Parteistreitigkeiten in der Bischofsstadt beenden sollte, oder noch später bei Virgil, der von Pippin zu Herzog Odilo nach Baiern geschickt wurde, um Bischof von Salzburg zu werden; Conversio c. 2, 129 (ed. Kos) = c. 2, 40 (ed. Wolfram, mit Kommentar 67, wo die Mitwirkung Odilos an der Übergabe des Bistums betont wird). Auch die hemmende Wirkung, die das Edikt Chlothars II. (614) auf die königlichen Eingriffe bei der Bischofswahl haben sollte, verblaßte schon unter Dagobert, der häufig Hofbeamte zu Bischöfen machte (vgl. das Einsetzungsdekret für Desiderius von Cahors von 630, erhalten in dessen Vita cc. 13 und 14, 571 f.: Klerus und Volk sind nur ganz am Rande erwähnt!). Nach dem Tode Dagoberts ging die Bischofseinsetzung wieder stark vom König aus. So wurden schon 640 Eligius von Noyon und Audoin von Rouen „ad honus (!) pontificalem i u s s o r e g a l i" eingesetzt (Vita Audoini c. 7, 558); dazu A. Hauck, Bischofswahlen 50. Bei Baiern und Alamannen scheinen sich die fränkischen Könige bzw. Hausmeier die Bischofserhebung vorbehalten zu haben, vgl. Lex Baiwariorum I 10; in der Lex Alamannorum fehlt eine solche Bestimmung, doch übte Karl Martell dieses Recht erwiesenermaßen zweimal aus (734 bei Heddo von Straßburg, 736 bei Arnfrid von Konstanz). Audoin von Konstanz, der Feind Pirmins, wurde wohl von Herzog Gotfrid eingesetzt (um 708). In der Zeit der größten Unabhängigkeit alamannischer Herzöge vom fränkischen König ist es begreiflich, daß jene das königliche Recht arrogierten. Doch schimmert durch die Angaben der Vita s. Galli (ed. Gerold Meyer von Knonau, Mittheilungen zur vaterländischen Geschichte 12, 1870, c. 21, 25 m. Anm. 57) durch, daß schon im frühen 7. Jahrhundert Herzog Cunzo (Gunzo) recht unumschränkt über die alamannische Bischofskirche verfügte. Über Cunzos Gleichsetzung mit dem fränkisch(-burgundischen) dux Uncelen und dessen beachtliche Selbständigkeit im Krisenjahr 612/13 herrscht bis heute keine Übereinstimmung. Vgl. dazu F. Beyerle, Süddeutsche Leges 302 f., d e r s., Zur Gründungsgeschichte der Abtei Reichenau und des Bistums Konstanz, in: ZRG KA 15 (1926) 514; Otto F e g e r, Zur Geschichte des alemannischen Herzogtums, in: Zeitschrift für württemberg. Landesgeschichte 16 (1957) 49 f. m. Anm. 81; Elisabeth R e i n e r s - E r n s t, Die Gründung des Bistums Konstanz in neuer Sicht, in: Schriften des Vereins für Geschichte des Bodensees

Eine Erwähnung verdienen die Fälle, in denen die Könige ein ihnen förderliches politisches Verhalten durch die Verleihung eines Bistums unmittelbar belohnen wollten. Von Abt Domnolus haben wir bereits gehört [121]: als Vorsteher des Laurentiusklosters in Paris nützte er seine Stellung, um im Herrschaftsbereich Childeberts I. für dessen meist feindlichen Bruder Chlothar I. tätig zu sein; besonders verdient machte er sich dadurch, daß er Spione Chlothars vor den Nachstellungen des eigenen Königs verbarg. Das vergaß Chlothar nicht, als er seit 558 das ganze Reich in seiner Hand vereinte. Das nächste freiwerdende Bistum sollte Domnolus anvertraut werden: das wäre Avignon gewesen, doch lehnte es Domnolus aus den früher geschilderten Gründen ab und bewog den König, ihm ein anderes — Le Mans — zukommen zu lassen [122]. Aus dem Bericht wird deutlich, wie es zeitweilig mit der königlichen Verfügungsgewalt über die Bistümer aussah, wenn man einen Pariser Abt ohne viel Aufhebens in das weit entfernte Avignon als Bischof hätte schicken können. Dem König mußte doch zweifellos der Tod des Oberhirten gemeldet worden sein; es hat aber nicht den Anschein, als sei Chlothar ein ordnungsgemäß gewählter Mann zur Bestätigung präsentiert worden. Nichts deutet andererseits daraufhin, daß den Avignonesen des Königs Kandidat bekannt gewesen sei, und man diesen Domnolus gewählt habe: davon berichtet Gregor mit keiner Silbe, und es ist auch ganz unwahrscheinlich. Kannte man etwa die autokratischen Launen Chlothars und versuchte daher gar nicht, einen eigenen Kandidaten aufzustellen, sondern wandte sich vertrauensvoll an den König? Oder verzichtete Gregor von Tours darauf, einen tatsächlichen vorhandenen Konflikt um die Bischofseinsetzung aufzuzeichnen, da ja Domnolus ohnehin ablehnte? Wir wissen das alles so wenig, wie wir auch die Einsetzung in Le Mans kaum

---

und seiner Umgebung 71 (1952) 29 f.; Bruno B e h r , Das alemannische Herzogtum bis 750 (Geist und Werk der Zeiten 41, 1975) 154 ff.

Bei den Langobarden war der königliche Einfluß auf die Bischofseinsetzung in der Regel sehr groß, wenn er auch de iure nur die Wahl bestätigte; dazu Werminghoff, Verfassungsgeschichte 8. Bei den Westgoten war es seit dem Konzil von Barcelona (589) ebenso: das beste Beispiel dafür ist die Einsetzung des hochgelehrten Abtes Fructuosus, der vom König Rekkeswinth nacheinander das Bistum Dumio und die Metropole Braga erhielt. 681 freilich sicherte Julian von Toledo sich und seinen Nachfolgern mit dem Weiherecht aller spanischen Bischöfe einen sehr weitgehenden Einfluß auf ihre Erhebung zu. Dazu siehe oben S. 145 Feine, Kirchenrecht 136; d e r s., Kirche und Kirchenrecht in den Germanenreichen auf Römerboden, in: FS Karl Haff (1950) 69 sowie Ewig, Résidence 372.

[121] Siehe oben S. 112 Anm. 58.

[122] Daß er aber fürchtete, bei einer Ablehnung sich den Zorn des Königs zuzuziehen und vielleicht nicht mehr berücksichtigt zu werden, zeigen die Form, in der er sich an Chlothar wandte, sowie die Vorbereitungen, die er dazu traf; (Gregor von Tours, HF VI 9, 279). Möglicherweise dienten das Fasten, Beten und die Nachtwache in St. Martin in Tours dazu, den richtigen Entschluß in der Angelegenheit zu fassen.

wirklich beurteilen können. Jedenfalls ist es nicht glaublich, daß Klerus und Volk von Avignon beim Ableben des Bischofs wegen eines Nachfolgers nicht mit Chlothar in Verbindung getreten wären. Man sieht also, daß selbst Entscheidungen des Königs, die unanfechtbar und eindeutig aussehen, hinter ihrer verfassungsrechtlichen Dimension mitunter nicht unproblematisch sind.

Ähnlich verhält es sich mit Fronimius von Vence, der nach einem bewegten Leben als Bischof des westgotischen Agde und als Diplomat im Dienste Childeberts II. das Bistum Vence erhielt [123]. Er war aus Agde geflohen, weil ihn König Leuvigild aus religiösen Gründen töten lassen wollte [124]. Von den fränkischen Bischöfen freundlich aufgenommen, denen katholische „Dulder" aus dem arianischen Gotenreich immer willkommen waren, wurde er zu Childebert II. gebracht. Von diesem empfing er „patefactum (!) loco" das genannte Bistum. Eine Wahl oder ein anderer kirchenrechtlich vorgesehener Akt wird nicht berichtet [125]. All das geschah aber erst im neunten Jahre nach seiner Flucht (588)! Der König verschaffte also in der Regel auch Günstlingen nur Expektanzen, die — wie im gezeigten Fall — unter Umständen erst nach geraumer Zeit realisiert werden konnten. Auch der halb legendenhafte Bericht über die Vertreibung der Königinwitwe Brunhild und die Hilfe, die ihr ein „armer Mann" hatte zuteil werden lassen, gehört in die Kategorie „königlicher Lohn für erwiesene treue Dienste" [126]. Gegen alles Herkommen habe der Arme (d. h. wohl nur der nicht zur sozialen Schicht der potentes Gehörige!) von der dankbaren Königin das Bistum Auxerre erhalten. Hier liegt zwischen dem Ereignis (etwa 598/99) und dem Antritt der Bischofswürde (605) ebenfalls ein längerer Zeitabschnitt. Auf eine genauere Untersuchung dieses merkwürdigen Berichts können wir uns allerdings nicht einlassen [127].

---

[123] HF IX 24, 443 f.

[124] Er hatte Childeberts II. Schwester Ingund nach Spanien geleitet und sie bewogen, ihren katholischen Glauben nicht aufzugeben. König Leuvigild mochte das verärgert haben, weil von den gotischen Prinzessinnen im Frankenreich stets ein Religionswechsel erwartet wurde. Ihr religiöser Einfluß auf den Königssohn Hermenegild scheint die feindliche Stimmung des westgotischen Königs gegenüber Fronimius noch gesteigert zu haben.

[125] Vgl. A. Hauck, Bischofswahlen 39 m. Anm. 126.

[126] Fredegar IV 19, 128.

[127] Bischof von Auxerre war Aunarius von ca. 567—605. Sein Nachfolger Desiderius war aus vornehmer gallo-römischer Familie. Es paßt zur Einsetzungspolitik Brunhilds — nicht nur der Bischöfe! —, daß sie romanische Adelige für ihren Kampf gegen den austrasischen Adel bevorzugte. Zu der Stelle Duchesne, Fastes 2, 442; John Michael W a l l a c e - H a d r i l l, The fourth book of the chronicle of Fredegar and its continuations (London 1960) 13 m. Anm. 1. Dankbarkeit für politische Gesinnung war auch die Einsetzung Quintians von Rodez durch Theuderich I. in Clermont 516. Doch war dieser überdies von Klerus und Volk gewählt worden. Gregor von Tours, HF III 2, 98 f. und LVP IV 1, 675.

Der Haudegen im bischöflichen Gewand, Sagittarius von Gap, hatte sich dem Thronprätendenten Gundwald angeschlossen, weil ihm dieser das Bistum Toulouse versprochen hatte [128]. Der Aufstand scheiterte schließlich, und Sagittarius kam ums Leben, so daß die Angelegenheit nicht realisiert wurde. Wir haben sie hierher gestellt, weil es bei der Durchsetzung von Gundwalds Vorhaben ohne Gewaltanwendung wohl nicht abgegangen wäre, und wir damit gleichsam als Zwischenglied zu zwei letzten Fällen überleiten, bei denen die Könige sich nicht mit einer Expektanz begnügten, sondern mit Gewalt in die Diözesangliederung eingriffen.

Das Schicksal des dux Austrapius, der Bischof von Poitiers werden wollte, haben wir an anderer Stelle dargelegt [129]. Es geht hier nur um die Einsetzung: Austrapius sollte Nachfolger des noch lebenden Bischofs Pientius werden. Doch ließ ihn Chlothar gleich zum Bischof weihen und gab ihm einige „dioceses" des Bistums Poitiers mit dem „Castrum Sellense" als Mittelpunkt. Es ist anzunehmen, daß er in diesem für ihn abgespaltenen Sprengel als Bischof auftreten konnte und alle Rechte eines solchen hatte [130]. Als er jedoch durch den Machtspruch Chariberts die Nachfolge in Poitiers nicht antreten konnte, blieb Austrapius weiterhin in seinem Sprengel — wohl als Bischof; erst nach seiner Ermordung fielen die weggenommenen „dioceses" wieder an die Kirche von Poitiers zurück.

573 wurde ein gewisser Promotus von König Sigibert I. zum Bischof von Châteaudun eingesetzt, obwohl es dieses als Bistum gar nicht gab, sondern es zum Diözesanverband von Chartres gehörte [131]. Nach Sigiberts Tod wurde Promotus wieder zum Priester degradiert, da sich schon im Jahre seiner Erhebung die Teilnehmer einer Synode in Paris gegen dieses neue durch königlichen Machtspruch errichtete Bistum ausgesprochen hatten. Als dieser Gerichtsspruch wirksam wurde, begab sich Promotus zu Chilperich (?) und wollte wieder zum Bischof geweiht werden, doch drang er mit seinem Ansuchen gegen die Argumente des Bischofs Pappolus von Chartres nicht durch [132].

In beiden Fällen haben wir es mit vehementen Eingriffen nicht nur in das Wahl- und Einsetzungsrecht, sondern in den Bestand der Bistumsorganisation zu tun. Die Könige teilten eine Diözese, um ihrem Kandidaten, solange er auf

---

[128] HF VII 28, 346.

[129] Oben Kap. 3, S. 121 f.

[130] A. Hauck, Bischofswahlen 21.

[131] HF VII 17, 338.

[132] Doch scheint er auf der zweiten Synode von Mâcon (585) unter den Bischöfen auf, „qui in ea sinodo fuerunt non habentes sedes" (ebenso wie Fronimius, der 580 aus Agde floh und erst 588 das Bistum Vence erhielt); MGH LL 3, 1: Concilia 173.

die Nachfolge wartete, ein Leben als Bischof zu ermöglichen. Châteaudun sollte sogar nach Sigiberts augenblicklichem Wunsch und aus rein territorialen
Machtinteressen ein eigenes Bistum bleiben. Während man bei der Einsetzung
des Austrapius von keinem Protest — wegen der Erhebung, der vorzeitigen
Weihe, der Abspaltung von Teilen der Diözese — hört, verhielt sich Bischof
Pappolus von Chartres von Anfang an ablehnend gegen das Vorhaben des Königs. Er wich zwar der königlichen Gewalt, doch ließ er gleich in einem kirchenrechtlich ordnungsgemäßen Verfahren die Unrechtmäßigkeit des königlichen Vorgehens feststellen. Mit diesem Urteil hatte er dann auch Erfolg. Ob
Promotus später einfacher Priester im Diözesanverband von Chartres blieb,
oder ein Bischof ohne Bistum, ist nicht bekannt: das Bistum Châteaudun verschwand jedenfalls wieder. Bei Austrapius war die Sache anders. Ewig vermutete, daß die Tötung des Bischofs durch die Taifalen kein Zufall sei, sondern
daß Austrapius nach des Königs Willen Bischof dieses „Völkergaus" werden
sollte, weshalb er die dazugehörigen dioceses von der Mutterkirche löste [133].
Dann wäre es zwar verständlich, warum die Sprengel auch nach der Einsetzung
des Pascentius in Poitiers weiter getrennt blieben, aber es paßt nicht zum Bestreben des Austrapius, Nachfolger von Bischof Pientius zu werden.

Kirchenorganisatorische Veränderungen waren also auch für Herrscher, die
sich im Vollgefühl ihrer Verfügungsgewalt über die Kirche wähnten, nicht leicht
durchführbar oder nur vorübergehend zu halten, wenn man auch einräumen
muß, daß dementsprechende Maßnahmen nicht konsequent und über Generationen durchgeführt wurden. Die doch fest etablierte gallische Kirche war stark
und elastisch genug, größere Angriffe auf ihr Gefüge abzuwehren. Eingriffe
auf dem personalen Sektor mußte sie freilich dulden; doch erfolgten auch diese
selten ganz ohne ihren Konsens.

Die meiste Gefahr für die Wahl durch Klerus und Volk in Gallien scheint
von seiten der lokalen Machthaber, der „potentes", gedroht zu haben. Das dürfte

---

[133] Dazu Eugen E w i g, Volkstum und Volksbewußtsein im Frankenreich des
7. Jahrhunderts, in: Caratteri del secolo VII in Occidente (Settimane ... 5, Spoleto
1958) 587 ff. = Spätantikes und fränkisches Gallien 1, 236; Wolfram, Goten 295 f.,
und Michel R o u c h e, L'Aquitaine des Wisigoths aux Arabes 418—781. Naissance
d'une région (Paris 1979) v. a. 350. Anders ging der Langobardenkönig Liutprand vor,
als ihn der „dux" Teudemar bat, in Ceneda ein Bistum zu errichten. Er verwies ihn
an den Patriarchen Johannes von Aquileja, welcher die Einrichtung vornahm und
einen gewissen Valentinianus zum Bischof weihte. Der Wunsch des Königs war
sicher nicht zu übergehen, doch lehnte Liutprand anscheinend ein Eingreifen der
weltlichen Macht in Angelegenheiten der Bistumsorganisation ab. Vgl. dazu Carlrichard B r ü h l, Studien zu den langobardischen Königsurkunden (Bibliothek des
Deutschen Historischen Institus in Rom 33, 1970) 109 ff., und Jarnut, Prosopograph.
Studien 398.

eine gewisse Hinwendung zum Königtum bedingt haben [134]. Üblicherweise erteilte der König zunächst wohl nur die Bestätigung: auch eine vorherige Anfrage bezüglich der Genehmigung des Kandidaten durch den Herrscher war in arianisch regierten Staaten gebräuchlich. Die Übernahme des Bischofsamtes durch Gregor von Langres ist dafür ein Beispiel [135]. Doch weitete sich die königliche Bestätigung — wie wir gesehen haben — allmählich zu einer Verfügung über die Bischofsstühle aus, was auf verschiedenen fränkischen Synoden bekämpft wurde. Eine einschneidende Regelung brachte das Edikt Chlothars II. von 614. Hatte noch die Synode des gleichen Jahres die politisch motivierte Dankbarkeit des neuen Gesamtherrschers gegenüber dem fränkischen Episkopat gespiegelt (unbedingte Bischofswahl durch Klerus und Volk, kein Wort über eine königliche Bestätigung), so finden wir im c. 1 des Pariser Edikts die Bestimmung, daß kein Bischof ohne königliche Anordnung geweiht werden darf, wobei eine Prüfung der Dignität des Kandidaten vorausgeht [136]. Was früher Gewohnheit war, ist jetzt ein kodifizierter Rechtssatz geworden; nun erst schien die Entscheidungsgewalt des Königs über die Besetzung der Bischofsstühle gegeben [137]. Wir haben bereits betont, daß man die Bedeutung des Klerus und

---

[134] Clermont (535) c. 2 gegen den „favor paucorum" bei der Bischofswahl und V Orléans (549) c. 11 gegen die „oppressio potentium personarum".

[135] Gregor von Tours, LVP VII 2, 687, spricht nur von „electus a populo"; doch wird er, wie Florentinus, die vorherige Zustimmung des burgundischen Königs Gundobad eingeholt haben.

[136] Auch bei der Festsetzung der Wahl von Klerus und Volk wird letzteres im Gegensatz zur Synodalbestimmung des gleichen Jahres im Pariser Edikt von 614 (c. 1) nicht auf die „civitas" beschränkt! Vgl. dazu A. Hauck, Bischofswahlen 45 f., und Servatius, „Per ordinationem" 3.

[137] Noch das Konzil von Paris (zwischen 556 und 573) c. 8 hatte königliche Ansprüche abzuwehren versucht und bei der Wahl die alleinige Kompetenz von Klerus und Volk, bei der Weihe den Konsens von Metropoliten und Komprovinzialen betont; die Bestimmung, niemand dürfe gegen den Willen dieser letzteren Gruppe — auch nicht auf Befehl des Königs — geweiht werden, wird mit Recht für eine „lex Leontia" gehalten und bezieht sich auf den aktuellen Fall der Bischofseinsetzung in Saintes, bei der es zwischen Leontius von Bordeaux und König Charibert zu dem oben angedeuteten Streit kam; (was eine zeitliche Eingrenzung des Konzils auf die Zeit nach 567 bedingen würde!); wie man sah, war dieser Rechtssatz aber nicht mit aller Schärfe durchzusetzen. Im Edikt von Paris findet man die königlichen Rechtsvorstellungen! Ob man die rechtmäßige Wahl aber als bloße suggestio, petitio, deprecatio oder oratio ansehen muß und den konstitutiven Rechtsakt erst in der königlichen Zustimmung zu sehen hat, scheint zumindest zweifelhaft; unter Chlothar II. ist kaum eine Bischofserhebung überliefert, die ohne Wahl durch Klerus und Volk stattfand. Es war wohl auch hier ein Unterschied zwischen dem Rechtssatz und seiner strikten Durchführung in der Praxis.

Über die Prinzipien der Bischofseinsetzung in der Ostkirche, bei der sich die „primores civitatis" (Justinian, Nov. 123 und 137) durchsetzten und die anderen Wahlgruppen zurückdrängten (obwohl im I Nikaia, 325, c. 4 und c. 6 Laien gar nicht

der „cives" nicht unterschätzen darf. Freilich war diese nicht immer und vor allem nicht überall gleich groß. Aber gerade in den Städten des südlichen Galliens spielte die Schicht der „cives" eine beachtliche Rolle. Sie standen sozial etwa zwischen Adel und „pauperes" und waren die stärksten Stützen des Bischofs bei der Verwaltung seiner Stadt; daher auch ihr großer Einfluß auf die Wahl und Einsetzung des Bischofs [138]. Schon im fünften Jahrhundert findet sich eine päpstliche Bestimmung, die festlegt, daß keiner Gemeinde gegen ihren Willen ein Bischof aufgenötigt werden dürfe; Klerus, Plebs und Kurialen müßten der Einsetzung zustimmen. Die Erwähnung der Plebs ist dabei besonders wichtig, weil hier expressis verbis die breiten Volksmassen gemeint sind, deren Recht auf Zustimmung zur Wahl allen beschränkenden Tendenzen zum Trotz erhalten blieb. Die Plebs wehrte sich auch gegen jede Zurückdrängung in dieser Angelegenheit und bezog gegen Bischöfe, die sichtlich gegen ihren Willen geweiht werden sollten, wütend Stellung [139]. Im Verlauf des siebenten Jahrhunderts dürfte aber der Einfluß der Plebs doch ständig zurückgegangen sein; Klerus und Spitzen der Gemeinde blieben die einzigen Partner des Königs in Fragen der Nominierung eines Bischofs. Die Zusammenarbeit war trotz des Ungleichgewichts der beiden Parteien in den meisten Fällen für die Ernennung des Bischofs grundlegend. Wenn auch der königlichen Erklärung eine entscheidende Bedeutung zukam, so handelte der Herrscher nur sehr selten und dann aus politischen Erwägungen und bestimmten Zielsetzungen ohne Rücksicht auf die Geistlichkeit und die Vertreter der Gemeinde, deren Bischofssitz vakant war. Man muß sich vor Augen halten, daß dem König durchaus nicht jede Bischofseinsetzung in jeder Stadt eine Angelegenheit höchsten Interesses war. Er mochte in manchen Fällen den lokalen Wahlvorschlägen nur zu gern zustimmen. Der Anstoß zur Neubesetzung konnte von jeder Seite ausgehen, die andere

---

erwähnt werden und der entscheidende Einfluß beim Metropoliten liegt), und wo schließlich der kaiserliche Wille übermächtig wurde, siehe A. Hauck, Bischofswahlen 3 f., und Plöchl, Kirchenrecht 1, 187 f. Versuche, das Schwergewicht der Wahl auf die anderen Bischöfe zu verlegen, unternahmen u. a. Gregor von Nazianz und Johannes Chrysostomos.

[138] Prinz, Bischöfl. Stadtherrschaft 6 f., mit Beispielen aus Le Mans, Tours, Trier und Aire. Untersuchungen über die in den Quellen in diesem Zusammenhang immer wieder genannten Termini cives, plebs, populus, proceres, honorati bei Servatius, „Per ordinationem" 22 f.

[139] Der Elekt Evodius von Javouls stand bereits vor dem Altar, um geweiht zu werden, als sich „omnis populus" gegen ihn erhob, und er kaum sein Leben retten konnte; Gregor von Tours, LVP VI 4, 683. Zu den Streitigkeiten wegen der Wahl siehe Claude, Bestellung der Bischöfe 11; Servatius, „Per ordinationem" 4 und Friedrich Lotter, Designation und angebliches Kooptationsrecht bei Bischofserhebungen. Zu Ausbildung und Anwendung des Prinzips der kanonischen Wahl bis zu den Anfängen der fränkischen Zeit, in: ZRG KA 59 (1973) 149.

Partei mußte ihren Konsens erteilen: die meisten Bischofseinsetzungen erfolgten auf diese Art [140].

Ein besonders schönes Beispiel stellt die Vorgeschichte der Ernennung des Bischofs Lupus von Limoges dar. Nach dem Tode seines Vorgängers versammelten sich die „concives" der Stadt beim Grab des heiligen Martial und baten diesen, ihnen einen würdigen Kandidaten für das Amt des Bischofs zu offenbaren. Und so geschah es: sie schickten den „mathorarius" (Martyrarius) Lupus mit den Namen zweier Kandidaten zum König, „et quem ipse vel optimates sui consentiebant, ipsum in prefata urbe secundum pastorale offitium surrogaret" [141]. Der weitere Verlauf der Erzählung, derzufolge Lupus selbst vom König zum Bischof erhoben wird, trägt wunderbare und märchenhafte Züge (Heilung des von den Ärzten aufgegebenen Königssohnes) und soll hier nicht näher behandelt werden. Uns interessiert die Art, wie man zur Auswahl des Kandidaten gelangte; das Bemühen um ein Orakel des Kirchenpatrons in dieser Angelegenheit, an der jener doch interessiert sein mußte, wird nicht so selten gewesen sein. Weiters ist bemerkenswert, daß man dem König zwei Personen zur Auswahl präsentierte, was wohl Entgegenkommen und Reverenz bewies, andererseits ihn aber auf die vorgeschlagenen Kandidaten festlegen sollte [142]. Man kann nur bedauern, daß der König nicht sachlich über die erstatteten Vorschläge entschied, sondern durch die Wunderkraft des in Lupus wirkenden heiligen Martial für jenen blind eingenommen wurde: einmal mehr verdecken miracula ein reales historisches Geschehen.

Wir müssen abschließend auf einen Aspekt der Bischofseinsetzung zurückkommen, der mit der Herkunft der Bischöfe in Zusammenhang steht, nämlich auf die Frage nach der Förderung durch die Verwandten im weitesten Sinne: d. h. nach dem Konnex zwischen Adelslandschaft und Bischofserhebung. Die Könige nahmen bei der Einsetzung von Bischöfen im wesentlichen auf ihre Herkunft, ihre verwandtschaftlichen Verbindungen Rücksicht [143]. Der so er-

---

[140] Beispielsweise seien angeführt: Charimer von Verdun (Gregor von Tours, HF IX 23, 443); Austrigisil von Bourges (Vita c. 8, 196); Lupus von Sens (Vita c. 5, 180); Amandus von Maastricht (Vita c. 18, 442 f.); Praeiectus von Clermont (Passio c. 14, 234); Lantbert von Lyon und Ansbert von Rouen (Vita Ansberti c. 12, 626 und c. 15, 628); Nivard von Reims (Vita II, c. 6, 279); Vulframn von Sens (Vita c. 2, 662 f.); Herifrid von Auxerre (Gesta epp. Autiss. c. 41, 400).

[141] Miracula sancti Martialis (ed. Oswald Holder-Egger) MGH SS 15/1 (1887) II 2, 281.

[142] Es steht außer Zweifel, daß Lupus in seiner Stellung als Martyrarius, d. h. als Kustos des Heiligengrabes, in der Sache manipulieren konnte.

[143] Es war sicherlich die Regel, sonst hätte Gregor von Tours nicht bei den Emporkömmlingen deren niedere Abstammung stets hervorgehoben. Vgl. auch die be-

nannte Bischof brachte dann den Glanz seines Namens, die traditionelle Macht seiner Familie mit in das Amt, das andererseits durch seine Beziehungen zu König und Hof noch zusätzlich aufgewertet wurde. Da auch die kirchlichen Verordnungen verlangten, daß der Bischof nach Möglichkeit aus dem Klerus der vakanten Diözese genommen werden sollte, kam es auf fast „legaler" Grundlage zur Erblichkeit einzelner Bischofssitze, was seinerseits dem König oft nützlich (manchmal allerdings auch stark hinderlich) war[144]. Diese Bindung an ein Bistum nahm mitunter solche Formen an, daß es fast methodisch berechtigt scheint, Bischöfe, deren Familienzugehörigkeit unbekannt ist, nicht nur aus dem Namen, sondern auch von ihrem Bischofssitz her einem Geschlecht zuzuweisen. Das ist umso erwägenswerter, als spätere Bischofskataloge sich mit ganz knappen Angaben begnügen, in denen bloß jeder einzelne nach einem System bestimmter christlicher Eigenschaften charakterisiert, aber über Herkunft und Familie des jeweiligen Oberhirten nichts gesagt wird[145]. Katharina Weber hat diese „Erblichkeit" wohl richtig mit der seelischen Grausamkeit, ja Feindschaft der Asketen gegen ihre Eltern in Verbindung gebracht: diese sei eben nur vor dem Hintergrund der nepotistischen Politik des gallischen Episkopats zu verstehen[146].

Viele senatorische Familien hatten schon vor dem germanischen Einbruch in Gallien Bistümer „in ihrem Besitz", die sie, unter welcher politischen Lage auch immer, stets als „Erbe" in ihrer Familie weitergaben, wie Heinzelmann mit eindrucksvollen Beispielen gezeigt hat[147]. Wie sehr man in den Familien darauf bedacht war, extraneis den Zugang zu einem dem eigenen Geschlecht „gehörigen" Bistum zu verwehren, beweist am besten die Situation in Clermont im Jahre 515. Von der Gemeinde war der gelehrte Flüchtling Quintianus, der sein Bistum Rodez etwa 511 hatte verlassen müssen[148], gewählt worden. Doch dominierte im Hauptort der Auvergne die Familie des berühmten Apollinaris Sidonius. Dessen gleichnamiger Sohn, der eine weltliche Karriere unter den westgotischen Königen hinter sich hatte, wurde von seiner Gattin Alcima

---

kannte Aussage Chlothars I. bei der Wahl des Bischofs Eufronius von Tours (HF IV 15, 147); dazu auch Irsigler, Frühfränk. Adel 131.

[144] Vgl. Wieruszowski 9 f. m. Anm. 7 und Prinz, Bischöfl. Stadtherrschaft 21 ff.

[145] Das sollte freilich nur als Anregung verstanden werden, auf diese Weise lückenhafte Bischofslisten zu ergänzen.

[146] Kulturgeschichtliche Probleme 356 f. mit Verweis auf die Vita sancti Albini, (ed. Bruno Krusch) MGH AA 4/2 (1885) c. 12, 29. Doch verbinden sich damit auch Topoi der alten „harten" Asketenromane, etwa die drastisch geschilderte Flucht des jungen Kolumban aus dem Hause seiner Mutter (Vita I 3, 69).

[147] Bischofsherrschaft 244 f.; Beispiele auch bei Loening 2, 223 f.

[148] Über ihn siehe S. 153.

und seiner Schwester Placidina bewogen, das Bistum für sich zu beanspruchen. Die beiden Damen überredeten Quintianus, es mit seiner Erwählung genug sein zu lassen, und erreichten tatsächlich durch reiche Gaben, daß König Theuderich I. ihren Gatten bzw. Bruder zum Bischof einsetzte. Es ist ganz charakteristisch für die Verhältnisse, daß Quintianus die ordnungsgemäße Wahl nichts nützte. Wie gut er die kirchenpolitische Wirklichkeit beurteilte, zeigt sein hilfloser Ausspruch, mit dem er das Unrecht, das ihm von der Sippe des Apollinaris angetan wurde, hinnahm [149].

Auch bei der Nachfolge im Bischofsamt von Nantes vertrat Gregor von Tours einen gemäßigt kirchlichen Standpunkt. Der erkrankte Bischof Felix ließ seinen Neffen Burgundio zum Bischof wählen und schickte ihn zur Weihe nach Tours. Doch Gregor als zuständiger Metropolit weigerte sich, Burgundio zu tonsurieren und zu weihen, weil Bischof Felix noch am Leben war und Burgundio dem Laienstand angehörte. Er riet dem jungen Mann, zu seinem Oheim zurückzukehren, sich von ihm die Tonsur erteilen zu lassen und die kirchlichen Weihegrade ordnungsgemäß durchzumachen: so werde er nach des Onkels Tod „facile episcopale gradum" erlangen. Burgundio handelte aber nicht danach, und nach dem Tode des Felix wurde dessen Verwandter Nonnichius (ebenfalls ein Laie?) „ordinante rege" Bischof von Nantes (582) [150]. Man sieht, daß Gregor durchaus für die Übernahme der bischöflichen Gewalt durch einen Verwandten des regierenden Bischofs eintrat, nur sollte dieser „Usus" mit den Kirchengesetzen möglichst in Einklang gebracht werden. Er hat dabei sicher an eine Wahl gedacht. Es scheint ihm jedoch selbstverständlich, daß der Neffe des amtierenden Bischofs, der selbst nicht der erste Infelträger seiner Familie in Nantes ist [151], im Diözesanklerus auf keinen nennenswerten Widerstand stoßen

---

[149] Alcima und Placidina motivierten ihr Tun mit dem Hinweis auf das hohe Alter des Quintianus; doch ließen sie im übrigen rücksichtslos durchblicken, daß die Angelegenheit auch eine Frage der Machtverhältnisse in Clermont sei. In richtiger Einschätzung dieser Lage antwortete ihnen der alte Bischof: „Quid ego praestabo, cuius potestati nihil est subditum?" Gregor — sonst selbst ein begeisteter Befürworter der Macht senatorischer Geschlechter — nimmt hier einen kirchlichen Standpunkt ein und registriert den Tod des Apollinaris, der schon nach vier Monaten erfolgte, mit einer gewissen Befriedigung über die Gerechtigkeit Gottes; HF III, 2, 98.

[150] HF VI 15, 285. Dazu Dostal, Identität 27; Stroheker, Adel 196 und Heinzelmann, Bischofsherrschaft 214 f. Wenn der vir inluster der Vita s. Germani auct. Venant. Fort. 158 derselbe Nonnichius ist, erhebt sich die Frage, ob er 582 noch Laie war. Bei Gregor findet sich kein Hinweis, was bei der gleichzeitigen Argumentation eher dagegen spricht, zumal er an der Erhebung des Nonnichius ja sicher beteiligt war.

[151] Schon sein Vater Eumerius war Bischof von Nantes; darüber hinaus dürfte die Familie schon seit dem 4. Jahrhundert die Bischöfe dieser Stadt „gestellt" haben. Über die weitreichenden Beziehungen dieser Familie siehe Dominique Aupest - Conduché, Deux formes divergentes de la Sainteté épiscopale au VIe siècle. Saint

werde, wie er wohl auch der Unterstützung durch die „cives" der Stadt und
die „proceres" der Umgebung gewiß sein konnte. Einer strengen Einhaltung der
kanonischen Bestimmungen stand nichts entgegen, da das Risiko, nicht Nachfolger des bischöflichen Oheims zu werden, für Burgundio gering war. Daß die
Familie des Felix von Nantes sehr einflußreich war, beweist nichts besser als
die Einsetzung des Nonnichius, der ihr ebenfalls angehörte, durch den sonst
so autokratischen König Chilperich I.

Es erübrigt sich, noch mehr Beispiele aus dem sechsten Jahrhundert zu
bringen; es läßt sich ein enger Zusammenhang zwischen den Machtbereichen
der großen senatorischen Familien und den von ihren Angehörigen besetzten
Bischofsstühlen erkennen [152]. Daß man kirchliche Satzungen mit dem Sippen-
denken dabei zu einer Einheit zu verbinden trachtete, haben wir gesehen. Wo
das nicht ging, suchte man die „Vererbung" des Bistums aus der religiösen
Tradition zu rechtfertigen: so in den Fällen der Designation des Nachfolgers [153].

Félix de Nantes et Saint Melaine de Rennes, in: La Piété populaire au Moyen Age
(Paris 1977) 124.

[152] Besonders dicht waren die Bischofsfamilien in Burgund; doch wirkten sie
über diesen Bereich hinaus. So besetzte die Familie des Geschichtsschreibers Gregor
die Bischofsitze von Langres, Tours, Clermont; die Familie des Agricola Chalon-sur-
Saône und Nevers; die Aviti Vienne und Valence; die Familie des Lupus Orléans,
Auxerre, Bourges, Sens und Troyes; Lyon hingegen befand sich in den Händen eines
Geschlechts, dem die Bischöfe Sacerdos, Nicetius, Viventiolus und Priscus angehörten.
Vgl. dazu Dostal, Identität 4 f.; Wieruszowski 18; Sprandel, Adel 43; Stroheker, Adel 101
und Heinzelmann, Bischofsherrschaft 213 ff.

[153] Diese Frage kann hier nicht behandelt werden. Grundlegend dazu Lotter,
Designation passim; Claude, Bestellung 5 f. und Anscar Parsons, Canonical
elections. An historical synopsis and commentary, in: Canon Law Studies 118 (1919)
13 ff. beriefen sich auf die Vorstellung von der apostolischen Sukzession, wogegen
Lotter a. a. O. 121 polemisiert. In der Tat wird man von Bischöfen, denen es um die
Erhaltung des Bistums in ihrer Familie ging, keine großen theologischen Konzepte
erwarten können. Gott selbst bestimmt durch Inspiration der Wähler den Bischof.
Doch wird man die Überlegungen Claudes und Parsons nicht so abwegig finden,
wenn man sie mehr vom Geschlechterstolz und Denken der spätantiken aristokratischen Kirche als von der Verfassungsgeschichte (und dem Mangel an fundier-
ter Theologie im Westen) her betrachtet. Wir wissen, mit welchem Hochgefühl sich
Gregor von Tours von dem gallischen „Parademärtyrer" Epagathus herleitete. Bei
dieser Mentalität ist der Schritt zum Apostel oder Apostelschüler als „Gründer"
des Familienbistums nicht weit, gleichgültig ob dann konsequent jeder Bischof seinen Nachfolger in einer ununterbrochenen Reihe designierte. Ganz anders steht es
mit der Designation und Weihe des Nachfolgers, wie sie die Conversio Bagoariorum
et Carantanorum von Hrodbert in Salzburg überliefert (c. 1, 128). Hier wird die
Pionierleistung des Bischofs in einem dem Christentum erst wieder ganz zu gewinnenden Raum illustriert und dient damit der Tendenz des Werkes aus dem neunten Jahrhundert.

Seit dem Ende des sechsten Jahrhunderts mehren sich die Bischöfe germanischer Herkunft. Damit begann die Durchbrechung eines Monopols des gallorömischen Senatorenadels auf seinem wichtigsten Gebiet. Gleich diesem besetzten nun fränkische Adelige die Bistümer ihres weiteren Machtbereiches. So finden wir die Mitglieder der beiden mächtigsten Familien des neustrischen Kernraums — die Sippen Hagnerichs und Autharis — nach dem Tode König Dagoberts (639) auf vielen wichtigen Bischofssitzen [154]. Unter Pippin dem Mittleren um die Wende zum achten Jahrhunderts verwandelten sich manche Bistümer in Domänen bedeutender Geschlechter. In Burgund „herrschte" die Sippe Bischof Savarichs (Autun, Orléans, Auxerre), Trier wurde vom Geschlecht des Basinus „übernommen" [155]. Bei den alten alamannischen Bistümern wurde sogar von der Forschung der Versuch unternommen, ihren geistlichen mit dem weltlichen Machtbereich einer beherrschenden Familie zur Deckung zu bringen [156]. Es läßt sich unschwer vorstellen, wie sehr hier die Einsetzung des Bischofs von verschiedenen Komponenten abhängig war. Kirchenrechtliche Vorschriften ohne Rücksicht auf die den Bischofssitz umgebende Adelslandschaft (und den Willen des Königs) im aktuellen Fall durchzusetzen, dürfte oft vergeblich gewesen sein: die Zugehörigkeit zu einer bestimmten Sippe war wohl die Grundlage aller weiteren Kriterien für das Bischofsamt.

Bischof in der Fremde zu werden, hatte wenig Aussichten auf Erfolg und konnte nur unter folgenden Voraussetzungen gelingen: entweder galt es, zu missionieren und eine kirchliche Organisation erst einzurichten, oder es waren keine einheimischen Kandidaten vorhanden, oder es sollte eine neue geistig-religiöse Haltung durch Versetzung ihrer Täger „exportiert" werden. All das kam im Frankenreich vor. Es ist schon gesagt worden, daß König Theuderich I. und seine Nachfolger bestrebt waren, an den Grenzen Austrasiens, an Rhein

---

[154] Demonstrativ erwähnt seien: Audoin und Ansbert von Rouen, Lantbert von Lyon, Erembert von Toulouse, Burgundofaro von Meaux. Vgl. Sprandel, Adel 52 ff.; Bergengruen, Adel und Grundherrschaft 65 ff.; Friese, Studien 23. Beide Sippen scheinen mit den Agilolfingern verwandt gewesen, Friese 18 ff., und daher in einem natürlichen Gegensatz zu den Arnulfingern-Pippiniden gestanden zu sein. Wichtig sind auch die Familien Modoalds von Trier und Hugberts von Lüttich. Die arnulfingischen „Hausbistümer" dürften Metz und (zeitweilig) Maastricht gewesen sein.

[155] Ewig, Milo 218 hält dieses Geschlecht für die Herzoge des Moselgaus. Sie haben über ein Jahrhundert die Bischöfe von Trier gestellt. Letzter direkter Abkömmling war Weomad († 791). Vgl. auch Prinz, Bischöfl. Stadtherrschaft 33, und Eugen E w i g, Civitas, Gau und Territorium in den trierischen Mosellanden, in: Rheinische Vierteljahrsblätter 17 (1952) 120 ff. = Spätantikes und fränkisches Gallien 1, 517.

[156] Das meint Feger, Alemann. Herzogtum 90 f. Ihm zufolge entspricht das Bistum Konstanz im 8. Jahrhundert dem Machtbereich des „inneralemannischen Herzogtums", das Bistum Straßburg dem Machtbereich der Etichonen, das Bistum Augsburg jenem einer Adelsfamilie, die zwischen Lech/Iller und Ammersee ihren Schwerpunkt hatte (vielleicht den Huosi?). Dazu F. Beyerle, Gründungsgeschichte 514 f.

und Mosel, das darniederliegende christliche Leben wieder aufzurichten. Mainz, Köln, Trier, Tongern-Maastricht waren die gefährdeten Bistümer, die von Bischöfen aquitanischer Provenienz neu organisiert wurden. Von Nicetius von Trier wissen wir einiges über seine Herkunft aus dem Limousin und seine Berufung und Einsetzung in der Moselstadt. Manchmal aber läßt nur der Name des Bischofs den Schluß auf seine Herkunft zu [157]. Was Bischöfe mit Missionsaufgaben betrifft, verweisen wir hier nur auf Hrodbert von Worms, der von Herzog Theodo von Baiern angeblich wegen seiner „fama sanctae conversationis" um sein Kommen und Verweilen gebeten wurde [158]. Seit der kolumbanische Reformgeist in Neustrien eine stark fränkische Note erhalten hatte, waren die klösterlichen Zentren des Frankenreichs im Norden: Jumièges und St. Wandrille. Von dorther kamen auch die Träger dieses neuen religiösen Gedankengutes auf die Bischofsstühle im südlichen Gallien, wie Erembert von Toulouse (657), Genesius (657) oder Lantbert von Lyon (678), obwohl das Konzil von Clichy 627 das Indigenatsprinzip für die Bischofswahl als verpflichtend erklärt hatte [159]. Königlicher Befehl und „electio populi" hätten hier zusammengewirkt, berichtet die Quelle [160]; doch sind das wohl eher geläufige Wendungen, die die rechtmäßige Einsetzung des Helden der Vita unterstreichen sollen. Denn fremde königliche Protegés waren etwa in Lyon als Bischöfe sicher nicht gern gesehen. War die führende Adelssippe jener Stadt doch gerade auf dem Wege, Lyon zu einer „Civitasrepublik" [161] zu machen, deren Bindungen zur merowingischen Gewalt wohl äußerst locker gewesen wären. Die energischen Brüder Aunemund als Bischof und Dalfinus als Graf von Lyon schienen die Garantie dafür zu bieten: doch das rücksichtslose Durchgreifen der Königinwitwe Balthild setzte diesen Bestrebungen ein Ende. Dementsprechend kamen die nächsten Bischöfe aus anderen Gegenden des Reiches, Lantbert sogar aus St. Wandrille: religiöse Reform und politische Notwendigkeit gingen hier Hand in Hand.

---

[157] So z. B. bei Carentinus von Köln (um 565) und als geradezu „klassisches" Beispiel bei Sidonius von Mainz; Corsten, Rhein. Adelsherrschaft 104, und Eugen E w i g, Christliche Expansion im Merowingerreich, in: Die Kirche des frühen Mittelalters (Kirchengeschichte als Missionsgeschichte 2/1, 1978) 128 m. Anm. 46.

[158] Er war wohl ein Mitglied der mächtigen Sippe der (H)Ro(d)bertiner, die im Mittelrheingebiet dominierten, wo ja auch sein Bistum Worms lag. Genaueres darüber bei Bosl, Adelsheiliger 172; Zöllner, Rupert 16 f. und Wolfram, Rupert 20.

[159] „Ut decedente episcopo in loco eius non alius subrogetur nisi loci illius indegena, ..."; c. 28, 200.

[160] Vita Eremberti c. 1, 654.

[161] Der Ausdruck stammt von Ewig, Ribuarien 455 und ders., Römische Institutionen 147.

5. SOZIALE UND ORGANISATORISCHE AUFGABEN

Für die germanischen Könige und den gallo-römischen Episkopat verblaßte im Laufe des sechsten Jahrhunderts das Imperium als politische Größe. Geblieben war die „ecclesia", die vorderhand als Gegenpol zu den regna wirkte. Seit der Herrschaft Chlodwigs I., der der fränkischen Kirche zwar in vielem ihr eigenständiges Wesen beließ, sich in manchen Bereichen gar nicht einmischte, jedoch an seiner Kirchenhoheit im gesamten keinen Zweifel ließ, kam im gallo-römischen Episkopat ein neues Bewußtsein auf, daß nun der fränkische Königshof das Zentrum sei, an dem man sich zu orientieren habe[1]. Andererseits entwickelte sich das Christentum, wie es von der gallo-fränkischen Bischofskirche vertreten wurde, zu einer der tragenden Säulen des bevölkerungsmäßig heterogenen Reiches[2]. Das erhellt auch aus der Bedeutung, die man der religiösen Erziehung der Jugend im sechsten und siebenten Jahrhundert beimaß[3]. Die Bischöfe hatten schon im vierten Jahrhundert soziale und behördliche Aufgaben übernommen. In Italien unter ostgotischer Herrschaft war Bischöfen die Sorge um die Getreideversorgung übertragen worden, wozu ganz allgemein die Aufsicht über die Verwaltungstätigkeit der lokalen Beamten kam[4]. Da die merowingische Verfassung im Gegensatz zu jener der Spätantike aber keine Teilung der Zuständigkeit in militärische und zivile Aufgaben kannte, wuchs der Bereich der bischöflichen Agenden — vor allem im Süden und nach Verdrängung des comes — überaus stark. Freilich handelte es sich in vielen Fällen (im Gegensatz zum justinianischen Byzanz) nicht um die Ausübung einer vom König delegierten Gewalt, sondern um die Arrogierung „öffentlicher" Be-

---

[1] Dazu Ewig, Königsgedanke 15 und K. F. Werner, Principautés 487, sowie ders., Le Rôle 51, wo er sich mit guten Gründen gegen den Begriff der „fränkischen Landeskirche" wendet.

[2] Wobei weniger eine gemeinsame religiöse Überzeugung den Zusammenhalt erzeugte — wie etwa besonders ausgeprägt in Byzanz — sondern die Gemeinsamkeit des Kults. Siehe auch Prinz, Märtyrerreliquien 4.

[3] Vgl. Riché, Éducation 107.

[4] Siehe Cassiodori Senatoris Variae, ed. Theodor Mommsen, MGH AA 12 (1894) XI 3, 332; XI 12, 341; XII 27, 383. Justinian erweiterte diesen Aufgabenkreis noch; Schubert, Christl. Kirche 188.

fugnisse, die nach dem Verschwinden des Grafenamtes, aus Gründen der starken Stellung in der civitas oder einfach aus der Notwendigkeit des Augenblicks heraus vom Bischof beansprucht wurden. Insofern kann man der Behauptung, die Bischöfe hätten niemals in einer öffentlichen Verwendung gestanden, zustimmen, soweit man darunter eine behördliche Funktion im Sinne eines Staates mit geregelten Zuständigkeiten und pyramidenförmigem Verwaltungsaufbau versteht [5]. Denn bei aller Ergebenheit gegenüber dem Klerus hätten die germanischen Könige keinen Augenblick daran gedacht, die Bischöfe an ihrer Regierungsgewalt zu beteiligen [6]. Dieser Anschauung entspricht scheinbar völlig das Bild, welches man über das Bischofsamt aus der ‚Regula pastoralis" Gregors d. Gr. gewinnt. In ihr finden sich lediglich Hinweise auf allgemeine Moralprinzipien, Anweisungen für den innerkirchlichen Bereich; im dritten Teil ist die „Regula" dann überhaupt eine Art „Nachschlagewerk für den Einzelfall". Auf die Beziehungen zur weltlichen Macht wird nicht eingegangen, eine Konfrontation mit dieser wird anscheinend kaum für möglich gehalten; auch weltliche Belange der engeren Bischofsherrschaft werden nicht berührt [7].

Die Wirklichkeit zeigt ein wesentlich anderes Bild. Nicht nur, daß die Reste der römischen Verwaltung in den gallischen Städten, wie sie vor allem von den Bischöfen gehandhabt worden waren, belassen und für die neuen Herrscher dienstbar gemacht wurden, man brauchte für die seßhafte fränkische Bevölkerung jetzt auch neue Formen, die Friedensordnung aufrechtzuerhalten. So erfolgte im Interesse des Herrschers ein Einbruch in das überlieferte System der Sippenfehde und Blutrache mit bischöflicher Unterstützung. Die Bemühungen der Bischöfe um eine friedliche Beilegung derartiger Auseinandersetzungen waren nicht immer vom Erfolg gekrönt [8], doch scheint im allgemeinen schon

---

[5] Lesne, Propriété 1, 276 lehnt einen „emploi public" der Bischöfe ab. Doch ist diese Feststellung zu apodiktisch und zu sehr dem modernen Staatsaufbau verpflichtet. Jedenfalls waren die Bischöfe als Träger „staatlicher" Funktionen im Westen keinen gesetzlichen Regeln unterworfen wie unter Justinian I. in Byzanz. Vgl. die Zusammenstellung bei Heinz H ü r t e n, Gregor der Große und der mittelalterliche Episcopat, in: Zeitschrift für Kirchengesch. 73 (1962) 23. Doch vgl. auch das dem gräflichen entsprechende bischöfliche „Bestallungsformular" bei Markulf I 5, 8.

[6] Pirenne, Instruction 170. Danach hätten Bischöfe niemals eine „fonction public" ausgeübt.

[7] Bei einem so eminent politischen Papst wie Gregor dem Großen überrascht das doch einigermaßen. Allerdings überschreiten auch die auf das bischöfliche Amt bezüglichen Werke eines Agobard von Lyon (Ad Bernardum episcopum de privilegio et iure sacerdotii, Epistola ad clericos monachos de modo regiminis ecclesiastici, Liber de dispensatione ecclesiarum rerum, De comparatione regiminis ecclesiastici et politici) kaum den engeren geistlichen Bereich.

[8] Vgl. die Fehde zwischen Chramnesind und Sichar (Gregor von Tours, HF VII 47, 366 ff.), in der Gregor selbst erfolglos zu vermitteln versuchte. Andererseits übten selbst germanische Bischöfe Rache, vgl. die Antwort Badegisils von Le Mans

die psychologische Wirkung ihres Eingreifens — wegen der Unterbrechung der Verfolgung — nicht unbedeutend gewesen zu sein. Obwohl sich besonders der Adel mit dieser Art der Streitbeilegung nicht befreunden konnte [9], strebte schon Chlodwig deren Durchsetzung an [10]. Daß die bischöfliche Intervention aber eine gewisse Verbreitung erlangte, beweist die Aufnahme von Urkundenformularen, die die Bedingungen für die Streitschlichtung zum Gegenstand haben, in mehreren Formelsammlungen des siebenten Jahrhunderts [11]. Bischöfliche Vermittlungstätigkeit und Asylrecht bedingten einander und fanden auch in die süddeutschen Volksrechte Eingang [12].

Wir haben nur ein Beispiel ausgewählt, an dem sich Schutzfunktion und soziale Bedeutung des Bischofsamtes seit dem Übergang Galliens in das fränkische Reich ablesen lassen. Schon im Verlauf der Völkerwanderung waren die Bischöfe wiederholt Vermittler und Fürbitter gegenüber fremden Erobererheeren. Die Taten Leos I., des Bischofs von Rom, bei der friedlichen Abwehr der Hunnen und Wandalen sind legendär geworden, aber auch der Bischof von Treviso trat den heranstürmenden Langobarden entgegen und hat bei König Alboin eine Bestätigung der Vorrechte seiner Stadt erreicht [13]. Auch später blieben die Bischöfe Vertrauensleute der Bevölkerung, denen zahlreiche Tätigkeiten oblagen, ohne daß sie für alle „amtlich" eingesetzt gewesen wären [14]. Andererseits hatte die bischöfliche Stadtherrschaft bereits Ansätze in der Spätantike [15]. Seit dem Rückgang der Kurialenkollegien und des Defensoramtes, war der Bischof die einzige Autorität in der civitas; zugleich sorgte er für ein

auf diesbezügliche Vorwürfe (HF VIII 39, 405): „Non ideo, quia clericus factus sum, et ultur (!) iniuriarum mearum non ero?" Im 8. Jahrhundert traten die Friedensaufgaben des Bischofs im Zuge struktureller Wandlungen zurück.

[9] Bemerkenswert ist das Fehlen von besonderen Wergeldsätzen für Adelige in den sogenannten Volksrechten. Diese Tatsache wurde lange als Beweis für das Fehlen eines fränkischen „Uradels" angesehen. Heute interpretiert man sie anders: Der Adel habe einer friedlichen Beilegung von Fehdefällen nicht zugestimmt.

[10] Dieser Punkt scheint unter den Beschlüssen des 1. Konzils von Orléans (511) als c. 1 und c. 3 auf. Asylrechtbestimmungen findet man auch in V Orléans (549) c. 22 und II Mâcon (585) c. 8.

[11] Vermittlung durch einen Bischof findet sich in den Formulae Marculfi II 18, 88 (Mord); in den Formulae Turonenses 16, 144 (Ehe ohne Zustimmung der Eltern der Frau) und in den Fragmenten der sogenannten Formulae Pithoei, ed. J. Poupardin, BEC 69 (1908) nr. 58, 654.

[12] Lex Alamannorum 3, 1; Lex Baivariorum I 7. Das Asylrecht war „pro timore Dei" unbedingt zu achten, seine Verletzung galt als Verbrechen! F. Beyerle, Süddeutsche Leges 317.

[13] Paulus Diaconus, Hist. Langob. II 12, 79. Dazu allgemein Dilcher, Bischof 228 und Zöllner, Geschichte der Franken 182 für das Frankenreich.

[14] Siehe Loening, Kirchenrecht 2, 225 f.

[15] Vgl. Codex Theodosianus I 27, 1. Heinzelmann, Neue Aspekte 38.

engeres Zusammenrücken der römischen Bevölkerung [16]. Seine beherrschende Stellung förderte den sozialen Frieden; zugleich wurden die Bischofsstädte zu einem Mittelpunkt der gallo-römischen Adelsfamilien, die ihre Position in Zeiten des Umbruchs auf diese Weise festigen konnten. Familieninteresse, christliche Lehre und praktische Notwendigkeiten waren die Wurzeln, aus denen die umfassende Tätigkeit des Bischofs in seiner Stadt und deren Umgebung erwuchs. Ein Gleichmaß von „cura interiorum" und „cura exteriorum" schien auch Gregor d. Gr. förderlich für die echte Erfüllung des Bischofsamtes. Insofern konnten die politischen Funktionen als Ausfluß geistlicher Pflichten begriffen werden. Die Spannung zwischen christlicher Kontemplation und säkularen Tätigkeiten sollte für den Bischof charakteristisch werden. Die weltlichen Geschäfte konnten von einem radikalen Standpunkt her nicht als gleichrangig mit den geistlichen Pflichten angesehen werden. Doch daß sie gleichwertig waren, sofern sie aus der priesterlichen Sorge um die anvertraute Herde entsprangen, wußte man seit Julianus Pomerius und konnte in der Welt des werdenden Mittelalters aus pragmatischen Erwägungen niemals zweifelhaft sein. Allein dieses Sorgerecht des Bischofs, welches zugleich eine Pflicht war, bedeutete andererseits auch eine Art von Herrschaft, was sich sowohl aus römischen als auch aus germanischen Rechtsanschauungen ableiten ließ. So ergab sich aus der Machtposition, die der Bischof in der civitas innehatte, die Pflicht, für deren Interessen einzutreten, und umgekehrt erwuchsen dem Bischof aus dieser Verpflichtung besondere Rechte, die sich nicht einfach aus der amtlichen Stellung ableiten ließen und überdies dem Ansehen und der Bedeutung der Familie des Bischofs zugutekamen.

Dessen Rechtsprechung, obwohl ursprünglich nur innerhalb des kirchlichen Bereichs gültig, führte in vielen Fällen zur allmählichen Ablösung der jurisdiktionellen Gewalt des comes. Ein recht frühes Beispiel dafür bietet Bischof Badegisil von Le Mans, der den ganzen Tag mit Rechtsangelegenheiten zu tun hatte [17]. Bei ihm mag es mitgewirkt haben, daß er früher Hausmeier König Chilperichs I. war und als solcher mit Rechtsstreitigkeiten gewiß viel zu tun hatte. Er wird von Gregor getadelt, daß er seine Kraft auf weltliche Aufgaben verschwende: Badegisil scheint überwiegend „militias saeculares" geleistet zu haben. Seine Tätigkeiten in Le Mans, seine dauernden Schwierigkeiten und Auseinandersetzungen mit seinen Verwandten entsprechen dem Bild des Bischofs als führender Persönlichkeit in der im Schnittpunkt verschiedener

---

[16] Das geschah vor allem über die Vertiefung des christlichen Lebens, was auch zu den neubekehrten Franken eine gewisse Distanz schuf. Stroheker, Adel 96. Nach Ewig, Röm. Institutionen 431 sind Kurialen und Defensoren in merowingischer Zeit nur mehr in Le Mans, Tours, Angers, Paris und Meaux, jedoch nicht nördlich davon, bezeugt.

[17] HF VIII 39, 405.

Interessen gelegenen civitas, wie wir es oben angedeutet haben. Im sechsten Jahrhundert steht diese Betonung der Rechtsprechung in der Tätigkeit eines Bischofs noch ziemlich vereinzelt da; eine Steigerung derartiger Befugnisse erfuhr der Bischof erst durch die Praeceptio Chlothars II.[18] Auch die kritische Hervorhebung der Agenden Badegisils durch Gregor von Tours deutet darauf hin. Gregor überliefert uns zwei Fälle, in denen der Bischof mißliebige Leute aus dem Gebiet der Stadt entfernen ließ[19]. Dabei scheint die rechtliche Voraussetzung für ein solches Tun nicht gegeben gewesen zu sein; die beiden Bischöfe — Gregor selbst und Ragnemod von Paris — haben wohl aus eigener Machtvollkommenheit gehandelt. Beide Male ging es um die Ausweisung von Reliquienschwindlern, deren „strafbare" Handlungen immerhin auch den kirchlichen Rechtsbereich teilweise zuzuordnen waren. Doch stimmt die Tatsache, daß der rückfällig gewordene Betrüger in Paris vom Archidiakon gefangen genommen und eingekerkert wurde, nachdenklich: hier handelt es sich um keine Kirchenstrafe, und selbst wenn man eine Übernahme der dem Grafen in Paris zustehenden Jurisdiktion durch den Bischof annehmen will, ist es sehr ungewöhnlich, daß mit der Exekution ein rein kirchliches diözesanes Organ betraut wurde. Hier spiegelt sich der wahre Zustand des Rechts- und Verwaltungswesens der civitas wider. Die Kompetenzen waren nicht immer eindeutig, vieles scheint von den augenblicklichen Machtverhältnissen abhängig gewesen zu sein, sicherlich auch vom Rückhalt, den der Bischof an seiner Familie hatte. Als im Jahre 579 die Bretonen die Gegend von Nantes und Rennes heimsuchten, schickte Bischof Felix eine Gesandtschaft zu ihnen, um Genugtuung zu fordern. Sie wurde versprochen, das Versprechen aber nicht erfüllt[20]. An diesem Fall, der von Gregor mit wenigen Worten geschildert wird, kann man sehen, inwieweit der Bischof mitunter in politisch-militärischen Angelegenheiten selbständig handelte (oder handeln mußte). Von einem Eingreifen des Königs ist keine Rede; ein solches ist bei schnellen Raubzügen feindlicher Grenzvölker kaum anzunehmen. Die Grafengewalt war in Nantes und Rennes jedoch keinesfalls erloschen: wir kennen in diesen beiden Städten im 8. Jahrhundert noch den berüchtigten comes Agatheus. Im Jahre 579 dürften Nantes und Umgebung aber vom Bischof Felix und seiner Familie beherrscht worden sein: Dieses berühmte Geschlecht stellte seit über zweihundert Jahren die Oberhirten von Nantes[21]. In der Nähe saß überdies der „consobrinus" Nonnichius, der später Felix' Nachfolger auf dem Bischofsthron werden sollte. Man darf unter diesen Umständen wohl anneh-

---

[18] Capitularia Merowingica 8, c. 6, 19.
[19] HF IX 6, 417 ff.
[20] HF V 31, 236. Dazu auch das Gedicht des Venantius Fortunatus: Ad Felicem episcopum ex nomine suo (Carm. III 5, 54).
[21] Heinzelmann, Bischofsherrschaft 214 f.

men, daß Felix hier nicht in königlichem Auftrag handelte, sondern als führende Persönlichkeit der Stadt und Repräsentant seiner Familie, deren Unterstützung ihm gewiß war, die Verhandlungen mit den Bretonen führte, wobei der Graf übergangen wurde: die örtlichen Verhältnisse waren seiner rechtlichen Zuständigkeit entgegen [22].

Eine der wesentlichen Aufgaben des Bischofs abseits seiner geistlichen Pflichten war die Vertretung der Bürgerschaft gegenüber den Königen. Immer mehr Befugnisse des spätantiken Defensoramtes gingen auf ihn über, bis es ganz verschwand, und der Bischof allein zum Sprachrohr der städtischen Bevölkerung und auch zur zentralen Figur in der sozialen Verwaltung wurde. Diese Position errang der Bischof weniger auf Grund königlicher Verfügung als durch die Tatsache, daß die weltlichen Beamten der civitas lange Zeit eine sehr lose Beziehung zum fränkischen Herrscher hatten, und dieser hauptsächlich über den Bischof auf die Bevölkerung der Städte einwirken konnte [23]. Die nach beiden Seiten ausstrahlende Funktion des Bischofs barg jedoch in schwierigen politischen Situationen manche Gefahr in sich. Bei Unruhen wurden die Bischöfe zur Verantwortung gezogen, wie sie andererseits als Vermittler unpopulärer königlicher Maßnahmen oftmals einen schweren Stand hatten. Doch gerade in dieser Hinsicht waren sie es, die nicht selten durch mildernde Maßnahmen für die Stadt einiges erreichen konnten. Bischof Desideratus von Verdun, der nach dem Tode König Theuderichs I. aus seiner Verbannung zurückkehrte, mußte feststellen, daß seine Bischofsstadt wirtschaftlich völlig darniederlag, deren „habitatores" gänzlich verarmt waren. Da ihm Milde und Großherzigkeit König Theudeberts I. bekannt waren, ersuchte er ihn um ein Darlehen für die Stadt. Der König stellte auch wirklich 7000 Goldsolidi zur Verfügung, die bewirkten, daß das Wirtschaftsleben zu florieren begann und die Einwohner „divites per hoc effecti sunt et usque hodie magni habentur" [24]. Die Rückgabe

---

[22] Wir finden hier Ansätze zu einer Verdrängung des „comes" durch den Bischof. Diese geht nicht auf den Verfall der römischen Verwaltung oder des Städtewesens überhaupt zurück, sondern scheint eher das Ergebnis der steigenden bischöflichen Macht in politischer und wirtschaftlicher Hinsicht zu sein; vgl. dazu Claude, Comitat 29 und Friedrich P r i n z, Die bischöfliche Stadtherrschaft im Frankenreich vom 5. bis zum 7. Jahrhundert, in: HZ 217 (1974) 5 f. Eine Abhängigkeit des comes vom Bischof will Reinhold K a i s e r, Steuer und Zoll in der Merowingerzeit, in: Francia 7 (1979) 13 erst in der zweiten Hälfte des 7. Jahrhunderts feststellen, wobei er Tours, Aire und Le Mans als Beispiele anführt.

[23] Doch wurden dem Bischof auch amtliche Befugnisse durch den König übertragen. Die daran geknüpften Sanktionen blieben aber stets im Rahmen der kirchlichen Bestimmungen; Edikt Gunthramns (585) 11; II Tours (567) c. 26. Loening, Kirchenrecht 2, 268 f.

[24] Gregor von Tours, HF III 34, 129 f.

des Geldes lehnte der großzügige König jedoch ab. Hier ergreift der Bischof zum Wohl der heruntergekommenen Stadt von selbst ohne Rücksicht auf irgendwelche andere Zuständigkeiten die ihm notwendig scheinenden Maßnahmen [25]. Als der König die Bitte gewährt, ist es wieder der Bischof, welcher das Geld zur Weiterverteilung erhält: nicht nur, weil es seine Gesandten mitbringen, sondern weil der Bischof eben für alle sozialen Belange, die hier einmal die ganze Stadt zu umfassen scheinen, zuständig ist. Die Sache ist auch deshalb interessant, weil man abermals sehen kann, wie die Wahrnehmung einer grundsätzlich sozialen Verantwortung oft einen wirtschaftlichen Aufschwung bewirkt. Das ist ein Aufgabenbereich, der spontan aus der Situation und den immer so wichtigen persönlichen Verhältnissen erwächst. Allerdings gilt es zu berücksichtigen, daß Gregor von Tours mit der Schilderung dieser Begebenheit nicht nur vom wirtschaftlichen Aufstieg einer Stadt mit Hilfe eines um seine Herde besorgten Bischofs erzählen wollte. Es steht außer Zweifel, daß er den Gegensatz zwischen dem recht rauhen, der Kirche nicht immer ergebenen Theuderich I. und dessen leutseligem, der Geistlichkeit freundlich gesinntem Sohn hervorheben wollte. Jener vertreibt den guten Bischof, dieser holt ihn sofort wieder zurück. Die wirtschaftliche Verödung Verduns, die Armseligkeit seiner Bewohner spiegelt so recht die Ungerechtigkeit und Härte Theuderichs wider: so sieht eine Stadt aus, deren Bischof brutal verfolgt wird. Der „rex iustus" Theudebert und sein ehrwürdiger Bischof bringen die Stadt wieder zur Blüte, in der sie sich „usque hodie" befindet. Auch wenn man diese Tendenz Gregors erkennt, der Theuderich als den Zwingherrn seiner heimatlichen Auvergne wenig Sympathien entgegenbrachte, besteht keine Ursache, an den Tatsachen dieses Berichts zu zweifeln; die manchmal das Märchen- oder Anekdotenhafte streifende Erzählung ist ein Beweis für die entscheidende Stellung, die dem Bischof zeitweilig in seiner civitas ganz allgemein zukam.

Als Schutzherren der Stadt gegen ungerechte Steuern werden die Bischöfe immer wieder erwähnt. In manchen Berichten kann man dabei zwar an einen Topos denken, der die Figur des tyrannischen Königs der hellen Gestalt des heiligmäßigen Bischofs entgegensetzt. Doch war der Bischof als Fürsprecher der civitas tatsächlich schon in den Zeiten der Völkerwanderung tätig; außerdem hatte er die Funktion des „defensor civitatis", der die Plebs gegen die Übergriffe der Bürokratie beschützen sollte, gleichsam „geerbt". Seither gehörte es zu den Agenden eines guten Bischofs, übertriebenen oder gar ungerechtfertigten und neuen (!) Steuerforderungen des Königs entgegenzutreten. Die

---

[25] Obwohl wir von Gregor nichts darüber hören, ist doch anzunehmen, daß es in Verdun königliche Beamte gab, die in der „bischofslosen" Zeit für die wirtschaftlichen Belange der Stadt sorgen mußten. Darlehen siehe auch Lesne, Propriété 1, 354.

Steuerleistungen wurden zwar von den Königen festgesetzt, doch basierte die Bemessung auf der Zahl der in die Steuerrollen eingetragenen „tributarii". Solcherart hatten die Steuern schon seit römischer Zeit den Charakter einer „consuetudo" angenommen. Versuche, die Abgaben zu erhöhen oder neue einzuführen, hatten mit dem Hinweis auf die bestehenden und überlieferten Verhältnisse wenig Aussicht auf Erfolg. Als König Chlodwig II. die Stadt Bourges „insueto censu" belastete, versammelte sich der „populus" und bat den Bischof Sulpicius II. unter Weinen und Klagen, der Stadt zu helfen. Von dem Jammer berührt, begann dieser mit seinem Klerus ein dreitägiges Fasten, währenddessen Gott um Beistand angefleht wurde. Dann sandte Sulpicius Ebergisil, einen seiner Kleriker, zum König, um diesen „cum omni humilitate et lamentatione et lacrimis" zu bitten, von der ungerechtfertigten Forderung Abstand zu nehmen. Chlodwig ließ sich erweichen und verzichtete auf die Einhebung der neuen Steuer [26].

Der Bericht des Vitenschreibers ist in ein legendenhaftes Gewand gekleidet, in dem die Schwarzweißmalerei der Charaktere deutlich wird. Vor allem die Recensio B zollt einem solchen Stil Tribut: der milde Bischof, der Vater seines Volks, der Hirt seiner Herde, steht dem finsteren König gegenüber. Darum tritt nach dieser Fassung der Abgesandte Ebergisil auch nicht bescheiden auf — wie oben gezeigt —, sondern behandelt den verbrecherischen König wie der Bote einer höheren Macht. Er droht dem König den sofortigen Tod an, wenn dieser nicht sogleich seinen Steuerbefehl zurücknimmt. Der König handelt daraufhin „metu deterritus", stirbt aber trotzdem bald danach [27].

---

[26] Vita Sulpicii c. 6, 376 f. Ob die Anfänge einer Aufzeichnung von bischöflichen Einkünften in Form von urbarartigen „ordinationes" oder „descriptiones", die für Bischof Somnatius von Reims (610—630) bezeugt sind, damit zusammenhängen, daß Steuer und Zölle im siebenten Jahrhundert nicht nur durch bischöfliche (statt wie bisher königliche) Organe eingehoben wurden, sondern überhaupt an den Bischof fielen, ist fraglich. Kaiser, Steuer 12 f., 17 überschätzt wohl die Zahl der Immunitätsprivilegien in der ersten Hälfte des siebenten Jahrhunderts. Gerade die oben angeführte Stelle ist bei aller Topik ein Beweis für die direkte königliche Steuereinhebung. Zum Gesamtproblem vgl. auch Reinhold K a i s e r, Teloneum episcopi. Du tonlieu royal au tonlieu episcopal dans les civitates de la Gaule (VIe—XIIe siècle) in: Histoire comparée de l'administration (Ve—XVIIIe siècles). (Beihefte der Francia 9, 1981) 425.

[27] Die Recensio B ist wohl etwas jünger und scheint weniger zuverlässig; Unsicherheiten bestehen bezüglich der Person des Königs. Ursprünglich handelte es sich um Dagobert, an dem B auch festhält („memoratus rex") und wozu der baldige Tod passen würde (das Ereignis spielt kurz vor 639). Auch der Pontifikat des Sulpicius (627—647) stimmt nur zu Dagobert, bei Chlodwig II. (639—657) ergibt er keinen Sinn. Dennoch wird man der im übrigen weniger topischen und wahrscheinlicheren Recensio A folgen. Siehe auch die Vorbemerkungen zur Vita von Krusch 366 und Duchesne, Fastes 2, 29.

Wir wollen nicht weiter auf die Topik dieser Lebensbeschreibung eingehen, sondern uns mit dem Bischof als Helfer seiner Stadt gegen königliche Ansprüche beschäftigen. Im Gegensatz zu Desideratus von Verdun, der von sich aus die Initiative zum Wohle der civitas ergreift, wird Sulpicius von Bourges von den betroffenen Bürgern um Hilfe angegangen. Auch hören wir nirgends, daß er selbst die neuen Steuern ungerecht findet: er greift nur ein, weil er das Heulen und den Anblick der Tränen nicht mehr ertragen kann. Das dreitägige Fasten dient der besonderen Konzentration und dem seelisch-geistigen Kräftesammeln vor der Auseinandersetzung mit dem König. Wir wissen, daß vor Schlachten und anderen entscheidenden Augenblicken des Lebens auch von Herrschern und für Laien Fasten angeordnet wurden. Um eine solch gespannte Situation handelt es sich für Bischof Sulpicius und die Bürger von Bourges: das will der Verfasser der Vita andeuten. Ob man wirklich mit einem derartigen Vorgehen des Bischofs rechnen kann, muß offen bleiben. Daß man königliche Befehle nicht zurückweisen konnte, ohne viel Aufhebens damit zu machen, dürfte aber einleuchtend sein. In beiden der hier angeführten Fälle sendet der Bischof dem König Boten und kommt nicht selbst, um zu unterhandeln. Gerade daraus ergibt sich, daß man die Stellung und das Ansehen des Bischofs auch beim Herrscher recht hoch wird veranschlagen müssen. Entscheidend ist, daß man sich in Bourges an den Bischof wendet, um drohendes Unheil abzuwehren. Ein direkter Zugang zum König scheint selbst für die oberen Schichten der Stadt nicht bestanden zu haben oder zumindest wenig erfolgversprechend gewesen zu sein. Was den Bischof für Aufgaben dieser Art besonders geeignet machte, war der halb sakrale Charakter seines Amtes, der auch wenig religiösen Herrschern meist Rücksicht abforderte.

In keiner Aufzählung vortrefflicher Eigenschaften des Bischofs fehlt die Bezeichnung „nutritor (protector, curator) viduarum et orphanorum" [28]. Auch in dieser Hinsicht trafen christlicher Auftrag und amtliche Funktion zusammen. Bei der praktischen Umsetzung der theoretischen Forderungen nach dem Schutz der Witwen und Waisen scheinen aber die Wege auseinandergegangen zu sein. So wandte sich Cassiodor in seiner Eigenschaft als Praefectus praetorio gegen die ungehemmte Anwendung christlicher Grundsätze („nimia pietas") durch die Bischöfe und forderte sie auf, bei der Unterstützung von Witwen und Waisen den Rahmen der Gesetze nicht zu überschreiten [29]. Aus diesem Mandat ersehen wir, daß die Bischöfe mit der Wahrnehmung von deren Interessen amt-

---

[28] Es gibt kaum eine Vita, in der sich derlei nicht findet. Der Wandel dieser Eigenschaften innerhalb der Topik sollte einmal untersucht werden.

[29] Variae XI 3 (5), 332, gerichtet an „diversi episcopi". Den Hinweis auf diese merkwürdige Stelle verdanke ich Fräulein cand. phil. Bettina P f e r s c h y.

lich betraut waren. Die Bestimmungen des römischen Rechts, die sie dabei an-
zuwenden hatten, dürften jedoch den Bischöfen zu wenig wirksam oder förderlich gewesen sein. Anscheinend traten sie in dieser Funktion für weitherzige
christliche Grundsätze ein, die im Prozeßfall oft zu unbilligen Maßnahmen gegen die andere Partei führten und über die gesetzlichen Befugnisse und Möglichkeiten hinausgingen.

Im Frankenreich scheint es zu solchen „Exzessen" aus christlicher Nächstenliebe nicht gekommen zu sein. Das römische Recht hatte dort keine allgemeine
Geltung, und die Sorge für Witwen und Waisen erfolgte nach keineswegs schriftlich fixierten, christlichen Grundsätzen. Nur bezüglich der Prozeßführung findet
sich eine konziliare Bestimmung. Auf der 2. Synode von Mâcon (585), c. 12,
wurde festgesetzt, daß Verhandlungen gegen Witwen oder Waisen nur in Gegenwart des Bischofs — oder seines Stellvertreters — stattfinden sollen. Hielt
sich der Richter nicht an diesen Kanon, konnte er mit dem Kirchenbann belegt
werden. Überliefert sind uns derlei Fälle aber nicht: entweder funktionierte die
fränkische Rechtsprechung auf diesem Gebiet tadellos oder wir haben es mit
einer Bestimmung zu tun, deren praktische Wirkung minimal war [30]. Sicher
ist nur, daß auch im Frankenreich der Bischof die Sorgepflicht für Witwen und
Waisen hatte. Doch waren die Richtlinien dafür „staatlich" nicht festgelegt, d. h.
der Bischof wirkte auf diesem Gebiet in erster Linie als amtlicher Beauftragter
des Königs, aber nach Grundsätzen, die nicht aus der fränkischen Gesetzgebung
kamen, sondern der „pietas" und „caritas" entstammten. Dieser Umstand wirft
ein bezeichnendes Licht auf die rechtlich unscharfe Stellung des Bischofs in der
civitas.

Eine andere wesentliche Aufgabe des Bischofs war die „cura pauperum".
Gerade dieser Bereich seiner Tätigkeit trug ihm schon in der Spätantike den
Titel eines „pater civitatis" ein [31]. Allerdings muß man unterscheiden zwischen
der direkten Betreuung der Armen durch Speisen, Kleiden, Zuteilung von finanziellen Mitteln, und ihrer indirekten Unterstützung, indem man seine „opes"
der Kirche übergab, deren Güter ja eigentlich den Armen gehörten [32]. Die kari-

---

[30] Vgl. Loening, Kirchenrecht 2, 241.

[31] Dazu Dilcher, Bischof 228. Im Osten hat der Bischof dieselben Aufgaben,
doch ist er nicht in dem Maße Anwalt der Unterschichten wie im abendländischen
Christentum des frühen Mittelalters. Im griechisch-syrischen Raum kommt diese
Funktion dem heiligen Asketen zu; vgl. dazu Peter B r o w n, The Rise and Function
of the Holy Man in Late Antiquity, in: Journal of Roman Studies 61 (1971) 80.

[32] Bischof Baudin von Tours verteilte 20.000 Solidi aus dem Kirchenvermögen
an die Armen. Arnulf von Metz wollte angeblich sein ganzes Gut an die Armen
geben, während Maurinus von Auxerre sein Eigentum der Kirche schenkte, „ut
pauperum indigentiis subministrarent"; (Gesta epp. Autiss. c. 33, 396). Schon
Julianus Pomerius meinte, daß das Kirchengut n u r für die Armen verwendet

tative Tätigkeit des Bischofs, wie sie uns aus den Lebensbeschreibungen bekannt ist, hat wohl die Funktion, die Mildtätigkeit des Heiligen und seine Verachtung der irdischen Güter zu zeigen, d. h. diese Angaben sind glaubhaft, aber doch in einem besonderen Sinne stilisiert [33]. Im allgemeinen sieht man, wie das frühere Ideal der „abstinentia" des Asketen mit der praktischen „caritas" verschmolz, wie es die soziale Ordnung eines neu zu organisierenden Reiches bedurfte [34]. Schon Julianus Pomerius hatte in seinem Werke „De vita contemplativa" diese beiden Eigenschaften als für die beiden Lebensauffassungen charakteristisch dargestellt [35]. Bei ihm scheinen sie noch Gegensätze zu sein: der „sanctus" steht dem „perfectus" gegenüber. Im merowingischen Reiche überwog der karitativ tätige Bischof, weil er eine der tragenden Säulen des Reichsbaues war, doch schimmert der abstinente Zug vereinzelt noch durch: besonders bei mönchischen Bischöfen. Noch stärker tritt das in der Vita Haimhrammi hervor, der Graus deshalb typologische Widersprüche vorgeworfen hat, die er mit der Verwebung verschiedener Einzelteile zu einer Legende erklärte [36]. So fand er es unvereinbar, daß Haimhramn in Poitiers zahllose Menschen (Arme und Reiche!) beschenkte und (dennoch!) einen bedeutenden Besitz hinterließ, während er in Baiern gegen die Mächtigen auftrat und bis auf sein Gewand alles an die Armen verteilte. Wenn man auch die kompositorischen Schwächen dieses Werkes Arbeos von Freising nicht übersehen kann und seine um realhistorische Begründungen häufig verlegene Legendenhaftigkeit zugestehen muß, wird man gerade diese beiden Angaben durchaus sinnvoll vereinen können. In Poitiers — wie immer man über diese Tatsache denken mag — war Haimhramn „episcopus civitatis", dessen Wirken stark von seinen temporalen, vom König übertragenen Aufgaben bestimmt war. In Baiern hatte er diese Welt „hinter sich gelassen", er war seit seinem Fortgang aus Aquitanien ein „peregrinus" geworden, dessen Wanderschaft eine Form der Askese darstellte [37], die auch seine übrige Tätigkeit bestimmte: es ist charakteristisch, daß Haimhramn in Baiern keinen festen Sitz hatte, sondern lehrend und beispielgebend umherzog und alle Angebote des Herzogs, eine organisierte Wirksamkeit mit seiner Unterstützung zu entfalten, ablehnte. Der Typ, wie ihn Haimhramn verkörperte, war sicherlich seit dem späten siebenten Jahrhundert ein Anachronismus —

---

werden sollte. Dazu Arnold P ö s c h l, Bischofsgut und Mensa episcopalis. Ein Beitrag zur Geschichte des kirchlichen Vermögensrechtes. 1. Teil. Die Grundlagen; zugleich eine Untersuchung zum Lehensproblem (1908) 13.

[33] Graus, Merowinger 138 und 299 f.

[34] Sprandel, Adel 13 und 76.

[35] I 12, Sp. 428; dazu auch Heinzelmann, Bischofsherrschaft 199.

[36] Merowinger 121 ff.

[37] Vgl. Jean L e c l e r c q, Mönchtum und Peregrinatio im Frühmittelalter, in: Römische Quartalschrift 55 (1960) 214.

vielleicht nicht in Gebieten, die einer wirklichen christlichen Durchdringung noch harrten. Im Frankenreich selbst begegnet uns der karitativ-abstinente Bischof am ehesten zu dieser Zeit noch im Süden, v. a. in der Auvergne oder Provence [38].

Es gilt auch zu unterscheiden zwischen der mehr auf ihrer privaten Initiative beruhenden sozialen Wirksamkeit der Bischöfe und ihrer offiziellen Fürsorgetätigkeit. Germanus von Paris etwa verkörpert den Bischof, der unermüdlich im Sammeln für die Armen war. Was er vom König bekam, gab er an die Armen weiter. Dabei legte er genau Rechnung: so wollte er einmal dreitausend Solidi Childebert I. zurückgeben, weil er nicht genug Bedürftige gefunden habe [39]. Ein anderes Mal heilte er in Nantes Kranke, worauf ihm die Kaufleute der Stadt eine Geldsumme brachten, „ad dispensandam pauperibus" [40]. Der Bischof war über den Einzelfall hinaus die Stelle, an die man sich wandte, wenn man den Armen eine größere Spende zukommen lassen wollte. Bischöfe, die über ein beträchtliches Privatvermögen verfügten, bewiesen ihre Mildtätigkeit natürlich noch mehr, wenn sie dieses für die Armen verwendeten [41]. Eucherius von Orléans verteilte selbst in der Verbannung wertvolle „suppellectilia" an die „indigentes" [42]. Der große Nicetius von Lyon stellte sogar einem Armen ein Schreiben aus, in dem er die Gläubigen aufforderte, diesem Almosen zu reichen. Wirklich erhielt der arme Mann eine beachtliche Summe, als er nach dem Tode des Bischofs dessen Brief vorwies. In einem Walde ausgeraubt, wandte er sich wieder an den Bischof der Stadt, der ihm beim Grafen schließlich zu seinem Recht verhalf [43]. Arbeiteten hier „episcopus" und „comes" bei der Unterstützung der Armen zusammen, so mußten sonst die Bischöfe die Armen vor bösen Richtern beschützen [44]. Abgesehen von den Versuchen, die wirtschaftliche Not der armen Bevölkerung zu lindern, war der Einsatz für diese gegen die Übergriffe der Mächtigen nicht gerade häufig: hier war dem Bischof die sippenmäßige Zugehörigkeit oft näher als die christliche

---

[38] Bonitus von Clermont etwa entsprach diesem Typus. Zum „neuen" Bischof als „kriegerischem Feudalherrn" Sprandel, Adel 69.

[39] Vita Germani auct. Venant. Fort. c. 13, 382.

[40] Ebendort c. 47, 401 f.

[41] So z. B. Leodegar von Autun. Wilfrid von York hinterließ einen Schatz, von dem er ihnen ein Viertel testamentarisch zusprach (Vita c. 62, 258). Eligius von Noyon behielt hingegen trotz eifriger sozialer Fürsorgetätigkeit ein großes Vermögen; (Vita II 15, 702).

[42] Vita Eucherii c. 9, 51.

[43] Gregor von Tours, LVP VIII 9, 699 f. Der Bischof war Fronimius, der zwischen seiner Flucht aus Agde und der Übernahme des Bistums Vence sich in Lyon aufgehalten zu haben scheint.

[44] Das betont z. B. Gregor von Tours im Nachruf auf den Bischof Maurilius von Cahors; HF V 42, 249.

Haltung. Eine Ausnahme war Nicetius von Trier, wie die Geschichte des Einzugs in seine Bischofsstadt beweist [45].

Einem Bischof, der die Armen unterstützt hatte, wurde die Anhänglichkeit auch über den Tod hinaus bewahrt; viele Arme folgten seinem Sarge, wobei sie unter Umständen aus dem Anlaß Speise und Trank erhielten [46]. Freien Tisch hatten die Bedürftigen (anscheinend nicht nur die matricularii!) wie auch die Fremden, an manchem Bischofshof: so waren etwa dem Bischof Bonitus von Clermont Leute, die eine „sordida vestis" trugen, besonders willkommen [47].

Zum Amt des Bischofs gehörte die Versorgung nicht nur der Armen mit Lebensmitteln. In den Variae Cassiodors finden sich einige Stellen, aus denen hervorgeht, daß die Bischöfe an der Preisregelung für Getreide beteiligt waren oder die Verteilung übernahmen [48]. Daß man einer Stadt, in der die Nahrungsmittel knapp waren, half, indem man dem Bischof welche sandte, scheint allgemeine Auffassung gewesen zu sein. So dirigierten die Burgunderkönige Gundobad und Sigismund drei Getreideschiffe zu Caesarius von Arles, als diesem die Nahrungsreserven auszugehen drohten [49]. In manchen Fällen spiegelt sich in diesem wichtigen Amt allerdings auch die reale Stadtherrschaft des Bischofs wieder. Caesarius von Arles war nicht nur als Bischof für soziale Angelegenheiten zuständig, er war nicht nur ein Mann von hoher Geltung weit über den engeren Bereich seines Wirkens hinaus, sondern auch die einzige politische Konstante in Arles, einer Stadt, die in der ersten Hälfte des sechsten Jahrhunderts wiederholt ihre politische Zugehörigkeit und damit die weltliche Beamtenschaft wechselte [50].

Die offizielle Armenpflege seitens des Bischofs gipfelte meist in der Errichtung von Armen- oder Fremdenhäusern. Ursprünglich wohl im Anschluß an die „domus episcopalis" oder bei einem Kloster erbaut, hatten sie verschiedene Funktionen zu erfüllen. Die Übergänge zwischen ptochium (Armenhaus),

---

[45] Er vertrieb die Pferde seiner Begleiter, die diese in den Feldern armer Bauern rücksichtslos weiden ließen und drohte ihnen dafür die Exkommunikation an! Gregor von Tours, LVP XVII 1, 728 f.

[46] So wies Ansoald von Poitiers, als er vom Herannahen des Leichenzuges Bischof Leodegars hörte, seine Diener an, „daret habundantiam vini, unde pauperes et vulgus reliquum, qui commitabantur sancto corpore, habere potuissent ad refocilandum se refectionem"; Passio Leudegarii II, c. 27, 351. Ob unter diesen pauperes ausschließlich die „matricularii" gemeint sind, die von den gewöhnlichen Armen unterschieden werden (vulgus reliquum), kann nur vermutet werden.

[47] Vita Boniti c. 8, 123. Ansbert von Rouen speiste bei „convivia" mit besonderer Vorliebe bei den „ignobiles" oder „pauperes"; Vita Ansberti c. 16, 630.

[48] IX 5, 271; XI 12 (3), 341; XII 27, 383.

[49] Vita Caesarii II 9, 487.

[50] Über die „faktische" Stadtherrschaft des Caesarius von Arles siehe Prinz, Bischöfl. Stadtherrschaft 17.

nosokomium (Krankenhaus) und xenodochium (Fremdenhaus) waren fließend[51], selten werden derartige Stiftungen nur e i n e m sozialen Zweck gedient haben[52]. Darüber wird noch zu sprechen sein. Im Gegensatz zu anderen sozialen Aufgaben wurde der Armenpflege bei den fränkischen Synoden öfters gedacht, und es wurden entsprechende Bestimmungen erlassen[53]. Anscheinend wurden diese auch befolgt und erreichten eine beachtliche Wirkung, da im merowingischen Frankenreich das wandernde Bettlertum im Gegensatz zu den Verhältnissen vorher (oder gar im späten Mittelalter) keine Rolle spielte[54].

Eine besondere Gruppe Armer, die in enger Beziehung zur Bischofskirche und deren Patron stand, sind die bereits genannten „matricularii". Sie waren eine privilegierte Minderheit. Ihr Vorsteher war der Martyrarius. Über ihre Funktionen und ihre Stellung gingen die Meinungen lange auseinander; sie wohnten in der „matricula", einem Armenhaus, das im Anschluß an Kirchen und Klöster vor allem bedeutender Wallfahrtsorte entstanden ist. Sie scheinen unter Umständen auch als eine Art Leibgarde verwendet worden zu sein; jedenfalls vergrößerten sie das Gefolge des Bischofs. Dabei kamen ihnen wohl Aufgaben zu, die darin bestanden, dem bischöflichen Auftreten den erforderlichen Rahmen zu verleihen, und als lebendige Beispiele seiner „caritas" zu dienen. Im übrigen dürften sie auch als eine Art von „Claqueuren" gewirkt haben, denen es oblag, die gleichsam offiziellen Handlungen des Bischofs mit anspornendem Beifall zu begleiten. Auf diese Weise gehörten sie zu den Vermittlern bischöflicher Schaudevotion und mittelbar zu denen, welche die im Bischof wirkende „virtus" des Heiligen verdeutlichten. Dem Diözesan- oder Kirchenpatron hatten sie ja ihr Leben geweiht. Eine ausführliche Behandlung der mit ihnen zusammenhängenden Fragen muß sich der Verfasser jedoch an dieser Stelle versagen[55].

---

[51] Plöchl, Kirchenrecht 1, 268.

[52] Wie das xenodochium des Abtes Geremar von Flavigny, das ein regelrechtes Armenhaus (ohne Spital oder Fremdenherberge) war; (Vita Geremari abbatis Flaviacensis, ed. Bruno Krusch, MGH SS rer. Merov. 4, 1902, c. 15, 632 a).

[53] I Orléans (511) c. 16; V Orléans (549) c. 21; II Tours (567) c. 5; IV Lyon (583) c. 6; II Mâcon (585) c. 11.

[54] Dafür sorgten die vorgenannten Synodalvorschriften; vgl. Loening, Kirchenrecht 2, 243 und Weber, Kulturgeschichtl. Probleme 394.

[55] Die bisherige Literatur über die „matricularii": Loening, Kirchenrecht 2, 244; A. Hauck, Kirchengeschichte 1, 220; Werminghoff, Verfassungsgeschichte 22; Pöschl, Bischofsgut 105 ff.; Weber, Kulturgeschichtl. Probleme 394; Prinz, Bischöfl. Stadtherrschaft 31 und neuestens Egon B o s h o f, Untersuchungen zur Armenfürsorge im fränkischen Reich des 9. Jahrhunderts, in: Archiv für Kulturgeschichte 58 (1976) 280 ff. — Grundlegend sind jedoch die Untersuchungen von Lesne, Propriété 1, 370 ff. und vor allem (in zusammengedrängter Form) von Michel R o u c h e, La matricule des pauvres. Evolution d'une institution de charité du Bas Empire jusqu' à la fin du Haut Moyen Age, in: Études sur l'histoire de la pauvreté 1 (Publications de la

Fremde waren ebenfalls auf die Betreuung durch den Bischof und seine Helfer angewiesen, wenn sie keine hochmögenden Gastgeber in der Stadt hatten. Sie wurden im xenodochium untergebracht, falls ein solches vorhanden war. Speisen scheinen ihnen von der bischöflichen Tafel gebracht worden zu sein [56]. Es konnte aber auch sein, daß sie im Bischofshaus selbst ihre Verpflegung fanden, zusammen mit den in der Stadt ansässigen Armen [57].

Eng mit der Armen- und Fremdenfürsorge war die Betreuung der Kranken verbunden. Es gehörte ja schon zur Pflicht des Geistlichen, Kranke zu besuchen, und es ist erstaunlich, wie wenig man darüber in den Quellen findet. War es die Selbstverständlichkeit dieser Christenpflicht, daß man Krankendienst der Bischöfe oder Äbte nicht verzeichnete, oder fiel diese einfache Form der Krankenbetreuung gegenüber den Wunderheilungen und der organisierten Sozialfürsorge nicht ins Gewicht? Auch in den katalogartigen Aufzählungen der positiven Eigenschaften der Bischöfe finden sich darauf kaum Hinweise [58].

Jedenfalls erfahren wir aus den Quellen fast ausschließlich über die Xenodochien. Wie wir gehört haben, bezeichnet dieses Wort eigentlich die Herberge für Pilger und Reisende. Sie wurden „more orientalium" errichtet und begannen ab dem sechsten Jahrhundert die Bedeutung von Krankenanstalten anzunehmen. Diese hießen im Osten Nosokomien, ein Wort, das sich im Westen schließlich aber nicht durchsetzte [59]. Die früheste Nachricht einer solchen Stif-

---

Sorbonne. Série Études 8, 1974) 83 ff. Die Anfänge der „matricularii" liegen in der Spätantike: auf dem Konzil von Agde (506) c. 2 werden sie als etwas schon lange Bestehendes genannt. Die ersten Erwähnungen in gallischen Städten finden sich in Reims (vor 471), dann erst im 6. Jahrhundert (Laon 520). An Kathedralen gab es naturgemäß mehr in die matricula eingetragene Arme als etwa an einfachen Oratorien; Rouche 89 ff., die Kategorien der Armen ebendort 91. John H. C o r b e t t, The Saint as Patron in the work of Gregory of Tours, in: Journal of Medieval History 7 (1981) 10, bringt Beispiele von „servi", die durch Heilige von ihren Gebrechen befreit wurden und sich daraufhin ihrem Dienst („patrocinium, servitium") weihten. Gerade diese Formulierung scheint mir auf „matricularii" zu deuten (oder eine ähnliche Kategorie Armer, Bedürftiger, die niedere Dienste an der Kultstätte verrichteten). Um „clerici", wie Corbett meint, handelt es sich gewiß nicht!

[56] Vgl. die Vita Desiderii Cadurc. c. 33, 590, wonach zwei Kleriker damit beauftragt wurden, den Fremden Speise und Trank zu bringen.

[57] Über Caesarius von Arles wird berichtet: „... in domo vero ecclesiae suae, sicut illo praesente, ita absente, convivium semper praeparatum est clericis sive q u i b u s c u m q u e a d v e n i e n t i b u s"; Vita I 62, 483. Ähnlich die Vita Boniti c. 8, 123.

[58] Über Ursmar von Laubach-Lobbes wird gesagt, daß er „diligebat visitare infirmos"; Vita c. 7, 460. Im allgemeinen waren damit Diakone befaßt.

[59] Plöchl (wie Anm. 51), Pöschl, Bischofsgut 111; Weber, Kulturgeschichtl. Probleme 393 f. und Boshof, Armenfürsorge 282. Als lateinisches Wort wurde dafür (domus)hospitalis, hospitale oder hospitium verwendet; auch aus dieser Bezeichnung erkennt man die Herkunft dieser Einrichtung aus der Herberge.

tung für die Kranken erhalten wir aus der Vita des Caesarius von Arles. Dieser ließ in seiner Bischofsstadt ein weiträumiges Haus für jenen Zweck errichten, stattete es mit zahlreichen Betten und Decken aus und stellte auch die Mittel zur Verfügung, die Kranken zu behandeln [60]. Das Gebäude muß an die Kirche angebaut gewesen sein, da die Kranken imstande waren, die Messe „sine strepitu aliquo" von ihrem Lager aus zu hören. In der Regel waren diese „hospitia" also mit Kirche oder Kloster verbunden, doch wurden manche dieser frommen Stiftungen bedeutender als die angeschlossene Kongregation, sie konnten selbständig Privilegien erwerben [61]. Über diese Wohltätigkeitsanstalten hatte der Bischof ein Aufsichtsrecht, wenn das Krankeninstitut einen eigenen Vorsteher hatte, einen „xenodochus", so mußte dieser dem Bischof einen Rechenschaftsbericht über seine Verwaltung geben [62]. Eine bedeutende Stiftung des siebenten Jahrhunderts, über die wir unterrichtet sind, war das xenodochium, welches Bischof Praeiectus von Clermont erbauen ließ. Er errichtete es auf seinen Eigengütern, selbständig, ohne Beziehung zu einem Kloster. Es bot zwanzig Kranken Platz, die dort mit allem Notwendigen versorgt wurden; Ärzte und Pfleger wurden gleichfalls von Praeiectus angestellt, der somit einen regelrechten Spitalsbetrieb eingerichtet zu haben scheint [63]. In Poitiers stiftete Bischof Ansoald ein Spital für zwölf arme Kranke, in Autun ließ Bischof Syagrius eines einrichten, wobei er die Königin Brunhild unterstützte [64]. Die Gründung von Xenodochien dürfte recht verbreitet gewesen sein, da sich in den Formulae Marculfi (II 1) ein Formular dafür erhalten hat. Karitative Tätigkeit großen Formats stand natürlich dem König besonders an: herrscherliche Aufgaben und christliche Vorstellungen (Almosen tilgt Sünden) waren dafür die Ursache. Dennoch ist uns im Reich der Merowinger neben der schon erwähnten Gründung Brunhilds vor allem ein xenodochium bekannt, das auf königliche Stiftung zurückgeht. Wie nicht anders zu erwarten, errichtete es der der Kirche sehr zugetane Childebert I. zusammen mit seiner Gemahlin Ultrogotho in

---

[60] Vita Caesarii I 20, 464.

[61] Pöschl, Bischofsgut 112.

[62] Vgl. den Brief Gregors d. Gr. an Bischof Januarius von Cagliari (Epp. IV 24, 258).

[63] Passio Praeiecti c. 16, 235.

[64] Dazu Henri L e c l e r c q, Poitiers, in: DAC 14/1 (1939) Sp. 1283. In Autun war die Stiftung (602) mit einem Männerkloster vereint. Dafür ist ein Privileg Papst Gregors d. Gr. überliefert (Epp. XIII 11, 376 ff. = Jaffé 1875). Siehe auch Boshof, Armenfürsorge 281. Über die Bedeutung des Formulars dieser Urkunde Egon B o s h o f—Heinz W o l t e r, Rechtsgeschichtlich-diplomatische Studien zu frühmittelalterlichen Papsturkunden (Studien und Vorarbeiten zur Germania Pontificia 6, 1976) 72 ff. Einen beachtlichen Umfang scheint auch das Leprosenhaus Bischof Agricolas von Chalon-sur-Saône außerhalb der Stadt gehabt zu haben; Gregor von Tours, Liber in gloria confessorum (Gloria confess.) c. 85, 802 f.

Lyon [65]. Es wurde jedoch nicht dem Bischof dieser Stadt zur Aufsicht anvertraut, sondern alle Bischöfe, die auf der 5. Synode von Orléans 549 zugegen waren, garantierten den Schutz dieser Anstalt gegenüber jedem „necator pauperum" [66]. Die Interessen der Armen sollten auch die der Bischöfe sein.

Eine der wichtigsten Aufgaben des Bischofs auf sozialem Gebiet war die Gefangenenfürsorge. Auf vielen fränkischen Synoden wird darauf Bezug genommen. Wir müssen dabei die Sorge für politische Gefangene, d. h. Kriegsgefangene, von der alltäglichen Betreuung der vom Grafen oder anderen weltlichen Beamten zur Kerkerhaft Verurteilten unterscheiden. Der Bischof mußte nicht nur Kriegsgefangene betreuen, er nahm auch Flüchtlinge auf und versorgte sie mit allem, was sie brauchten, um bald wieder in die Heimat zurückkehren zu können [67]. Vorbildlich war in dieser Hinsicht das Wirken Bischof Caesarius von Arles. Während der gotisch-fränkisch-burgundischen Wirren, die seine Bischofsstadt und deren Umland betrafen, war er unermüdlich für die Gefangenen tätig. Diese Unglücklichen drängten sich in der Kirche und in der „domus episcopalis", und Caesarius war bestrebt, ihre Not zu lindern, wo er konnte. Den Kirchenschatz seines Vorgängers Aeonius soll er bis zum letzten Stück ausgegeben haben, um Nahrung und Kleidung für die Gefangenen anzuschaffen; manche konnte er sogar freikaufen. Caesarius machte keine Unterschiede nationaler oder religiöser Art; Vorwürfen, denen er sicher ausgesetzt war, da es sich bei den Gefangenen ja um „infideles" — Arianer oder auch Heiden — handelte, begegnete er nur mit dem Hinweis, daß auch Christus das Brot nicht in ein goldenes oder silbernes Gefäß getaucht habe [68]. Anläßlich seines Aufenthaltes in Ravenna und Rom gelang es dem Bischof, Kriegsgefangene, die von den Goten nach Italien verschleppt worden waren, freizukaufen. Um ihnen die Rückkehr nach Burgund zu ermöglichen, ließ er Wagen und Zugvieh besorgen. Als ihm die Mittel auszugehen drohten, zögerte er nicht, einen sechzig Pfund schweren Silbertisch, den ihm König Theoderich geschenkt hatte, zu verkaufen [69]. Ähnlich großzügig und vorbildlich handelte Bischof Epiphanius von Pavia, der sich auf sozialem Gebiet hervortat, als es in den kriegerischen Auseinandersetzungen zwischen Orestes und Odowakar zu Not und Elend kam. Es gelang ihm, viele vor der Gefangenschaft zu bewahren; besonders „matres fami-

---

[65] V Orléans (549) c. 13, c. 15.

[66] Eine ähnliche Bestimmung findet sich auch bei der Synode von Chalon-sur-Saône (639—654) c. 7.

[67] Ausgeklammert bleiben hier Fälle, in denen der Bischof als Haupt einer politischen oder militärischen Partei handelte. So nahm Ansoald von Poitiers Flüchtlinge auf, die im Kampf gegen Ebroin hatten weichen müssen, dessen politischer Hauptgegner er zusammen mit dem dux Lupus von Aquitanien gewesen sein dürfte. Dazu Levillain, Succession 81.

[68] Vita Caesarii I 32, 469.

[69] Ebendort I cc. 37, 38, 471 f.

lias" versuchte er um jeden Preis freizukaufen [70]. Es ist dies ein Zeugnis großer Menschlichkeit, da man ja von einem spätantiken Bischof im allgemeinen
keine allzu positive Haltung gegenüber der Frau erwarten würde. Von Bischof
Bonitus von Clermont wird berichtet, daß er von einer Pilgerreise nach Italien
eine Anzahl Gefangener mit nach Hause brachte, die er dort freigekauft hatte [71].

Nicht immer gingen die Befreiungsaktionen jedoch vom Bischof selbst aus.
Verzweifelte Menschen wandten sich gelegentlich an diesen, um gefangene Angehörige mit finanzieller Unterstützung des Bischofs auslösen zu können. Caesarius von Arles hatte seine Mittel für den Zweck gänzlich aufgebraucht, so daß
ihm einmal nichts anderes überblieb, als eine Kasel, die er zum Osterfest zu
tragen pflegte, dafür herzugeben. Ebenso wie Germanus von Paris das wertvolle Pferd, welches ihm der König Childebert I. geschenkt hatte, „donat in
praetio", obwohl ihn der König ersuchte, einmal ein Geschenk selbst zu behalten [72]. Freilich sind die beiden letzten Beispiele schon der Anekdote sehr nah:
sie zeigen nicht nur die Selbstlosigkeit, die ein Bischof von Amts wegen haben
sollte und die im Idealfall ohne Grenzen war [73], sondern auch die Unabhängigkeit des Bischofs vom König, dessen Stimme mitunter weniger Gewicht hatte,
als die eines hilfebedürftigen Armen. Dennoch werden wir die beiden Begebenheiten nicht ins Reich der Topik weisen, da sie aus der Situation heraus verständlich und im größeren Zusammenhang sinnvoll sind. Die Realität ist durchaus gewahrt, wenn auch die bestimmende Tendenz der beiden Geschichten ersichtlich ist.

Schlechter ist die Quellenlage, wenn es um die Befreiung gewöhnlicher
Gefangener geht. Überliefert ist genug, doch bewegt sich das meiste in der
Sphäre der übernatürlichen Begebenheiten, der Wunder. Wenn man sich zusätzlich vergegenwärtigt, daß die Gelegenheiten, eingekerkert zu werden, im
allgemeinen recht häufig waren, für die kleinen Leute noch ungleich mehr, so
ist es verständlich, daß die Befreiung Gefangener „une des bonnes oeuvres les
plus nécessaires et les plus fréquentes de l'époque" war [74]. Die richtige kri-

---

[70] Vita Epifani 99, 96.

[71] Vita Boniti c. 25, 132.

[72] Vita Caesarii I 44, 474; Vita Germani auct. Venant. Fort. c. 22, 385.

[73] Die Gefangenenbefreiung gehört unbedingt zu den Ausdrucksformen der
bischöflichen virtutes. Die Abgrenzung zum literarischen Topos ist in solchen Fällen
oft schwer; vgl. Lesne, Propriété 1, 362 ff.; František G r a u s , Die Gewalt bei den
Anfängen des Feudalismus und die „Gefangenenbefreiungen" der merowingischen
Hagiographie, in: Jahrbuch für Wirtschaftsgeschichte 1 (1961) 61 ff. und Heinzelmann,
Neue Aspekte 38.

[74] Etienne D e l a r u e l l e , La spiritualité des pélerinages à Saint-Martin de
Tours du Ve au Xe siècle, in: Pellegrinaggi e Culto dei Santi in Europa fino alla I^a
crociata (Convegni del Centro di Studi sulla spiritualità medievale 4, 1961) 229.

tische Wertung von Befreiungsberichten in Viten und anderen Werken der Geschichtsschreibung aus merowingischer Zeit ist sehr schwierig, weil einerseits das Geschilderte einen hohen Grad von Realität beanspruchen darf, andererseits aber gerade deshalb eine Anwendung bischöflicher „virtutes" in all ihrer Perfektion evoziert. Der Verfasser der Vita gerät hier stark in Versuchung, reales Geschehen als Vorwand für literarische Topik zu nehmen.

Schon im Codex Theodosianus (IX 3,7) wird der Bischof mit der Gefängnisaufsicht betraut. Diese amtliche Stellung wurde durch das Fehlen staatlicher Stellen, die derlei soziale Aufgaben wahrnahmen, im Merowingerreich noch verstärkt. Die Bischöfe wurden verpflichtet, an die Gefangenen Lebensmittel verteilen zu lassen, überdies sollte der Archidiakon diese jeden Sonntag besuchen [75]. Vor Gericht waren die Gefangenen ebenfalls auf den bischöflichen Beistand angewiesen. Das geht unter anderem aus der Vita des Germanus von Paris hervor, als dieser typische „Gefangenenheilige", der es als Lebensaufgabe betrachtete, täglich mindestens einen Gefangenen loszukaufen, sich bei Nicasius, dem Grafen von Avallon, aufhielt [76]. Von diesem zum Essen eingeladen, forderte Germanus den Grafen auf, die bei ihm verwahrte „multitudo reorum" von den Fesseln zu befreien, nachdem er selbst Bürgen angeboten hatte. Als der Graf entschieden ablehnte, warf sich Germanus auf den Boden (unter dem das Gefängnis lag) und flehte zu Gott um die Befreiung der Gefangenen. Ein Engel öffnete diesen in der Nacht die Gefängnistür, sie eilten nach Paris zu ihrem Wohltäter. Da es sich bei den Gefangenen um Schuldner handelte, spendete schließlich der König Germanus das Geld, das jene dem Fiskus schuldeten. Die Stelle ist sehr interessant, weil sie zu den wenigen Berichten über Gefangenenbefreiungen gehört, die zumindest teilweise die bischöflichen Funktionen in einer solchen Angelegenheit erkennen lassen. Die Widersprüche der Schilderung, die durch die gewaltsame Einfügung des Wunders entstehen, können den realen Inhalt nicht ganz verdecken. Der Bischof bietet dem Grafen Eideshelfer an und muß schließlich die Schulden der Befreiten an den Fiskus bezahlen. Daß dabei der König helfend einspringt, ist in dieser Form sehr unwahrscheinlich und entspricht der üblichen Vitentopik [77]. Anliegen des Bischofs mußte es sein, dem in heidnischen Vorstellungen wurzelnden Sühnerechtsdenken die Prinzipien des christlichen Gnadenrechts entgegenzustellen. So würde die rechtsgeschichtliche Interpretation jener Stelle lauten, die von der wunderbaren Befreiung Gefangener durch den Bischof gegen den Willen des Grafen handelt. Auf Grund der Befreiung hatte Germanus aber auch eine Gefolgschaft gewon-

---

[75] V Orléans (549) c. 20.

[76] Vita auct. Venant. Fort. c. 30, 390.

[77] Er hätte die Schulden nachlassen können, was doch wesentlich einfacher gewesen wäre.

nen, die seine Macht vermehrte. Es scheint dies ein vom Bischof nicht ungern
gesehener Nebeneffekt der sozialen Aufgabe gewesen zu sein [78]. Systematisch
und juristisch einwandfrei ging der heilige Eligius in dieser Angelegenheit vor.
Er stellte die bisher Gefangenen dem Könige vor, dieser ließ sie durch Schatz-
wurf frei, eine Urkunde wurde darüber ausgestellt: dann konnten jene — mit
Proviant versorgt — in ihre Heimat zurückkehren oder beim Bischof, als seine
Gefolgschaft, bzw. in einem seiner Klöster, bleiben [79]. Bei Eligius von Noyon
ging die Sorge um die Gefangenen noch über deren Tod hinaus. Zwei Diener
begleiteten ihn stets mit Hacke und Schaufel, um allenfalls die Leichen Hinge-
richteter begraben zu können [80].

Das Grundthema aller Gefangenenbefreiungen ist der Konflikt zwischen
Graf bzw. Richter und Bischof. Er spiegelt wohl die große Rechtsunsicherheit
und vielleicht auch eine weitverbreitete richterliche Willkür wider, unter der
die kleinen Leute wohl stark zu leiden hatten [81]. Doch kommt dazu sicher noch
ein legendenhaftes, romanhaftes Element, eine Auseinandersetzung zwischen
dem Bösen und dem Guten, dem ja auch die topische Schwarz-Weiß-Zeichnung
der beiden Protagonisten entspricht. Jedesmal triumphiert der gute, alles ver-
zeihende Bischof, der sich bei aller Demut im Besitz der himmlischen Unterstützung weiß, über den brutalen weltlichen Machthaber, der auf die harten
irdischen Gesetze und ihre strenge Auslegung pocht. Über diese dramatische
Grundsituation erheben sich die wunderbaren Gefangenenbefreiungen nie. Nur
die Details wechseln, ebenso die örtlichen Gegebenheiten [82]. Manches enthält
zweifellos Schwankmotive [83].

---

[78] Dazu auch Prinz, Bischöfl. Stadtherrschaft 30.

[79] Ähnlich ging auch Amandus vor; doch wird von ihm noch zusätzlich von
Taufe und Unterricht der Befreiten oder Losgekauften berichtet. Weber, Kulturgeschichtl. Probleme 400.

[80] Vita Eligii I 31, 687. Aus der späten Vita des heiligen Leonhard erfährt man,
daß dieser eine Art Arbeitstherapie für freigelassene Verbrecher zu deren Re-
sozialisierung einführte. Er siedelte sie an, gab ihnen Land zur Bebauung und Wälder
zur Rodung; Vita Leonardi confessoris Nobiliacensis (ed. Bruno Krusch) MGH SS
rer. Merov. 3 (1896) c. 8, 398.

[81] So Weber, Kulturgeschichtl. Probleme 398 f.

[82] Graf oder Hausmeier verweigern die Begnadigung eines Gefangenen (Vita
Gaugerici cc. 7, 9, 654 f.); Dalmatius von Rodez begegnet einem Verurteilten auf
dem Wege (Vita Dalmatii episcopi Ruteni, ed. Bruno Krusch, MGH SS rer. Merov. 3,
1896, c. 9, 548); Germanus von Paris befreit durch ein Gebet Gefangene in Orléans
(Vita c. 67, 412 f.); dem aus der Verbannung zurückkehrenden Lupus von Sens gehen
zahlreiche ehemalige Gefangene entgegen, die er einmal aus ihren Ketten befreit
hat (Vita c. 17, 184); der bereits gestorbene Bischof befreit durch ein Wunder
flehende Eingekerkerte (Gregor von Langres: LVP VII 3, 689; Melanius von Rennes:
Vita c. 7, 375; Nicetius von Lyon: LVP VIII 10, 700).

[83] Z. B. die Befreiung von „aliqui pueri" aus der Hand eines Sklavenhändlers
durch Bischof Gaugerich von Cambrai; Vita c. 12, 656 f.

Das Problem, ob die Gefangenen zurecht eingekerkert waren, stellt sich dem Verfasser der Berichte nicht. Die bischöfliche Barmherzigkeit deckt alle Bedenken dieser Art zu, die christliche Milde trifft ohne Unterschied Gerechte und Ungerechte. Das Bitten und Flehen der Gefangenen mußte sie als reuige Sünder erscheinen lassen, denen gegenüber der hartherzige Richter noch schlechter aussah. Das populäre Denken der Zeit bewegte sich in Extremen: Die recht harten Strafgesetze auf der einen Seite, die vollkommene Tilgung der Schuld durch Gnade, die in Christus ihre Wurzel hatte, auf der anderen Seite. Die gerechte Strafe, durch deren Ausschaltung eigentlich das geschützte Rechtsgut, letztlich die gesamte Friedensordnung, neuerlich verletzt wurde, hatte dagegen keine Bedeutung. Vom Zusammenprall der germanischen mit den christlichen Rechtsanschauungen haben wir schon gesprochen. Gregor von Tours gibt ein besonders deutliches Beispiel dieses Konflikts bei der Schilderung einer Gefangenenbefreiung durch den Abt Eparchius von Angoulême (HF VI 8). Die von alters her bestehende Angst vor dem Zorn der unbefriedigten Gottheit wirkte in der merowingischen Zeit zweifellos weiter: auch der neue christliche Gott wurde wohl nicht anders verstanden. Es ist wenig wahrscheinlich, daß die Bischöfe bei ihren Gefangenenlösungen immer mit dem Beifall der Volksmenge rechnen konnten. Alles das ist jedoch dem christlichen Gallorömer Gregor von Tours nicht bewußt. Für seine Lebensanschauung ist es undenkbar, einem hervorragenden Diener der Kirche, einem Bischof, auf dessen Wunsch einen Verurteilten zu verweigern. Dahinter war die feindliche Gewalt des ewigen Widersachers zu vermuten. Der Teufel konnte aber überwunden werden: durch die Macht des Heiligen. Dieser mußte im Bischof wirken, seine „virtutes", seine „δυνάμεις" kamen in den überlegenen Handlungen des Bischofs zum Ausdruck. Das Wunder war die Antwort auf die durch Einflüsterung des Teufels gezeigte feindselige Verstocktheit der Richter. So wurde der Bischof als Vermittler oder besser noch Träger der großen Macht des (toten) Heiligen auch zum nahezu ebenbürtigen Gegenspieler des Königs. Die Gefangenenbefreiungen zeigen den Bischof als vorbildlichen Christen, von seiner Stellung als Exponent der adeligen Gesellschaft ist hier vordergründig nichts zu merken. Ob dahinter eine besondere Adelsqualität gemeint ist, scheint mir nicht sicher, auch wenn man annimmt, daß Adel u n d Christentum im Bischof zur höchsten Synthese gelangt sind.

Auf den Epitaphien gallischer Bischöfe werden neben der karitativen Tätigkeit stets die Erbauung von Kirchen sowie deren Restaurierung als typische Aufgaben des Bischofs erwähnt [84]. Doch ist damit nur der Teilaspekt einer Wirksamkeit erfaßt, der zum Bilde des vorbildlichen Christen paßte. Die Bi-

---

[84] Dazu Heinzelmann, Bischofsherrschaft 240 f.

schöfe der Merowingerzeit leisteten Bedeutendes im Wiederaufbau von Städten im allgemeinen und dem einzelner wichtiger Gebäude, die weltlichen Zwecken dienten, im besonderen. Sie schlossen bei ihrer Bautätigkeit an antik-römische Traditionen an und bewiesen Geschmack und Interesse am Detail, wie es nur von Menschen einer reifen Kultur erwartet werden kann. Der Typ des kunstfreudigen Bischofs bezog im siebenten Jahrhundert auch Geistliche germanischer Herkunft mit ein, wie Leodegar von Autun oder Ansbert von Rouen [85]. Diese und andere große Bischöfe der Zeit waren für ihre Stadt rastlos tätig, wobei neben dem weiten Feld sozialer Pflichten die Bauten eine herausragende Rolle spielten [86]. Leodegar etwa ließ die Stadtmauern von Autun in Stand setzen und kümmerte sich bei der Renovierung seiner Bischofskirche um alle Kleinigkeiten, obwohl er neben seinem geistlichen Wirken einige Zeit führender „Minister" des Königs war. Eligius von Noyon verlegte seine Bautätigkeit eher außerhalb seine Stadt: er gründete das Kloster Solignac im heimatlichen Aquitanien, ein Nonnenkloster und eine Kirche in Paris, erneuerte St. Martial in Limoges, dessen Dächer er mit Blei belegen ließ, und verfertigte selbst die Verzierungen mehrerer Prunkgräber [87]. Alle aber übertraf in dieser Hinsicht Bischof Desiderius von Cahors. Als ehemaliger Thesaurar König Dagoberts I. scheint er die nötige Sicherheit in finanziellen Dingen besessen zu haben. Hinzu kamen noch die bedeutenden wirtschaftlichen Mittel, die ihm seine mächtige Familie zur Verfügung stellen konnte. Die Bautätigkeit des Desiderius umfaßte nahezu die ganze Stadt und deren Umgebung. „Castella, aecclesias, domos, portas, turres" ließ er errichten und vergaß auch nicht auf die Ausschmückung der Kirchen und Oratorien [88].

---

[85] Es ist bezeichnend, daß diese Bischöfe alle Verfechter der kolumbanischen Reform waren, seinen Rigorismus in dieser Hinsicht aber nicht übernahmen. Hierbei überwogen wohl die Anschauungen der adeligen Gesellschaft und des Hofes. Caesarius von Arles war (ähnlich wie später Bernhard von Clairvaux) ein Gegner jeglichen Schmucks und aller Kunstwerke in der Kirche; Regula sanctarum virginum c. 42.

[86] Nach Lesne, Propriété 1, 356 war das Bauen für den Bischof „l'exercice d'un pieux devoir", weil sonst niemand dafür zuständig war. Dabei sind allerdings die Funktionen des comes civitatis (wo und solange es ihn gab) übersehen.

[87] Nicht die Grabmale selbst, obwohl es heißt: „... auro argentoque gemmis fabricavit sepulchra ...". Eligius war Goldschmied aber nicht Bildhauer oder Steinmetz; Vita I 32, 688. Zu seiner Tätigkeit als Goldschmied siehe Bleiber, Naturalwirtschaft 102 ff.

[88] Vita Desiderii Cadurc. c. 17, 575; c. 31, 588. In der Ostkirche war die Bautätigkeit der Bischöfe auf Grund der höheren Stadtkultur vergleichsweise noch viel bedeutender. Vgl. etwa die Bauten des Bischofs Nonnos in Edessa; Chronicon Edessenum, in: Chronica minora 1 (ed. J. Guidi) CSCO 2, Scriptores Syri 2 (Löwen 1955) 7 f. (ad annum 458).

Gerade in den von den politischen Umschichtungen der Zeit besonders be-troffenen Gebieten am Rhein haben dadurch die Bischöfe mitgeholfen, die Reste eines städtischen Lebens zu bewahren und für eine neue Entwicklung frucht-bar zu machen [89]. Die verbliebenen Romanen siedelten in der Nähe der christ-lichen Kultbauten, die germanischen Grafen in den alten Pfalzgebäuden. Am Beispiel von Trier hat Ewig gezeigt, daß damit in Ansätzen der spätere Antago-nismus zwischen Bischof und Graf in der Stadt, der damals mit einer ethni-schen Unterscheidung zusammenfiel, bereits angelegt war [90]. Die Stärkung der kirchlichen Einrichtungen hatte zur Folge, daß auch für die Organisation eines Wiederaufbaus die Basis geschaffen wurde. Burgundofaro von Meaux nahm als erster eine Erweiterung seiner Bischofsstadt seit römischer Zeit vor. Erleichtert wurde ihm diese Tätigkeit durch seine Familie, die den pagus Meldensis do-minierte und so der bischöflichen Aktivität jede Unterstützung bieten konnte. Noch früher, ohne Hilfe durch ein mächtiges ansässiges Geschlecht, als Fremd-linge, aber mit königlicher Förderung, erneuerten Sidonius von Mainz und Ni-cetius von Trier das geistliche und städtische Leben ihrer Bischofssitze von den antiken Wurzeln her [91]. Im süddeutschen Raum übernahmen Arbogast von Straßburg und später Hrodbert von Worms-Salzburg dieselbe Aufgabe: dessen Ziel war es, das einst blühende Iuvavum wiederherzustellen [92]. Sidonius und Nicetius „ragen aus der Spätantike herüber" [93]. Beide waren bei Hofe bekannt, beide wohl von Theuderich I. aus Aquitanien an Rhein und Mosel gebracht wor-den [94]. Dessen Enkelin Bertoara lebte eine Zeitlang in Mainz und unterstützte Sidonius bei seinem Aufbauprogramm. Aus den Ruinen ließ er eine neue Stadt

---

[89] Vgl. Edith E n n e n , Einige Bemerkungen zur frühmittelalterlichen Geschichte Bonns, in: Rhein. Vierteljahrsblätter 15/16 (1950/51) 185.

[90] Trier 80 f. und Civitas, Gau, Territorium 508.

[91] Dazu Heinrich B ü t t n e r , Christentum und Kirche zwischen Neckar und Main im 7. und frühen 8. Jahrhundert, in: St. Bonifatius. Gedenkgabe zum 1200. Todes-tag (1954) 366, sowie d e r s ., Frühes fränkisches Christentum am Mittelrhein, in: Archiv für mittelrheinische Kirchengeschichte 3 (1951) 17.

[92] Bischof Arbogast scheint sogar eine antike Ziegelfabrik (für militärischen Bedarf) bei Straßburg erneuert und weitergeführt zu haben; vgl. Franz X. K r a u s , Die christlichen Inschriften der Rheinlande von den Anfängen des Christenthums am Rheine bis zur Mitte des 8. Jahrhunderts (1890) nr. 11, 16. Vita Hrodberti c. 6, 160.

[93] Büttner, Frühes fränk. Christentum 16.

[94] Von Nicetius weiß man, daß er aus Limoges stammte. Bei Sidonius von Mainz ist die Herkunft nicht zu belegen, doch spricht sein Name eindeutig für einen Aquitanier! Unsicher ist auch die Herkunft des Bischofs Ebergisil von Köln. Corsten, Rhein. Adelsherrschaft 105 meint: „Wir haben in ihm das Mitglied einer nordaquitanischen Adelssippe erfaßt, die an ihren auf -gisil endenden Namen zu erkennen ist." Das scheint mir sehr zweifelhaft, da außer dem Grafen von Saintes und späteren Bischof von Bordeaux, Gundegisil, kein Aquitaner bekannt ist, der einen Namen mit diesem germanischen (burgundischen?) Etymon trägt.

erstehen [95], seine bedeutendste Tat war jedoch die Regulierung des Rheins, was auch auf eine Wiederbesiedlung des inneren Bezirks von Mainz während seines Pontifikats deutet [96]. Sidonius erfüllte damit eine Aufgabe, die die bischöflichen Pflichten bereits überstieg, und zugleich auf eine ungewöhnliche Fähigkeit, wirtschaftliche und technische Probleme zu bewältigen, weist. Wer sonst freilich hätte im Mainz des sechsten Jahrhunderts derartige Schwierigkeiten zu meistern verstanden? Öffentliche Aufgaben konnten nur durch die Kirche und ihren wichtigsten Vertreter, den Bischof, erfüllt werden. Im Diözesanklerus stand dem Bischof zwar ein Stab ausgebildeter Beamter für die Verwaltung zur Verfügung, doch für die Arbeiten bei der Eindämmung des Flusses, für die Kirchen- und Profanbauten mußten sicher Arbeitskräfte aus Italien (oder Südgallien) herbeigeholt werden. So ist überliefert, daß Bischof Nicetius von Trier seinen Amtsbruder Rufus von Turin darum bat, Bauleute in Italien anzuwerben [97].

Die gleiche Leistung vollbrachte Felix von Nantes, der der Loire ein neues Flußbett graben ließ. Venantius Fortunatus beschreibt ausführlich die Arbeiten an dieser Flußregulierung und kann sich an schmeichlerischen Worten für seinen bischöflichen Freund, dessen Werke die Taten eines Achill überstrahlen, nicht genug tun [98]. Ebenso schildert uns der Italiener voll Hochachtung den Neubau eines großen Kastells in der Nähe von Trier, den Bischof Nicetius über der Mosel aufführen ließ. Nach den Worten des Venantius handelte es sich um einen wahren Prachtbau mit Wiesen, Gärten und Weingärten, der von einer dreißigtürmigen Mauer umgeben war [99]. „Der Hirt seiner Herde" — wie Nicetius vom Dichter genannt wird [100] — entwickelte hier eine besondere Vor-

---

[95] Venantius Fortunatus, Carm. IX 9, vv. 5—6, 215:

„porrigit ecce manum genitor Sidonius urbi,
quo renovante locum prisca ruina perit".

Dazu Heinemeyer, Erzbistum Mainz 13 f. Ähnlich spricht der Dichter auch über den Bischof Exocius von Limoges, den er einen „treuen Heiler der Wunden der Vaterstadt" nennt (Carm. IV 6, v. 13, 83). Der aktuelle Anlaß war wohl die Verwüstung dieser Gegend durch Theudebert, einen Sohn Chilperichs I. im Jahre 573; dazu Gregor von Tours, HF IV 47, 184 und Dostal, Identität 30.

[96] Heinrich B ü t t n e r, Das fränkische Mainz. Ein Beitrag zum Kontinuitätsproblem und zur fränkischen mittelalterlichen Stadtgeschichte, in: Aus Verfassungs- und Landesgeschichte = FS Theodor Mayer 2 (1955) 242.

[97] MGH EE 3, nr. 21, 133 f. Dazu auch Jochen Z i n k, Die Baugeschichte des Trierer Domes von den Anfängen im 4. Jahrhundert bis zur letzten Restaurierung, in: Der Trierer Dom (1980) 29, der allerdings fälschlich Rufus zum Bischof von Octodurum-Sitten macht.

[98] Carm. III 10, v. 5 f., 62: De domno Felice Namnetico, cum fluvium alibi detorqueret; zu den „paroles flatteuses" siehe Salin, Civilisation mérovingienne 1, 73.

[99] Carm. III 12, 64 f. Zum Bau Mâle, Paganisme 169.

[100] Ebendort v. 20: „... pastor ovile gregi."

13*

liebe für militärische Sicherheit, die ihm zugleich eine Art regionaler Herrschaft garantierte [101]. Eine wesentliche Erleichterung für das allgemeine und wirtschaftliche Leben der Städte bedeutete auch die Wasserleitung: für sie mußte besonders gesorgt werden. Sie lange nach dem Verfall der römischen Herrschaft funktionstüchtig zu erhalten, wird daher ein weitverbreitetes Anliegen gewesen sein.

Desiderius ließ im Rahmen seiner städtebaulichen Leistungen auch die Wasserleitung seiner Bischofsstadt reparieren. Eine Sorgetätigkeit, die auch in Italien dem Bischof oblag [102]. Die wichtigste Aufgabe aber gerade in jenen Zeiten war die Erhaltung und Instandsetzung der Stadtmauern, was auch recht häufig berichtet wird [103]. Zuerst mußte die Sicherheit gegen außen gewährleistet sein, dann war eine gesunde Entwicklung der Stadt möglich. Damit war auch die Verteidigung der Stadt im Kriegsfall verbunden: oft hört man von Bischöfen, die während der Belagerung ihrer Stadt auf den Mauern erschienen und Kreuze oder Reliquien um den Zinnenkranz herumtragen ließen; im Notfall nahmen sie auch aktiv an der Verteidigung teil. Hier stieß die Aufbautätigkeit mit ihren Folgen an die Grenzen des Bischofsamtes, das ja nur die mangelnde Zuständigkeit weltlicher Stellen ersetzen, nicht aber in diesen Aufgaben seinen Hauptzweck sehen durfte.

Die Kontinuität der Stadt im Frühmittelalter verdankt man also weitgehend bischöflichem Wirken. Nirgends entsprachen aber kirchliche Intentionen und Neubelebung des städtischen Lebens einander so sehr wie bei der Erneuerung schon vorhandener oder der Errichtung neuer Kultstätten. Das Zentrum der Stadt verschob sich häufig dahin, während strategisch oder verkehrsmäßig günstiger gelegene Teile nicht bruchlos von der Spätantike zum Mittelalter besiedelt wurden [104]. Nur in Städten am Rande des fränkischen Reiches, die im-

---

[101] Ewig, Civitas, Gau, Territorium 517; Prinz, Bischöfl. Stadtherrschaft 18 f. Über die bauliche Leistung des Nicetius in Trier Theodor Konrad K e m p f, Die vorläufigen Ergebnisse der Ausgrabungen auf dem Gelände des Trierer Domes, in: Germania 29 (1951) bes. 54.

[102] Siehe Variae IV 31, 127 f. König Theoderich fordert den Bischof Aemilianus auf, die Erneuerung eines Aquädukts zu veranlassen: „Nam quid aptius quam ut sitienti plebi provideat aquas sanctissimus sacerdos et humana providentia satiet quos etiam miraculis pascere debuisset?" Der Bischof sei in dieser Funktion Moses zu vergleichen. — Zu den Bauten des Desiderius von Cahors vgl. Mâle, Paganisme 174 und Reinhold K a i s e r, Bischofsherrschaft zwischen Königtum und Fürstenmacht. Studien zur bischöflichen Stadtherrschaft im westfränkisch-französischen Reich im frühen und hohen Mittelalter (Pariser Historische Studien 7, 1981) 56 f.

[103] Etwa Desiderius von Cahors (Vita c. 16, 574) oder Leodegar von Autun (Passio I, c. 23, 304).

[104] Vgl. Ennen, Bemerkungen 184 ff. und Prinz, Bischöfl. Stadtherrschaft 7.

mer wieder feindlichen Angriffen ausgesetzt waren und sich daher von Zer-
störungen nur langsam erholen konnten, setzte sich auch die Bischofsgewalt
nicht entscheidend durch. Sie wurden allmählich aufgegeben, und mit der Ver-
legung der Kultstätte wanderten auch der Bischofssitz und das städtische Leben an einen anderen Ort [105]. Der Bischof hatte selbstverständlich ein starkes
Interesse an der Errichtung von Kirchen: wurden diese häufig besucht, so zog
das weitreichende Konsequenzen für Stadt und Umgebung nach sich. Dazu kam
aber im sechsten Jahrhundert vor allem im Süden Galliens noch ein starkes
Repräsentationsbewußtsein, wie es die senatorischen Geschlechter auszeichnete
und in ihrem ganzen Lebensstil verankert war. Die großen Kirchenbauer der
Zeit sind daher die gallo-römischen Bischöfe, denen der Dienst an Gott auch
Verantwortung gegenüber sich selbst bedeutete. Hierher gehört in besonderem
Maße Leontius II. von Bordeaux, dessen Frau Placidina sich der Ausschmückung
der von ihrem Mann erbauten oder erneuerten Kirchen widmete. Derselbe Geist
sprach aus Bischof Dalmatius von Rodez, dessen immer höheres Wollen ihn
daran hinderte, seine Domkirche der Vollendung zuzuführen [106]. Nicetius von
Trier mühte sich — wir haben auf seinen Wunsch nach italienischen Bauleuten
schon hingewiesen — um den Wiederaufbau des von den Kaisern Valentinian
und Gratian errichteten Trierer Domes, wobei er aber auch der Innenausstat-
tung sein Augenmerk schenkte [107]. Neben diesen Bemühungen, die Domkirche
als wahres Zentrum der Diözese sichtbar zu machen, begann man auch, das An-
denken und den Kult der in den städtischen Gotteshäusern ruhenden Märtyrer
und Konfessoren zu fördern. Um ihre Verehrung zu organisieren und der Gefahr eines raschen Verschwindens des Kultes zu begegnen, wurden häufig re-

---

[105] Am deutlichsten ist diese Entwicklung im Gebiet der heutigen Schweiz zu
verfolgen, wo das Vordringen der heidnischen Alamannen zum Verlassen spätantiker Bischofssitze führte. So zog sich im sechsten Jahrhundert der Bischof von
Augst nach Basel zurück, Vindonissa-Windisch wurde zugunsten von Avenches
aufgegeben, und von dort zog der Bischof nach Lausanne weiter. Vgl. Büttner,
Christentum 365; Marcel B e c k, Die Schweiz im politischen Kräftespiel des merowingischen, karolingischen und ottonischen Reiches, in: Zeitschrift für die Geschichte
des Oberrheins N. F. 50 (1937) 263 ff.; Reiners-Ernst, Bistum Konstanz 20 ff. und Behr,
Alemann. Herzogtum 122 f. Grundlegend die Übersicht bei Ewig, Christliche Expansion
116 f.
[106] Gregor von Tours, HF V 46, 256.
[107] Über das Wirken des Nicetius als Bauherr siehe Ewig, Trier 97 ff., Zink,
Baugeschichte 29 ff., Theodor Konrad K e m p f, Erläuterungen zum Grundriß der
frühchristlichen Doppelkirchenanlage mit den Bauperioden bis zum 13. Jahrhundert,
in: Der Trierer Dom (1980) 115 f. Immer noch wichtig Johannes Nikolaus W i l -
m o w s k y, Der Dom zu Trier in seinen drei Hauptperioden: der römischen, der
fränkischen, der romanischen (1874) 40 ff., der das „barbarische Wohlgefallen" des
Bischofs an glänzendem Farbenreichtum hervorhebt.

ligiöse Kommunitäten beim Grabe des Heiligen eingerichtet [108]. Darüber hinaus suchte mancher Bischof, Reliquien bekannter und als wundertätig erwiesener Heiliger für seine Zwecke zu erhalten. So erbaute Palladius von Saintes dem Märtyrer Eutropius, der angeblich zu Ende des 1. Jahrhunderts von Papst Clemens I. nach Gallien gesandt worden war, eine Basilika und ließ den Leichnam des Heiligen feierlich dorthin übertragen [109]. Andererseits bat Palladius Gregor von Tours um Reliquien des heiligen Martin, dem er ebenfalls eine Kirche erbauen wollte. Dabei läßt sich das Ziel des Bischofs von Saintes erahnen: er hoffte auf Wunder des fränkischen „Nationalheiligen". Und wirklich berichtet er Gregor schon zwei oder drei Monate später in einem Brief von den Wunderheilungen, die sich in der neuen Martinskirche ereignet hätten [110]. Avitus von Clermont ließ im castellum Thiers, das im Territorium seiner civitas lag, über dem Grab des heiligen Genesius eine Basilika errichten, nachdem der Heilige einem armen Mann im Traum erschienen war und geholfen hatte [111]. Der Glaube an Wunder und die Heilkraft von Reliquien konnte aber nicht von oben dekretiert, sondern nur lanciert und in bestimmte Bahnen gelenkt werden [112]; und das vor allem bei Heiligen der jüngeren Vergangenheit, die mit der Stadt, dem Territorium und letztlich der dieses dominierenden adeligen Familie verbunden waren. Hier fanden die Bischöfe neue Möglichkeiten, den Ruhm ihrer Familie mit dem Aufblühen der Stadt, die Adelsinteressen mit den Pflichten ihres Amtes — sowohl der Kirche als auch dem König gegenüber — zu vereinen. Desiderius von Cahors baute an der Stelle, an der sein Bruder Rusticus ermordet worden war, eine Kirche zu Ehren des Apostelfürsten Pe-

---

[108] Vgl. dazu die Bemerkungen von Michel P a r i s s e, Remarques sur les fondations monastiques à Metz au Moyen Age, in: Annales de l'Est (1979) 197 f., 204. Im arnulfingischen Herrschaftsgebiet ist diese Tendenz seit dem Tode Arnulfs von Metz († 640) gut zu beobachten und hat ihren eigenen Charakter. Das im Text geschilderte Phänomen erreicht im sechsten Jahrhundert einen ersten Höhepunkt, während im siebenten Jahrhundert Einflüsse germanischer Vorstellungen (Ahnengrab, Sippenheil) eine bedeutende Rolle zu spielen beginnen.

[109] Gregor von Tours, Liber in gloria martyrum (Glor. Mart.) c. 55, 526.

[110] De virt. s. Martini IV 8, 651.

[111] Glor. Mart. c. 66, 533.

[112] Dazu Heinrich F i c h t e n a u, Zum Reliquienwesen im früheren Mittelalter, in: MIÖG 60 (1952) 60 ff. = ders., Beiträge zur Mediävistik. Ausgewählte Aufsätze 1 (1975) 117. Das volkstümliche Element war bei der Entwicklung des Reliquienkultes sehr stark. Manchmal ging der Kult sogar gegen den Willen des Bischofs vor sich. So verehrte das Volk das Grab des heiligen Benignus in Dijon zum Leidwesen Gregors von Langres, der die Verehrung des Heiligen ablehnte, weil dieser in einem heidnischen Sarkophag (mit Schlangen!) bestattet war. Auch ein Wunder überzeugte ihn nicht, erst ein Traum stimmte ihn um; er baute eine neue Kirche und transferierte Benignus dorthin. Gregor von Tours, Glor. Mart. c. 50, 522 ff. Siehe auch Graus, Merowinger 190.

trus. Er stellte somit seinen Bruder, der nicht seines Glaubens wegen sondern aus Parteigegensätzen in Cahors getötet worden war, bewußt nicht in den Mittelpunkt der Verehrung. Die Umstände von dessen Tod waren den Zeitgenossen noch zu sehr bekannt, als daß man Rusticus zu einem Märtyrer stilisieren hätte können. Doch war die Wahl des Ortes, an dem die Kirche errichtet wurde, eine Demonstration für die Familie des toten Bischofs, der ja auch Desiderius angehörte. Die Wahl des Patroziniums sollte überdies die Bedeutung der Stelle ersichtlich machen. Die Gründung war bestens geeignet, die Mörder des Rusticus und ihre Familien, die mit der Desiderius/Rusticussippe verfeindet waren, in Mißkredit zu bringen [113]. Anders handelte Bischof Ansoald von Poitiers, der den Abt Audulf von St. Maixent beauftragte, für seinen Verwandten, Bischof Leodegar von Autun, eine Kirche zu errichten, die in Größe und Konstruktion allen anderen Basiliken unähnlich sein sollte. Nach ihrer Vollendung weihte er sie und übertrug den Leichnam in feierlicher Form im Beisein des gesamten Klerus und der Großen und des ganzen Volks seiner Stadt und des dazugehörigen Gebiets [114]. Es ist charakteristisch, daß Ansoald den Bau der Kirche übernahm und sie als Märtyrergedenkstätte einrichtete, und nicht etwa der Bischof von Autun. Dieser Stadt hätte das Grab ihres getöteten Bischofs doch viele Vorteile bringen müssen. Doch war die Qualifikation Leodegars als Märtyrer äußerst umstritten. Zu vielen mochte sein prunkvoller Lebensstil, sein hartes Durchgreifen beim Antritt seines Pontifikats, seine entscheidende Position bei der Hofintrige gegen Bischof Praeiectus von Clermont und anderes mehr in Erinnerung gewesen sein. Der Tod Leodegars, so qualvoll er war, wurde nur durch die Niederlage des Bischofs in den Parteikämpfen verursacht. Alle diese Erwägungen zusammen mochten für den neuen Bischof von Autun, soweit er nicht sogar ein Parteigänger oder Günstling Ebroins war, wenig Anreiz geboten haben, Leodegar in seiner ehemaligen Bischofsstadt zu begraben. Ganz anders stand es in dieser Hinsicht mit den Verwandten des Hingerichteten. Ihnen konnte ein als Märtyrer verehrter Leodegar in mehrfacher Hinsicht von Nutzen sein: zunächst um Ruhm und Ansehen ihres Geschlechts zu erhöhen, dann aber auch, um ihrer Partei, die gegen die Bestrebungen des Hausmeiers Ebroin kämpfte, einen politisch-religiösen Mittelpunkt zu geben [115]. Die Translation des Toten mußte daher in einem „anti-ebroinischen" Sinne zu einer Machtdemonstration der burgundisch-aquitanischen Partei werden. Diesem Vorhaben förderlich war es, wenn man Leodegar als Märtyrer „präsentierte"; dazu gehörte wohl auch die von einem Kleriker aus dem Kreise um Ansoald von Poitiers verfaßte (erste) Passio des Ermordeten.

---

[113] Vita Desiderii Cadurc. c. 16, 574 f.
[114] Passio Leudegarii II, c. 32, 355 f.
[115] Siehe dazu auch oben S. 188 Anm. 67.

Wenn man die Bedeutung von Heiligengräbern oder Reliquien — wie wir sie hier beispielhaft angeführt haben — kennt, so wundert es um so mehr, daß es Bischöfe gab, die die Aufnahme von Reliquien verweigerten. Wir werden dafür nicht theologische Überlegungen verantwortlich machen können: sporadische Zweifel finden sich schon bei Sulpicius Severus. Obwohl es nüchternere Geister unter den Bischöfen jener Zeit gab, überwogen doch diejenigen, welche dem Glauben an die „vertus du miracle" unbesehen anhingen. Es sei denn, es handelte sich um ganz plumpe Machinationen „falscher" Geistlicher, wie jenes Aldebert, über dessen unverschämte Täuschungsmanöver Bonifatius im Jahre 745 an den Papst berichtete [116]. Gregor von Tours schien die Wundermacht des heiligen Martin selbst einem Petrus überlegen! Martin steht für ihn über allen Heiligen, seine Autorität ist derjenigen Christi vergleichbar [117], obgleich es Gregor bewußt bleibt, daß auch der heilige Martin seine Wunderkraft der Gnade des Herrn verdankt, der durch ihn wirkt. Dennoch konnte es bei der Verehrung von Reliquien zu erstaunlich anmutenden Fällen realistischer Haltung kommen. So lehnte Marowech von Poitiers es ab, die Reliquien des Heiligen Kreuzes feierlich zu empfangen, weil er mit Radegund in Unfrieden lebte; und das, obwohl es im Frankenreich noch keine Reliquien gab, die in direkter Beziehung zu Christus standen. Er hätte sich sagen müssen, wie vorteilhaft ein Stück vom „vexillum Christi" für seine Stadt sein würde. Dennoch war er nicht zu bewegen, die Reliquien einzuholen. Es mag sein, daß es gerade die Bedeutung dieser Reliquien war, die den Bischof so handeln ließ: neben dem Grab des großen Hilarius war nun die Entstehung einer zweiten bedeutenden Kultstätte in Poitiers zu erwarten, aber im Nonnenkloster der Königin Radegund, was Marowech nicht recht sein konnte: noch mehr als bisher würde der Bischof von Poitiers daneben an Bedeutung verlieren [118].

Für den Bischof war es also aus mehreren Gründen wichtig, Kirchen zu erneuern und zu errichten, es kam seiner Stadt auf längere Sicht wirtschaftlich zugute und war in vielen Fällen von Vorteil für seine Familie. Daß dabei christliche Motivation und kirchliche Verpflichtung die Grundlage waren, rundet das Bild des merowingischen Bischofs als „pater civitatis" und als zentraler Gestalt im fränkischen „Staatsleben" ab. Diese Bedeutung ging erst ge-

---

[116] Neben seinen Nägeln und Haaren verteilte Aldebert auch angeblich von Engeln erhaltene Reliquien, mit denen er „potuisset omnia, quaecumque poposceret, a Deo impetrare"; Ep. I nr. 59, 111. Dazu auch Klaus S c h r e i n e r, „Discrimen veri ac falsi". Ansätze und Formen der Kritik in der Heiligen- und Reliquienverehrung des Mittelalters, in: Archiv f. Kulturgeschichte 48 (1966) 7, 10 ff.

[117] Vgl. Delaruelle, La spiritualité 216 f.

[118] Ausführlich darüber Scheibelreiter, Königstöchter 12.

gen Ende des siebenten Jahrhunderts zurück, als die Wichtigkeit der Städte abnahm, und die Landgüter des austrasischen Adels zu Herrschaftsschwerpunkten wurden [119].

---

[119] Während die Kirchen fast aller römischen „castra" in der Diözese Köln sich in der Hand des Bischofs befanden (ebenso wohl in Trier und Mainz), begann der Adel immer mehr, außerhalb der Städte seine Eigenklöster zu errichten (Tholey, Mettlach, Prüm, Echternach, Weißenburg u. a.); dazu Ewig, Civitas, Gau, Territorium 517 und ders., Christl. Expansion 128 Anm. 47. — Kirchen- und Klostergründungen des Bischofs werden hier nicht behandelt, da sie nur peripher mit der übrigen Thematik zusammenhängen. Sie sind im allgemeinen das Ergebnis einer adeligen Welthaltung, ebenso wie die reichen Geschenke an Schmuck und Gerät, die die Bischöfe an ihre Stiftungen und Neubauten gaben. Jene wurzelt genauso in der spätantiken Tradition gallo-römischer Familien wie in der Auffassung des germanischen Adels. Dazu kommen die als selbstverständlich angesehenen Pflichten des katholischen Bischofs. Zur christlichen Motivation der Kirchengründungen vgl. die Bestimmungen der Synoden von I Orange (441) c. 10; Agde (506) c. 21 und IV Orléans (541) c. 6. — Der Reliquienglaube sollte in einem ganz anderen Zusammenhang ausführlicher dargestellt werden.

6. DIE REISEN

Nicht nur der Mönch, auch der einfache Kleriker war im frühen Mittelalter einer Art „stabilitas loci" verpflichtet. Diese umfaßte zwar nicht den engeren Kirchenbereich, doch immerhin das Gebiet der Diözese. Sollte ein Geistlicher die Diözesangrenzen überschreiten, mußte ihm der Bischof „litterae formatae" ausstellen, die er bei der Erfüllung seiner Aufgabe vorzuweisen hatte [1].

Auch der Bischof scheint in den Anfängen kirchlicher Organisation als „episcopus civitatis" bei seiner Tätigkeit im wesentlichen auf seine Residenzstadt und deren Umland beschränkt gewesen zu sein. Das erklärt sich aus der spätantik-mediterranen Stadtkultur und dem recht kleinen Umfang der Diözesen in den Ländern des Mittelmeerraums. Auch die steigenden Ansprüche weltlicher Stadtverwaltung, wie sie in der Spätantike an den Bischof gestellt wurden, förderten den Aufenthalt des Bischofs in seiner Stadt. Eine gesetzliche Vorschrift über den Aufenthalt in seiner Bischofsstadt bestand nicht. An Provinzialsynoden und Konzilien mußte er freilich teilnehmen. Abgesehen davon dürfte sich die Abwesenheit des Bischofs aus seiner Diözese im allgemeinen jedoch in Grenzen gehalten haben [2]. Dieser Umstand begann sich zu ändern, als das

---

[1] Werminghoff, Verfassungsgeschichte 22; Feine, Kirchl. Rechtsgeschichte 130. Diese „Residenzpflicht" des Klerikers leitete sich aus der bischöflichen Jurisdiktions- und Weihegewalt her. Schon das erste Konzil von Nikaia (325) untersagte den Klerikern, von Stadt zu Stadt zu wandern (cc. 15, 16). Nur einen schismatischen Bischof durfte der Kleriker verlassen; er wurde Untertan des Bischofs, dem er sich unterstellte (I Toledo 397/400, c. 12). Justinian, Nov. 58, 131, 8 verbot das Umherschweifen stellenloser Kleriker. Ein Diözesenwechsel mußte also die bischöfliche Billigung haben; für die „litterae dimissoriae" oder „formatae" bestanden seit I Nikaia Formulare, die auch ins Decretum Gratiani aufgenommen wurden. Dennoch scheint im merowingischen Reich das Umherziehen von Klerikern häufig vorgekommen zu sein: daß Wandregisil seinen Bischof für eine Reise um Erlaubnis bat, wird als besonders demütiger Zug des Heiligen hervorgehoben (Vita c. 14, 20)! Die Synode von Chalon (639/54) weist auf das Verbot jedenfalls neuerlich hin, während die Bestimmung der berühmten Statuta Ecclesiae antiqua (c. 28, XLVII) den Kleriker mehr indirekt auf den Stadtbereich beschränkt.

[2] Es ist noch an vereinzelte Pilgerfahrten sowie an private Besuche zu denken, die sich quellenmäßig nicht belegen lassen. In den merowingischen Viten hört man immerhin von Reisen, die den Bischof in die Heimat, zu den Seinen führen. Da sie

Christentum nach Norden vordrang. Die wesentlich größere Diözese, die nicht mehr aus civitas (d. h. Stadt und Umgebung) bestand, sondern ein bedeutendes Gebiet flachen Landes mit einschloß, bedurfte einer Betreuung, deren sich der Bischof bei allen möglichen Delegationen an Geistliche seines Sprengels nicht gänzlich entschlagen konnte. Andernfalls drohte der Zusammenhang der Niederkirchen auf dem Lande mit der Bischofskirche zu zerreißen; die Möglichkeiten, auf die ländlichen Kirchen Einfluß zu nehmen, wurden allen gelasianischen Bestimmungen zum Trotz auch bei redlichem Bemühen des Bischofs immer geringer [3]. Ungeachtet dieser Tendenzen, die zur Ausbildung des Eigenkirchenwesens beitrugen, waren bischöfliche Visitationen und Weihehandlungen stets erforderlich. Dazu kam die stärkere Bindung des gallofränkischen Episkopats an das merowingische Königtum, die reichliche Verwendung der Bischöfe in der Reichsverwaltung. Dabei war ihre Anwesenheit in verschiedenen Teilen des Reiches vonnöten, ganz zu schweigen von der Teilnahme der Bischöfe an Kriegszügen und diplomatischen Missionen. Als Bischof ein Leben im Kreise seiner „civitas" zu führen, abgesehen von den sozialen und organisatorischen Aufgaben nur seine kirchlichen Funktionen zu erfüllen: das war unter den veränderten Macht- und Lebensverhältnissen seit dem sechsten Jahrhundert nicht mehr genug. Je mehr der Bischof auch zum königlichen Beamten höchsten Ranges wurde, desto größer wurde seine Reisetätigkeit. Die Ausrichtung auf das fränkische Königtum bedingte gleichzeitig eine Rücksichtnahme auf dessen variierende Herrschaftszentren. Besonders bei Reichsteilungen war der Bischof oft gezwungen, andere Orte aufzusuchen als bisher, um den König zu sehen. Die manchmal recht willkürlich zusammengesetzten Gebiete der Teilreiche machten mitunter weite Reisen erforderlich. Bei Besitzenklaven austrasischer Bistü-

---

fast stets vor dem Tode des heiligen Mannes angetreten werden, ist grundsätzlich an einen Topos zu denken. Doch wird man die besonderen Umstände berücksichtigen, wenn es sich um einen Bischof handelt, der sein Amt weit entfernt von der Heimat auszuüben hatte, und dem es wohl auch an familiärer Unterstützung mangelte. Ein solcher Fall wäre etwa Erembert von Toulouse, der als Pariser „Hoftheologe" von Balthild in den der merowingischen Herrschaft im siebenten Jahrhundert wenig geneigten aquitanischen Süden verpflanzt wurde (Vita c. 3, 654). Interessant ist auch der Bericht über den Aufenthalt Bischof Chlodulfs von Metz im Nonnenkloster Pfalzel bei Trier (Virtutes Geretrudis c. 2, 465). Er erscheint hier im Zusammenhang mit einem Wunder, das von seiner Nichte Gertrud berichtet wird, und wirkt mehr als „zufällige" Auskunftsperson für die visionäre Nonne Modesta; dennoch ist an der Tatsache seiner Reise in die Trierer Diözese kaum zu zweifeln. Dazu auch M. Werner, St. Irminen-Oeren 36.

[3] Gelasius I. setzte die Bedingungen fest, unter denen eine Kirche auf Privatbesitz errichtet werden durfte; dazu Plöchl, Kirchenrecht 1, 237 f. Schwierigkeiten bestanden auch bezüglich des Vermögens der Landkirchen, das lange Zeit als Pertinenz des Kathedralvermögens angesehen wurde. Lesne, Propriété 1, 60; Pöschl, Bischofsgut 1, 13 f. Dazu auch Felten, Äbte 64 f.

mer in der Auvergne und im südlichen Aquitanien ließ die Visitationspflicht den Bischof ebenfalls bedeutende Entfernungen zurücklegen [4].

Naturgemäß spielten bei diesen Reisen die jahreszeitlichen Verhältnisse eine bedeutende Rolle. Im Winter verzichtete man gern darauf, und nur äußerst wichtig scheinende Unternehmungen wurden trotz der unwirtlichen Jahreszeit durchgeführt. Dafür waren nicht so sehr die klimatischen Bedingungen entscheidend, als der Zustand der Verkehrswege. Deshalb war der Vorfrühling als Reisezeit noch weniger beliebt als der eigentliche Hochwinter. Im späten Februar oder März ließ das Schmelzwasser die Flüsse über die Ufer treten, selbst harmlose Bäche rissen die wenigen Brücken weg, und Schnee und Schlamm machten die Straßen überaus schlecht passierbar. Nicht unähnlich waren wohl die Wegverhältnisse im Spätherbst. Besonders ältere Bischöfe scheuten sich, zu diesen Jahreszeiten zu reisen, und selbst heiligmäßige Männer waren nur allzu gern bereit, auf ihre Pflichten zu vergessen, um sich nicht winterlichen Stürmen und morastigen Wegen auszusetzen [5]. Argumente, die sich auf die Unmöglichkeit bezogen, in einer schlechten Jahreszeit zu reisen, leuchteten jedermann ein. Auch wichtige Vorhaben wurden unter diesen Umständen zurückgestellt [6]. Die Bischöfe Emmo von Sens und Faro von Meaux beherbergten den römischen Abt Hadrian 668/69 auf seiner Reise nach England einige Monate, da ihn der Winter zum Bleiben zwang [7].

Gerhard von Augsburg verdanken wir die anschauliche Schilderung, wie Bischof Udalrich auf einem Ochsenkarren, umgeben von seinen Klerikern und begleitet von zahlreichen Armen, durch seine Diözese fuhr, um zu visitieren [8]. Aus dem frühen Mittelalter ist uns der von Ochsen gezogene Wagen als Reisegefährt des Bischofs ansonsten nicht überliefert, obwohl alte oder gebrechliche Prälaten schwerlich anders (mit einem Pferdekarren?) die oft beträchtlichen Entfernungen innerhalb des Frankenreichs zurückgelegt haben werden. Bischof Eufronius von Reims befahl im Jahre 567 für den „occursus regis" neben Pferden auch „plaustra" vorzubereiten [9]. Dabei scheinen die Wagen eher zur Be-

---

[4] Metz, Verdun (wohl auch Trier und Reims) hatten in Aquitanien Besitz.

[5] Eufronius von Tours verweigerte aus diesen Gründen die Weihe eines Oratoriums, wurde jedoch durch einen Traum umgestimmt; Gregor von Tours, Glor. confess. c. 18, 758.

[6] So gelang es Gregor von Tours, die wütende Chrodhild, die aus dem Kloster Sainte-Croix in Poitiers zu ihrem Oheim, König Gunthramn, eilen wollte, um Klage gegen ihre Äbtissin Leubovera zu erheben, durch den Hinweis auf die äußerst ungünstige Reisezeit zum Verbleib in Tours zu bewegen. Gregor von Tours, HF IX 40, 465 f. Dazu Scheibelreiter, Königstöchter 2 f.

[7] Beda, Hist. eccl. IV 1, 203.

[8] Gerhardi Vita sancti Oudalrici episcopi (ed. Georg Waitz) MGH SS 4 (1841, Neudruck 1925) c. 5, 393.

[9] Glor. Confess. c. 19, 759.

förderung von Gerätschaften für den liturgischen Gebrauch, ebenso für Ausrüstungsgegenstände des Trosses gedient zu haben; auch Geschenke für den König mochten darauf Platz finden. Eufronius selbst saß sicherlich zu Pferde. Die Bischöfe mußten also reiten können, was den Historiographen ganz selbstverständlich erscheint und bei der adeligen Erziehung der meisten hohen Geistlichen nicht verwundern kann. Im Gegensatz zu Udalrich von Augsburg, der übrigens in jüngeren Jahren sogar ein kriegserprobter Reiter war, dürften die Bischöfe des Merowingerreichs die notwendigen Reisen innerhalb ihrer Diözese zu Pferde durchgeführt haben[10]. Daß dabei Rosse, wenn vielleicht auch nicht edlerer Rasse, so doch ansehnlicheren Körperbaus und mit wertvollem Zaumzeug verwendet wurden, geht aus der Tatsache hervor, daß es für den Bischof eine Schmach bedeutete, einen „miserabilis caballus" reiten zu müssen[11]. Daß ein schönes, kräftiges Roß ein durchaus passendes Geschenk für einen Bischof war, beweist der Bericht über die Freigebigkeit des Bischofs Germanus von Paris, der ein solches Pferd von König Childebert I. erhielt. Er verkaufte es aber sofort, um die Armen unterstützen zu können[12]. Er galt als ausgezeichneter Reiter, ebenso wie Praetextatus von Rouen (HF V 18, 217). Die Vorliebe Korbinians für edle Pferde ist als Ausdruck seines adeligen Empfindens und der entsprechenden Lebensart zu sehen und steht eigentlich im Widerspruch zu seinen asketischen Anschauungen[13]. Er gehört wohl zu jenen

---

[10] Gregor von Tours, HF VI 11, 282; Vita Erminonis c. 7, 466. Die Reise des Epiphanius von Pavia nach Toulouse (474) — darüber später unten S. 206 — scheint auf einem von Ochsen gezogenen Wagen vor sich gegangen zu sein. Es ist nicht unwahrscheinlich, daß es sich dabei um den „cursus publicus" gehandelt hat; der Terminus „mansio" scheint auch dafür zu sprechen. Dieser Postverkehr war bis in die Gotenzeit in Italien in Gebrauch. Sein beginnender Verfall zeigt sich allerdings darin, daß man dem in so wichtiger Angelegenheit reisenden Epiphanius nur den „cursus claburalis" anzubieten hatte. In Gallien scheint diese antike Einrichtung im hier behandelten Zeitraum nicht mehr vorhanden gewesen zu sein; vgl. Classen, Kaiserreskript 146 f. In dem von Venantius Fortunatus an Bischof Berthramn von Bordeaux gerichteten Dankesgedicht (Carm., III 17, 69 f.) wird zwar der Bischof als in einer „raeda" reisend geschildert, doch ist dieses Pferdegespann als Privatgefährt Berthramns anzusehen. So weit wir sehen, bietet diese Stelle die einzige Erwähnung einer Wagenreise eines Bischofs.

[11] Sie erlebte Bischof Theodor von Marseille, der von Gefolgsleuten König Gunthramns vom Pferd gerissen und auf einem elenden Gaul zum König geführt wurde. Gregor von Tours (wie Anm. 10). Der Unterschied in der Qualität beider Pferde wird von Gregor schon durch die Wortwahl ausgedrückt. Das in der Volkssprache schon verschwindende Wort „equus" steht für das hochwertige Reittier, „caballus" für den Klepper.

[12] Siehe oben S. 189.

[13] Vita c. 16, 205 f. dazu Löwe, Arbeo 112 m. Anm. 116; Bosl, Adelsheiliger 183. Hier besteht ein starker Gegensatz zum überkommenen Heiligenideal der Spätantike: der Asket geht zu Fuß oder reitet auf einem Esel. In diesem Punkt folgt die

Bischöfen, denen das Reiten über den nüchternen Zweck der Fortbewegung hinaus ein echtes Bedürfnis war. Wieweit sich hier auch Ansichten Arbeos von Freising, des Verfassers seiner Vita, spiegeln, möge dahingestellt bleiben. Die Reise zu Pferd verlangte manchmal eine robuste Konstitution. So hören wir von einem Ritt des Caesarius von Arles „circa Alpina loca", den er mit seinem Amtsbruder Eucherius (von Avignon?) unternahm [14]. Man kann vermuten, daß der Metropolit dabei nicht auf einer der römischen Paßstraßen ritt, sondern, wie die Angabe des Ortes andeutet, auf einem der unbequemen Wege, die dem lokalen Verkehr dienten. Der Heilige, der bei dieser Gelegenheit ein Wunder wirkte, klagte keineswegs über die Beschwerlichkeiten eines solchen Ritts. Ganz anders lautet der Bericht über den Bischof Praeiectus von Clermont, der an den Hof König Childerichs II. zieht, und dabei die Vogesen durchqueren muß [15]. Die Mühen des Reisenden werden bewegt geschildert, wobei sich die Darstellung nicht über die traditionellen Versatzstücke des „locus horribilis" erhebt. Die Mühe, welche dem Bischof die weite Reise bedeutet, gehört hier zu den asketischen Zügen des Praeiectus, dennoch ist zu erkennen, daß ein Ritt von Clermont ins Elsaß keineswegs als angenehm empfunden wurde. Epiphanius von Pavia erschwerte sich die ohnehin mühevolle Reise nach Toulouse noch durch ein ausgesucht asketisches Programm, das vom langen Beten im Stehen bis zum Übernachten unter Zweigen im Wald reichte (Vita cc. 83, 84, S. 94). Andererseits kann man sehen, wie die adelige Erziehung, der wohl vor allem fränkische Bischöfe (im engeren Sinne) teilhaftig wurden, Ausdauer und Härte förderte. Ragnemod von Paris, der noch als Diakon auf einer Reise mit seinem Bischof Germanus zum Grab des heiligen Martin begriffen war, erkrankte auf dem Weg und sollte in einer „villa" der Pariser Kirche zurückbleiben. Doch der Wunsch, das Ziel der Wallfahrt zu erreichen, und die Hoffnung, dort geheilt zu werden, waren so groß, daß Ragnemod neuerlich das Pferd bestieg und den Ritt bis Tours durchhielt [16]. Noch beachtlicher scheint die körperliche Konstitution des Bischofs Hugbert von Lüttich-Maastricht gewesen zu

---

merowingische Hagiographie keinen vorgegebenen Mustern, sondern spiegelt deutlich die realen Verhältnisse. Diese ließen es aber zu, daß ein Mann mit bedeutenden asketischen Neigungen zugleich auch ein Lieblingspferd besaß, wie Eligius von Noyon; Vita II c. 47, 726.

[14] Vita Caesarii I 47, 475.

[15] Passio Praeiecti c. 20, 237 f. Von einem Ritt ist nicht ausdrücklich die Rede, doch scheint ein Fußmarsch von Clermont durch die Vogesen bis zur Königspfalz im Elsaß nicht nur unmöglich, sondern für einen adeligen Bischof auch untragbar.

[16] Gregor von Tours, De virt. s. Martini II 12, 612 f. Gut wird die Reitkunst eines Bischofs in der Historia Wambae regis auctore Iuliano (ed. Wilhelm Levison) MGH SS rer. Merov. 5 (1910) c. 21, 519 illustriert, wenn es heißt, daß der Bischof Argebaud von Narbonne beim Empfang des Königs „de equo d e s i l i v i t, humo prosternitur".

sein. Er zog „docens et praedicans" durch seine halbheidnische Diözese, obwohl er schon todkrank war. Dabei legte er eine Strecke zu Schiff zurück, wechselte nach einer kurzen Ruhepause auf den Landweg über und bestieg ein Pferd, das ihn an jenen Ort brachte, an dem ihn der Tod ereilte [17]. Der Verfasser seiner Vita schildert das alles in trockener Art, seine ganze Aufmerksamkeit gilt den frommen Handlungen auf der Reise, woraus man schließen kann, daß diese körperlichen Anstrengungen für einen reisenden Bischof (auch in höherem Alter) nicht ungewöhnlich waren. Daß Missionsbischöfe gut beritten sein mußten, ist verständlich. Neben praktischen Erwägungen spielte zweifellos die Vorstellung von ihrer Position als Repräsentanten des himmlischen Königs dabei eine Rolle. Zu dem Aufwand, den sie deshalb treiben mußten, gehörte, daß sie hoch zu Roß erschienen. Ein ärmlich gekleideter Wanderprediger wäre hier falsch am Platz gewesen. Wir haben über Willibrord und Bonifatius Nachrichten, die sie als Reiter zeigen [18].

Weniger hören wir über Schiffsreisen der Bischöfe, wenn wir Pilgerreisen ins Heilige Land, die allerdings sehr spärlich waren, außer acht lassen. Die meisten Berichte dienen ausschließlich dazu, die Wunderkraft der Heiligen zu veranschaulichen. Dabei folgt man in der Regel dem Schema, das durch Matth. 14,25 vorgegeben ist. Die Schiffsleute wollen wegen der Gefährlichkeit des Flusses oder wegen der Wildheit des Meeres nicht ausfahren, doch die Rücksicht auf den berühmten Bischof zwingt sie dazu. Während der Fahrt schläft dieser: plötzlich erhebt sich ein Ungewitter, die Seeleute verzweifeln, doch der Heilige gebietet Wind und Wasser oder ruft die Hilfe etwa des heiligen Martin an [19]. Entnehmen läßt sich diesen topischen Berichten für die Art des Reisens fast nichts; erwähnenswert ist, daß man für die Reise von Italien ins Frankenreich oft den Seeweg gewählt zu haben scheint. Ein Ritt über die Alpen kam

---

[17] Vita Hugberti episcopi Traiectensis, ed. Wilhelm Levison, MGH SS rer. Merov. 6 (1913) c. 12, 490.

[18] Willibrord scheint durchaus schärfere Ritte vertragen zu haben; vgl. seine Vita c. 20, 131, wo er den ermatteten Pferden gestattet, auf der Wiese eines reichen Mannes zu weiden (ähnlich schon Eligius von Noyon, Vita II 22, 713). Daß Bonifatius beritten war, entnehmen wir der Vita Gregorii c. 2, 68, die von seinem Besuch bei der Äbtissin Adela von Pfalzel berichtet. Deren Enkel, Gregor, wollte mit dem Heiligen ziehen und bat die Großmutter um ein Pferd: „si non vis mihi donare equum, ut equitare possim cum eo, pedibus ambulando absque dubio vadam cum illo." Bischof Vulframn von Sens hingegen zog sich unter anderem wegen einer Fußkrankheit, die er sich auf seinen Missionsreisen geholt haben mochte, in das Kloster Fontanelle zurück; Vita c. 11, 670 f.

[19] Schilderungen dieser Art finden sich z. B. bei Baudinus von Tours (De virt. s. Martini I 9, 593 f.), Apollinaris von Valence (Vita Apollinaris episcopi Valentinensis, ed. Bruno Krusch, MGH SS rer. Merov. 3, 1896, c. 7, 200), Bonitus von Clermont (Vita c. 24, 131 f.).

dagegen kaum in Frage. Man darf sich überhaupt nicht durch Berichte über gefährliche Seereisen und Flußfahrten beirren lassen. Trotz des geringen Standes der nautischen Kenntnisse, sowie der Unberechenbarkeit und Beschaffenheit der Flüsse wird man für gewisse Standardstrecken die Schiffahrt sicher vorgezogen haben. So wurde Bischof Theodor von Marseille, der auf Befehl König Gunthramns gefangen genommen worden war [20], zu Schiff transportiert. Er sollte auf dem Konzil von Mâcon (585) zur Verbannung verurteilt werden: Der Weg von Marseille nach Mâcon war am günstigsten und fast ausschließlich auf der Rhône zurückzulegen. Ein anderes Mal wurde Theodor unter starker Bedeckung zu Childebert II. gebracht, wobei eine Strecke Weges zu Schiff auf der Mosel gefahren wurde. Der Bischof sollte nach Möglichkeit mit niemandem Kontakt aufnehmen [21]: dies konnte auf einer Flußreise, ebenso wie feindliche Aktionen, leichter vermieden werden als auf dem Landweg. Vielleicht pflegten auch Missionare fremde und unbekannte Gegenden auf dem Schiff zu durchqueren. In Friesland kam die besondere Beschaffenheit des Landes hinzu; man mußte entweder die Küste entlang fahren, und von dieser ins Innere vorstoßen, wie der missionierende Bischof Vulframn von Sens [22], oder man ließ zumindest Versorgungsschiffe auf dem Weg über kleine Flußläufe kommen, wie uns dies von der großen Bekehrungsaktion des Bonifatius im Jahre 754 bekannt ist [23]. Auch Hrodbert fuhr auf der Suche nach einem „locus aptus" für seine Kirchengründung die Donau abwärts bis Lorch, wobei er allerdings Predigt und Krankenheilung damit verband [24]. Schnelligkeit, Sicherheit und größere Annehmlichkeit sprachen bei der Reise in den Osten des bairischen Herzogtums eindeutig für das Schiff.

Seiner Stellung angemessen, reiste der Bischof stets mit Begleitung. Gleichgültig, ob es sich um amtliche oder private Unternehmen handelte, ein „comitatus" gehörte zum reisenden Prälaten. Die Wurzeln für diese Erscheinung sind wohl gleichermaßen im Recht der römischen Staatsbeamten und in den Gepflogenheiten germanischer Adeliger zu suchen. Es mochten auch praktische Erwägungen sein, die für eine Begleitung sprachen: der Bischof durfte ja keine Waffen tragen und war durch den erhöhten Frieden, den er genoß, nicht ausreichend geschützt. Repräsentation, Standesbewußtsein und Sicherheit zusammen machten jedenfalls eine Begleitung auf Reisen für den Bischof erforderlich. Diese kann man nach verschiedenen Kriterien unterscheiden. Der Umfang

[20] Siehe oben S. 205 Anm. 11.
[21] Magnerich von Trier hatte größte Schwierigkeiten, ihn kurz zu sehen; Gregor von Tours, HF VIII 12, 378 f.
[22] Vita Vulframni c. 5, 664.
[23] Vita Bonifatii auctore Willibaldo (ed. Wilhelm Levison) MGH SS rer. German. in us. schol. (1905) c. 8, 50.
[24] Gesta Hrodberti c. 5, 158 f.

des bischöflichen Gefolges wurde durch Bedeutung und Entfernung der Reise bestimmt, doch nahmen aus sehr vornehmen Familien stammende und höchst angesehene Bischöfe auch zu privaten Reisen, die nur auf den eigenen Familienbesitz führten, unter Umständen eine zahlenmäßig beachtliche Begleitmannschaft mit. Sie bestand überwiegend aus bewaffneten Familiaren, manchmal auch aus weltlichen Würdenträgern und einigen Dignitären des Bischofssitzes, sowie jungen Klerikern. Daraus formte sich ein engerer Kreis vom Bischof besonders ausgezeichneter Männer, die bei Reiseunterbrechungen in seiner Umgebung blieben, während er die gewöhnliche Begleitmannschaft inzwischen weiterziehen ließ [25]. Daß es sich dabei nicht nur um Dienstleute handelte, beweist die Aussage der Quellen, die von einem „nobilis comitatus" sprechen. In manchen Fällen wird man dabei allerdings weniger an bedeutende Adelige der Diözese im allgemeinen zu denken haben, als an die adelige Verwandtschaft des Bischofs [26]. Daß eine Reise nach Rom nur mit einem großen Gefolge unternommen wurde — selbst wenn sie offensichtlich nur aus religiösen Motiven erfolgte —, ist aus Gründen der Sicherheit verständlich und diente auch der Aufrechterhaltung eines adeligen Lebensstils [27]. Andererseits versteht sich aus dem Zweck mancher Reise, daß der Bischof nur mit einer kleinen Schar unterwegs war. Daß Gregor von Tours einer Räuberschar in die Hände fiel und um Leben und Besitz bangen mußte, als er seine Mutter besuchen wollte, deutet auf ein ziemlich kleines Gefolge hin [28]. Dagegen machte sich Haimhramn mit einer Begleitung, die nur aus Klerikern bestand, auf den Weg nach Rom [29]. Sein Biograph Arbeo möchte an dieser Stelle zweifellos die besondere Friedfertigkeit, des Heiligen und die Unschuld an der ihm zur Last gelegten Missetat betonen. Haimhramn verzichtet auf ein bewaffnetes Gefolge, weil er sich nicht zur Wehr setzen will, sondern den Märtyrertod herbeisehnt. Daß Haimhramn nur mit einer Klerikerschar auszog, könnte hier aber auch ein Reflex des irischen Wanderepiskopats sein, ebenso wie die Art zu reisen, nämlich zu Fuß [30].

---

[25] Bischof Eligius von Noyon ließ die Mehrzahl seiner Begleiter weiterziehen, als er auf einer Reise die Stadt Bourges betrat, um dort „cum paucis ... ad memoriam Sulpicii confessoris adorare"; Vita II 15, 702.

[26] Das scheint sicher bei der Reise des Bischofs Desiderius von Cahors in die „rura Albigensium"; Vita c. 35, 592. Bei Eligius (Vita II 18, 709) wird der „nobilis comitatus" anders zu interpretieren sein, da er keiner hervorragenden Familie entstammte.

[27] Vita Boniti c. 24, 131. Daß sich „n o n n u l l i qui cum eo erant" vor der Schiffahrt auf dem stürmischen Meer fürchteten, beweist die große Begleitung des Bischofs.

[28] De virt. s. Martini I 36, 605.

[29] Arbeo, Vita Haimhrammi c. 10, 41.

[30] Bei Haimhramn scheinen die Züge irischer Askese viel stärker ausgeprägt als ein Adelsbewußtsein.

Als Haimhramn aus Poitiers nach Baiern wanderte, hatte er zumindest einen Dolmetscher bei sich, der dem Volk seine Predigten übersetzte [31]. Bonifatius verfügte auf seiner letzten Missionsreise nach Friesland über eine ganze Reihe Bewaffneter [32]. Sie gehörten mit zu der ganzen wohldurchdachten Organisation des Unternehmens. Diese „pueri" waren wohl eher Familiaren (vielleicht aus Mainz oder Fulda?), als von König Pippin zur Verfügung gestellte Krieger. Sie schliefen auf der Reise in Zelten und wurden von den schon erwähnten Verpflegungsschiffen aus so wie Bonifatius und seine Kleriker mit Nahrungsmitteln und Wein versorgt. Sie waren auch bereit, den Heiligen gegen seine heidnischen Angreifer zu verteidigen, wurden jedoch von Bonifatius zurückgehalten [33].

Jedenfalls war es mit der Vorstellung vom fränkischen Bischof verbunden, ein Gefolge zu haben und es auf den Reisen mit sich zu führen. Das war der Bischof bei aller christlichen Demut seiner Stellung im Gefüge des Reiches schuldig. Ohne Gefolge zu reisen ließ nicht nur die zahlreichen Dienste, an die ein Adeliger gewohnt war, vermissen, sondern brachte die persönliche Sicherheit in Gefahr; überdies hätte das Ansehen des entsprechenden Prälaten darunter gelitten. Es ist kennzeichnend für die Bedeutung, die der bischöflichen Begleitmannschaft beigemessen wurde, wenn Gregor von Tours bei der Gefangennahme des Bischofs Theodor von Marseille betont, daß er auf einen elenden Gaul gesetzt und o h n e Gefolge zum König geführt wurde [34].

Die Ausrüstung wird in der Regel nicht erwähnt, doch entsprach sie wohl dem Anlaß der Reise. Überraschend ist die Tatsache, daß der Bischof stets sein Pedum mit sich führte, auch wenn die Reise keinen offiziellen Charakter hatte [35]. Besondere Ausrüstungsgegenstände gehörten zum Troß der Missionsbi-

---

[31] Arbeo, Vita Haimhrammi c. 3, 30 f. Der fränkische Dialekt, den Haimhramn trotz seiner vermuteten Herkunft aus Poitiers wohl gesprochen haben wird, scheint in Alamannien und Baiern kaum verstanden worden zu sein. Man wird ja nicht annehmen, daß er als Missionar ausschließlich lateinisch predigte. Der Übersetzer war ein Priester Vitalis.

[32] Vita Bonifatii auct. Willibaldo c. 8, 49.

[33] Was dann die eigentliche Aufgabe jener „pueri" gewesen sei, ist nicht recht zu erkennen. Vielleicht waren sie dazu da, Störungen der Missionstätigkeit auf der Reise und Diebstahl an den vielen mitgeführten Dingen zu verhindern. Daß sie bei der Ermordung ihres Herrn und seiner geistlichen Helfer zum Zusehen verurteilt wurden, mutet merkwürdig an, selbst wenn man die Freude des Bonifatius an der Krönung seines Lebenswerkes durch den Märtyrertod aus dem Augenblick heraus zu verstehen sucht. Möglicherweise waren sie auch notwendig, um bei den Heiden als Gefolgschaft Eindruck zu machen. Schieffer, Winfrid 272 geht darauf nicht ein.

[34] Siehe oben S. 205 m. Anm. 11.

[35] Gaugerich von Cambrai (Vita c. 11, 656) betete unterwegs am Grabe eines

schöfe. Im Gegensatz zu der extremen Schlichtheit der Iren, versuchten die angelsächsischen Bischöfe bei ihren Bekehrungsaktionen bewußt als Repräsentanten des Höchsten aufzutreten. Bei der wohlvorbereiteten Frieslandreise des Bonifatius im Jahre 754 hören wir von der planmäßigen Versorgung des Heiligen und seiner Mitarbeiter, von ihren Wohnzelten, die sie zum Nächtigen benötigten; daneben aber auch von einer „theca librorum" und mehreren „capsae reliquiarum" [36]. Beides diente wohl auch zum Gebrauch bei der täglichen Meßfeier und den gewöhnlichen Lesungen, doch war ihre prunkvolle Ausstattung sicher genau berechnet und Teil des Glanzes, der die Vertreter des christlichen Gottes sichtbar umgab. Von Willibrord wissen wir nur, daß er ein goldenes Kreuz „in itinere portare solebat" [37]. Dabei wird es sich um ein Vortragskreuz gehandelt haben, daß den Sinn seiner Bekehrungstätigkeit ebenso verdeutlichte, wie es als äußerliche Zierde wirkte [38].

Unterwegs wurde der Bischof entweder von einem „inluster vir" gebeten, die Reise zu unterbrechen und sein Gast zu sein, oder es bot sich ein Kloster als Unterkunft an. Selbstverständlich kehrte der Bischof auch bei einem Amtsbruder ein [39]. Für amtliche Reisen in königlichem Auftrag war der Bischof sicherlich an eine bestimmte Reiseroute gebunden, auf der die Nachtquartiere einkalkuliert waren. Auf dem Wege wurden berühmte Heiligtümer besucht oder auch nur die Gelegenheit genutzt, beim Grab eines Confessors zu beten, um sich für die Weiterreise zu stärken. Dabei pflegte der Bischof nur einen Teil seiner Begleitung oder ausschließlich die Geistlichen seiner Umgebung mitzunehmen, wenn sein Erscheinen nicht den Zweck einer besonderen Demonstration haben sollte, die meist mit der Übergabe reicher Geschenke und prunkvollem Auftreten verbunden war [40]. Wenn der Bischof in seine Resi-

---

Confessors, wobei er mit dem Bischofsstab die Kirche betrat. Bischof Desiderius (von Rennes?) warf seinen „baculus" ins Feuer, um durch dessen Unversehrtheit die Reinheit der eigenen Lehre gegenüber einem häretischen Bischof vor dem alamannischen dux Wilchar unter Beweis zu stellen. Dabei befand er sich auf einer Pilgerfahrt nach Rom! (Passio Desiderii ... et Reginfridi c. 4, 58.).

[36] Vita Bonifatii auct. Willibaldo c. 8, 50.

[37] Vita Willibrordi auct. Alcvino c. 30, 136.

[38] Es wurde später in Echternach aufbewahrt und von einem Diakon aus der Klosterkirche gestohlen.

[39] Bischof Nicetius von Lyon übernachtete auf einer (winterlichen!) Visitationsreise in der Provence bei Flavius, einem Referendar König Gunthramns (Flavius wurde 580 Bischof von Chalon-sur-Saône); Vita Nicetii Lugd. c. 7, 522. Praeiectus von Clermont stieg dagegen bei der Durchquerung der Vogesen im Kloster St. Amarin ab, wobei er die Mönchsliturgie mitfeierte; Passio c. 22, 238 f. Eligius von Noyon bezog auf der Heimkehr von einer Visitation bei Bischof Aurelianus von Uzès Quartier; Vita II 13, 702.

[40] So beschloß Gregor von Tours auf einer Reise nach Lyon, „non aliter nisi

denzstadt zurückkehrte, wurde er feierlich empfangen; Geistliche zogen ihm psalmodierend entgegen, die „plebs" jubelte und stimmte Hymnen an: so wurde der Heimgekehrte in die domus episcopalis oder gleich in die Kathedrale geleitet [41].

Eine regelmäßig wiederkehrende Reise bedeutete für den Bischof die jährliche Visitation seiner Diözese. Dabei ist die Überprüfung der religiösen, moralischen und wirtschaftlichen Verhältnisse in der Diözese von der Untersuchung der Zustände in Klöstern, auf Gütern, die dem Bischof selbst gehörten, oder auf Besitzenklaven der Bischofskirche im Gebiet eines anderen Bistums zu unterscheiden. Nur erstere gehört zu den allgemeinen Pflichten des Bischofs. Diese Visitationen gestalteten sich zu immer größeren Unternehmungen, die schließlich vom Archidiakon bereits lange vorher vorbereitet werden mußten. Daher wurden auf der siebenten Synode von Toledo (646, c. 4) Bestimmungen gegen allerlei Mißbräuche auf diesem Gebiet erlassen: Begleitung und Pferde sollten die Zahl 50 nicht überschreiten, an jedem Kirchenort sollte der Bischof nur einen Tag verweilen dürfen. Da die Kosten des bischöflichen Aufenthalts von jenem Ort getragen werden mußten, in dem er sich gerade befand, sollte Mißbräuchen ein Riegel vorgeschoben werden. Nur zwei Solidi durfte der Bischof

---

orationis causa Viennam adire et praecipue sepulchrum visitare Ferreoli martyris gloriosi …"; De virt. s. Iuliani c. 2, 564. Gaugerich besuchte auf einer Visitation zu aquitanischen Besitzungen seiner Kirche das Grab des heiligen Fronto zu Périgueux „ad orationem"; Vita Gaugerici c. 11, 656. Eligius eilte auf der Rückreise von Limoges zum Grab des Bischofs Sulpicius von Bourges; Vita II 15, 702.

[41] Eine anschauliche Schilderung geben die Viten des Caesarius von Arles und des Lupus von Sens. Beide Bischöfe hatten politische Schwierigkeiten gehabt: Caesarius war zu Theoderich nach Ravenna befohlen worden, weil man seine Loyalität in Zweifel zog; Lupus kehrte aus der Verbannung zurück, in die er von Chlothar II. wegen seiner Anhänglichkeit an Brunhild geschickt worden war. Beider Heimkehr war daher von besonderem Jubel begleitet; (Vita Caesarii I 43, 473; Vita Lupi c. 18, 184). Der erste Weg scheint stets zur Bischofskirche geführt zu haben, wo der Bischof Gott und dem Patron der Diözese den Dank für seine glückliche Heimkehr abstattete. — Ganz besonders feierlich muß der Empfang Audoins in seiner Bischofsstadt Rouen gewesen sein, als er von einer Gesandtschaftsreise ins Westgotenreich zurückkam. (Vita c. 11, 560 f.): „Cum autem pervenisset ad fines diocesis suae, suburbani cives et vulgi populus, exultantes prae gaudio simulque merentes, catervatim provolvuntur in occursum eius una cum crucibus et lampadibus …"; Mönche und „pauperes" (wohl „matricularii") jubelten und sogar der König und seine Gemahlin mit ihren „proceres" kamen ihm entgegen. Der vertriebene Bischof Theodor von Marseille wurde bei seiner von König Childebert II. erzwungenen Rückkehr von den Bürgern der Stadt „cum signis et laudibus diversisque honorum vexillis" empfangen; Gregor von Tours, HF VI 11, 281. Vgl. auch den Empfang, den Herzog Theodo Bischof Hrodbert vor Regensburg bereitete; Gesta Hrodberti c. 4, 158 und Conversio c. 1, 37.

in jedem Ort für sich verlangen, jede Mehrleistung lag „praeter honorem cathe-
drae suae"[42].

Besonders schwierig gestaltete sich die Visitation für Bischöfe, deren Diö-
zesansprengel heidnisches Gebiet miteinschloß oder zumindest berührte. Neben
den vielen Angelegenheiten, um die sich der Visitierende kümmern mußte,
hatte er es vor allem mit der Bekämpfung heidnischer Bräuche zu tun. Diese
waren eine ständige Bedrohung für das wenig gefestigte Christentum der Diözese. Es scheint kein Zufall zu sein, daß die meisten Nachrichten über bischöfliche Visitationen aus den Grenzgebieten des Reiches stammen. Freilich überwiegen auch hier allgemeine Feststellungen, ja oftmals erfährt man nur die
Tatsache selbst. Gelegentlich jedoch liest man vom Eifer, den die Bischöfe bei
dieser Gelegenheit an den Tag legten, wenn es sich um Bewahrung und Ausbreitung des christlichen Glaubens handelte. Bei den Grenzbischöfen hatte
daher die Visitation stets auch einen missionarischen Charakter und verlangte
neben unverdrossenem Einsatz auch körperliche Robustheit[43]. Unermüdlich
und ohne Rücksicht auf die eigene Person scheint diese Aufgabe Bischof Hugbert
von Lüttich wahrgenommen zu haben; ein guter Teil seiner Vita besteht aus
Schilderungen der Visitationstätigkeit[44]. Viele Kleinigkeiten kommen dabei
zur Sprache, doch über allem steht seine Wachsamkeit gegenüber offen ge-
zeigtem, häufiger jedoch heimlichem, Heidentum und synkretistischen Erscheinungen[45]. Auch der Tod ereilte Hugbert auf einer Visitationsreise, welche die
Mühen dieser Unternehmung besonders deutlich zeigt[46]. Schon in der Mitte
des siebenten Jahrhunderts war Tongern-Maastricht(-Lüttich) ein Zentrum
der Heidenbekehrung; dementsprechend wurde dieser Bischofssitz lange mit
Männern besetzt, denen die Mission ein besonderes Anliegen war. Auch der
berühmte Amandus begann im großen Stil Visitation und Mission miteinander
zu verbinden[47]. Im Gegensatz zu Hugbert erlahmte aber sein Eifer recht bald,
und er kehrte dem Bistum trotz päpstlicher Mahnung den Rücken[48]. Die Un-

---

[42] II Braga (572) c. 2. Mißbräuche, die vor allem darin bestanden, daß der
Bischof den dritten Teil der jeweiligen Oblationen für sich beanspruchte, finden
sich besonders in Galicien.

[43] So war etwa im niederländisch-friesischen Bereich ein häufiges Wechseln der
Beförderungsmittel (Schiff—Pferd) erforderlich.

[44] Vor allem die Kapitel 4, 6, 7, 8 und 12.

[45] Der Verfasser der Vita berichtet oft von Wundern Hugberts, durch die er
im Glauben Irrende bekehrt. Im Sprengel von Maastricht verschwand das Heidentum
erst nach dem Wirken Landberts und Hugberts; vgl. Vita Landiberti vet. c. 10,
363 und Ewig, Christl. Expansion 132.

[46] Vita c. 12, 490; er reist ein Stück Weges mit dem Schiff, ruht dann, bereits
von Fieber geschüttelt, ein wenig aus, muß gleich darauf einen Streit unter seinen
„pueri" schlichten und reitet schließlich weiter.

[47] Vita Amandi c. 13, 436 f.; dazu A. Hauck, Kirchengeschichte 1, 304.

[48] Vita Amandi auct. Milone 452 ff.

fügsamkeit des seinen reformerischen Ideen wenig aufgeschlossenen Klerus und die Starrheit der heidnischen Bevölkerung ließen Amandus das Leben eines missionierenden Wanderbischofs einer festen cathedra vorziehen [49]. Auch Ansbert von Rouen und Eligius von Noyon veranlaßte die Lage ihrer Diözesen zu äußerst gewissenhaften Visitationen [50].

Aus dem innerfränkischen Bereich sind weniger Nachrichten über diese bischöfliche Verpflichtung überliefert. Visitationen wurden zweifellos durchgeführt, doch standen andere Gesichtspunkte im Vordergrund, die viel mehr dem kirchlichen Alltag angehörten, wenig zur Aufzeichnung reizten und kaum Gelegenheit boten, die Wunderkraft des eigenen heiligen Bischofs darzustellen [51].

Die Dauer einer solchen Reise war natürlich abhängig von der Größe der Diözese, den verkehrsmäßigen Gegebenheiten, der Jahreszeit und den auftauchenden Problemen bei der Visitation; auf jeden Fall dauerte sie lange genug, um eine dem Bischof vorbehaltene Einsegnung eines Toten unmöglich zu machen [52]. Wie vielfältig der Bereich der Visitationen war, verdeutlicht etwa eine Stelle der Vita Gaugerici [53], die Magnerich von Trier bei der Schulinspektion zeigt [54].

---

[49] Der Brief des Papstes Martin I. enthält Antworten auf die Klagen des Amandus über die Beschwerlichkeiten, mit denen er zu kämpfen habe, und über die Erfolglosigkeit seines Wirkens. Doch knüpfen sich im südniederländischen Raum so viele Traditionen an seinen Namen, daß man an letzterer zweifeln muß. Amandus wandte sich an Bischof Aichar von Noyon mit der Bitte, von König Dagobert einen Brief zu erwirken, in dem der heidnischen Bevölkerung befohlen wird, die Taufe anzunehmen; Vita Amandi c. 13, 437. — Der Grund für sein Weggehen aus Maastricht lag sicher auch in seinem „maius desiderium", in fremden Gegenden die Lehre Christi zu verkünden. Die Verwaltung einer Diözese war nicht der Wunsch des Amandus. Vgl. auch Moreau, Histoire 80; Sprandel, Adel 57 und Angenendt, Wilbrord 66.

[50] Daß Eligius wirklich in dieser Funktion bis zu den Friesen vorgedrungen sei, wird neuerdings wieder bestritten. Die diesbezüglichen Angaben seiner Vita könnten durchaus erst in karolingischer Zeit hinzugefügt worden sein, als man unter dem Eindruck der Tätigkeit Willibrords und Bonifatius' stand; dazu J. N o t e r d a e m e — E. D e k k e r s, Sint Eligius in de pagus Flandrensis. De kerk te Snellegem, in: Sacris erudiri 7 (1955) 152.

[51] Außer durch die Konfrontation mit Kranken und Geistesgestörten im Verlauf der Visitation; doch meistens erfährt man nur, daß den Bischof die „cura visitandi gregis" veranlaßte, seine Diözese zu durchreisen.

[52] So mußte sich Gregor von Tours bereitfinden, die Exequien für die Königin-Nonne Radegund in Poitiers zu halten, weil der zuständige Bischof Marovech auf Visitation war und nicht mehr rechtzeitig zurückgekommen wäre. Gregor von Tours, Glor. Confess. c. 104, 815. Über die besonderen Zusammenhänge in diesem Fall Scheibelreiter, Königstöchter 13.

[53] C. 2, 652 f.

[54] Magnerich behandelt die Angelegenheit ziemlich gründlich, was auf die ganze Visitation ein entsprechendes Licht wirft. Allerdings ist zu berücksichtigen, daß es in der Intention der Vita liegt, Gaugerich als Knaben mit ungewöhnlichen

Häufiger als gewöhnlicher Visitationen gedenken die Geschichtsschreiber solcher, die von den Bischöfen begleitet von einem stattlichen Gefolge auf ihren Eigenklöstern durchgeführt wurden[55]. Oft lagen jene Klöster außerhalb der eigenen Diözese, und der weite Weg sowie die nicht immer einverständlich beizulegenden Besitzstreitigkeiten, deren Entstehung durch die Abwesenheit des Herrn noch gefördert wurde, ließen eine starke Begleitung angebracht erscheinen. Derartige Unternehmungen waren nicht nur kostspielig, sondern auch mühselig und nicht selten gefährlich. Solche „unechte" Visitationen banden den Bischof nicht an ein bestimmtes Programm und an festgelegte Routen, sondern gaben ihm Gelegenheit, zur Andacht heilige Stätten aufzusuchen, den Einladungen weltlicher Großer nachzukommen und „private" Besuche zu machen[56]. Im Gegensatz zur gewöhnlichen Visitation überwogen bei derartigen Inspektionsreisen bewaffnete Dienstmannen und wohl überhaupt Laien als Begleiter des Bischofs.

Auch die Ausübung seiner Weihegewalt zwang den Bischof häufig zu Reisen. Die Grenzen des eigenen Diözesansprengels wurden dabei in der Regel nicht überschritten. Immer wieder hören wir von „quidam homines", „aliqui homines", die mit der Bitte an den Bischof herantreten, ein von ihnen errichtetes Gotteshaus zu weihen. Dieser Pflicht konnte sich der Bischof nicht entziehen, wie der oben erwähnte Fall[57] des Bischofs Eufronius von Tours zeigt, der mit Verweis auf sein Alter und die üblen Witterungsverhältnisse ein Ersuchen um Vornahme der Einweihung abschlug: ein Traum mahnte ihn zur Erfüllung der Bitte. Dem Bischof scheint dabei die Wahl offengestanden zu haben, ob er die Weihehandlung mit höchster Feierlichkeit oder in einfacheren Formen vornehmen wollte. Obwohl wir nicht allzu viele Berichte über den Ablauf einer Kirchweihe in merowingischer Zeit haben, darf man vermuten, daß der schlichte Stil dabei überwog. Er paßte ja auch eher zu den meistens recht bescheidenen Landkirchlein[58]. Immerhin war die Anwesenheit des Bi-

---

Gaben zu zeigen, daher wird das Ereignis breit dargestellt. Doch besteht kein Grund, an den Angaben über diesen Teil der Visitation zu zweifeln.

[55] Vita Eligii II 15, 702. Vita Eucherii c. 6, 49 berichtet zwar nicht von Begleitern bei einer derartigen Gelegenheit, doch erlaubt der sonstige Lebensstil des Eucherius und seiner Familie anzunehmen, er sei mit einem größeren Gefolge gezogen.

[56] Eligius besuchte auf der Rückreise von einer Visitation seines Klosters Solignac den berühmten Inklusen Ebrigisil in Bourges — Vita II 31, 716 —; über die Aufenthalte Nicetius' und Gaugerichs siehe oben S. 211 f. Anm. 39 und 40.

[57] Siehe oben S. 204 Anm. 5.

[58] Der Ausdruck „basilica" in den Quellen darf über die Größe der von Laien errichteten Landkirchen nicht täuschen. Sie werden wohl fast immer aus Holz gewesen sein (mit Ausnahme vielleicht des südgallischen Bereichs).

schofs und seines Gefolges ein Festtag, der auch den Kranken und Armen des Ortes zugute kam [59].

Ein „officium longum" anläßlich der Weihe einer privaten Kirche dürfte recht selten gewesen sein. Hugbert von Lüttich forderte einmal in Brabant von seinen Klerikern die größte Feierlichkeit bei der Weihe einer solchen Kirche [60]. Der Aufwand an Geistlichen aller Weihegrade, der mit liturgischem Prunk abgehaltene Gottesdienst wurde gekrönt durch eine dreistündige Predigt des Bischofs. Die ungewöhnliche Pracht hatte freilich einen Grund, der außerhalb des kirchlichen Weiheaktes lag: Hugbert fühlte seinen Tod herannahen und wollte in einer ausführlichen Predigt gleichsam sich selbst Rechenschaft über seine Tätigkeit als Seelenhirt geben: deshalb auch der höchst feierliche Rahmen eines seiner letzten Gottesdienste.

Die Einweihung einer Kathedralkirche fand in besonders festlichen Formen statt. Bischöfe der ganzen Kirchenprovinz versammelten sich zu diesem Zweck, an der Spitze der Metropolit. Stammte der einladende Bischof aus einem berühmten gallo-römischen Geschlecht, so reisten unter Umständen auch Angehörige seiner Familie, die in anderen Kirchenprovinzen das Bischofsamt ausübten, zur Domweihe. Ein solch festliches Ereignis schildert uns Venantius Fortunatus [61]: die Weihe der Bischofskirche von Nantes. Fünf Bischöfe werden namentlich genannt, an ihrer Spitze Eufronius von Tours, der Metropolit [62]. Man erkennt aus der Beschreibung des Dichters den zweifachen Charakter der feierlichen Versammlung. Ausgangspunkt ist das kirchliche Fest, dem geistliche Verpflichtungen und kanonische Vorschriften zugrunde liegen. Doch darüber hinaus dient es zur Veranschaulichung der bischöflichen Stellung, die durch eine besonders festlich gestaltete Liturgie demonstriert wird. Dahinter steht auch noch der Glanz senatorischer Geschlechter, der einerseits die Weihehandlung festlich erhöht, andererseits durch die Teilnahme an dem Ereignis selbst gesteigert wird. In dem erwähnten Gedicht des Venantius mit seiner der Weihe des salomonischen Tempels angenäherten Metaphorik drückt sich das Selbstverständnis der gallischen Prälaten aus, das aus zwei Elementen besteht, die einander ergänzen und zugleich wechselseitig erhöhen: dem Bewußtsein, einer sozialen u n d christlichen Elite anzugehören. In diesem Sinne war die Reise zu einer Kirchweihe über die Bischofspflicht hinaus Erfordernis sozialer Repräsentation.

---

[59] Häufig werden uns bei diesen Gelegenheiten Wunderheilungen mitgeteilt; z. B. anläßlich einer Kirchweihe durch Bischof Badegisil in Le Mans: De virt. s. Martini III 35, 641.

[60] Vita Hugberti c. 11, 489.

[61] Carm. III 6, 55 f.

[62] Genannt werden Domitian von Angers, Victorius (von Rennes?), Domnolus von Le Mans und Romachar von Coutances.

Dasselbe gilt für die Weihe eines Amtsbruders. Auch hier konnte sich aus der kirchlichen Handlung eine Demonstration bischöflichen Glanzes entwickeln. Grundsätzlich sollten an der Ordination des Bischofs nur Metropolit und Komprovinzialen des zu Weihenden teilnehmen. Doch finden wir auch Bischöfe anderer Kirchenprovinzen bei der Konsekration. So reiste Germanus von Paris sowohl zur Weihe des Metropoliten Felix von Bourges als auch zu derjenigen des Syagrius von Autun [63]. Germanus scheint dort die Festpredigt gehalten zu haben, was vielleicht auf sein hohes Ansehen zurückzuführen ist. Er stammte aus Burgund, vermutlich sogar aus der Gegend von Autun, wo er vor seiner Erhebung zum Bischof von Paris Abt des bedeutenden Klosters St. Symphorian gewesen war. Die Teilnahme an der Weihe des Syagrius dürfte daher dieselben Ursachen haben, wie das zahlreiche Erscheinen von Bischöfen bei der Dedikation der Domkirche von Nantes [64].

Eine wesentliche Ursache der bischöflichen Reisetätigkeit war die Teilnahme an Synoden. Eugen E w i g ist der Frage nachgegangen, inwieweit sich die wiederholten merowingischen Teilungen auf die Anwesenheit gewisser Bischöfe ausgewirkt haben [65]. Allgemein kann festgehalten werden, daß sich der kirchliche Provinzialverband im fränkischen Reich gut erhalten hat [66]. Schwieriger gestaltete sich ohne Zweifel die Einbeziehung der provençalisch-burgundischen Sprengel in die fränkische Gesamtkirche. Jene Bischöfe waren sich ihrer besonderen Eigenart voll bewußt und viel stärker zueinander und gegen den Mittelmeerraum zu orientiert. Erst unter den Söhnen Chlodwigs I. finden sich Bischöfe aus diesen Provinzen bei fränkischen Konzilen [67]. Vor allem die Kirche von Arles führte noch längere Zeit ein Eigenleben, Caesarius hat nie eine

[63] Vita Germani auct. Venant. cc. 62 und 63, 409 f. Die Aussage, Germanus reiste „pro ordinatione Felicis (bzw. Syagrii)" könnte dazu verleiten, in Germanus den Konsekrator zu sehen. Doch ist das aus kirchenrechtlichen Gründen wenig wahrscheinlich; es soll nur die Teilnahme des Bischofs von Paris anzeigen, die ungewöhnlich genug ist.

[64] Obwohl Germanus aus keiner hervorragenden Familie stammte, jedenfalls war er nicht mit den hochberühmten Syagriern verwandt, scheinen doch irgendwelche Familienbeziehungen für die Anwesenheit des Bischofs mit verantwortlich gewesen zu sein.

[65] Beobachtungen zu den Bischofslisten der merowingischen Konzilien und Bischofsprivilegien, in: Landschaft und Geschichte = FS Franz Petri (1970) 171 ff.

[66] Ebendort 187.

[67] Beim dritten Konzil von Orléans (538) findet man die Bischöfe der Provinz Lyon geschlossen vertreten; beim großen fünften Konzil in der gleichnamigen Stadt (549) scheint die Einbeziehung der provençalisch-burgundischen Kirchenprovinzen abgeschlossen.

fränkische Synode besucht [68]. Die am fünften Reichskonzil von Orléans (549)
scheinbar gänzlich vollzogene Einordnung der provençalischen und burgundischen Bistümer wurde durch die Reichsteilung von 561 wieder in Frage gestellt.
Die Zuordnung zu den einzelnen Teilreichen begann eine dominierende Rolle
zu spielen; bei dem häufigen Wechsel, dem einzelne Gebiete in politischer Hinsicht unterworfen waren [69], läßt sich dieses Phänomen gut beobachten. Dabei
spielen hier Anschauungen mit, die sich bis auf konstantinische Zeit zurückverfolgen lassen: die Hinordnung der Bischöfe auf den Princeps. Dessen Nachfolge
hatten seit Chlodwigs Übertritt zum katholischen Christentum die fränkischen
Könige angetreten. Auch die Beziehungen der katholischen Kirche des Lango-
bardenreiches zu Rom waren sichtlich gering. Die Bischöfe wurden dem langobardischen Reichsrecht unterworfen und auf diese Weise immer stärker auf
den König ausgerichtet. Aus einer späteren Quelle hört man, daß dreizehn
langobardische Bischöfe und einige Äbte in Pavia Wohnsitze besessen hätten.
Der Gedanke liegt nahe, an eine Einrichtung zu denken, die der „σύνοδος
ἐνδημοῦσα" in Konstantinopel entsprach und letztlich wohl die Stellung des
Bischofs der langobardischen Hauptstadt aufwerten hätte müssen [69a].

Der fränkische Bischof besuchte also in erster Linie die Synode, die der
eigene Herrscher einberief [70]. Oft stand dabei die Zugehörigkeit zu einem Teilreich mit derjenigen zu einem kirchlichen Provinzialverband in Widerspruch.
Die Einigung des Reichs durch Chlothar II. und Dagobert schuf dann ein letztes
Mal die Voraussetzungen für eine universale Beteiligung an den Synoden [71].
Die Zeitspanne zwischen etwa 650 und dem Aufhören der bischöflichen Ver-
sammlungen gegen Ende des siebenten Jahrhunderts wird mit gutem Grund
als die Zeit der neustro-burgundischen Synoden bezeichnet. Nun beginnt die

---

[68] Über die zwiespältige Haltung des Caesarius von Arles zu den Franken, vgl.
G. B a r d y, L'attitude politique de Saint Césaire d' Arles, in: RHEF 33 (1947) 255.
[69] Manchmal sogar Städte; so wechselte Poitiers zwischen 511 und 587 (Vertrag
von Andelot) siebenmal den Besitzer!
[69a] Dazu Ewig, Résidence et capitale 377. Wieweit sich das mit der domi-
nanten Stellung Mailands in Oberitalien vertragen hätte, möge dahingestellt bleiben.
Man wird gut daran tun, an die betreffende Liste nicht zu viele Spekulationen
zu knüpfen. Daß man an den großen Konzilien des Ostens nicht teilnahm, höchstens
brieflich in die Diskussionen einzugreifen versuchte (vgl. das Sendschreiben des
Bischofs Mansuetus von Mailand gegen den Monotheletismus an das 3. Konzil von
Konstantinopel 681: Paulus Diaconus, Hist. Lang. VI 4, 166) ist für den gesamten
westlichen Episkopat des frühen Mittelalters charakteristisch.
[70] Darum machen die Synoden des merowingischen Frankenreichs nie den ge-
schlossenen Eindruck, als stände hinter ihnen die „Reichskirche", wie das bei den
westgotischen Konzilien durchaus der Fall ist.
[71] Hier ist vor allem an die Synode von Paris (614), in etwas eingeschränkterer
Form an jene von Clichy (626/27) und Reims (627/30) zu denken.

Absonderung einzelner Kirchenprovinzen — besonders des Südens! — immer stärker zu werden. Auch die austrasischen Randgebiete am Rhein und an der Mosel entsenden kaum mehr Vertreter zu diesen Synoden [72].

Fragt man in diesem Zusammenhang, ob es für das Erscheinen oder Fernbleiben der Bischöfe auch andere Gründe als die angeführten, politisch-kirchlichen, gab, so wird man das im Hinblick auf die Beschwerlichkeiten der Reise in einigen Fällen bejahen können. Daß gerade ein sonst gut besuchtes Reichskonzil wie das von Clichy (627) nur wenig Zuzug aus den Provinzen Arles, Vienne und Lyon erhielt, ist wohl auch aus der weiten Entfernung jener Bischofssitze vom Tagungsort zu erklären. Dasselbe gilt sicherlich auch für die Gebiete der Novempopulana, deren Bischöfe nach 627 allerdings überhaupt nicht mehr auf einem fränkischen Konzil bezeugt sind.

Was die austrasischen Grenzbischöfe betrifft, so sind sie die seltensten Gäste auf merowingischen Kirchenversammlungen. Im sechsten Jahrhundert wird uns nur Nicetius von Trier als Teilnehmer von Synoden (Clermont 535, V Orléans 549) bezeugt. Die übrigen Bischöfe von Rhein und Mosel fehlen durchwegs. Selbst wenn wir Unterbrechungen in den Bischofslisten als Beweis dafür anführen, daß manche alten civitates im sechsten Jahrhundert längere Zeit hindurch vakant waren, erklärt das nicht völlig das Fehlen der Bischöfe bei den Synoden. Eher war die Grenzlage dieser Bischofssitze dafür verantwortlich [73]. Es galt, das Christentum, welches zeitweise gänzlich im Niedergang war, wieder zu erneuern, wobei sich die Aufgaben der meist aus Aquitanien kommenden Bischöfe — wie wir oben gezeigt haben — keineswegs auf pastorale Angelegenheiten beschränkten, sondern Probleme der kirchlichen u n d weltlichen Infrastruktur zu lösen waren. Auch die latente heidnische Bedrohung ließ ein Verbleiben des Bischofs in seiner Stadt oft ratsam erscheinen. Gerade vor diesem Hintergrund mußte eine mitunter recht weite Reise zu einer Kirchenversammlung, die kaum die Probleme des gefährdeten Grenzchristentums behandelte, wenig verlocken. Nur wegen der Reisestrapazen allein hätte man aber kaum auf die Teilnahme an den Synoden verzichtet. Daß man sonst denselben Gepflogenheiten folgte, wie auf anderen Reisen, zeigt die Nachricht über Bischof Dalmatius von Rodez, der auf dem Weg zum fünften Konzil von Orléans (549)

---

[72] Das dritte Konzil von Chalon-sur-Saône weist das letzte Mal eine stärkere Beteiligung südgallischer Bischöfe auf; dazu Ewig, Bischofslisten 190. Lemarignier, Organisation 460 f., unterscheidet eine „Gaule conciliaire" in den überwiegend romanisierten Gegenden und eine „Gaule monastique" nördlich und östlich der Seine. Dieser Beobachtung wird man für das siebente Jahrhundert im großen und ganzen zustimmen.

[73] Darüber ausführlich Büttner, Frühes fränk. Christentum 20.

in Bourges Station machte, um eine feierliche Messe zu zelebrieren, und bei der Rückkehr dem heiligen Martin in Tours seine Reverenz erwies [74].

Das erste (und zugleich das einzig überlieferte) Auftreten der austrasischen Bischöfe aus dem östlichen Grenzraum des fränkischen Reiches kann man beim Reichskonzil von 614 in Paris feststellen: Sapaudus von Trier, Solacius von Köln, Bertulf von Worms, Ansoald von Straßburg und Hilderich von Speyer; nur der Bischof von Mainz fehlt [75]. Dieser erscheint dafür auf dem Reimser Konzil (627/30: Lupoaldus Mogonciacensis) zusammen mit Modoald von Trier und Kunibert von Köln. Mit dem verstärkten Ausgreifen der missionarischen Arbeit und der allmählichen christlichen Durchdringung der rechtsrheinischen Gebiete wandte sich das Interesse der austrasischen Bischöfe, die an der Ostgrenze des Reiches wirkten, mehr diesem neuen Bereich zu. Hier boten sich noch Möglichkeiten, die realen Grundlagen bischöflicher Macht auszuweiten. Das Auseinanderstreben der Teile des fränkischen Reiches förderte diese Haltung; von einer weiteren Teilnahme dieser Bischöfe an merowingischen Synoden ist nichts bekannt.

Ein vielleicht noch wichtigerer Teil der bischöflichen Reisetätigkeit gehört in das Gebiet ihrer Funktionen als Träger der Reichsverwaltung. Aufgaben, die von ihrem kirchlichen Amt schon weit entfernt waren, zwangen die Bischöfe oft zu ausgedehnten Reisen. Wir wollen uns hier mit jenen beschäftigen, die aus Gründen der Präsentation, der diplomatischen Tätigkeit und der Heeresfolge erforderlich wurden.

Unter Präsentation im weiteren Sinne verstehen wir den sogenannten „occursus regis" und die Präsentation im engeren Sinne. Der erste Fall ist nichts anderes als der Empfang des Königs bei dessen Herannahen an die Bischofsstadt und veranlaßte den Bischof nur zu einem „Entgegengehen" vor die Mauern der Stadt [76]. Doch gab es auch Fälle, in denen der Bischof dem

---

[74] Vita Dalmatii cc. 7 und 8, 547.

[75] MGH Concilia 191 f.

[76] Man konnte den König aber auch erst bei den Stadttoren oder bei der „domus episcopalis" empfangen, wie es Magnulf von Toulouse widerwillig bei dem Thronprätendenten Gundowald tat (Gregor von Tours, HF VII 27, 345). Vor den Mauern von Dijon brach Bischof Tetricus das Brot mit Chramn, dem Sohne König Chlothars I.; HF IV 16, 149 f. Allgemein beschrieben ist der „adventus regis" in HF VIII 1, 370: Gunthramn in Orléans (585). Dazu auch Carlrichard B r ü h l, Fodrum, Gistum, Servitium regis. Studien zu den wirtschaftlichen Grundlagen des Königtums im Frankenreich und in den fränkischen Nachfolgestaaten Deutschland, Frankreich und Italien vom 6. bis zur Mitte des 14. Jahrhunderts (Kölner Historische Abhandlungen 14, 1968) 15 f. Für unseren Zusammenhang weit brauchbarer und ausführlicher Karl H a u c k, Von einer spätantiken Randkultur zum karolingischen Europa, in: FMST 1 (1967) bes. 34 ff., 37 ff.

König ein beachtliches Stück Weges entgegenzog. Dabei bedurfte er des Wagens und der Pferde [77], was größere Vorbereitungen notwendig machte.

Das Phänomen der eigentlichen Präsentation wurde in der Literatur bisher übersehen. Man zählt es zu den Besuchen, die den Bischof an den königlichen Hof führten, obwohl Hoftage im Sinne des hohen Mittelalters in merowingischer Zeit nicht bekannt waren, ja selbst „gemischte" Reichsversammlungen (mit weltlichen und geistlichen Teilnehmern) erst in karolingischer Zeit aufkamen [78]. Doch finden sich in den Quellen des von uns behandelten Zeitraums kurze Berichte über Reisen der Bischöfe, die offensichtlich nur dem Zweck dienten, sich dem (neuen) König vorzustellen. War dies geschehen, war der Aufenthalt am Hof grundsätzlich beendet. So hören wir von Germanus von Paris, daß er im Jahre 567 von seiner Bischofsstadt nach Autun reiste, um sich König Gunthramn zu präsentieren. Charibert war im gleichen Jahre gestorben. Paris, die Hauptstadt seines Teilreiches, wurde zwischen den überlebenden Brüdern geteilt [79]. Es ist durchaus wahrscheinlich, daß der angesehene Bischof den ältesten der noch lebenden Söhne Chlothars I. aufsuchte, um mit ihm als Vertreter der „dreigeteilten" Stadt zu beratschlagen [80].

Bischof Gaugerich von Cambrai fand sich zum „occursus regis" (!) Chlothars II. in der neustrischen Pfalz Chelles ein und „empfing" den König mit gebührender Ehrerbietung [81]. Weiters erfährt man darüber nichts; anschließend wirkte Gaugerich eines der in der Vitenliteratur so beliebten Wunder an einem Gefesselten. Der unbelehrbare und unerbittliche Verwahrer der Gefangenen ist hier der Hausmeier Landerich. Von einer Reise des Königs nach Cambrai ist keine Rede, der Bischof zieht ihm nicht etwa entgegen! Eindeutig wird gesagt: der Bischof reist zur „villa regis". Der Weg von Cambrai nach Chelles kann kaum als Entgegenziehen des Bischofs angesehen werden, während von einer Absicht Chlothars II., Gaugerich in seiner Bischofsstadt zu besuchen, nichts angedeutet wird. Problematisch bleibt nur die Terminologie der Quelle [82]. Man wird annehmen dürfen, daß Gaugerich, dessen Kirche zur Provinz

---

[77] Mit großen Zurüstungen brach Bischof Eufronius von Tours zum Empfang König Chariberts im Jahre 567 auf; Gregor von Tours, Glor. Confess. c. 19, 758 f.

[78] Im Gegensatz zu den westgotischen Reichssynoden, die seit 589 auch die Aufgaben allgemeiner Reichsversammlungen erfüllten. Vgl. Schwöbel, Synode 44 f.

[79] Vita Germani auct. Venant. c. 61, 409.

[80] Es wurde vereinbart, daß Gunthramn, Sigibert und Chilperich die Stadt nur gemeinsam betreten durften. Daher konnte Germanus König Gunthramn nicht in Paris treffen.

[81] Vita Gaugerici c. 9, 655.

[82] Sie spricht von einem „occursus piissimi Chlodharii regis" und von „recipere", was dem Königsempfang in der Bischofsstadt entspricht. In diesem Fall war es aber gerade umgekehrt.

Reims gehörte — und damit zum austrasischen Reichsteil —, nach dem Aussterben der merowingischen Linie König Sigiberts und der Wiederherstellung
der Reichseinheit durch Chlothar II. (613), sich dem neuen Herrn präsentierte [83].

Germanus und Gaugerich wirkten im Anschluß an ihre Präsentation Wunder. Es ist nicht unwahrscheinlich, daß nach Ansicht des Verfassers der Vita
die übernatürlichen Fähigkeiten dem König als besondere Empfehlung dienen
mußten. Zugleich sieht man, daß der Zweck der bischöflichen Reise mit dem
Erscheinen vor dem König völlig erfüllt war: weitere Ereignisse werden nicht
berichtet. Bei Germanus knüpft sich das Wunder an eine Lokaltradition des
Ortes Rosay (Roteiacum), während Gaugerich die traditionelle Rolle des Erlösers von Gefangenen übertragen bekommt. Beide Male läßt sich wohl nicht
von einem „occursus regis" reden, der Terminus „praesentatio" — wie er in
der Germanusvita expressis verbis gebraucht wird — scheint angebracht.

Da wir es noch nicht mit einem wirklichen Reisekönigtum zu tun haben,
mußten die Bischöfe größere Strecken zurücklegen, um sich dem Herrscher vorzustellen. Sie konnten nicht warten, bis der König in ihrer Stadt oder einer
nahegelegenen Pfalz Aufenthalt nahm. Auch gehörte es in den Zeiten der Merowinger noch nicht zu den Gepflogenheiten des Königs, seinen Regierungsantritt in einer großen Versammlung von Würdenträgern publik zu machen. Der
Wechsel in der Königsherrschaft ging im fränkisch-merowingischen Reich noch
recht unauffällig vor sich: Geblütsheiligkeit und Königsheil erforderten noch
keinen formalen Aufwand. In beiden hier geschilderten Fällen ist ersichtlich,
daß es sich um Reisen des Bischofs zu einem Herrscher handelte, der die Regierung (in einem Teil des fränkischen Reiches) neu übernommen hatte.

Zu den Reisen, die der Kirche und ihrem Besitz dienen konnten, aber nur
entfernt mit den eigentlichen Aufgaben des Bischofs zu tun hatten, zählten
die Hoffahrten. Dieser Begriff darf nicht im hochmittelalterlichen Sinne mißverstanden werden. Es gehörte keinesfalls zu den Aufgaben des Bischofs, am
Hofe zu erscheinen, wie es ja auch keine Hoftage gab: der merowingische König
hatte keinen Rechtsanspruch auf das „consilium" der Bischöfe, deren Stellung
auch nicht die eines späteren Lehensmannes war. Wie so vieles in der Beziehung zwischen König und Episkopat, in der Organisation des merowingischen
Reiches überhaupt, entschieden die Erfordernisse der augenblicklichen Lage

---

[83] Wir wissen nicht, in welchem Jahre Gaugerich diese Reise unternommen hat.
Doch ist anzunehmen, daß sie nicht vor 613 erfolgte, da bei der strengen Hinordnung
des Bischofs auf den König seines Teilreichs, eine „praesentatio" vorher verräterisch
oder zumindest sinnlos gewesen wäre.

und die Machtverhältnisse im Reich über die Unterstützung des Herrschers, oder diese beruhte auf einer besonders engen menschlichen Bindung zu ihm.

Der Bischof kam an den Hof, um Rechtsstreitigkeiten klären oder sich Ansprüche durch ein königliches Diplom bestätigen zu lassen. So erwirkte Praeiectus von Clermont in seinem Besitzstreit mit dem Präfekten Hektor von Marseille eine Bestätigungsurkunde König Childerichs II. [84], wobei auch die „conditiones ecclesie" zur Sprache gekommen sein mögen. Er scheut dabei nicht die weite Reise von Clermont über die rauhen und unwirtlichen Vogesen ins Elsaß. Er mußte die Strapazen in Kauf nehmen, weil ein Zug des Königs in die Auvergne nicht zu erwarten war. Das Reisekönigtum war bei den Merowingern nur wenig entwickelt: der König kam nicht im ganzen Frankenreich herum, seine Umfahrt beschränkte sich entweder auf sein Teilreich oder auf die Pfalzen im Kerngebiet seiner Herrschaft [85]. Die Gebiete südlich der Loire und westlich der unteren Rhône (also über den Umfang Aquitaniens hinausgehend) scheinen von den fränkischen Herrschern außer auf Kriegszügen im allgemeinen sehr selten aufgesucht worden zu sein. Nachdem die neustrische Linie des Königsgeschlechts durch Chlothar II. im Jahre 613 die Herrschaft über das Gesamtreich gewonnen hatte, lockerten sich die Beziehungen zwischen dem fränkischen Norden und Aquitanien, die einst für die austrasische Kirchenorganisation so wichtig gewesen waren [86]. Die Bischöfe mußten also den König in seinen Pfalzen aufsuchen und dabei oft gewaltige Strecken zurücklegen. Der Reichsbischof des hohen Mittelalters hatte dagegen die Möglichkeit, den König auf seinem Ritt durch das Reich immer wieder an einem Platz, der seiner Bischofsstadt günstig gelegen war, zu treffen. Zugleich schloß er sich häufig dem königlichen Gefolge an, zumindest solange sich der Herrscher innerhalb der entsprechenden Kirchenprovinz oder des Herzogtums aufhielt, zu dem das betreffende Bistum gehörte. Bei den merowingischen Königen sahen die Dinge ganz anders aus: die größere Bedeutung der königlichen Residenz bewirkte eine geringere Fluktuation innerhalb des herrscherlichen Gefolges. Dieses bestand im wesentlichen aus den am Hofe weilenden Adeligen und Beamten, bzw. den Antrustionen, die einen festen Grundstock bildeten, zu dem nur wenige Personen von außen hinzukamen. Mit dem König ziehende Bischöfe waren eine seltene Erscheinung.

---

[84] Passio Praeiecti c. 20, 237 f., c. 27, 241 f.

[85] Daneben gab es aber auch Ansätze zu einer festen Residenz. Die Pfalz Chelles wurde von Chilperich ungemein bevorzugt: dort befand sich auch sein Königsschatz. Gunthramn hielt sich am liebsten in Chalon-sur-Saône auf, obwohl Orléans die Hauptstadt seines Teilreiches war. Dagobert I. favorisierte Clichy. Vgl. Ewig, Résidence 383 ff. und Carlrichard B r ü h l, Königspfalz und Bischofsstadt in fränkischer Zeit, in: Rheinische Vierteljahrsblätter 23 (1958) bes. 173 ff., 181 ff., 185 ff., 196 ff., 208 ff., 220 ff., 236 ff.

[86] Ewig, L'Aquitaine 559 ff.

Man kann sich daher vorstellen, daß ein Bischof, der von weither kam, die Gelegenheit des Besuches beim König, der einen konkreten Anlaß hatte, benützte, um vieles zu erledigen, was die „conditiones ecclesie" betraf. Es war ja fraglich, wann der König wieder zu erreichen sein würde.

Findet sich also ein Bischof selten im Gefolge des Königs, so war noch weniger zu erwarten, daß er einer Aufforderung des Hausmeiers nachkam, ihn zu begleiten. Hiezu bestand keine Verpflichtung, doch konnten die vorhandenen Machtverhältnisse dazu nötigen. Eligius von Noyon weigerte sich, Erchenoald, dem „praefectus palatii", außerhalb die Stadt zu folgen. Dieses Verhalten erfüllte die führenden Bürger und Äbte der Stadt mit höchster Besorgnis, da man die Feindschaft des mächtigen Mannes fürchtete [87]. Aus der Stelle geht jedoch hervor, daß der Bischof nicht so abweisend gewesen wäre, hätte er nicht den nahen Untergang Erchenoalds vorhergesehen. So kommt er auch, als er zum schwer leidenden Hausmeier gerufen wird. Die Machtstellung des höchsten Reichsbeamten konnte also durchaus einen Bischof veranlassen, seinem Gebot zu folgen.

Vom König wurde man in der Regel nur aufgeboten, wenn man zum engsten Hofkreis gehörte oder gar zu den persönlichen Freunden des Herrschers zählte. Wir wissen, daß Arnulf von Metz mit König Dagobert, dessen Erzieher er gewesen war, eine ausgedehnte Reise in die halbheidnischen Gebiete östlich des Rheins bis nach Thüringen unternahm [88]. Auf derartigen Reisen war für den König ein stattliches Gefolge vonnöten: die Möglichkeit eines feindlichen Überfalls in den besuchten Gebieten, die ja nur oberflächlich vom fränkischen König beherrscht wurden, war nicht auszuschließen. Für die Auswahl der bischöflichen Begleitung mochte daher ein Punkt von Bedeutung sein, der dem Bischofsamt entgegen war: wenn schon nicht die Fähigkeit, Waffen zu führen, so doch die militärische Erfahrung aus den Zeiten der (eventuellen) laikalen Stellung des Bischofs. Bei Arnulf traf dies auf jeden Fall zu; der Biograph hebt seine Geschicklichkeit im Waffengebrauch ausdrücklich hervor [89]. Bischöfe, die zunächst Pagen und dann Hofbeamte gewesen waren, dürften im allgemeinen die Eignung dazu besessen haben, weil ihre Erziehung zum guten Teil aus körperlicher Ertüchtigung bestanden hatte, wie wir oben gezeigt haben [90].

So konnte sich die einfache Begleitung des Königs oder eines seiner Würdenträger im Handumdrehen zu der Beteiligung an einem bewaffneten Kon-

---

[87] Vita Eligii II 27, 714 f.
[88] Vita Arnulfi c. 12, 436 f. Dazu auch Heinrich B ü t t n e r , Das mittlere Mainland und die fränkische Politik des 7. und frühen 8. Jahrhunderts, in: Herbipolis jubilans. 1200 Jahre Bistum Würzburg (Würzburger Diözesangeschichtsblätter 14/15, 1952/53) 85.
[89] Vita c. 4, 433.
[90] Oben Kap. 2, S, 71 ff.

flikt wandeln. Auf keinem anderen Felde weltlicher Beschäftigung wurde das Bischofsamt mehr in Frage gestellt als auf dem des Kriegswesens. Das erste Konzil von Toledo (400) bestimmte, daß niemand die Bischofsweihe empfangen solle, der bereits Kriegsdienst geleistet habe [91]. Auf dem großen Reichskonzil von Chalkedon (451) hatte man die Kleriker und Mönche überhaupt vom Militärdienst befreit [92]. Dies blieben jedoch die einzigen Vorschriften, die sich mit der Problematik des Verhältnisses zwischen Klerus und Kriegsdienst auseinandersetzten. Die Verfügung des Toletanum wurde ja schon durch die Tatsache außer Kraft gesetzt, daß das Bischofsamt in der Spätantike häufig den Abschluß einer weltlichen Laufbahn bildete. Die gallischen Synoden ließen sich auf derlei Probleme überhaupt nicht ein: die Grundsätze von Toledo waren anerkannt, doch konnte man sie gegen eine andersartige Praxis nicht restlos durchsetzen. Man beschränkte sich bei der konziliaren Gesetzgebung auf das Verbot des Waffentragens und der Ausübung der Jagd durch die Geistlichkeit [93].

Wir wollen hier nicht auf den Problemkreis Klerus und Krieg eingehen, seine moralische und weltanschauliche Wertung, sowie seine verfassungsgeschichtliche Bedeutung untersuchen, sondern fragen, wieweit die Beteiligung an Kriegszügen ein wesentlicher Bestandteil der bischöflichen Reisetätigkeit in der behandelten Periode war [94].

Dazu ist gleich festzustellen, daß der Hauptteil kriegerischer Betätigung des Bischofs in der Befestigung und Verteidigung der Kathedralstädte bestand, die ihm als Herrn der civitas oblagen, und die eine strenge Befolgung der kirchenrechtlichen Bestimmungen unmöglich machten [95]. Eine Teilnahme an Kriegszügen oder anderen bewaffneten Auseinandersetzungen, die von der eigenen Bischofsstadt wegführten, ist für das sechste Jahrhundert kaum be-

---

[91] C. 8, 22; der Kanon verbietet sogar schon die Weihe zum Diakon für jemanden, der Militärdienst geleistet hat, „etiam si gravia non admiserit".

[92] C. 7, Mansi 6, 1227.

[93] Epaon (517) c. 4; I Mâcon (583) c. 5; II Mâcon (585) c. 13; Bordeaux (663/75) c. 1: darin wird dem Zuwiderhandelnden eine „canonica ... sententia" angedroht, was doch mehr zu sein scheint als eine „Vermahnung" wie Friedrich P r i n z, Klerus und Krieg im früheren Mittelalter. Untersuchungen zur Rolle der Kirche beim Aufbau der Königsherrschaft (Monographien zur Geschichte des Mittelalters 2, 1971) 6 m. Anm. 14 meint; St. Jean de Losne (673/75) c. 2; siehe auch J. P. B o d m e r, Der Krieger der Merowingerzeit und seine Welt. Eine Studie über Kriegertum als Form menschlicher Existenz im Frühmittelalter (Geist und Werk der Zeiten 2, 1957) 37 f. m. Anm. 157.

[94] Über das Thema handelt eingehend Prinz, Klerus (wie Anm. 93); für die ottonische Zeit (mit Rückblick) Leopold A u e r, Der Kriegsdienst des Klerus unter den sächsischen Kaisern 1, in: MIÖG 79 (1971) 316—407; 2, in: MIÖG 80 (1972) 48—70; Bodmer, Krieger (wie Anm. 93) geht nur ganz kurz darauf ein.

[95] Prinz, Klerus 8.

zeugt. Soldatische Unterstützung bei der gewaltsamen Einsetzung von Kandidaten auf vakante Bischofsstühle gegen den Willen der civitas, wie sie uns im fünften Jahrhundert etwa vom großen Hilarius von Arles berichtet wird, ist für das folgende Säkulum nicht überliefert [96]. Daß sich Bischöfe an kriegerischen Unternehmungen beteiligten und sogar ins Schlachtgeschehen eingriffen, erfahren wir von Gregor von Tours nur bezüglich der berüchtigten Brüder Sagittarius von Gap und Salonius von Embrun [97]. Sie zogen im Heere des Patricius Eunius Mummolus im Jahre 571 gegen die Langobarden und töteten mit eigener Hand zahlreiche Gegner [98]. Sagittarius unterstützte dann auch den falschen Chlotharssohn Gundowald bei seiner zunächst recht erfolgreichen Erhebung, wobei er immer mit dem Heere zog und dabei in Aquitanien bedeutende Strecken zurücklegte [99]. Der Bischof von Gap ist aber keineswegs als repräsentativ für den gallo-fränkischen Episkopat des sechsten Jahrhunderts anzusehen: Während Sagittarius mit dem Thronprätendenten umherzog, ließ er seine Bischofsstadt völlig im Stich. Auch in seiner Gegenwart konnte sich übrigens Gap — ähnlich wie das seinem Bruder anvertraute Embrun — kaum einer wirklich pastoralen Betreuung erfreuen. Er unterschied sich dadurch auch von anderen bischöflichen Helfern Gundowalds, wie Berthramn von Bordeaux oder Palladius von Saintes. Diese förderten ihn während seines Aufenthalts in Bordeaux, blieben aber nach dem Abzug seiner Streitmacht an Ort und Stelle ihres bischöflichen Wirkens. Sagittarius und Salonius müssen daher als kriegerische Draufgänger gewertet werden, denen das Bistum nahezu ausschließlich als Versorgungsgrundlage diente.

Friedrich Prinz hat darauf hingewiesen, daß die beliebte Gleichung: Germanisierung = Barbarisierung = Militarisierung für den Episkopat nicht aufgeht [100]. Im Hinblick auf Hilarius von Arles, besonders aber auf die beiden

---

[96] Ebendort 39 ff. Das Verhalten des Hilarius war demnach „schichtenspezifisch" für den gallischen Episkopat; ein Martin von Tours hob sich deutlich davon ab.

[97] Gregor von Tours tadelt nicht den Gebrauch der Machtmittel durch die Bischöfe, sondern lediglich ihren Mißbrauch. Doch ist andererseits sein Abscheu vor der brutalen Lebensweise der beiden Brüder sehr groß. Vgl. die Beschreibung ihres Verhaltens gegenüber ihren „cives": HF V 20, 228.

[98] HF IV 42, 175 und V 20, 227 ff. Merkwürdig ist allerdings die Haltung Gregors zu ihrer Freilassung aus klösterlicher Haft. Als des Königs Kinder erkrankten, rieten „familiares", Gunthramn möge Sagittarius und Salonius wieder einsetzen, da deren Haft Gott erzürnt habe. Deshalb sei die Krankheit über Gunthramns Söhne gekommen. Gregor berichtet das kommentarlos, obwohl er vorher einen ganzen Katalog ihrer Schändlichkeiten geboten hat. Über die Festsetzung der beiden Bischöfe durch „iudices", vgl. Erich Freiherr von G u t t e n b e r g, Iudex h. e. comes aut grafio, in: FS Erich E. Stengel (1952) 97.

[99] Die Anwesenheit des Sagittarius ist bezeugt in Poitiers, Périgueux und St. Bertrand de Comminges.

[100] Klerus 63 m. Anm. 96.

bischöflichen Brüder, ist ihm dabei zuzustimmen. Dennoch kann man eine vermehrte Beteiligung von Bischöfen an militärischen Aktionen im siebenten Jahrhundert feststellen. Die Gründe dafür sind unter anderem in einer gewandelten Anschauung vom „bischofsmäßigen" Leben zu suchen: militärische Tüchtigkeit wird jetzt auch in der Vitenliteratur eine wichtige Voraussetzung für die Erwerbung eines heiligmäßigen Rufes [101]. Die nahe Verwandtschaft zwischen Bischof und aufsteigendem Kriegeradel tat auch auf dem Schlachtfeld seine Wirkung. Seltener als Kriegszüge ließen daher Familienfehden den Bischof mit seiner Mannschaft ausrücken; Reisen dieser Art wurden jetzt durchaus normale Erscheinungen. Als in den Auseinandersetzungen um die faktische Macht in Burgund der Franke Flaochad den Patricius Willebad im Jahre 642 besiegte, stürzten sich die Gefolgsleute des Siegers auch auf die Zelte der Bischöfe, um sie zu plündern [102]. Wir müssen uns daher die Ausrüstung der in den Krieg ziehenden Prälaten nicht zu bescheiden vorstellen. Die Mitnahme von Zelten und dem darin geborgenen Gerät läßt nicht nur auf ein größeres Unternehmen schließen, sondern zeigt zugleich, daß man dafür auf seiten des Bischofs gerüstet war.

Die Krise des merowingischen Reiches, die spätestens nach der Abdankung der Königin Balthild (664) eintrat, ließ einen neuen Typus entstehen, den des bischöflichen „Desperados". Dieser nützte die Lage des zerrissenen Reiches möglichst zum eigenen Vorteil; dazu mußte er aber wendig sein, auf allen Kampfplätzen der inneren Auseinandersetzungen gegenwärtig und sofort zupacken, wenn sich ihm die Chance bot, ein Bistum zu erlangen. In den Wirren nach der Ermordung König Childerichs II. im Jahre 675, als Ebroin zur zentralen Gestalt des Reiches wurde, stellten sich ihm die beiden Bischöfe Desideratus von Chalon und Bobo von Valence zur Verfügung und setzten sich an die Spitze eines Heeres, das für den vom Hausmeier eingesetzten Kinderkönig Chlodwig III. Burgund unterwerfen sollte [103]. Bei der Einnahme von Autun taten sie sich hervor [104], verweilten jedoch nicht in der unterworfenen Stadt, sondern zogen sofort zur Belagerung von Lyon weiter; diese scheiterte freilich. Ein derartiges kriegerisches Dahinstürmen ist deshalb bemerkenswert, weil

---

[101] Vgl. die Viten des Arnulf von Metz oder des Eligius von Noyon. Insoweit ist Riché, Columbanus 63 f. nicht zuzustimmen, der zwischen den fränkischen Bischöfen des fünften und sechsten Jahrhunderts keinen Unterschied sieht.

[102] Fredegar IV 90, 167; Wolfgang F r i t z e, Die fränkische Schwurfreundschaft der Merowingerzeit. Ihr Wesen und ihre politische Funktion, in: ZRG GA 71 (1954) 91 f. spricht nur von den Bischöfen, deren sich Flaochad durch „amicitia" versicherte. Doch gab es auf seiten Willebads ebenfalls Bischöfe, deren Zelte nach der verlorenen Schlacht geplündert wurden.

[103] Levillain, Succession 76.

[104] Passio Leudegarii I, c. 20, 301 f.; c. 23, 304 f.; c. 26, 307.

Bobo nach der Gefangennahme Leodegars das Bistum Autun übernahm: beide waren wohl schon 675/77 ihres Amtes enthoben worden, ihr Ziel konnte nur die Wiedergewinnung ihrer Bischofsstädte unter den geänderten politischen Umständen sein[105]. Dennoch eilten sie weiter, weil sie nirgends fehlen durften, wo es galt, Beute zu verteilen. Bobo und Desideratus waren keineswegs Kriegsleute, die das Gewand des Geistlichen nur angezogen hatten. Sie waren hypertrophe Erscheinungen einer im adeligen Kriegertum kulminierenden Gesellschaft, die zwischen weltlich und geistlich keine Unterschiede machte. Sie brachten nur aufgrund einer geringen moralischen Festigkeit und eines (vielfach notwendig scheinenden) politischen Opportunismus zum Blühen, was in den meisten adeligen Bischöfen des siebenten Jahrhunderts knospte.

Trotz dieser inneren Grundhaltung, die sicher durch die Erziehung am Königshof noch verstärkt wurde, lag auch im siebenten Jahrhundert das Schwergewicht kriegerischer Tätigkeit der Bischöfe in der Verteidigung ihrer civitas. Doch mußten sie in den Zeiten des Niedergangs der merowingischen Herrschaft wohl oder übel Partei ergreifen, und so findet man vor allem im letzten Viertel des Jahrhunderts Bischöfe wiederholt in den Heerlagern der Streitenden, wo sie jedoch häufiger als zum Krieg zu Verhandlungen verwendet wurden[106]. Einen wesentlichen Faktor bischöflicher „Reisetätigkeit" stellten die Kriegszüge aber auch im siebenten Jahrhundert noch nicht dar.

Dem frühen achten Jahrhundert war die Erscheinung des kämpferischen Bischofs hingegen bereits vertraut. Es ist wiederholt darauf hingewiesen worden, daß im neustrisch-burgundischen Raum ein Machtvakuum entstanden war, in welches die großen Familien vorstießen, wobei ihnen vor allem um die Erwerbung mehrerer Bischofssitze zu tun war. Militärische Unternehmungen waren an der Tagesordnung. Von der eigenen Bischofsstadt aus ging man daran, ein Gebiet zu erobern, das nicht nur dem bischöflichen Einfluß, sondern der tatsächlichen Gewalt des Bischofs unterworfen sein sollte. Es drohte die Gefahr, im Bischofssitz nur mehr die Ausgangsbasis für regionale Eroberungspolitik zu sehen. Mit bewaffneter Hand zog der Bischof nun aus, um seine „territorialen" Forderungen durchzusetzen[107]. Karl Martell nützte diese Si-

---

[105] Ewig, Milo 210; daß mit beiden in Valence und Chalon-sur-Saône für längere Zeit die Bischofslisten abbrechen, läßt auf schwere Umwälzungen schließen.

[106] Dabei war ihre List und Gewissenlosigkeit oft gleichermaßen erstaunlich. Reolus von Reims lockte den „dux" Martin mit einem Meineid aus seiner sicheren Stellung ins Verderben; Liber Historiae Francorum, ed. Bruno Krusch, MGH SS rer. Merov. 2 (1888) c. 46, 320 (ohne Namensnennung) und Fredegar cont. c. 3, 170.

[107] Der „Idealtypus" dieser Art von Bischöfen war Savarich von Auxerre, der „pagum Aurelianensem quam Nivernensem, Tornodorensem quoque atque Avalensem, necnon et Tricassinum militari manu invaderet suisque dicionibus subiugaret." (Gesta epp. Autiss. c. 26, 394); bei der Belagerung von Lyon (715) wurde er vom Blitz erschlagen.

tuation in der westlichen Hälfte des fränkischen Reiches für seine Zwecke aus. Die mächtigen Bischöfe vor allem Burgunds leisteten ihm wiederholt Heeresfolge gegen den widerspenstigen Herzog Eudo von Aquitanien und die Sarazenen und beteiligten sich an der Spitze ihrer Truppen an den Kämpfen [108]. Pippin der Mittlere sandte sogar im Jahre 712 einen Bischof als Heerführer gegen den Alamannenherzog Wichar aus [109].

Im austrasischen Reichsteil wurden Kriegszüge allmählich zu einer wesentlichen Aufgabe der Bischöfe. Der von Bonifatius so heftig angegriffene Episkopat, dessen markante Vertreter uns aus seinen Briefen bekannt sind, wurde von den karolingischen Hausmeiern häufig mit militärischen Aufgaben betraut. Kaum ein Feldzug, der ohne Beteiligung eines Bischofs durchgeführt worden wäre. Die wirtschaftlichen Möglichkeiten, die der Familienbesitz bot, vereinigten sich mit dem Kirchenvermögen zu einem bedeutenden Faktor, dessen sich die aufstrebenden Karolinger gern bedienen mochten. Daß der Bischof aber diese Mittel nicht nur zur Verfügung stellte, sondern den Heereszug selbst mitmachte, lag an dem agonalen Prinzip, das auch den geistlichen Adeligen beherrschte [110]. Der Bischof als regelmäßiger Teilnehmer an Heereszügen des Königs, wie er uns schon im neunten Jahrhundert, im wesentlichen aber im

---

[108] Besonders tat sich in dieser Hinsicht Bischof Ainmar von Auxerre hervor; Gesta epp. Autiss. c. 27, 394.

[109] Annales Sancti Amandi 6 (= Annales Tiliani 6), ed. Georg Heinrich Pertz, MGH SS 1 (1826): „Q u i d a m episcopus duxit exercitum Francorum in Suavis contra Vilario (!)".

[110] Gerold und Gewilib von Mainz sind als Krieger hinreichend bekannt. Daß Gewilib seinen Vater im Kampf gegen die Sachsen rächte, mußten die fränkischen Großen ganz in Ordnung finden. Totenopfer und Sippenglauben, die auch durch das Christentum nicht beseitigt werden konnten, waren die Voraussetzungen für die Blutrache; vgl. Anton M a y e r, Religions- und kulturgeschichtliche Züge in bonifatianischen Quellen, in: St. Bonifatius. Gedenkgabe zum 1200. Todestag (1954) 315. Daß Gewilib jedoch nur die Vaterrache vor Augen gehabt habe, ohne sich an den Kampfhandlungen zu beteiligen — wie A. Hauck, Kirchengeschichte 1, 383 f. Anm. 9 meint —, wirkt ziemlich unwahrscheinlich Er konnte beim Aufbruch zum Heereszug gar nicht wissen, ob er den sächsischen Krieger, der Gerold erschlagen hatte, wiederfinden würde. — Noch Bischof Hildegar von Köln fiel 753 gegen die Sachsen. Dieser Umstand wird jedoch nur kurz mitgeteilt, der Bischof keineswegs als Märtyrer gefeiert, der im Kampf gegen die Heiden fiel. Hildegar scheint noch den Typus Gerold—Gewilib verkörpert zu haben, der nach der Durchsetzung der bonifatianischen Anschauungen nicht mehr tragbar schien. Vgl. dazu Prinz, Klerus 72 m. Anm. 133. — Jedenfalls war der Bischof im Heerlager im achten Jahrhundert eine durchaus vertraute Erscheinung; so findet man bei den geschlagenen Baiern 743 auch Bischof Gawibald von Regensburg und den päpstlichen Legaten Sergius; Annales Mettenses priores, ed. Bernhard von Simson, MGH SS rer. German. in us. schol. (1905) 34 und Andreas B i g e l m a i r, Die Gründung der mitteldeutschen Bistümer, in: St. Bonifatius (1954) 284 f.

Hochmittelalter, entgegentritt, ist hier in Ansätzen bereits zu erkennen. Erst ab dem achten Jahrhundert kann man die Beteiligung an kriegerischen Unternehmungen zu den immer wiederkehrenden Reisen des Bischofs rechnen.

In Zeiten schwacher Herrschaft besannen sich die Bischöfe selbst auf ihre Aufgabe als Friedenswahrer, traten für den politischen Ausgleich ein und versuchten auf eigene Faust, bewaffnete Auseinandersetzungen zu verhindern [111]. Dabei ließen sich die meisten — sehr im Gegensatz zu der allgemeinen Haltung bei Angelegenheiten geringerer Bedeutung [112] — auch nicht durch hohes Alter abhalten. Epiphanius von Pavia nahm im Jahre 474 die Strapazen einer Reise nach Toulouse auf sich, um König Eurich von einem Einfall in Oberitalien zurückzuhalten [113], während der hochbetagte Audoin von Rouen 680 Austrasien bereiste, wo er in Köln und Verdun mit Pippin dem Mittleren und anderen maßgeblichen Führern des austrasischen Adels verhandelte [114]. Tatsächlich gelang es ihm, die arnulfingischen Aspirationen noch einmal zurückzudrängen [115]. Daß man sich der besonderen Eignung des Bischofs für derartige Aufgaben bewußt war, zeigen auch die am Aufstand des dux Paulus gegen König Wamba beteiligten Westgoten, die den Bischof Argebaud von Narbonne baten, für sie alle die königliche Verzeihung zu erwirken [116].

Weit mehr jedoch als auf Kriegszügen benötigte man den Bischof für diplomatische Aufgaben. Als Geweihter des Herrn war er prädestiniert, zu vermitteln und friedliche Zustände herbeizuführen. Durch sein Ansehen und die

---

[111] Das war nicht ein Teil ihrer sozialen und politischen Tätigkeit als Verwalter der „civitates", sondern ein echtes Bedürfnis auf Grund ihrer christlichen Anschauungen. Sie wirkten ja nicht als Verteidiger ihrer Stadt, die Eroberern furchtlos entgegentraten. Es ging ihnen um die Erhaltung des Friedens im großen. Das ist aus den angeführten Beispielen leicht zu ersehen.

[112] Vgl. aber oben S. 215 die Geschichte von Eufronius von Tours.

[113] Ennodius, Vita Epifani cc. 82—85, 94. Eurich hat die katholische Kirche als zurecht bestehende Glaubensorganisation der Römer anerkannt und war Epiphanius durchaus nicht schlecht gesinnt; dazu Karl Friedrich S t r o h e k e r, Eurich, König der Westgoten (1937) 37 ff.; Wolfram, Goten 243 f.

[114] Vita Audoini cc. 13, 14, 562 f.

[115] Interessant ist der Unterschied in der Darstellung: Ennodius ist sprachlich gewandter, doch dafür mehr der traditionellen Topik verhaftet; der Autor der Vita Audoins schreibt weit weniger gut, doch sind seine Schilderungen z. T. realistischer. Was er an Metaphern und Epitheta bringt, ist unorganisch und oft deutlich totes Material. Es gelingt dem Autor, Audoin fast als Vertreter einer Art „Staatsräson" erscheinen zu lassen.

[116] Historia Wambae c. 21, 518 f. Zum Aufstand des Paulus Claude, Westgotenreich 156 f., 160 ff.; Thompson, Goths 224 f., aber auch Herwig W o l f r a m, Intitulatio I. Lateinische Königs- und Fürstentitel bis zum Ende des 8. Jahrhunderts (MIÖG Erg. Bd. 21, 1967) 70 ff.

Gesetze genoß er überdies einen besonderen Schutz[117]. Daß sich die Tätigkeit als Gesandter bald zu einer der wesentlichen Funktionen des Bischofs entwickelte, beweisen unter anderem die karolingischen Reichsannalen: darin werden die Bischöfe nur in dieser Rolle einer Erwähnung für wert befunden!

Natürlich betraute man nicht durchwegs Bischöfe (oder überhaupt Geistliche) mit diplomatischen Agenden[118]. Besonders weitere Reisen wurden eher adeligen Laien zugemutet, die mehr mit den Waffen umzugehen verstanden; zumindest befanden sich solche in der Begleitung des Bischofs. Doch fand der meiste Gesandtschaftsverkehr zwischen den Teilreichen der einzelnen merowingischen Herrscher statt.

Im allgemeinen läßt sich eine Vorliebe der Könige für bestimmte Prälaten bei der Auswahl der Gesandten feststellen, obwohl deren Bestellung an keine bestimmte Voraussetzung gebunden war und stets adhoc erfolgte. Sigibert I. und ihm folgend sein junger Sohn Childebert II. vertrauten die Leitung ihrer Gesandtschaften zu Gunthramn oder Chilperich jedesmal dem Bischof Egidius von Reims an, obgleich dieser (zurecht) im Verdacht stand, das Haupt der antimerowingischen austrasischen Adelsopposition zu sein[119]. Chilperich wieder sandte mit Vorliebe den Bischof Leudoald von Bayeux zu seinen Brüdern[120]. Für Angelegenheiten, die die Grenzsicherung gegen die Bretonen betrafen, scheint Felix von Nantes zuständig gewesen zu sein[121]. Die Gründe für die Auswahl waren also sehr verschieden: war bei der diplomatischen Tätigkeit des Bischofs von Nantes vor allem die räumliche Nähe zum Feind und die praktische Erfahrung mit ihm ausschlaggebend — Felix konnte die Streitfälle gleichsam vor der Haustür erledigen und mußte dazu kaum reisen[122] —,

---

[117] Dieser war nicht zu verachten, wenn man bedenkt, wie oft man von Gesandten und Boten hört, die mißhandelt und eingekerkert wurden.

[118] Vgl. François Louis G a n s h o f, Merowingisches Gesandtschaftswesen, in: Aus Geschichte und Landeskunde (= FS Franz Steinbach, 1960) 171 ff.

[119] Gregor von Tours, HF VI 3, 267 und VII 14, 334 ff.

[120] Ebendort.

[121] Venantius Fortunatus, Carm. III 8, vv. 41 f., 59. Felix dürfte für die fränkischen Könige eine Art „Bretagne-Experte" gewesen sein. Darüber auch Aupest-Conduché, Saint Félix 125 f.

[122] Der Bischof von Nantes kann nicht der Gesandte Felix (Filex) gewesen sein, der zusammen mit Gregor von Tours 588 von Childebert II. zu Gunthramn geschickt wurde (HF IX 20, 434), da er seit 6. Januar 582 verstorben war. Diese Gesandtschaft gibt zu einer Beobachtung Anlaß, die — obwohl thematisch nur von peripherer Bedeutung — auf die Unterhaltung an der königlichen Tafel ein interessantes Licht wirft: Gregor berichtet, daß Gunthramn mit ihm fortwährend über Gott, die Erbauung von Kirchen und die Pflege der Armen sprach. Selbst wenn er lachte, geschah das, weil er sich an einem „spiritalis iocus" erfreute. Es kann natürlich Gregors Absicht gewesen sein, die Frömmigkeit Gunthramns im Gegensatz zu dem „persecutor ecclesiae" Chilperich hervorzuheben. Doch glaube ich eher, daß man es

so sprach für Egidius von Reims wahrscheinlich die Tatsache, daß er Bischof der Residenzstadt des austrasischen Königs war.

Audoin von Rouen und Eligius von Noyon wurden ihr ganzes Leben hindurch immer wieder für diplomatische Aufgaben verwendet. Bei ihnen verbanden sich geistige Befähigung, hohes Ansehen, politisches Geschick, glanzvolles Auftreten, persönliche Bindungen und unbedingte Treue zur merowingischen Dynastie mit körperlicher Rüstigkeit in idealer und wohl einmaliger Weise [123]. Vom Kölner Bischof Ebergisil wissen wir, daß er oft von Brunhild nach Spanien geschickt wurde: die von Gregor von Tours überlieferte Reise des Jahres 589 zeigt, daß schon die Durchquerung des Frankenreichs so manche Gefahren bieten konnte [124]. Für schwierige Aufgaben wählte man besondere Günstlinge aus; so wurde Aredius von Lyon zum Westgotenkönig Witterich gesandt, damit er eine Vereinbarung über die Heirat Theuderichs II. mit dessen Tochter Ermenberga schließe [125]. Doch standen ihm weltliche Beamte, der dux Rocco und der comes stabuli Eborinus, zur Seite, wie es bei weiten Reisen Gewohnheit war [126]. Hingegen erfahren wir nur flüchtig über eine Fahrt des Bischofs Ansoald von Poitiers, die er nach Sizilien im politischen Auftrag unternahm; dabei werden keine weltlichen Begleiter von Rang erwähnt [127]. Zwei Bischöfe sollen beim Alamannenherzog Gunzo um die Hand seiner Tochter Frideburg für Sigibert II. geworben haben [128]. Friedensvermittlung, Vertrags-

---

dabei mit einer Topik des Tischgesprächs zu tun hat, die dem König nahelegte, welche Themen er mit geistlichen „convivae" zur Sprache bringen sollte. Denn bei aller Rücksichtnahme auf den bischöflichen Gast, wirkt Gunthramn nach dieser Beschreibung wie ein Frömmler, der er sicher nicht war. Es bedürfte hier einer Untersuchung auf breiter Basis, sofern sie überhaupt möglich wäre, um wirkliche Aussagen treffen zu können.

[123] Dazu E. V a c a n d a r d, Vie de Saint Ouen (1902) 22.

[124] Er wurde vom „dux" Ebrechar in Paris festgenommen und Gunthramn übergeben, weil er im Verdacht stand, den Sohn des umgekommenen Thronprätendenten Gundowald im Auftrag Brunhilds zu unterstützen. HF IX 28, 446 f.; dazu Ganshof, Gesandtschaftswesen 173 m. Anm. 32.

[125] Fredegar IV 30, 132.

[126] Über die beiden Ebling, Prosopographie 133 nr. 250 und 210 f. nr. 271.

[127] Gesta Dagoberti I. regis Francorum (ed. Bruno Krusch) MGH SS rer. Merov. 2 (1888) c. 44, 421. Doch wird hier wohl eine mangelhafte Überlieferung vorliegen. Der Hinweis auf diese Legationsreise gerät ja auch eher zufällig an diese Stelle und ist nur notgedrungen der Rahmen für die Wiedergabe einer Vision, die ein Einsiedler über den verstorbenen König Dagobert erlebt. Vgl. Levison, Jenseitsvisionen 232 f. und R. B a r r o u x, Dagobert. Roi des Francs (Paris 1938) 209.

[128] Vita s. Galli c. 18, 23. Die Stelle ist sehr umstritten. Es wird sogar ihre Authentizität angezweifelt. Die lächerliche Gleichgültigkeit, mit der die ungenannten Bischöfe an die von Dämonen gequälte Herzogstochter herantreten, ist wohl eine Spielart der „negligentia praesulum", welche Jonas von Bobbio dem fränkischen Episkopat vorwarf. Die Szene reflektiert die Haltung der Alamannen (oder der von

abschluß, Brautwerbung, allenfalls Zusicherung freien Geleits: das waren die wichtigsten diplomatischen Aufgaben, welche Bischöfe zu erfüllen hatten[129]. Die Reisen führten dabei meistens in ein anderes fränkisches Teilreich, aber auch in die halb unabhängige Bretagne, nach Spanien, recht selten zu den Langobarden, kaum jemals nach England[130]. Mit der Aufnahme von Beziehungen zwischen fränkischen Hausmeiern und Papst im achten Jahrhundert wurde der Weg von den fränkischen Pfalzen nach Rom zu einer Hauptstrecke diplomatischer Reisen. Dabei waren es in erster Linie Bischöfe, welche mit ihren Gesandtschaften zur Festigung dieser so zukunftsträchtigen Verbindung beitrugen[131].

Wir haben schon erwähnt, daß die Bischöfe auf Reisen es selten unterließen, heilige Orte aufzusuchen und den Reliquien der Heiligen ihre Reverenz zu erweisen. Eligius von Noyon besuchte bei einem Aufenthalt in Limoges die Kirchen der Stadt und in deren Umgebung, „devotissime omnium benedictiones

---

irischer Mission geprägten Christen) gegenüber den Bischöfen des Merowingerreiches. Dazu Feger, Alemann. Herzogtum 48 m. Anm. 24. Über die historische Realität Gunzos und seine Gleichsetzung mit Uncelen, dem burgundischen Günstling der Königin Brunhild, siehe oben S 159 Anm. 120.

[129] Selten waren wohl Aufträge, wie Bischof Taio von Saragossa einen zu erfüllen hatte. König Chindaswinth sandte ihn, der „ordinis litterature satis imbutum et amicum scripturarum" war, nach Rom. Dort sollte er beim Papst Bücher für den König erwerben; Isidori Cont. Hisp. cc. 28—32, 342 f.

[130] Ein Delegationsleiter war wohl der Bischof Liudhard, der Chariberts Tochter Berta nach Kent geleitete und in dem noch heidnischen Land als ihr „adiutor fidei" fungierte; Beda, Hist. eccl. I 25, 45. Der Bischofssitz jenes Liudhard bleibt unbekannt, John Michael W a l l a c e - H a d r i l l, Rome and the early English church: some questions of transmission, in: ders., Early Medieval History (1975) 120 nimmt eine aquitanische Herkunft Liudhards an, eine Ansicht, die sich aber vor allem auf numismatische und allgemein wirtschaftliche Beziehungen Kents zum südwestgallischen Raum stützt. Merkwürdig bleibt die Tatsache, daß sich ein Bischof im fremden Lande mit der Position einer Art „Hofkaplan" begnügte. Erklärlich ist diese Haltung nur, wenn man ihm Missionsabsichten zuschreiben könnte. Diese lassen sich aber nicht belegen. Vgl. dazu die Ansätze von Annethe L o h a u s, Die Merowinger und England (Münchener Beiträge zur Mediävistik und Renaissance-Forschung 19, 1974) 9 ff. — Natürlich kann der geringe Kontakt mit England das Ergebnis einer zufälligen Überlieferung sein. Doch sind andererseits die Nachrichten über fränkische Gesandtschaften nicht so spärlich, daß man annehmen müßte, sie verzerrten das Bild der diplomatischen Missionen im Merowingerreich. Sehr selten sind auch Reisen nach Konstantinopel, obwohl Beziehungen zwischen den beiden Reichen bestanden. Relativ gut ist die Byzanzreise des Arztes Reovalis überliefert, der im Auftrage der königlichen Klosterstifterin Radegund Reliquien erwerben sollte. Dazu René A i g r a i n, Sainte Radegonde (1952) 94 und Scheibelreiter, Königstöchter 12 f.

[131] Diese Gesandtschaftsreisen fallen allerdings bereits in karolingische Zeit (Burchard von Würzburg und Fulrad von St. Denis 751, Chrodegang von Metz 752).

hauriebat" [132]. In seiner Diözese (aber auch außerhalb, z. B. im Sprengel von
Soissons) machte er sich auf die Suche nach verfallenen Gräbern Heiliger, deren
Tumben er erneuerte und mit eigener Hand (!) verzierte [133]. Audoin von Rouen
ließ die so wichtige „Konferenz" mit Pippin dem Mittleren und seinem Anhang
nicht vorübergehen, ohne die „monumenta martyrum" in Köln zu besuchen und
dabei Reliquien mit sich fort in seine Bischofsstadt zu nehmen [134]. Rigobert
von Reims, der nach seiner Vertreibung und seiner Rückberufung durch Milo
in Gernicourt lebte, unternahm häufig eine Art kirchlicher „Rundreise", die
ihn zuerst nach Reims in die Marien- und Mauritiuskirche, dann nach St. Remi
führte. Von dort ging es weiter nach St. Cyriacus in Cormicy und endete in
St. Peter in Gernicourt [135]. Gregor von Tours betete auf einer Fahrt in das
heimatliche Clermont im Heiligtum des heiligen Julian von Brioude: dabei
nahm er Fasern von dessen Grabdecke mit, die er in einer „capsa" aufbewahrte
und später den Mönchen überließ, die in Tours eine Basilika für den heiligen
Julian errichteten [136].

Daneben gab es aber auch Reisen, die man als eigentliche Wallfahrten bezeichnen könnte. Am 11. November scheint sich in St. Martin in Tours stets
eine Reihe von Bischöfen versammelt zu haben, die manchmal an der Spitze
von Heilungsuchenden, manchesmal auch mit geringer geistlicher Begleitung
erschienen. Germanus von Paris, Aunarius von Auxerre, Marowech von Poitiers
und Nonnichius von Nantes sind unter diesen zu finden [137].

Besonders hervorzuheben sind dabei die Romfahrten. František Graus
hat festgestellt, daß man in den Viten der Karolingerzeit darauf Bedacht nahm,
die Abhängigkeit der merowingischen Heiligen von Rom zu zeigen. Deshalb
wurde es üblich, ihnen eine Pilgerfahrt nach Rom zuzuschreiben, um sich vom
Papst gleichsam autorisieren und in seinem wohlgefälligen Wandel bestätigen
zu lassen [138]. Doch waren unabhängig von dieser Tendenz Reisen „ad limina

---

[132] Vita II 15, 703.
[133] Ebendort II 7, 699 f.
[134] Vita Audoini c. 13, 562.
[135] Vita Rigoberti c. 17, 73.
[136] De virt. s. Iuliani c. 34, 578.
[137] Gregor von Tours, De virt. s. Martini II 44, 625 (Marowech), IV 13, 653
(Aunarius), IV 27, 656 (Nonnichius). Germanus ist wiederholt in Tours bezeugt. Die
vielen Bischöfe, die nach St. Martin in Tours kamen, sind verzeichnet bei Albert
L e c o y de la M a r c h e, Saint Martin (1881) 390. Über die großen Feierlichkeiten
anläßlich des Martinspatroziniums siehe Delaruelle, Spiritualité 222 und Corbett,
The saint 8 f. Die Feste der Heiligen gingen kaum ohne Wunder vorüber, vor allem
bei Martin häuften sich die „miracula post mortem"; dazu Heinzelmann, Recueil 242 f.
[138] Graus, Merowinger 446. Charakteristisch ist diese Einstellung in der Passio
Kiliani martyris Wirziburgensis (ed. Wilhelm Levison) MGH SS rer. Merov. 5 (1910)
c. 5, 724. Der Verfasser dieses im neunten Jahrhundert entstandenen Werkes ließ

apostolorum" in merowingischer Zeit tatsächlich nicht ungewöhnlich, da es in keiner anderen Stadt so viele Reliquien zu sehen und zu erwerben gab. Deren Besitz verlieh der betreffenden Kirche nicht nur eine besondere Heiligkeit, sondern er hatte auch zahlreiche Vorteile profaner Natur [139]. Grundlagen, Verbreitung des Reliquienkults, aber auch die Möglichkeiten des Erwerbs, Wirkung und Kraft derselben brauchen uns hier nicht zu beschäftigen [140]. Doch ist es wichtig, eine Scheidung unter den reisenden Bischöfen vorzunehmen: die einen besuchten in Rom (und natürlich schon auf dem Weg dorthin) möglichst viele Heiligtümer und sammelten Reliquien, wo immer sie konnten; manche scheuten sich nicht, den Papst oder andere Personen von Bedeutung darum anzugehen [141]. Andere zogen demütig in die ewige Stadt, suchten „humiliter" und ohne viel Aufhebens zu machen die hauptsächlichen Stätten der Verehrung auf und kehrten wieder um, ohne nach Reliquien auch nur zu fragen [142]. Sieht

---

Kilian in Rom zum Bischof geweiht werden, weil er das Institut der Wanderbischöfe nicht mehr verstand. Andreas Bigelmair, Die Passio des heiligen Kilian und seiner Gefährten, in: Herbipolis jubilans 15.

[139] Im allgemeinen wird übersehen, daß der Besitz von Reliquien noch kein Monopol von Kirchen und Klöstern war. Trotz aller Anstrengungen kirchlicher Stellen, das zu erreichen, hielt sich der Privatbesitz solcher „pignora" noch lange. Im sechsten Jahrhundert war er nicht ungewöhnlich; vgl. die makabre Geschichte über die Reliquiensammlung des Syrers Eufron in Bordeaux, die sich der Rebell Gundowald anzueignen suchte. HF VII 31, 350 f.

[140] Der Reliquienkult kam aus dem Orient, wo man berühmte Reliquien sogar zerteilte. Im Westen lehnte man derlei Praktiken ab; vgl. den Brief Papst Gregors d. Gr. an die Kaiserin Constantina, worin er ihren Wunsch, einen Arm des heiligen Paulus nach Konstantinopel zu senden, zurückwies: Epp. IV 30, 263 ff. Über den Handel mit Reliquien grundlegend Fichtenau, Reliquienwesen 128; Patrick J. Geary, Furta sacra. Thefts of Relics in the Central Middle Ages (Princeton 1978) bes. 52 ff. behandelt den Gegenstand erst von der karolingischen Zeit an. Die Überprüfung war grundsätzlich Sache des zuständigen Bischofs. Gregor von Tours unterrichtete sich genau über den Fall eines Diakons aus Chalon-sur-Saône, der durch den heiligen Martin von einem Augenleiden befreit worden war (De virt. s. Martini III 38, 641). Die Kriterien für die Echtheit waren oft merkwürdig: siehe den Brief des Ambrosius an seine Schwester (PL 16 XXII 2) 1063! Dazu Fichtenau 113. Zur verschiedenen Intensität der Kraft und des „Temperaments" von Reliquien Carl Albrecht Bernoulli, Die Heiligen der Merowinger (1900) 244 ff. Ihre Bedeutung im Krieg Fichtenau 120. Ein gutes Beispiel für die Furcht, die ihre Abwehrkraft erregte, findet sich bei Gregor von Tours, LVP IV 2, 675 (Belagerung von Rodez durch Theuderich I.). Doch kam auch ihre Mißachtung vor; siehe die oft genannte Erzählung über Marowech von Poitiers und die Kreuzreliquien, aber auch HF VIII 30, 395. Zu den Reliquien, die im Kriege verbrannten (!) siehe Vita Sadalbergae abbatissae Laudunensis (ed. Bruno Krusch) MGH SS rer. Merov. 5 (1910) c. 13, 57.

[141] Vita Audoini c. 10, 559 f.; Vita Boniti c. 25, 132; Chronicon Laurissense breve (ed. H. Schnorr von Carolsfeld) NA 36 (1911) 29 f. u. Paulus Diaconus, Gesta epp. Mett. 268 (über Chrodegang von Metz).

[142] Vita Amandi c. 7, 434; Passio Desiderii et Reginfridi diaconi c. 2, 56 f.

man die beiden Gruppen genauer an, entdeckt man, daß die erste Adelsbischöfe umfaßt: sie treten ihrem hohen Selbstgefühl entsprechend auf, werden auf der Reise von Herrschern empfangen und geehrt und stehen durchaus gleichrangig neben dem Papst. Die zweite Gruppe setzt sich aus Bischöfen zusammen, die stark mönchisches Gepräge aufweisen; sie sind von der kolumbanischen Reform beeinflußt und sehen ihre Aufgabe vor allem in der Mission. Reliquienbesitz ist für sie kaum von Bedeutung — sie sind keinem Bischofssitz wirklich verpflichtet —, während die Reliquien dem adeligen Bischof einen zusätzlichen „splendor" verleihen. Die Fahrten eines Audoin oder Bonitus sind Reisen, bei denen Devotion und Repräsentation einander die Waage halten; Amandus oder Desiderius hingegen unternehmen wirkliche Pilgerreisen [143].

---

[143] Reisen ins Heilige Land sind im behandelten Zeitraum noch selten und die Berichte darüber nichtssagend und von ungefähr. Arculf, „episcopus Gallearum", wurde auf der Rückfahrt von einem Seesturm nach Westengland verschlagen, wo er dem heiligen Adamnan seine Erlebnisse erzählte; Beda, Hist. eccl. V 15, 506 ff. Gregor von Tours berichtet von seinem Amtsvorgänger Licinius, der im Heiligen Land gewesen sein soll, HF II 39, 89, aber anscheinend keine Reliquien mitbrachte.

7. DER TOD DES BISCHOFS

Zu den Stellen einer Vita, die am schwersten zu interpretieren sind, zählt zweifellos die Schilderung vom Tode des Helden. Nirgendwo ist der Verfasser der Lebensbeschreibung so sehr an das Modell des vorbildlichen Christen gebunden, kein anderer Teil der Vita bietet im allgemeinen so wenig für die historische Erkenntnis. Dazu kommt, daß der Tod in vielen Fällen gleichsam den Anfang des wunderbaren Geschehens markiert, an den sich der übliche Wunderkatalog reiht[1]. Hier ist die Darstellung bestimmter Phänomene ganz einfach notwendig, die jedoch — wenn man die Sache genauer betrachtet — regelmäßig erst mit (oder nach) dem Eintritt des Todes wirksam werden[2].

Ein Vorteil für unsere Untersuchung ist die Tatsache, daß der Rahmen des Todesgeschehens nicht immer der gleiche sein kann; daher wird ihm ein wesentlicher Teil unserer Betrachtungen gewidmet sein. Schließlich muß darauf hingewiesen werden, daß es nicht darum gehen kann, den Tod des H e i l i g e n zu betrachten, sondern daß ja der Bischof als solcher im Mittelpunkt unserer Arbeit stehen soll. Wir haben es also nicht nur mit musterhaften Gestalten christlicher Lebenshaltung zu tun. Die Beschreibung des Todes und seine Bewertung in der Anschauung der Zeitgenossen ist ein wertvolles Korrektiv für Darstellungen, die an der Gattung entsprechende Kriterien gebunden sind[3]. Zwischen den Extremen stehen schließlich knappe Feststellungen über das Ableben kirchlicher Würdenträger in annalistischen und chronikalischen Quellen. Sie betref-

---

[1] Nach L o t t e r, Methodisches 312 und 322 f. ist jener Teil der Vita, der von der Geburt und Jugend bis zur Akmé des Helden berichtet, der reichste an Topoi. Der Tod als krönender Abschluß eines Heiligenlebens wird von Lotter gar nicht in Erwägung gezogen. Über die Entstehung der Viten im Zusammenhang mit der Translatio Heinzelmann, Recueil 244.

[2] Z. B. der süße Geruch des Toten, die Heilungen an seiner Bahre, die Lichtsäule bei Eintritt des Todes und anderes mehr.

[3] Doch wird auch die Hagiographie heute differenzierter gesehen. Vor allem von ihrer Wurzel her, aber auch von ihrem Weiterwirken werden einzelne Typen hagiographischer Darstellung unterschieden. Manche werden in einen Grenzbereich zu anderen literarischen Gattungen verwiesen, einige ganz aus dem traditionellen Bereich ausgeschieden. Dazu Heinzelmann, Neue Aspekte passim und Lotter, Methodisches 307 ff.

fen oft Männer, von denen auch eine Vita erhalten ist. Dadurch ist die Korrektur mancher mehr dem vorgegebenen Bild des sterbenden Heiligen als den realen Umständen verpflichteten Darstellung möglich. Der nüchterne Stil derartiger knapper Nachrichten, die, ohne den Fundus erbaulicher Versatzstücke zu bemühen, manch wertvolle Einzelheiten überliefern, soll uns zunächst beschäftigen.

Hier ist in erster Linie Gregor von Tours zu nennen. Nicht nur in seiner Frankengeschichte, auch in den Wunderbüchern findet sich dieser Stil, der ohne Umschweife den Tod eines Bischofs meldet, der an andrer Stelle ausführlich mit allen wunderbaren Einzelheiten berichtet wird [4]. Gregor ist sonst nicht minder wundergläubig als seine Zeitgenossen, doch stuft er genau ab: heiligmäßige Bischöfe stehen im Mittelpunkt seiner Darstellung; ihnen wird eine ausführliche Beschreibung — auch ihres Todes — gewidmet. Andere, Nachfolger, Vorgänger oder gar Feinde, figurieren als Zwischenglieder der Handlung. Ihr Tod macht in vielen Fällen den Platz für den heiligen Mann frei oder läßt das Intrigenspiel gegen diesen zuschanden werden. Doch sind letztere nicht böse genug, um einen abschreckenden Tod zu erleiden, der mit mehr Details geschildert würde [5]. Auch bei seinen Verwandten geht Gregor nicht anders vor. Sein Urgroßvater Gregor von Langres etwa wird auf der Reise in seine Bischofstadt von einem Fieber ergriffen und stirbt; genaueres wird uns darüber nicht mitgeteilt. Da er aber als Heiliger gilt, nimmt sein gleichnamiger Urenkel einige „miracula" in die Darstellung der Geschehnisse nach dem Tode auf, die aus dem klassischen Bestand der Heiligentopik stammen [6]. Organisch ist diese Zusammenstellung nicht; der Grundzug von Nüchternheit, der die Erzählung über seinen berühmten Vorfahren im allgemeinen auszeichnet [7] und dem nur sparsam (und kompositorisch ungeschickt) Wunderberichte hinzugefügt werden,

---

[4] Der Tod des Germanus von Paris, der doch in höchstem Ansehen stand und allgemein als Wundertäter galt, wird lediglich mit einem kurzen Satz mitgeteilt: „Eo anno et beatus Germanus Parisiorum episcopus transiit." (HF V 8, 204). Danach folgt freilich die Erzählung von einem wunderbaren Ereignis bei seinem Begräbnis.

[5] Der Tod der Clermonter Bischöfe Eufrasius und Apollinaris wird mit einem Satz abgetan, um zu Quintianus überzuleiten, der Gregor wichtig ist; LVP IV 1, 674. Dessen Tod ist wiederum die knappe Einleitung bei der Schilderung des komplizierten Geschehens rund um die Einsetzung von Gregors Onkel Gallus: LVP VI 3, 681.

[6] So z. B. das frische, rosige Gesicht des Toten oder das wunderbare Geschehen beim Transport der Leiche nach Dijon; LVP VII 3, 688.

[7] Siehe die Einstellung zu seiner Tätigkeit als „comes" in Autun, oben S. 117. Walter, Hagiographisches 297 f. meint, Gregor halte sich auch bei der Schilderung profaner Geschehnisse an das sprachliche Instrumentarium der Vitenliteratur. Dem möchte ich nur sehr bedingt zustimmen: es mag für die großen Linien der Historia Francorum, vielleicht auch für deren Grundkonzept gelten, doch sind wiederholt Züge nüchterner Knappheit nicht zu übersehen.

bleibt auch bei der Schilderung seines Todes erhalten, die sich doch aus mehr als einem Grund zu einer Apotheose anbieten würde.

Wir verdanken Gregor sehr reale Berichte über den Tod einiger seiner Amtsbrüder, wobei er auch Gegnern nichts andichtet. Dabei ist das Wundergeschehen ganz aus der Darstellung verbannt, und aus dem Verlauf der politischen Ereignisgeschichte entwickelt sich der Tod ganz natürlich [8].

Derselbe schlichte Stil ist in Heiligenviten sonst nicht vertreten. Der Tod des „wahren" Bischofs ist die Krönung seines Lebens als Hirt seiner Herde, als unablässiger Kämpfer um die persönliche Vervollkommnung. Der mächtige Schlußakkord hinter einem siegreich bestandenen Lebenskampf ist nicht einfach festzustellen, sondern soll in würdiger Gestaltung ein Spiegel der vorbildlichen Lebenshaltung des heiligen Bischofs sein: in mancher Hinsicht schon ein Vorgeschmack auf die Wonnen des Jenseits, jedenfalls aber ein Beweis für das Wohlgefallen Gottes. In der Lebensbeschreibung eines Bischofs, der wohl Positives geleistet hat, aber nicht zu den heiligen Männern gerechnet wird, sind einfache Formulierungen durchaus am Platze. Der Verfasser der Vita des Bischofs Sulpicius II. von Bourges läßt seinen Helden folgendermaßen das Zeitliche segnen: „Et post haec consummata aetate sui temporis, plenus dierum migravit ad Dominum, et de eclesia ad tumulum deferetur, tanta multitudo pauperum lugentium" [9]. Die einzige Zutat zu der ungewöhnlich schlichten Mitteilung, die topischen Charakter haben k ö n n t e, ist die Trauer der Armen, die beim Sterben von Bischöfen nicht fehlen darf. Sonst wird auch im siebenten Jahrhundert der Vorgänger des Heiligen auf dem Bischofsthron mit einer kurzen Todesnachricht bedacht: ihre einzige Funktion ist es, die Grundlage für die Übernahme des Bistums durch den Helden zu schaffen. Wäre für dessen Lebensgang diese Notwendigkeit nicht gegeben, würde der Tod des bischöflichen Vorgängers (der bezeichnenderweise auch keine Vita erhält!) gar nicht berichtet werden [10].

Grundsätzlich bleiben also kurze Nachrichten über den Tod des Bischofs auf Quellengattungen beschränkt, bei denen die Geschehnisse zusammengedrängt festgehalten werden, und die summarisch mit wenigen Sätzen vom

---

[8] Felix von Nantes, seinem Metropoliten Gregor zumindest in den letzten Jahren seines Lebens recht mißgünstig, starb an einer Sepsis, die er sich nach dem Abklingen der Pest zugezogen hatte. Der Bericht darüber ist eingebettet in die Erzählung von der versuchten Designation seines Neffen Burgundio als seines Nachfolgers in Nantes (HF VI 15, 285). Ebenso gut ist die Erklärung der Todesursache bei Bischof Agerich von Verdun, HF IX 23, 443.

[9] Vita Sulpicii episcopi Biturigi (Fassung B) c. 8, 377.

[10] So wird etwa Bischof Felix von Clermont erst in die Handlung eingeführt, als er stirbt und der Kampf um die Nachfolge zwischen Praeiectus und dem Archidiakon Gariwald beginnt; Passio Praeiecti c. 12, 232.

Wirken einer Person erzählen. Dabei lassen die vom Verfasser verwendeten farblosen Worte (obire, transire, migrare usw.) keinen Schluß auf die besonderen Umstände des Todes zu. Was in den Viten meist mit Topik überfrachtet wird, ist bei Annalen, Chroniken oder Gesta allzu dürftig beschrieben. Selten finden sich bei der bloßen Feststellung der Tatsache des Todes Wendungen, die über das Ansehen des Verstorbenen, die moralische Wertung seiner Person, über seine Verdienste oder Versäumnisse etwas aussagen können [11].

Man kann also ohne die Gefahr, die Dinge zu einfach zu sehen, feststellen, daß eine realistische Schilderung des Todes eines Bischofs — sieht man von den Ansätzen bei Gregor von Tours ab — in dem hier behandelten Zeitraum kaum vorkommt. Der „gewöhnliche" Tod, d. h. die Beschreibung des Sterbens aus natürlichen Ursachen unter gewöhnlichen Umständen, ist in den Quellen nicht zu finden. Nur Nebenpersonen der Handlung, Bischöfen zweiter Kategorie, die in irgendeiner Form die Lebensbahn des Helden berühren, wird eine solche Art zu sterben zugebilligt. Oder es handelt sich um die kargen, nichtssagenden Nachrichten summarischer Quellen. Der Bischof, dem eine Lebensbeschreibung gewidmet wird oder der zu den führenden Persönlichkeiten seiner Zeit zählt, stirbt seinem „ordo" gemäß, falls er nicht zu den negativ beurteilten Vertretern seines Amtes gehört [12]. Dieser „ordo" ist ganz von Topik umkleidet: aus ihm muß sowohl das allgemein Kennzeichnende als auch das im einzelnen Interessante gewonnen werden.

Gott zeichnet den Heiligen dadurch aus, daß er ihm den Tag seiner Abberufung aus dem Tal der Tränen mitteilt. Diese Kenntnis ist eines der untrüglichsten Zeichen dafür, daß ein Bischof vor Gott Gnade gefunden hat. Daher wird auf diese Tatsache in den meisten Viten hingewiesen. Selten jedoch wird der Bischof einer so feierlichen Vorbereitung auf den Tod gewürdigt, wie Nicetius von Trier, dem der heilige Paulus und Johannes der Täufer im Traum erschienen, um ihm die baldige Aufnahme in den Himmel anzukündigen [13].

---

[11] Die Gesta abb. Font. VIII 2, 62 f. beschreiben den Tod des abgesetzten Raginfrid (Bischof von Rouen und Abt von St. Wandrille!) so kurz und knapp, daß man im Zusammenhang mit den übrigen Äußerungen über ihn deutlich das negative Urteil herauslesen kann. Dagegen ist die schlichte Anzeige des Ablebens von Bischof Erkenbod von Thérouanne (zugleich Abt von St. Bertin) in den Gesta abbatum sancti Bertini Sithiensium des Folcwin (ed. Oswald Holder-Egger) MGH SS 13 (1881) c. 24, 611 f. wohl positiv zu deuten; ebenso die kurzen Mitteilungen über den Tod der Bischöfe Magnard und Dodo von Toul; Gesta episcoporum Tullensium (ed. Georg Waitz) MGH SS 8 (1848) cc. 19, 20, 636.
[12] Solche Bischöfe „sterben" anders! Doch spielt auch bei ihnen die Topik eine beachtliche Rolle, freilich oft in verhüllter Form.
[13] Gregor von Tours, LVP XVII 6, 733.

Die Erscheinung zweier so hervorragender Heiliger soll wohl nicht nur das Ansehen des Nicetius spiegeln, sondern auch auf seine Verdienste bei der Ausbreitung des Christentums in der Moselgegend hindeuten. Gallus von Clermont hingegen erfuhr von einem Engel, daß er die herrschende Pestepidemie nicht zu fürchten habe, da er erst in acht Jahren sterben würde[14]. Handelt es sich dabei ohne Zweifel um eine Prophezeiung ex post, so erfährt man aus einer anderen Quelle, daß Gallus, als er an einer Krankheit darniederlag[15], von Gott enthüllt wurde, er habe noch drei Tage zu leben. Obwohl beide Nachrichten von Gregor von Tours stammen, stehen sie in keinerlei Beziehung zueinander. Gregor beschreibt sogar ausführlich die Krankheit des Gallus[16]. Die sichtliche Schwere der Erkrankung des wohl siebzigjährigen Bischofs von Clermont läßt eine Voraussage des nahenden Todes durchaus möglich erscheinen: doch genügen auch Gregor die natürlichen Faktoren nicht für die Beschreibung des Hinscheidens seines heiligmäßigen Verwandten; die genaue Festlegung des Todestages gehörte eben zu dem Stil, in dem man den Tod eines Bischofs wiederzugeben hatte.

Salvius von Albi und Betharius von Chartres erfuhren von ihrem bevorstehenden Tod knapp vor dem Ereignis selbst, so daß sie gerade noch die notwendigsten Vorbereitungen treffen konnten[17]. Bei Salvius, der als sehr strenger und vorbildlicher Bischof galt, macht Gregor von Tours die interessante Einschränkung: „wie ich glaube", als er von der „revelatio Domini" berichtet. Ein göttliches Einwirken war gerade bei diesem Prälaten, den Gott das Jenseits hatte durchwandern lassen, anzunehmen[18]. Andere Bischöfe hatten dagegen Gelegenheit, bestimmte Dinge in Ordnung zu bringen; ihnen scheint ihre Todesstunde bereits längere Zeit vorher bekannt gewesen zu sein[19].

Realistische Züge mischen sich in die topische Grundstruktur bei Caesarius von Arles[20]: „per spiritum" merkte er, daß sein Hingang bevorstehe. Da er-

---

[14] Gregor von Tours, HF IV 5, 138.

[15] Gregor von Tours, LVP VI 7, 685.

[16] Während das „innere Fieber" wenig besagt, ist der Haarausfall, der sogar den Bart betraf, ein deutliches Krankheitssymptom.

[17] Gregor von Tours, HF VII 1, 326; Vita Betharii c. 16, 619; Betharius war schon lange krank, doch verkündete ihm Gott erst kurz vor dem Eintritt des Todes sein nahes Ende.

[18] Gregor von Tours, HF VII 1, 324 ff.

[19] Etwa Germanus von Paris, der seinen „notarius" zu sich berief und den 28. Mai als Todesdatum vorausverkündete (Vita auct. Venant. c. 76, 418); Melanius von Rennes: „... obitum suum longe ante praenoscens", (Vita c. 7, 375); genauso Arnulf von Metz und Eligius von Noyon. Bonitus von Clermont knüpfte mit dem ihm als Nachfolger aufgedrungenen Nordbert rechtzeitig Verbindungen an (Vita c. 30, 133). Über Apollinaris von Valence und Hrodbert von Salzburg siehe unten S. 244 f.

[20] Vita II 46, 499 f.

kundigte er sich nach dem Gedenktag für den heiligen Augustinus. Als er hörte, daß dieser nicht mehr fern sei (28. August), hoffte er, daß Gott ihn „non longe" vorher oder nachher sterben lasse: er sei immer ein besonderer Verehrer des großen Bischofs von Hippo gewesen. Tatsächlich starb Caesarius am 27. August. Wenn man auch zugeben muß, daß die Verfasser der Vita, Schüler des Caesarius und überwiegend selbst Bischöfe, wohl ein Interesse daran hatten, zu zeigen, wie sehr ihr Meister Gott wohlgefällig und dem heiligen Augustinus ähnlich war, darf doch ein wahrer Kern in dem Bericht vermutet werden. Die schwere Krankheit und der Wunsch des Bischofs legen das durchaus nahe. Ein Schulbeispiel hagiographischer Prophetie überliefert dagegen Papst Gregor I. in seinen Dialogi (III 11, 157 ff.): Cerbonius, Bischof von Populonia, der sich vor der langobardischen Eroberung auf die Insel Elba zurückgezogen hatte, versicherte seinen Klerikern, als er den Tod herannahen fühlte, daß sie seinen Leichnam gefahrlos aufs Festland bringen und in der Domkirche von Populonia begraben könnten. Erst nach ihrer Rückkehr werde der „dux crudelissimus Grimarit" die Stadt einnehmen. Tatsächlich erfüllt sich alles, wie es Cerbonius vorausgesagt hat. Der Unterschied zur Todesprophezeiung des Caesarius von Arles, die verschiedene Wertigkeit der Topik in beiden Berichten wird bei einem Vergleich deutlich.

Neben diesen Schilderungen stehen solche, in denen der Bischof seinen baldigen Tod herannahen fühlt, ohne einer direkten göttlichen Ankündigung teilhaftig geworden zu sein. Krankheit und Altersschwäche sind die natürlichen Anzeichen, die dem Menschen sein Ende anzeigen [21]. Nivard von Reims „näherte sich seinem letzten Tag", doch erfahren wir nicht, ob und wann ihm das bekannt geworden ist [22]. Hier scheint dem Vitenschreiber die Topik „durchgegangen zu sein": wahrscheinlich setzte er es als selbstverständlich voraus, daß ein heiligmäßiger Bischof seinen Todestag genau wußte. Audoin von Rouen wurde in der merowingischen Pfalz Clichy von einer Krankheit befallen, der der geschwächte Körper des Mittachtzigers nicht mehr standhielt [23]; nichts von Todesankündigung, nichts von Vorahnung: Audoin wurde mitten aus seinem rastlosen politischen Wirken gerissen. Diese für den Historiker so erfreuliche Nüchternheit, wird auch durch den Bericht nicht geschmälert, wonach der große Bischof Gott um die Erlösung aus den Banden des Fleisches bat. Soll sie auch einen Hauch von „standesgemäßem" Tod in die Lebensbeschreibung bringen, diese Bitte ist bei dem vielleicht bedeutendsten fränkischen Bischof des siebenten Jahrhunderts, der ein langes Leben voll unverdrossener Tätigkeit in kirch-

---

[21] Beispiele in der Vita Lupi c. 26, 186; Vita Boniti c. 4, 121; Vita Ursmari c. 8, 460.
[22] Vita c. 11, 169: „... quantum propinquabat ad finem vitae ...".
[23] Vita Audoini c. 15, 563.

licher und politischer Hinsicht mit vielen und weiten Reisen hinter sich hatte, allgemein menschlich verständlich.

Die Vorbereitungen, die die Bischöfe angesichts ihres Todes trafen, galten regelmäßig nur drei verschiedenen Dingen: der Sicherstellung einer ordentlichen Nachfolge im Amt, den Anstrengungen um eine Gott wohlgefällige Haltung und der Sorge um eine geeignete letzte Ruhestätte. Ein Mann wie Salvius von Albi, der — als er sein Ende nahen fühlte — sich selbst einen Sarg besorgte, sich wusch, sein Sterbekleid anzog und starb, ist eine ungewöhnliche Erscheinung unter den merowingischen Bischöfen[24]. Seine Schlichtheit entspricht noch mehr dem Typ des martinischen Bischofs, dessen nüchtern-asketische Haltung im späten sechsten Jahrhundert bereits einen Anachronismus darstellte. Charakteristischerweise fehlt diesem so ausgezeichneten Bischof jedes Gefühl für ein feierlich inszeniertes Abtreten von der Welt[25].

Es ist verständlich, daß die Sorge um die Nachfolge stets mit verwandtschaftlichen Rücksichten oder dem Willen zur Designation eines Schülers verbunden war. Aeonius von Arles ruhte nicht, bis er das Einsetzungsdekret für seinen Verwandten Caesarius in Händen hatte: „securus de successore ... migravit ad Dominum"[26]. Avitus von Clermont gelang es im Hinblick auf seinen Tod mit Unterstützung des heiligen Geistes, „ecclesia concordante", seinem Bruder Bonitus die Nachfolge im bischöflichen Amte zu sichern[27]. In Utrecht wartete alles auf Alberich, den Neffen des Abtbischofs Gregor, seit dieser todkrank darniederlag. Die Zustimmung zur Übernahme des Amtes war längst vorhanden, doch hielt sich Alberich in königlichen Diensten in Italien auf. Die Sorge wuchs, daß der Neffe den Onkel nicht mehr lebend antreffen werde; doch beruhigte Gregor seinen Klerus in dieser Hinsicht, wobei er eine göttliche Gewißheit ausstrahlte[28]. Ursmar von Lobbes-Laubach brachte es zuwege, daß man seinen Schüler Ermino als Nachfolger akzeptierte[29]. Alle diese Regelungen waren von langer Hand vorbereitet, mit Unterstützung der Familie ins Werk gesetzt worden: die Viten stellen es jedoch so dar, als ob die Bischöfe an

---

[24] Siehe oben S. 241 m. Anm. 17.

[25] Es ist bezeichnend, daß es keine Vita von Salvius gibt. Er entsprach dem Interesse der Zeit, das sich an adelig-christlichen Prälaten mit der ihnen eigenen Lebensart orientierte, nicht mehr, obwohl er einer vornehmen Familie angehörte; vgl. Stroheker, Adel 346 und Heinzelmann, Bischofsherrschaft 112 m. Anm. 100.

[26] Vita Caesarii I 13, 461 f.

[27] Vita Boniti c. 4, 121.

[28] Er rief aus: „Noli timere! Non transibo antequem ipse veniat!" Liudgeri Vita Gregorii abbatis Traeiectensis (ed. Oswald Holder-Egger) MGH SS 15 (1887) c. 15, 79. Ihm lag daran, die Geistlichen bei der Stange zu halten und zu verhindern, daß sie sich im letzten Augenblick einem anderen Kandidaten zuwendeten.

[29] Vita Ursmari c. 8, 460.

16*

der Schwelle des Todes denjenigen nominierten, dessen Person als Nachfolger sie erst ruhig sterben ließ. Der wahre Hirt muß zuletzt noch an das Wohl seiner Herde denken, es gehört zum Bilde des sterbenden Bischofs. Doch kann man sich durchaus vorstellen, daß dieser sich die Anerkennung seiner Designation — was den eigenen Klerus anging — noch auf dem Totenbett bestätigen ließ, wobei man auch die psychologische Wirkung eines derartigen Versprechens nicht unterschätzen darf.

Bischof Gallus von Clermont wußte angeblich, daß er noch drei Tage zu leben hatte. Daraufhin rief er den „populus" zusammen und teilte an alle „sancta ac pia voluntate" die Kommunion aus [30]. Je nachdem wie man den Begriff populus auffaßt — allgemein als Volk oder nur als die städtische Führungsschicht- wird man das Handeln des Bischofs als fromme Tat oder als halbpolitischen Akt ansprechen. In letzterem Falle galt die Zusammenkunft sicher auch der Erörterung wichtiger Fragen des Gemeinwohles, ohne daß man an der ernsten und frommen Gesinnung des Bischofs zweifeln wollte. Bei Nivard von Reims und Hugbert von Maastricht (-Lüttich) wird besonders hervorgehoben, daß sie trotz ihres Wissens um den nahen Tod ihren gewohnten Tätigkeiten nachgingen [31]. Doch begann Hugbert vorher Kirchen in Lüttich aufzusuchen, wo er an den Gräbern und Altären der Heiligen „diutissime ad oracionem ... inmoratur". Erst dann ging er an seine täglichen Beschäftigungen, wobei jede Tätigkeit von dem Wissen um seinen baldigen Tod geprägt und überschattet war [32]. Apollinaris von Valence wurde vor dem Tod durch eine himmlische Mahnung bewogen, seine Verwandten in der Provence zu besuchen, wobei es ihn vor allem „ad limina Sancti Genesii martyris" nach Arles zog. Wir haben einen recht genauen Bericht von dieser Reise, die in erster Linie der Zusammenkunft mit seinen einflußreichen Verwandten, die in den Spitzenpositionen der Verwaltung tätig waren, diente [33]. Verwoben wird diese Tatsache mit einer Reihe wunderbarer Begebenheiten, die den Bischof mehrfach als Teufelsaustreiber zeigen: der Verfasser der Vita will uns vor Augen führen, wie sehr es dem Satan darum zu tun war, den heiligen Mann kurz vor seinem Hinscheiden von seiner milden und festen christlichen Haltung abzubringen. Auch bei der Schilderung der Todesvorbereitungen des Apollinaris von Valence läßt sich die topische Folie recht gut abheben.

---

[30] Gregor von Tours, LVP VI 7, 685.

[31] Vita Nivardi (wie Anm. 22); Vita Hugberti c. 10, 488.

[32] Hugbert feierte die Kirchweihe mit ungewöhnlicher Pracht und hielt eine lange Predigt, in der er Rechenschaft über seine bischöfliche Tätigkeit ablegte. Ganz in diesem Sinne war auch seine Haltung beim Austeilen der Eulogien und selbst bei Tisch („... semper ad caelos defixos habebat oculos"); Vita cc. 11 und 12, 489 f.

[33] Vita cc. 7—14, 200 ff.

Eine wesentliche Sorge des todesbereiten Bischofs ist, die gewünschte Grabstätte zu erhalten. Meist sind es eigene Kirchengründungen, die dazu ausersehen sind, doch spielt auch der Gedanke des „sociare cum sanctis" dabei eine
Rolle [34]. Der im Exil befindliche Bischof Ansbert von Rouen sandte immer wieder Boten zum Hausmeier Pippin, damit ihm dieser erlaube, in Fontanelle-
St. Wandrille (wo er gleichzeitig Abt gewesen war) bestattet zu werden [35].
Hrodbert von Worms (-Salzburg) versammelte seine Schüler in Salzburg und
kehrte dann in seine „propria patria" zurück, da er den Tag seiner Abberufung
nahe wußte [36]. Hier spielen Vorstellungen mit herein, die nicht christlicher
Herkunft waren. Der Zusammenhang mit der Sippe sollte auch im Tode zum
Ausdruck kommen: ein Wunsch, auf den nur der Typus des asketischen Bischofs
keinen Wert legte; er starb auf seiner „peregrinatio" und wurde begraben, wo
es Gott eben gefiel. Auch im Tode blieb er Einzelgänger und ohne Bindung an
die Menschen. Die anderen Bischöfe entschieden sich jedoch häufig entweder
für die Grablege ihres Geschlechts oder für die Gemeinschaft der anderen Infelträger ihres Bischofssitzes [37].

Auf diesen Unterschied soll aufmerksam gemacht werden. So finden sich
einige Mitglieder der bedeutenden Authari-Sippe im Familienkloster Jouarre,
als dem Ort ihrer letzten Ruhe. Neben dem Gründer Ado, einem Bruder des
Bischofs Audoin von Rouen, liegt auch der Bischof Agilbert von Paris neben

---

[34] Gregor von Langres wollte in Dijon begraben werden; Gregor von Tours,
LVP VII 3, 688. Betharius von Chartres „in pagum Blesianum ad cellam quam olim
aedificaverat ob memoriam sui", (Vita c. 16, 619); Vinditianus von Cambrai „in
basilica, in loco ... qui dicitur Mons sancti Eligii,"; Gesta episcoporum Cameracen-
sium (ed. Ludwig Bethmann) MGH SS 7 (1846) c. 28, 413; Korbinian traf genaue
Anordnungen über seine Grabstätte beim heiligen Valentin in Mais (Südtirol); Vita
c. 33, 224. Godo von Toul wollte „in ecclesia cuiusdam sui praedii nomine Castellum,"
(Gesta epp. Tull. c. 21, 636) begraben werden.
[35] Vita Ansberti c. 24, 635.
[36] Conversio c. 1, 128. Dazu Helmut B e u m a n n, Zur Vita Ruperti, in: Mitteilungen der Gesellschaft für Salzburger Landeskunde 115 (1975) 81 f. sowie Heinz
L ö w e, Salzburg als Zentrum literarischen Schaffens im 8. Jahrhundert, ebendort
108 ff. und Wolfram, Conversio 62.
[37] Missionsbischöfe pflegten ebenfalls ihre klösterlichen Gründungen als Grab-
stätten vorzuziehen. So finden wir Amandus in Elnon, Willibrord in Echternach
oder Bonifatius in Fulda. Wieweit diese Grablegen allerdings wirklich dem Wunsche
der Betreffenden entsprachen, geht aus den meist von den Gründungsklöstern stammenden Berichten nicht hervor. Doch ist aus menschlich verständlichen Gründen die
Wahrscheinlichkeit sehr groß. Die in den Klöstern verfaßten Viten übertreiben
allerdings in dieser Hinsicht, wobei man vor den ältesten Gemeinplätzen nicht
zurückschreckte, wie etwa der Unmöglichkeit, den Sarg weiterzutransportieren. Auch
die Drohung mit dem „anathema maranatha" durch Amandus für denjenigen, der
seine Gebeine aus Elnon transferieren wolle, scheint mehr ein zeitgenössisches Ver-
teidigungsmittel des Vitenschreibers Milo von Elnon († 872) gewesen zu sein.

weiblichen Angehörigen des Geschlechts in der Krypta des Klosters, die dem heiligen Paulus geweiht ist [38]. In der zweiten Krypta ist Bischof Ebergisil von Meaux bestattet, welcher ihr auch den Namen gegeben hat. Agilbert muß also zu jener mächtigen Sippe gehört haben, was aus anderen Nachrichten keineswegs hervorgeht; bei Ebergisil könnte man an einen Verwandten der in und um Meaux begüterten Hagnerich-Sippe denken, welche das genannte Bistum einige Zeit in Händen hatte. Jedenfalls sprechen Begräbnisstätten in dieser Hinsicht eine deutliche Sprache: nicht nur die Familienzusammengehörigkeit sondern auch das adelige Bewußtsein der Bischöfe kommt hier stark zum Ausdruck, welches die Geschlechtsgemeinschaft auf diese Weise besonders betonte und einem Begräbnis bei oder in ihrer Kathedrale vorziehen ließ. Auch Landbert von Maastricht war in der St. Peterskirche seiner Bischofsstadt, die zugleich den Machtschwerpunkt seiner Sippe darstellte, neben seinem Vater begraben worden. Doch übertrug Bischof Hugbert seine Gebeine 717/718 nach Lüttich, um darüber die Domkirche des neuen Bischofssitzes zu errichten. Wenn Ansbert von Rouen, Vulframn von Sens und Abt Wandregisil zusammen in des letzteren Gründung Fontanelle begraben sind, kommen hier allerdings wohl weniger ihre vorhandenen verwandtschaftlichen Beziehungen zum Ausdruck als ihre gemeinsame Bindung an dieses Kloster.

Dem gegenüber stehen die Begräbnisstätten der Bischöfe aus der gallorömischen Senatorenschicht. Heinzelmann [39] hat gezeigt, wie in Lyon — ein Bischofssitz, der sich lange Zeit im Besitz eines großen Geschlechts befand — die Bischöfe Rusticus und Viventiolus nebeneinander im Dom begraben sind, ebenso wie an anderer Stelle Sacerdos und Nicetius; Priscus scheint gleichfalls zu einer der beiden Familien zu gehören: die Kathedrale vereint die Infulträger zu einer gemeinsamen Ruhestätte, die enge Beziehung des Bischofs zu seiner Kirche steht dabei im Vordergrund. Hier scheint das kirchliche Amt über das Geschlechtsbewußtsein zu triumphieren, weil das Funktionärsdenken im römischmediterranen Bereich als Erbe der Antike und seiner Staatlichkeit viel ausgeprägter war. Doch ist zu fragen, ob hier nicht zwei wesentliche Komponenten der bischöflichen Existenz zusammentrafen und ihre glückliche Vereinigung

---

[38] Zu den Grablegen in Jouarre vgl. Salin, Civilisation mérovingienne 2, 51 ff., Jean H u b e r t, in: d e r s., Jean P o r c h e r, Wolfgang Fritz V o l b a c h, Frühzeit des Mittelalters. Von der Völkerwanderungszeit bis an die Schwelle der Karolingerzeit (1968) 62, 71 ff. Zu den einzelnen Sarkophagen, deren Ikonographie Aufschlüsse über das christliche Denken der Zeitgenossen zuläßt, siehe Denise F o s s a r d, Répartition des sarcophages mérovingiens à décor en France, in: Études mérovingiennes (1953) 122, sowie Philippe A r i è s, La mort de soi — La représentation du Jugement dernier, in: d e r s., Essais sur l'histoire de la mort en occident du moyen âge à nos jours (1975) 33 f.

[39] Bischofsherrschaft 212.

fanden, wobei die Bischofsgrablege in der Kathedrale auch anders gesehen werden kann, wenn man die nahe Verwandtschaft der bischöflichen Amtsträger
im Auge hat. Das Bistum in der Hand eines Geschlechts ergab folgerichtig die
Bischofskirche als Grabstätte ihrer Bischöfe. Doch sind keine Gräber ihrer weltlich gebliebenen Verwandten im Dom bezeugt: da war das christliche Denken
doch zu stark und man hielt sich an das Verbot, Weltliche in der Kirche zu
begraben. Damit war eine der wesentlichsten Unterschiede zu den germanischen
Adelsgrablegen gegeben, in denen weltliche und geistliche Mitglieder eines
Geschlechts zusammen ihre Ruhe fanden; in dieser Form fand das Geschlechtsbewußtsein der gallo-römischen Familien, das sonst so stark entwickelt war,
keinen Ausdruck. Der Bischof blieb trotz aller Gesinnungsüberzeugung nicht
ausschließlich Exponent des gallo-römischen Adels, sondern bewahrte sich einen
Freiraum als Amtsträger der Kirche.

Die Schilderung von Todestag und Todesstunde scheint am meisten der
Topik verpflichtet, innerhalb einer geringen Variationsbreite von Möglichkeiten ist die Haltung des sterbenden Bischofs am stärksten von der Vitentradition
vorgezeichnet. Stimmen, Lichter, Wohlgeruch und andere übersinnliche Vorgänge veranschaulichen das Hereinreichen der jenseitigen Welt. Durch dieses Geschehen manifestiert sich die Heiligkeit des Sterbenden mehr als durch alle
wunderbaren Ereignisse, die während seines Lebens von ihm berichtet wurden.
Doch ist die Beschreibung der außerordentlichen Vorgänge nicht nur schrift-
stellerisches Mittel, um dem dadurch erbauten Zuhörer den Übergang zum
anschließenden Kult des Verstorbenen verständlicher zu machen[40]. Der Tod
des Bischofs, wie er traditionell geschildert wird, ist ein Akt christlicher Repräsentation: die feierlichen Zeremonien, in die seine letzten Handlungen eingebettet sind, die Vorbereitungen, sogar die Gesten[41] entsprechen einem bestimmten „ordo" des Sterbens, in dem christliche und adelige Forderungen vereint sind. Man muß sich hüten, in den Sterbeszenen der Viten nur angewandte
Topik zu sehen, die der Wirklichkeit nicht im entferntesten entsprach. Das feste
Gerüst topischer Notwendigkeiten stellt zugleich im wesentlichen die Struktur
des realen Sterbe-„ordo" dar. Bloße Topoi sind wohl nur die oben genannten
Phänomene, die nicht bei allen Bischöfen vorkommen, aber oft genug zur Unterstützung für eine würdige Schilderung des Todes recht zusammenhanglos verwendet werden.

---

[40] Graus, Merowinger 65.
[41] Hierher gehören das Erheben der Hände und der Augen in ausdrucksvoller
Weise zum Himmel, lautes Seufzen und Weinen. Beispiele in der Vita Apollinaris
c. 13, 202; Vita Boniti c. 30, 134; Vita Nivardi c. 11, 169; Vita Audomari c. 14, 762;
Vita Hugberti c. 12, 490 und c. 14, 491.

Grundsätzlich sieht der letzte Tag des Bischofs folgendermaßen aus: der um seine Todesstunde Wissende versammelt die Kleriker der Kathedralkirche (oder auf Reisen die ihn begleitenden Geistlichen); diese ermahnt er alle, im Glauben fest zu bleiben und das Rechte zu tun. Dann spendet und nimmt der Bischof die Kommunion und haucht unter Gebet und Psalmengesang seinen Geist aus [42]. Die Szene mit dem Bischof auf dem Totenbett, der die ihn umgebenden Geistlichen belehrt, hat in ihrer Statik sehr viel Ähnlichkeit mit dem Tode eines Königs oder noch einfacher mit dem Hinscheiden eines Hausvaters oder Sippenältesten. Daher auch ihr Repräsentationscharakter, der bei einer zusätzlichen politischen Führerstellung des Bischofs — etwa als comes oder defensor civitatis — noch stärker zum Ausdruck kommen mußte. Bei Caesarius von Arles, der ja durch das päpstliche Privileg eine besondere Stellung innerhalb der gallischen Kirche einnahm und zugleich faktisch die Stadtherrschaft ausübte, wird das durch die Anwesenheit mehrerer Bischöfe bei seinem Tode deutlich [43]. Seine letzte Sorge galt den Nonnen des Johannesklosters in Arles, seiner maßgebenden Stiftung, die unter der Leitung seiner Schwester Caesaria stand [44]. Der Ravennater Bischof Maurus ermahnte in seiner letzten Stunde den Klerus nicht zu einem Leben in vorbildlicher christlicher Haltung, sondern schärfte den Geistlichen ein, die weitgehende Unabhängigkeit der Kirche von Ravenna dem päpstlichen Rom gegenüber zu bewahren und auch das Pallium für den künftigen Bischof vom Kaiser in Konstantinopel zu erbitten [45]. Felix, ein anderer Bischof von Ravenna, gebot den versammelten Geistlichen, Homilien und andere Schriften, deren Verfasser er war, herbeizuholen und vor seinen Augen zu verbrennen; dann entschlief er in Frieden [46]. Audomar von Thérouanne und Korbinian von Freising zelebrierten an ihrem Todestag feierlich die

---

[42] Dieser Grundtyp findet sich immer wieder; es erübrigt sich dafür Beispiele anzuführen. Ein wenig aus der Reihe tanzte den Berichten zufolge Gallus von Clermont (Gregor von Tours, LVP VI 7, 685). Daß man auf den Psalmvers achtete, bei dem der Tod eintrat, um ihn als Omen zu nehmen, ist — soviel ich sehe — erst in ottonischer Zeit belegt; Agii Vita Hathumodae (ed. Georg Heinrich Pertz) MGH SS 4 (1841, Neudruck 1925) c. 24, 174. Doch mag dieser Brauch viel älter sein. In den merowingischen Viten ist er wohl deshalb nicht überliefert, da der Grad göttlichen Wohlgefallens, der sich daraus ablesen ließ, niemals in Frage stand.

[43] Vita Caesarii II 48, 500.

[44] Vor allem ging es Caesarius um die Einhaltung der Nonnenregel, bzw. um die weitere Unabhängigkeit des Klosters vom Bischof von Arles. Deswegen hatte er Briefe an Bischöfe, Präfekten und „comites" geschrieben. Ebendort II 47, 500.

[45] „Ego ingredior viam mortis, contestor et moneo vos, non vos tradatis sub Romanorum iugo. Eligite ex vobis pastorem, et cunsecretur a suis episcopis. Pallium ab imperatore petite. Quacumque enim die Romae subiugati fueris, non eritis integri." Et his dictis obiit. (Agnellus, Liber Pontificalis c. 113, 452).

[46] Ebendort c. 150, 375.

Messe, bestiegen dann ihr Bett und starben [47]. Doch sehen wir selbst bei ihnen Reste eines spezifischen Verhaltens vor dem Tod, wenn sie auch versuchten, dem geistlichen Alltag nachzugehen.

Immer wieder wird das Weinen betont. Meist muß der Bischof die Umstehenden trösten: Kleriker oder Arme vergießen Tränen. „Pergit ad antiquos plebe gemente patres", sagt Venantius Fortunatus über den Bischof Exocius von Limoges (Carm. IV 6, v. 16, S. 83) und gibt damit in topischer Wendung ein tatsächliches Geschehen wieder. Doch auch der Sterbende weint oft, dem Frömmigkeitsstil der Zeit entsprechend. Die Bedeutung der Situation, obwohl der Tod vom Bischof mit Freuden begrüßt wird, erfordert eben einen Strom von Tränen [48]. Die Welt ist eine „vallis lacrimarum": dieses aus den Psalmen stammende Wort war lange Zeit die Grundlage der christlichen Einstellung zu Trauer und Freude. Die asketisch-mönchische Haltung wirkt hier auch in der Welt diesseitsbetonter Bischöfe vorbildlich: die extreme Trauer, wie sie in den Apophthegmata patrum zum Ausdruck gebracht wird, geht auf die Vorstellung zurück, daß Christus selbst wiederholt geweint, niemals aber gelacht habe [49]. Doch schon Johannes Cassian unterscheidet positive und negative Seiten der tristitia. Die eine ist gut und wertvoll, sie trägt in sich alle Früchte des heiligen Geistes, aus ihr erwächst die erstrebte und für den Christen notwendige „compunctio cordis". Die andere Form der Trauer aber führt zur sündhaften „desperatio" [50]. Auch Isidor von Sevilla definiert die positive tristitia als „humilitas mentis cum lacrymis" (Lib. Sent. II 12; PL 83, 613 f.). Diese ist ganz in die Betrachtung Gottes versenkt und weist alle fleischlichen Begierden ab; daraus entstehen die so begehrten Tränen des mönchischen Daseins. Solange es sich beim Weinen des Bischofs nicht um einen Ausdruck der verdammenswürdigen Hoffnungslosigkeit handelte, sondern um einen „moderatus moeror" im Sinne Cassians und Isidors, dem auch kein Männlichkeitsideal und kein allzu nüchterner Lebensstil entgegenstand, war der Weinende mit dieser stark emotionellen Haltung ein maßgebender und vorbildlicher Christ [51].

---

[47] Vita Audomari c. 14, 762; Vita Corbiniani c. 34, 225. Audomar hielt eine ausführliche Predigt, Korbinian befahl, ihm vor der Messe ein Bad zu bereiten, wusch sich „ex more" und ließ sich die Haare scheren.

[48] Beispiele dafür wie Anm. 41.

[49] Brown, Rise and Function 97 gibt ein illustratives Beispiel der extremen Haltung mit der Schilderung des trauernden Hypatios von Ruphinianai († 446): „When he prayed, Hypatios was continually touched with contrition. He w e p t and c r i e d so hard to God that we, who were weeping, were seized with awe and dread."

[50] Johannes Cassianus, Inst. 9: De spiritu tristitiae (CSEL 17, 1888) 166 f.

[51] Heinrich F i c h t e n a u, Askese und Laster in der Anschauung des Mittelalters (1948) = d e r s., Beiträge zur Mediävistik 1 (1975) hier 45, 83 f. Vgl. auch Gerhard S c h m i t z, ... quod rident homines, plorandum est. Der „Unwert" des

Unter den übernatürlichen Geschehnissen, die mit Vorliebe in der Vitenliteratur erwähnt werden, steht das Erscheinen von Lichtstrahlen oder -säulen
an erster Stelle[52]. Dieses Stilmittel war so beliebt, daß es mitunter recht ungeschickt verwendet wurde und dann auf den heutigen Leser eine groteske Wirkung ausübt[53]. Der süße Geruch der sich beim Eintritt des Todes überall verbreitet, gehört ebenfalls zu den meistgebrauchten Topoi. Vereinzelt wird von
einem himmlischen Gesang, von einer weißen Taube, von Engeln und vom
Teufel berichtet[54]. Die starke Betonung des fabelhaften Geschehens trägt die
Schuld, wenn man geneigt ist, den ganzen Bericht über den Tod des Bischofs
als ein Stück literarische Topik anzusehen. Man übersieht, daß die Sterbezere-
monie ein repräsentativer Akt als Abschluß eines adelig-christlichen Lebens
war. Nicht dessen Beschreibung allein ist topisch, sondern das Handeln des
Bischofs hat sozusagen topischen Charakter.

War der Bischof gestorben, wurde er feierlich in seine Pontifikalgewänder
gehüllt (sollte er damit nicht schon vor seinem Ableben bekleidet worden sein), und es begannen die Exequien. Beim Tode des Caesarius von Arles
hatten Geistliche und Kirchendiener Mühe, das Volk zurückzudrängen: mit
frommer Gewalt rissen die Menschen Stücke aus dem Gewand ihres toten Oberhirten, um sie als Reliquien nach Hause zu tragen[55]. Auch die Armen traten
mitunter besonders hervor. Als Bischof Sulpicius II. von Bourges ins Grab gelegt worden war, besetzten sie die Kirche, „iacebant ut cadavera" und machten
die Abhaltung eines ordentlichen Gottesdienstes unmöglich[56]. Daß sie auch

---

Lachens in monastisch geprägten Vorstellungen der Spätantike und des frühen
Mittelalters, in: Stadtverfassung, Verfassungsstaat, Pressepolitik. FS Eberhard Nau-
joks (1980) bes. 4 ff., 11 ff.

[52] Erwähnt wird eine derartige Erscheinung in der Vita Apollinaris (c. 13, 202),
Vita Vedastis (c. 8, 411), Vita Eligii (II 36, 720).

[53] So heißt es in der Vita Vedastis, eine Feuersäule sei während der Nacht-
stunden über der „cellola" des kranken Bischofs gesehen worden. Als man das
Vedastus mitteilte, begriff der Heilige sofort, daß sein Tod bevorstehe und verkündete
es den Leuten.

[54] Vita Vedastis (c. 8, 411): himmlische Psalmen; Vita Sollemnis (c. 11, 320):
singende Engel und weiße Taube, die aus dem Munde des Toten aufsteigt; Gesta
Hrodberti (c. 10, 162): weißgekleidete Männer = Engel holen die Seele Hrodberts in
den Himmel; Vita Hugberti (cc. 13 und 14, 490 f.): der Teufel plagt den sterbenden
Bischof. Zu derartigen Erscheinungen vgl. Jean-Michel P i c a r d, The marvellous
in Irish and continental saints' Lives of the Merovingian period, in: Columbanus
and Merovingian Monasticism (BAR International Series 113, 1981) 94 f.

[55] Vita Caesarii II 49, 500.

[56] Vita Sulpicii c. 8, 378 (Fassung A und B). Dabei dürfte es sich nicht nur
um „matricularii" gehandelt haben, da es eine stattliche Zahl von Menschen war.
Über solche „manifestations les plus violentes de la douleur" siehe auch Philippe
A r i è s, Richesse et pauvreté devant la mort au moyen âge, in: ders., Essais sur
l'histoire de la mort (wie Anm. 38) 80 f.

den Leichenzug klagend begleiteten, haben wir schon in anderem Zusammenhang gesehen [57]. Dieser entfiel oder war nur sehr kurz bei Bischöfen, die in ihrer Residenzstadt gestorben waren. In diesem Falle konnte man mit den Totenfeierlichkeiten beginnen, sobald die Komprovinzialen eingetroffen waren [58]. Bei Gallus von Clermont dauerte es vier Tage, bis seine Mitbischöfe versammelt waren, weshalb sein Leichnam drei Tage lang in der Kathedrale aufgebahrt lag [59].

Wurde der Bischof außerhalb der Stadt vom Tode ereilt, mußte er in der Regel in die Domkirche seines Bischofssitzes gebracht werden. Solche Transporte glichen Triumphzügen, nur daß dabei nicht Jubel, sondern Trauer herrschte. Ganze Städte waren nach dem Bericht der Chronisten ausgestorben, niemand wollte zu Hause bleiben, wenn es galt, dem toten Bischof entgegenzugehen und seine Trauer öffentlich und lautstark zu zeigen [60]. Der Leichenzug des Bischofs Ansbert von Rouen, der als Exilierter im Kloster Hautmont gestorben war, von Pippin dem Mittleren mit einiger Mühe die Überführung seines Leichnams nach St. Wandrille erwirkte, wird ausführlich beschrieben [61]. Abt Aldulf von Hautmont führte den Zug an. Geistliche mit Kreuzesfahne, Kerzen und Laternen folgten, während eine „plebs innumera" den Abschluß bildete. Die ganze Zeit über wurden Hymnen und „carmina canticorum divinorum … dulci modulatione" gesungen. In Venette, einem Königshof, übergab Aldulf den Leichentransport den Komprovinzialen des toten Ansbert, die ihn mit derselben Feierlichkeit weitergeleiteten und Ansbert schließlich an der Seite Wandregisils in Fontanelle begruben, nachdem der Transport 13 Tage unterwegs gewesen war [62]! Daß bei einem derartigen Leichenzug immer wieder von Wundern berichtet wird, ist verständlich: viele Orte, an denen der tote Bischof vorbeigetragen wurde, wollten den Ruhm und die Heiligkeit des großen Mannes auf ihre Weise nützen [63]. Geradezu schematisch ist in dieser Hinsicht die Vita

---

[57] Vgl. oben S. 184.

[58] Beispiele für dem Tode unmittelbar folgende Totenfeiern: Vita Lupi c. 26, 186; Vita Audomari c. 14, 762; Gesta Hrodberti c. 10, 162.

[59] Gregor von Tours, LVP VI 7, 685; ähnlich die Vita Eligii II 36, 720 und die Vita Arnulfi c. 22, 442. Doch ist Arnulf nur mit Einschränkungen heranzuziehen, da er als Mönch in Remiremont starb.

[60] Vgl. die Vita Desiderii Cadurc. c. 37, 593: „nullus monachus domi resedit, qui non obviam pastori procederet". Vita Hugberti c. 15, 492 (sehr eingehende, detailreiche Schilderung).

[61] Siehe oben S. 245.

[62] Vita Ansberti cc. 28—36, 637 ff.

[63] Ein Modellfall ist in dieser Hinsicht der Heimtransport des Leichnams von Bonifatius. Siehe vor allem Vita auct. Will. c. 8, 53 und die Vita Sturmi des Eigil von Fulda. Literarkritisch-historische Untersuchung und Edition von Pius Engelbert

Landberts von Maastricht; jedem Halt der Bahre entspricht ein Wunder, fast immer eine Krankenheilung [64]. Wie sehr diese Transporte für politisch-wirtschaftliche Zwecke mißbraucht werden konnten, beweist unter anderem Hinkmar von Reims. In seiner tendenziösen Vita Remigii berichtet er von der Überführung der Leiche des heiligen Bischofs, in die Christophoruskirche [65], die im Besitz des Reimser Bischofs, d. h. der Diözese war: damit konnte er die Güter, die dieser Niederkirche auf Grund der Wundertaten des berühmten Remigius zufielen, guten Gewissens für die bischöfliche Kirche in Anspruch nehmen [66].

Beim Empfang des Toten wetteiferten vornehme Männer (und Frauen?), die Bahre auf ihren Schultern tragen zu dürfen [67]; unter Umständen fanden sich dabei sogar „principes' ein [68]. Zur Trauerfeier für den Bischof Eligius erschien auch die Königin Balthild mit ihren Söhnen in Noyon; sie hätte den Leichnam gern nach Chelles oder Paris mitgenommen, doch verzichtete sie darauf, als der Heilige seinen anderslautenden Willen durch ein(es der üblichen) Wunder — der Sarg wich nicht von der Stelle — kundgetan hatte. So beteiligte sich die Königin am Zug zur Kathedrale, wobei sie sich nicht scheute, zu Fuß durch den winterlichen Straßenschmutz ihrem ehemaligen Ratgeber das letzte Geleit zu geben [69]. Großartig waren Totenfeier und Leichenzug Bischof Audoins von Rouen im Jahre 684. Der im hohen Alter stehende Prälat war in der neustrischen Hauptpfalz Clichy einer kurzen Krankheit erlegen. König Theuderich III., Königin Chrodhild, der Hausmeier Waratto und alle „proceres palatii" nahmen an dem Trauerzug nach Pontoise teil. Dort wurden die Vigilien gefeiert und die Nacht von allen an der Bahre des Toten verbracht. Danach kehrte das Königspaar um, hohe Geistliche übernahmen den Weitertransport, der in der gleichen Art, wie es bei Ansbert beschrieben wird, nach Rouen führte [70]. Der Stil der Totenfeier für Audoin rechtfertigt es, von einem Staatsbegräbnis zu sprechen.

Ein Blick auf die hier angeführten Leichenbegängnisse lehrt, daß selbst die Bestattung der Bischöfe ihrer Lebensart entsprach. Als adeliger Mensch

---

OSB (Veröffentlichungen der Historischen Kommission für Hessen und Waldeck 29, 1968) c. 16, 149 f.

[64] Vita Landiberti vet. cc. 26 und 27, 381 f.

[65] Vita Remigii episcopi Remensis auctore Hincmaro (ed. Bruno Krusch) MGH SS rer. Merov. 3 (1896) c. 24, 319.

[66] Pöschl, Bischofsgut 42 f. Zu Hinkmars Geschichtsfälschung vgl. Krusch, Eptadius 144.

[67] Vita Boniti c. 39, 138; ebenso in der Vita Audoini c. 16, 564.

[68] So zogen dem Leichenzug Haimhramns der „princeps terrae cum satrapibus et sacerdotibus, deferentes patibula cum turabulis", aus Regensburg entgegen; Vita Haimhrammi c. 34, 76 f.

[69] Vita Eligii II 37 und 38, 721 ff.

[70] Vita Audoini cc. 16—18, 564 ff.

und christlicher Wundertäter trat der Bischof seinen letzten Weg an: die Totenfeiern kamen gerade deshalb dem Bild, das sich die Umwelt von ihm machte,
entgegen und trugen auch einem Bedürfnis der Diözesanen Rechnung. Die Topik,
die in den Berichten reichlich vorhanden ist, bleibt ein äußerer Rahmen, nötig
für die Darstellung, doch klar von den wirklichen Zeremonien zu scheiden.

Die Nachrufe, die die Bischöfe erhielten, beschränken sich im allgemeinen
auf die Aufzählung von positiven Eigenschaften, die nach bestimmten Kriterien
geordnet eine lange Tradition hinter sich haben. Trotz der Ansätze, die zu ihrer
Genese und Entwicklung bereits geliefert wurden [71], bleibt die Aufhellung ihrer
Herkunft und der damit zusammenhängenden geistes- und mentalitätsgeschicht-
lichen Zeitsituation noch eine lohnende Aufgabe [72].

Obwohl Roheiten und Gewalttätigkeiten im Frankenreich an der Tagesordnung waren, lebte man doch im Bewußtsein der göttlichen Vergeltung. Der
Mensch war in seinem Tun einem stark ausgeprägten Talionsprinzip verpflichtet: das Schicksal des einzelnen konnte danach gemessen werden. Gerade die
Art des Todes war ein Wertmesser vor allem für Menschen, auf die die Augen
vieler gerichtet waren. Dazu gehörten auch die Bischöfe. Mochten sie auf Erden
noch so viele Übeltaten begehen (wenn sie unwürdige Vertreter ihres Amtes
waren), der weltlichen Gerechtigkeit trotzen, die Art ihres Sterbens gab jedermann Aufschluß über den Wert, den Gott ihrem Treiben beimaß [73]. Wurde

---

[71] Vor allem von Heinzelmann, Bischofsherrschaft, passim.

[72] Einer „guten Nachrede" waren Bischöfe sicher, die ihre Kirche testamentarisch
mit Gütern bedachten. So störte es die Verfasser der Gesta abb. Font., die mit anderen Bischofsäbten wie Grimo oder Raginfrid streng ins Gericht gingen, nicht im ge-
ringsten, daß Hugo, der Neffe Karl Martells, dreifacher Bischof und zweifacher (vielleicht sogar vierfacher!) Abt war. Hugo hatte sich als überaus fähig in der wirtschaftlichen Verwaltung erwiesen und dem genannten Kloster nicht nur „praedia" und
„possessiones", sondern auch wertvolle Meßgeräte hinterlassen; Gesta IV 3, 42 f.
Dazu auch Ewig, Milo 202. Ebenso gut kommen bei Flodoard Reimser Bischöfe weg,
die das Episcopium durch ihre letztwilligen Verfügungen bedeutend vermehrten, z. B.
Somnatius, Lando oder Romulf; Hist. Rem. eccl. II 4, 451; II 5, 454; II 6, 455.
Über die merowingischen Bischofstestamente siehe Irsigler, Frühfränkischer Adel 227 f.
und Ulrich N o n n, Eine fränkische Adelssippe um 600. Die Familie Bischof
Berthrams von Le Mans, in: FMST 9 (1975) 186 ff. und Goswin S p r e c k e l m e y e r,
Zur rechtlichen Frage frühmittelalterlicher Testamente, in: Recht und Schrift im
Mittelalter (VuF 23, 1977) 95, 111. Zu den Epitaphien Heinzelmann, Bischofsherrschaft
(bes.) 241 f.

[73] Sagittarius von Gap und Salonius von Embrun wurden vorübergehend in
Klosterhaft gehalten und nahmen nach kurzer Zeit der Besserung ihr wüstes Leben
wieder auf. Sagittarius wurde anläßlich der Niederwerfung des Gundowald-Aufstandes
bei einem Fluchtversuch der Kopf abgeschlagen, von Salonius hört man nichts mehr.
Die Ermordung des Bischofs von Gap wird von Gregor ohne das geringste Bedauern
geschildert; man könnte den Eindruck gewinnen, als sei das Ende des Sagittarius

auch dadurch das Bedürfnis nach Vergeltung nicht sichtbar befriedigt, nahm man Zuflucht zu Berichten über Visionen von Mönchen, die im Zustand des Scheintodes „Jenseitswanderungen" unternommen hatten[74]. Der Mönch Barontus z. B. sah in seiner Vision die Bischöfe Vulfleod von Bourges und Dido von Poitiers in der Hölle, was den Zeitgenossen, zumindest seinen Mitbrüdern, wahrscheinlich höchst gerecht erschien[75].

Im allgemeinen war der plötzliche Tod Zeichen für die Mißbilligung Gottes. Er ist nicht nur Ausdruck der göttlichen Strafe für ein frevelhaftes, unbußfertiges oder zumindest dem Amte des Bischofs wenig entsprechendes Leben, sondern dient auch der Wiederherstellung der durch Menschenwitz gefährdeten göttlichen Weltordnung. Der sofortige oder baldige Tod eines neu eingesetzten Bischofs war den Zeitgenossen ein deutlicher Hinweis auf die mangelnde Idoneität des Betreffenden. Ein gutes Beispiel ist das Geschehen um die Nachfolge des Bischofs Tetricus von Langres. Der als nächster Verwandter in Frage kommende Kandidat wurde trotz eines epileptischen Leidens von der Sippe durchgesetzt. Während der Vorbereitungen zur Bischofsweihe wurde er jedoch von seiner Krankheit plötzlich hinweggerafft[76]. Darauf erhielten die Einwohner von Langres Pappolus, den Archidiakon von Autun, als Bischof. Dieser füllte das Amt nicht mit Würde und bischöflicher Haltung aus, sondern ließ sich bald eine Reihe von Ungerechtigkeiten zuschulden kommen. Deswegen erschien ihm Tetricus im Traum und schlug ihn erzürnt über sein Verhalten mit einer Rute auf die Brust: Pappolus erwachte, bekam bald darauf einen Blutsturz und gab seinen Geist auf[77]. Hier greift Gott durch den „zuständigen" heiligen Bischof ein[78]; Pappolus ist nicht von Haus aus unwürdig, er wird sichtlich von der Macht, die der bischöflichen Funktion anhaftet, verführt. Doch als er sich nicht bessert, sondern als gleichgültiger und ungerechter Hirt seiner Herde

---

eben „die Moral von der Geschichte". Jedenfalls hebt sie sich von der Beschreibung der Tötung anderer Bischöfe merklich ab.

[74] Die Jenseitsvorstellungen des frühen Mittelalters wurden wesentlich vom Inhalt des vierten Buches der Dialogi Papst Gregors d. Gr. geprägt. Darin findet sich auch die Lehre vom Fegefeuer.

[75] Visio Baronti (ed. Wilhelm Levison) MGH SS rer. Merov. 5 (1910) c. 17, 391. Vulfleod von Bourges ist darin als schmutziger zerlumpter Bettler beschrieben. Man könnte darin einen Hinweis auf Geiz und Raffgier des Bischofs zu dessen Lebzeiten erblicken. Das Kloster St. Peter „Longoretensis", dem Barontus entstammte, lag in der Diözese von Bourges. Über Dido von Poitiers teilt der Visionär nichts weiteres mit. Der Grund seiner Verdammung bleibt uns unbekannt. Dazu Levison, Jenseitsvisionen 233 f. und Riché, Columbanus 70.

[76] Gregor von Tours, HF V 5, 201.

[77] Ebendort 202.

[78] Der dem Bischof im Traum erscheinende Vorgänger, der über die „unwürdige" Verwaltung seiner Diözese erzürnt ist, gehört zur Gattung eines später weitverbreiteten Topos.

handelt, wird er durch einen plötzlichen Tod hinweggerafft [79]. Der nächste
Bischof, Mummolus, erweist sich hingegen als Muster eines heiligmäßigen Oberhirten. Durch seine Einsetzung wird die gestörte Ordnung des Bistums Langres
wiederhergestellt.

Gariwald von Clermont starb nach vierzig Tagen seiner Bischofsherrschaft,
da er dem späteren Bischof und „Märtyrer" Praeiectus den Platz verstellte [80].
Hier wird ein wohl zufälliges Ereignis zur göttlichen Vorsehung in Beziehung
gesetzt, Praeiectus, dessen Geburt schon im Zeichen wunderbarer Voraussagen
stand, m u ß das Bistum erlangen; dies ist wiederum Voraussetzung für seinen
Märtyrertod. Gott wird vom Autor der Vita unbedenklich in die Parteikämpfe
in Clermont miteinbezogen. Es nützt Gariwald nichts, daß er den besseren
Rechtstitel hat, es schadet nichts, daß Praeiectus wortbrüchig wird, er ist für
die bischöfliche Würde prädestiniert. Als Gariwald mit seinen gerechten An-
sprüchen zu scheitern droht und sich erst mit Unterstützung der führenden Laien
durchsetzt, greift Gott ein und läßt den „usurpator indignus" sterben. Man er-
blickte darin wohl eine Art Gottesgericht: Gott läßt es nicht zu, daß ein von
ihm Erwählter zurückgesetzt wird. Der Verfasser der Passio konnte bei diesem
Ereignis so sehr auf die Wirkung des raschen Todes Gariwalds vertrauen, daß
er sich nicht scheute, die Umstände der Erhebung des Praeiectus, die dubiosen
Machenschaften seiner Partei und die gut fundierten Ansprüche des Archidiakons
Gariwald eingehend zu schildern. Dessen plötzlicher Tod war Beweis genug für
seine Unwürdigkeit und mußte alle Bedenken gegen das Vorgehen des Praeiectus zunichte machen.

Vom Eingreifen Gottes in unrechte Verhältnisse spricht Gregor von Tours
ausdrücklich bei der Ermordung des Bischofs Marachar von Angoulême durch
seinen Nachfolger Frontonius [81]. Die „divina clementia" habe Frontonius nur
kurz in seiner ungerechten Herrschaft belassen: „praecurrente iudicio Dei"
sei dieser schon nach einjährigem Pontifikat gestorben. Es ist für Gregor kein
Problem, sich Gott als Rächer irdischer Untaten vorzustellen, das wunderbare
Geschehen bedeutet keinen Einbruch in den alltäglichen Gang der gewöhnlichen
Welt. Die immer latent vorhandene Bereitschaft zur gewaltsamen Lösung
menschlicher Konflikte, die mangelnde Fähigkeit, Interessen auszugleichen, die
unverhüllte Rohheit und barbarische Direktheit, mit der das eigene Wollen in
die Tat umgesetzt wurde, und die auch nicht vor dem kirchlichen Bereich Halt
machte, erforderten zur Aufrechterhaltung eines sichtbaren moralischen Gleich-

---

[79] Die Schuld des Pappolus erhellt aus den Anklagen, die ihm Tetricus ent-
gegenschleudert: „Ut quid sedem meam polluis? Ut quid ecclesiam pervadis? Ut quid
oves mihi creditas sic dispergis?"
[80] Passio Praeiecti c. 13, 323.
[81] Gregor von Tours, HF V 36, 242. Siehe oben S. 143.

gewichts ein Wunder mit deutlich erkennbarer, „handgreiflicher" Wirkung. Natürliches und Heiliges mußten einander auf derselben Ebene gegenübertreten.

Eine besondere Ergänzung des gottgewollten raschen Todes sind schimpfliche Umstände bei seinem Eintritt. Hier drückt sich neben der Befriedigung über den Untergang des Bösewichts oft ein starkes Haßgefühl aus. So berichtet der Verfasser der Vita et miracula s. Galli mit unverhohlener Freude nicht nur über den Tod des Bischofs Sidonius von Konstanz, sondern auch über dessen ekelerregende Umstände [82]. Auch in diesem Fall tritt der Tod nicht gleich ein, sondern nachdem sich Sidonius ein und ein halbes Jahrzehnt gegen St. Gallen versündigt hatte [83]. Daß der Bischof an einer plötzlichen — wohl in der Sommerhitze ausbrechenden — Dysenterie starb, deren Einzelheiten der Chronist mit derbem Vergnügen beschreibt, schuf die Gelegenheit, Assoziationen an das Ende des Arius wachzurufen. Nicht Abweichungen von der Orthodoxie gaben Anlaß zu dieser Parallele, sondern der Grad der Verwerflichkeit.

Der unvermutete, jähe Tod ist somit als deutlicher Gegenpol zum vorher durch Traum oder Vision angezeigten Tod zu verstehen. Vom christlichen Standpunkt ist das Sterben ohne Gelegenheit zur Reue über begangene Sünden, eine schreckenerregende Vorstellung. Deshalb trifft ein derartiger Tod stets den Bischof, der ein Sünder ist. Ein solcher wurde man durch Bosheit und Gewalttaten, aber auch dadurch, daß man den Plan Gottes eigensüchtig durchkreuzen wollte. Dies zeigt etwa der eben besprochene Fall Gariwalds von Clermont. Wenn ein Adelsbischof plötzlich starb, war eine feierliche und standesgemäße „Inszenierung seines Hinscheidens" unmöglich. Es war — abgesehen vom Tod in der Schlacht — die Art, in der die ruhmlosen, nichtadeligen Menschen verschieden. Das konnte für die Familie des unwürdig Sterbenden nachteilige Wirkungen haben.

Abschließend soll uns noch der gewaltsame Tod des Bischofs beschäftigen. Daß ein Milo von Trier(-Reims) von einem Eber getötet wurde [84], paßte zu

---

[82] Vita s. Galli c. 58, 80 f. Die Feindschaft, die zwischen St. Gallen und den Bischöfen von Konstanz, die oft auch noch Äbte der mit St. Gallen in Konkurrenz wirkenden Reichenau waren, bestand, und im 9. Jahrhundert zu Geschichtsfälschungen des vermeintlich beleidigten Klosters führte, dürfte unter Bischof Sidonius einen Höhepunkt erlebt haben. An der Art seines Todes ist deswegen aber nicht zu zweifeln.

[83] Als auslösend für den Tod wurde die Weigerung angegeben, St. Gallen freundlicher gesinnt zu sein, worum ihn Bischof Tello von Chur gebeten hatte. Das darauffolgende Gebet des Sidonius vor dem Altare des heiligen Gallus mußte sehr provokativ wirken und erklärte das Eingreifen des beleidigten Klosterpatrons.

[84] Gesta Trever. c. 25, 162. Diese auf Hinkmar von Reims zurückgehende Version seines Todes wird bestritten in den aus dem 11. Jahrhundert stammenden Miracula

seinem säkularen Lebensstil, und rundete das Bild ab, das man sich schon im achten Jahrhundert von ihm machte. Ein unter Psalmengesang im Kreise seiner Kleriker sterbender Milo wäre undenkbar gewesen. Nicht bei schimpflicher Tätigkeit oder in schändlicher Form — mochte es auch den strengen Verfechtern christlichen Glaubens im Kreise um Bonifatius (oder gar einer Quelle des zwölften Jahrhunderts) so scheinen — erfolgte sein Tod, sondern bei einer „adeligen" Beschäftigung: bei der Jagd. Diese war dem Kleriker zwar wiederholt verboten worden [85], doch zeigen gerade die immer wieder erneuerten Synodalbestimmungen, wie schwer diese adeligen Gewohnheiten auszurotten waren. Für Milo scheint die geistliche Disziplin wenig bedeutet zu haben, doch war er sicher nicht unreligiös [86]. Sein Bild wurde später von der negativen Beurteilung durch Hinkmar von Reims geprägt; so übernahmen es auch die Gesta Treverorum. Sein Sterben war für die Zeitgenossen sicher nicht der „plötzliche" Tod des Sünders: dafür spricht auch seine rund vierzig Jahre während Bischofsherrschaft. Milo kam ums Leben wie ein anderer jagd- und kampflustiger Adeliger seiner Zeit auch. Es ist möglich, daß Hinkmar von Reims mit dem Eber ein besonders negatives Symbol im christlichen Sinne verband, dem allgemeinen adeligen Denken entsprach das nicht.

Als Reformer im Sinne der angelsächsischen Missionare derartiges anprangerten, war das christliche Bewußtsein noch keineswegs wach genug, um den Tod des Bischofs durch einen Jagdunfall für unerhört zu halten. Das achte Jahrhundert hatte, einen neuen Typus des Bischofs geschaffen, der nicht nur im weltlichen Bereich wurzelte, sondern in seiner Person beide Lebensbereiche verkörperte, den geistlichen ebenso wie den säkularen. Kam es zu Konflikten zwischen den beiden Prinzipien, mußte jedoch der Bischof vor dem Angehörigen des kriegerischen Adels zurückweichen. Aus diesem Grunde konnte ein Karl Martell den idealen Forderungen eines Bonifatius nur wenig nachkommen, da er auf den kriegerischen Bischof nicht verzichten wollte. Die Aktionen eines Sagittarius von Gap und Salonius von Embrun hätten im achten Jahrhundert wohl weniger Mißfallen erregt als zu ihren Lebzeiten. Gerold von Mainz, der 743 im Kampf gegen die Sachsen fiel, wird keineswegs negativ beurteilt. Seine Todesart war den Zeitgenossen für einen Bischof nicht ungewöhnlich: ein Gottesurteil konnte niemand darin erblicken [87]. Dasselbe wie für Gerold gilt zehn

---

sancti Liutwini (ed. H. V. Sauerland) MGH SS 15/2 (1888) 1262. Allerdings ist die Tendenz dieser Mettlacher Quelle zu beachten.

[85] Siehe dazu oben S. 225 m. Anm. 93.

[86] Das kann man aus der Fürsorge für Mettlach, der finanziellen Schonung der Hauptkirchen in der Diözese und schließlich aus der Rückberufung Rigoberts nach Reims schließen; für ein gewisses religiöses Verantwortungsgefühl spricht die Ablehnung der Bischofsweihe durch Milo.

[87] Die Blutrache, die Gewilib, Gerolds Sohn und Nachfolger in Mainz, übte,

Jahre später für den Bischof Hildegar von Köln, der ebenfalls in einem Sachsenkrieg getötet wurde [88]. Der Tod bei den heidnischen Sachsen hätte als Martyrium stilisiert werden können, doch wird dergleichen mit keinem Wort angedeutet. Der in der Schlacht gefallene Bischof ist kein Märtyrer, aber auch kein von Gott verworfener Sünder. Savaricus von Auxerre, der bei der Belagerung von Lyon vom Blitz getroffen wurde, ist dagegen anders zu beurteilen [89]. Er überschritt die Grenzen der Möglichkeiten, wie sie dem „neuen" Bischof seit dem Niedergang der merowingischen Gewalt gegeben waren. Savaricus setzte nicht bloß das Bischofsamt gegenüber dem Kriegertum hintan, er war selbst Kriegsunternehmer und nützte seinen Bischofssitz als Ausgangspunkt und Hauptquartier für Eroberungsaktionen. Sein jäher und auffälliger Tod muß einen bedeutenden symbolischen Wert gehabt haben und wurde als Gottesgericht angesehen („divino fulmine percussus").

Recht unterschiedlich war die Ansicht über den Tod von Bischöfen, die im Verlaufe von Parteikämpfen ums Leben kamen. Interessante Aspekte ergeben sich, wenn man in diesem Zusammenhang die politischen Kämpfe im Merowingerreich nach dem Rückzug der Königin Balthild ins Kloster Chelles (664) betrachtet. Die Zwistigkeiten kulminierten in der Auseinandersetzung zwischen dem Hausmeier Ebroin und der burgundischen Partei, an deren Spitze Bischof Leodegar von Autun stand. Ebroin gelang es, die gegnerische Sippe und deren Anhang auszuschalten, Leodegar wurde gemartert und dann enthauptet (677). Bald nach diesen Ereignissen wurde die erste Passio Leudegarii verfaßt — ein historisches Zeugnis ersten Ranges —, die den Bischof von Autun z. T. als edle Märtyrergestalt zeichnet. Wir haben an anderer Stelle schon über diese beiden Lebensbeschreibungen gehandelt [90]. Nun ergibt sich aus der zeitgenössischen Abfassungszeit der Passio I, daß die politischen Ursachen von Leodegars Tod

---

schien jedermann verständlich. Dennoch brachte es Bonifatius so weit, daß Gewilib 745 abgesetzt wurde. Daß der Bischof an den Papst appellierte, zeigt, wie stark er in den Anschauungen seines Standes wurzelte und wie sehr Bischöfe seines Typs das Wirken des Bonifatius als existenzbedrohend ansahen. Zu einem adeligen Leben gehörte unbedingt die aktive Teilnahme am Kampf und die Ausübung der Jagd. Dazu auch Sante, Bonifatius 224 f. und Schieffer, Winfrid 230 ff. — Gregor von Tours findet schon im 6. Jahrhundert kein Wort des Tadels für Siagrius, den Sohn des Bischofs Desideratus von Verdun, als dieser Sirivult, den Erzfeind seines Vaters, erschlug. HF III 34 und 35, 129 ff.

[88] Er fiel 753 im Kampf um die Grenzfeste Iuberg. Die Nachricht vom Schlachtentod des Bischofs ist in einigen Quellen zu finden: Annales Laureshamenses (ed. Georg Heinrich Pertz) MGH SS 1 (1826) 26; Chron. Laur. br. 28; Ann. s. Amandi cont. 10; Annales Petaviani cont. (ed. G. H. Pertz) a. a. O. 11; am besten in den Annales regni Francorum (ed. Friedrich Kurze) MGH SS rer. German. in us. schol. (1895) 10.

[89] Gesta epp. Autiss. c. 26, 394.

[90] Siehe oben S. 85 f.

jedermann bekannt gewesen sein müssen. Der Verfasser übergeht sie und stellt das „Martyrium" des Bischofs in den Vordergrund, ohne allerdings zu versuchen, Leodegar von Anfang an zum sanften Dulder zu stilisieren. Diese Umwandlung nahm erst Ursinus von Ligugé in seiner Passio II vor. Die alte romanhafte Topik der Märtyrerviten, die der Verfasser der ersten Passio neben volkstümlichem Erzählgut etwas gewaltsam in den Ereignisablauf einbaute, kann das tatsächliche Geschehen nicht verdecken; Ursinus bemühte sich immerhin, die Ungereimtheiten der Passio I auszumerzen und diese dem Vitenstil anzupassen [91]. Doch wird man Leodegar nicht einfach als gescheiterten Politiker abtun können, den Anhänger seiner Partei zum Heiligen machten. Man muß den Brief des abgesetzten und grausam behandelten Bischofs an seine Mutter lesen, um zu erkennen, daß dieser prachtliebende und mitunter auch gewalttätige Mann eine Persönlichkeit hohen religiösen Ranges war [92]. Leodegars Motive waren ohne Zweifel höchst weltlicher Natur, es ging ihm um Einfluß beim König und um die Herrschaft über Autun. Er setzte die Mauern und anderen Verteidigungsanlagen seiner Bischofsstadt in guten Zustand, um den Angreifern zu trotzen. Dann jedoch tritt der Wandel in seiner Haltung ein: er opfert sich für seine Stadt, er tritt der Gewalt mit Gewaltlosigkeit entgegen. Damit befindet er sich im Gegensatz zu den Wertvorstellungen seines Standes! Als er dem Bischofsamt vor seinem adeligen Stand den Vorrang gab, wandte er sich von diesem ab. Insofern ist er nicht mit den burgundischen und austrasischen Prälaten des achten Jahrhunderts auf eine Stufe zu stellen: daß ein Mann, der einem derart mächtigen Geschlecht entstammte wie Leodegar, sich nicht seiner Gefangennahme durch Flucht entzog, sondern Martern und Tod auf sich nahm, konnte den Zeitgenossen bei aller Kenntnis der politischen Situation durchaus als Martyrium erscheinen [93]. Daß die im nordaquitanischburgundischen Raum mächtige Familie alles dazu tat, um diese Auffassung von Leodegars Tod zu vertiefen und für ihre Zwecke zu nützen, ist nur zu verständlich. Ebroin hat diese Gefahr der Ideologisierung anscheinend sofort erkannt; deswegen dürfte er vom Grafen Chrodbert verlangt haben, daß man die Leiche des Enthaupteten im Walde verscharre, damit das Grab Leodegars keine Kultstätte werde [94].

---

[91] Vgl. Graus, Merowinger 378 f. m. Anm. 451, 452.

[92] Besonders seine Ausführungen über Feindesliebe sind für Zeit und Umgebung sehr ungewöhnlich und verraten eine bedeutende seelische Reife; Epp. aevi Merowingici nr. 17, 464 ff., bes. 466 Z. 9 ff.

[93] Lotter, Methodisches 317, sieht das im Falle Leodegars zu einfach, wenn er meint, in Ermangelung echter Martyrien wurde der politische Mord im nachhinein als Martyrium aufgefaßt.

[94] Geht wohl aus Passio II, c. 20, 343 hervor. Ebroin wird in beiden Passionen, aber auch später, viel zu sehr als schwarzer Bösewicht gezeichnet. Siehe auch seine

17*

Ähnlich scheint die Haltung des Bischofs Desiderius von Vienne. Er wurde aus nicht mehr durchsichtigen Gründen auf Befehl der Königin Brunhild hingerichtet [95]. Seinen ungewöhnlichen Tod durch Steinigung als Martyrium erscheinen zu lassen, halfen mehrere günstige Umstände mit. Er wurde von den Häschern aus der Kirche zur Richtstätte geschleppt, was einen starken Eindruck hinterlassen haben dürfte [96]. Dann aber kam bald nach seinem Tod (606/07) durch Chlothar II. ein Umsturz im merowingischen Reich. Brunhild, die verlassene, gestürzte und hingerichtete Königin wurde zum Inbegriff alles Bösen, zur fränkischen Jezabel. Ihre Grausamkeit und Bosheit gaben die entsprechende Folie für Desiderius ab, dessen Ermahnungen die Königin und ihren lasterhaften Enkel Theuderich II. so gereizt hatten, daß sie seinen Tod befahlen. Diese Auffassung hielt sich bis zu Ado von Vienne [97] und noch darüber hinaus.

Kurzcharakteristik in den Ann. Mett. pr. 5. — Über die große Bedeutung eines regelmäßig betriebenen Kultes durch klösterliche Gemeinschaften siehe Eduard H l a w i t s c h k a, Zu den klösterlichen Anfängen in St. Maria im Kapitol zu Köln, in: Rheinische Vierteljahrsblätter 31 (1966/67) 14 und die Zusammenfassung unten S. 273.

[95] Das ist aus keiner der Viten eindeutig zu erkennen. Ewig, Teilungen 164 glaubt, der Bruch mit dem Hof sei religiös-moralischer, bzw. kirchenpolitischer Art gewesen. Der Gegensatz zwischen Aredius von Lyon, dem Günstling Brunhilds, und Desiderius scheint dabei eine Rolle gespielt zu haben. Dafür spricht auch die Hinrichtung auf dem Gebiet von Lyon! Prinz, Mönchtum 465 m. Anm. 47 verneint ein Märtyrertum des Bischofs von Vienne, der wohl wegen seines Lebenswandels abgesetzt worden sei. Die Ursachen, die zu seiner Hinrichtung führten, werden sich nicht mehr klären lassen, doch dürfte Desiderius am Zwist mit Brunhild und Theuderich II. nicht ganz unschuldig gewesen sein. Nelson, Jezebels 56 ff., betont vielleicht zu sehr die persönliche Komponente in der Auseinandersetzung der Königin mit dem Bischof. In der Vita des Sisebut sieht sie ein hagiographisches Pamphlet, „designed to show how a Toledan king could respect a Gallo-Roman aristocrat and to incite opposition to Frankish rule". Die Lebensbeschreibung des Desiderius habe den Zweck gehabt, Propaganda für eine „Septimanian consumption" durch die Westgoten zu machen. Dieser Gedanke ist bei den zugegebenermaßen weit ins Politische reichenden Intentionen, die hagiographisches Schrifttum haben kann, nicht ganz von der Hand zu weisen. Doch hätten wir es mit einer vollkommen vereinzelt stehenden Aktion zu tun, für die auch keine politischen Indizien sprechen.

[96] Die Steinigung gemahnte an den Tod des Protomärtyrers Stephan, was sicher sehr „heiligend" wirkte.

[97] Chronicon 317: „Hic beatissimus Brunichildem reginam ex impietatibus suis arguens, a comitibus eius, ipsa iubente, in territorio Lugdunensi super fluvium Calaronam perimitur, martyrque gloriosus coeleste regnum ingreditur." Wie sehr die Vorstellung vom Märtyrertod des Desiderius weiterwirkte, zeigt am besten Notker von St. Gallen in seinen Gesta Karoli (ed. Hans F. Haefele) MGH SS rer. German. N. S. 12 (1959) II 1, 49. Danach ist diese Untat (neben der Vertreibung von Kolumban und Gallus) die Ursache für den Verfall des Merowingerreiches und sogar für das Kommen der Magyaren; vgl. E. G r u b e r, Der Desideriuskult in St. Gallen, in: Zeitschrift für schweizerische Kirchengeschichte 36 (1942) 218.

Wie weit in Wirklichkeit Rivalitäten zwischen Lyon und Vienne den Hintergrund für den „Fall Desiderius" abgeben, läßt sich nicht eruieren. Wenn also Desiderius von Vienne Märtyrerzüge anhafteten, so waren es die äußeren Umstände, die unserer Ansicht nach entscheidend dazu beitrugen. Einen persönlichen Wandel machte der noch ganz dem spätantiken Lebensgefühl verhaftete Abkömmling eines berühmten Geschlechtes jedoch im Gegensatz zu Leodegar nicht durch, soweit man das aus den oft unklaren Angaben seiner Viten überhaupt feststellen kann. Die Hinrichtung durch die „Teufelin" Brunhild ließ Desiderius von vornherein als heiligmäßig erscheinen.

Wie sehr die äußeren Umstände des Todes das spätere Bild des Getöteten verändern konnten, beweist die „Hinrichtung" des Bischofs Ainmar von Auxerre. Von Karl Martell in den Ardennen festgehalten, entfloh er mit seinem Neffen, wurde jedoch von den Verfolgern eingeholt und getötet [98]. Ainmar gehörte zu den burgundischen Bischöfen des achten Jahrhunderts, die sich ein eigenes Herrschaftsterritorium mit Waffengewalt aufbauen wollten und Karl Martell militärisch unterstützten. Durch und durch weltlich gesinnt, war auch sein Schicksal ein politisches. Die Flucht aus der Haft, der Wunsch, das verlorene Bistum und die alte Machtstellung zurückgewinnen, das alles waren Gedanken, die einem Heiligen durchaus nicht entsprachen. Doch wie sieht die Schilderung von Ainmars Tod aus? Als er erkennt, daß er seinen Verfolgern nicht entkommen kann, vertraut er ganz auf die Hilfe Gottes; auf dem Pferde sitzend, breitet er die Arme in Kreuzesform aus, erhebt die Augen zum Himmel und fleht Gott um Gnade an: in dieser Haltung treffen ihn die Speere der Verfolger. An Ort und Stelle wird Ainmar begraben [99].

Niemand wird Ainmar für einen Märtyrer gehalten haben, wie das auch niemand von Milo von Trier oder Gerold von Mainz geglaubt hätte. Dennoch gibt der Verfasser der Bistumsgeschichte dem wehrhaften und kühnen Bischof das Ende eines unschuldig Sterbenden, eines Heiligen. Einen Moment lang blitzt dieses Bild vor dem Auge des Lesers oder Hörers auf, dann nur bleibt der kriegerische Adelige: das wenig ruhmvolle Begräbnis, das Ausbleiben von Wundern entspricht ganz dem unheiligen, weltlichen Leben Ainmars. Seine Tötung auf der Flucht war den Zeitgenossen nichts anderes als die Hinrichtung eines Rebellen. Soweit ließ sich das Heiligenideal eben nicht säkularisieren, hier mußte zwischen dem inneren Anspruch und der Wirklichkeit eine Kluft bestehen bleiben. Die „potentes" des achten Jahrhunderts vom Schlage eines

---

[98] Gesta epp. Autiss. c. 27, 394.

[99] Ebendort: „Qui videns se eorum insidias evadere non posse, totum se ad divinum contulit auxilium; nam dum, e x t e n s i s   b r a c h i i s in modum c r u c i s, oculis ad celum elevatis, supernam gratiam exoraret, lanceis persequentium confossus ... occubuit. Ibique dicitur fuisse sepultus".

Ainmar waren vom „exemplum nobilium", wie es ein Arnulf von Metz und
ein Leodegar von Autun trotz aller Verflechtung mit der Welt geboten hatten,
weit entfernt.

Ein Opfer der Parteikämpfe um Ebroin und Leodegar wurde auch Bischof
Praeiectus von Clermont. Der konkrete Anlaß für seine Ermordung dürfte
der Streit um das Erbe der Claudia, einer reichen Angehörigen des gallo-römischen Adels, gewesen sein. Dazu kam, daß Praeiectus im der merowingischen
Zentralgewalt und seinem Protagonisten Ebroin eher feindlichen Süden Galliens als Vertreter der neustrischen Richtung der Politik galt. Der Verfasser
der Passio, die kurz nach seinem Tod († 676) entstanden ist, war daher nicht
in der Lage, das Schema der Märtyrervita in allen Teilen durchzuhalten [100].
Zuviel war den Zuhörern von den wirklichen Verhältnissen noch bekannt. Dafür sparte der Autor bei der Schilderung der Ermordung des Bischofs nicht
mit Anklängen an die Ölbergszenen des Evangeliums [101]. Als am Ende berichtet
wird, Bodo und Placidus, zwei Mitglieder der führenden Familien Clermonts,
hätten drei Sterne über dem Hause gesehen, in dem Praeiectus ermordet
wurde, wird der Hinweis vom Verfasser mit der Weissagung des Longinus verglichen [102]. Die Passio Praeiecti gehört zu den Viten der Merowingerzeit, die
ein besonders starres topisches Gerüst aufweisen (Weissagung bei der Geburt:
Eintreffen des Märtyrertodes) und dennoch eine wertvolle Quelle für das siebente Jahrhundert darstellen. Praeiectus war ein einflußreicher Prälat, dessen Tod
wenig Märtyrertum an sich hatte: doch mußte seiner Familie daran gelegen
sein, ihn so erscheinen zu lassen, um sich gegen die anderen gallo-römischen
Geschlechter Clermonts behaupten zu können. Deshalb sollte die Passio geschrieben werden, die den Lebensgang des Bischofs abseits von den realen
Verhältnissen von Haus aus in ein überirdisches Licht tauchte; besonders Geburt und Tod mußten von Topoi überwuchert werden, um die Vorausbestim-
mung seines Lebensweges und das für den Bischof einzig mögliche, glorreiche
Ende jedermann verständlich zu machen.

Daß die Glorifizierung nicht immer gelang oder auch nicht immer versucht
wurde, zeigt der Fall des Bischofs Praetextatus von Rouen. Er gehörte zu den
führenden Persönlichkeiten des neustrischen Episkopats, die sich der bischofs-
feindlichen Politik Chilperichs entgegenstellten. Auf Forderung des Königs

---

[100] A. Hauck, Kirchengeschichte 1, 372; Ewig, Milo 215 f. m. Anm. 133; Graus,
Merowinger 376.

[101] So fliehen beim Herannahen des Feindes seine „officiales", z. T. in solcher
Panik, daß sie die Kleider zurücklassen; Praeiectus zeigt eine freudige Bereitschaft
zum Tod, er ruft den bereits abziehenden Mördern zu: „Hic est, quem queritis ...";
Passio c. 30, 243.

[102] Ebendort c. 31, 243.

580 exiliert, wurde er später rehabilitiert und wieder eingesetzt, jedoch 586 auf Betreiben Fredegunds und ihres Günstlings Melantius ermordet. Obwohl Praetextatus (zumindest in erster Linie) keine politischen Ziele verfolgte, sondern gegen die königliche Willkür für die Rechte der Kirche eintrat und in diesem Sinne eine Art Märtyrer war, entfernt einem Thomas Becket vergleichbar, wurde sein Tod wohl mit Empörung registriert, wurden Untersuchungen angestellt und Synoden geplant [103], doch eine Lebensbeschreibung wurde ihm nicht gewidmet. Seine Ermordung wurde nicht als Krönung eines Heiligenlebens angesehen, obgleich sich die geschilderten Umstände dazu anboten: der auf der Betbank kniende Bischof, den die Mörder mitten in der Kirche niederstechen, das Erheben der blutigen Hände zum Altar, die Verfluchung der heuchlerisch herbeieilenden Fredegund [104], waren Ereignisse, die keine zusätzliche Topik mehr nötig hatten. Dennoch wirkte der gewaltsame Tod des Praetextatus nicht weiter.

Die Auseinandersetzungen Balthilds mit den burgundischen Bischöfen kostete Aunemund von Lyon das Leben. „Duces" der Königin luden den Bischof, der als Haupt des burgundischen Widerstandes galt, vor und töteten ihn [105]. Die Vita Wilfridi berichtet nicht viel darüber und stellt verständlicherweise mehr in den Vordergrund, daß der Aunemund begleitende junge Wilfrid von den „duces" verschont wurde [106]. Die Vita Aunemunds läßt den Bischof als Märtyrer sterben: das zeigt sich aber weniger in der Beschreibung seines To-

---

[103] Gunthramn entsandte eine Untersuchungskommission bestehend aus den Bischöfen Artemius von Sens, Agrecius von Troyes und Veranus von Cavaillon und verlangte die Auslieferung der des Mordes Schuldigen; Gregor von Tours, HF VIII 31, 397 ff. Später wollte er auf einer Reichssynode den Fall klären (ebendort IX 20, 440 f.). Beide Angelegenheiten verliefen jedoch im Sande.

[104] HF VIII 31, 397 ff. Bischöfe, die in der Kirche ermordet wurden, waren nicht immer Gegenstand des Mitleids oder der Empörung. In der Vita Lupi c. 13, 183 wird fast mit Genugtuung festgestellt, daß die aufgebrachten Bürger von Sens den Bischof Medegisil, der für den verbannten Lupus eingesetzt worden war, „acerba trucidaverunt morte", da dieser „Imitator Iudae" „per proditionem magistri (= Lupi)" zum Bischofsamt gelangt war. Hingegen stellte die Ermordung des Rusticus von Cahors (Vita Desiderii Cadurc. c. 11, 570) einen Höhepunkt in den Parteikämpfen zwischen den führenden Geschlechtern Aquitaniens dar; sie galt daher nicht als Martyrium, wurde aber auch nicht für gerecht gehalten.

[105] Vita Wilfridi c. 6, 199. Dazu auch Ewig, Teilreiche 208.

[106] Dieser möchte wie der Sohn mit dem Vater, d. h. mit Aunemund (der hier fälschlich Dalfinus heißt) in den Tod gehen. Nach Nelson, Jezebels 66, war Wilfrid beim Tod Aunemunds gar nicht dabei, sondern erfuhr erst anläßlich eines späteren Aufenthalts davon. Sein „youthful heroism" ist eine Zutat des Biographen Eddius Stephanus, „satisfying to upholders of Germanic and monastic values alike". Die entgegengesetzte Meinung vertreten Coville, Recherches 389 und Johann F i s c h e r, Der Hausmeier Ebroin (Diss. Bonn 1954) 95 f.

des [107], als in seiner bewußten Vorbereitung auf den Tod, der durch ein langes Gebet eingeleitet wird [108]. Daß politische Gegensätze zum Mord an dem Bischof führten, bleibt auch in der Vita trotz aller Stilisierung erkennbar. Dennoch ist kein Bruch zwischen der Darstellung Aunemunds als heiligem Bischof und als Politiker zu spüren. Der Kampf für die immer stärker zur Sezession neigenden Gebiete Südgalliens mochte den Zeitgenossen in Aquitanien und Burgund durchaus als gerecht und fromm scheinen. Der Tod des Bischofs von Lyon war demnach ein Opfertod; die Eingriffe Balthilds durch Einsetzung nordfränkischer Geistlicher in Burgund illustrierten dessen Ambivalenz erst recht.

Nach Ausschaltung der Leodegarsippe nahmen Ebroin und seine Anhänger willkürliche Veränderungen in den kirchlichen Ämtern vor; dazu gehörte auch die Absetzung des Bischofs Landbert von Maastricht, der durch einen gewissen Faramund ersetzt wurde [109]. Nachdem sich die Arnulfinger durchgesetzt hatten, erhielt Landbert sein Bistum zurück, geriet aber mit der Sippe des Dodo, der bei Pippin dem Mittleren das Amt des Domesticus ausübte, in blutigen Konflikt. Bei einem Überfall verlor der Bischof das Leben als Opfer einer Blutrache, obwohl er selbst an der Fehde nicht beteiligt war [110]. Die Persönlichkeit Landberts, der später zum wundertätigen Heiligen wurde, zeigt in der Vita vetustissima noch Züge des Adelskriegers im bischöflichen Gewand. Als er die Feinde herannahen sieht, greift er zum Schwert, das er vorzüglich zu führen wußte. Doch dann wirft er es von sich und beschließt, lieber in Christo zu sterben als über die ungerechten Feinde zu siegen. Wirklichkeit und Heiligenideal sind hier ein wenig ungelenk zusammengefügt. Die kurze Predigt, die er seinen Neffen Petrus und Autlaecus hält, scheint mehr dem Idealbild des geistlichen

---

[107] De sancto Aunemundo alias Dalfino episcopo Lugduno martyrio (AA SS Sept. VII) c. 11, 745: der Schlafende wird „a duobus submissis viris" mit dem Schwert erschlagen.

[108] Ebendort c. 6, 745; das lange Gebet des Aunemund vor der Reise zu seinen Feinden, soll seine Feindesliebe zeigen und sein sanftes Gemüt unterstreichen. Dennoch ist das Gebet, ja sogar seine Stellung in der Vita ziemlich topisch und unterscheidet sich von den Ausführungen Leodegars im Brief an seine Mutter wesentlich. Als religiöse Persönlichkeit konnte Aunemund, soviel ich sehe, seinem Amtsbruder in Autun nicht das Wasser reichen. Zum Thema Aunemund und der burgundische Separatismus vgl. Louis D u p r a z, Contribution à l'histoire du Regnum Francorum pendant le troisième quart du VIIe siècle 656—680 (1948) 342 f., 352 ff., Ewig, Milo 430 ff., Fischer, Ebroin 90 ff., Sprandel, Adel 63 und Nelson, Jezebels 63 f., 67.

[109] Levillain, Succession 77.

[110] Vita Landiberti vet. c. 17, 370. Interessant ist auch hier die Haltung des Bischofs in Todeserwartung: er liegt auf dem Boden ausgestreckt, die Arme in Kreuzesform ausgebreitet, „orationem fundens cum lacrimis". Zu Vita und Tod siehe Graus, Merowinger 379 m. Anm. 457; Lotter, Methodisches 331 und M. Werner, Lütticher Raum 268 ff.

Hirten als dem wirklichen Landbert zu entsprechen. Jedenfalls hat der aus dem Schlaf aufspringende Bischof, der barfuß, das Schwert in der Faust, dem Feind entgegenstürzen will, kaum etwas mit der „ovis Domini" zu tun, die dem „lupus" Dodo zum Opfer fällt. Ob Landbert sich wirklich auf sein Amt und die christliche Lebenshaltung besann und den Tod durch Hand des Ungerechten einer — vielleicht siegreichen — Gegenwehr vorzog, können wir nicht beurteilen. Die Auffassung, daß hier ein Mann Gottes schuldlos hingemordet wurde, setzte sich durch. Im neunten Jahrhundert verstand man solch einen merkwürdigen Märtyrer nicht mehr; Stephan, der Verfasser der jüngeren Vita, suchte für die Ermordnung des Bischofs ein anderes Motiv und fand es in der beliebten Erzählung vom bösen Kebsweib, das die Mahnungen des sittenstrengen Gottesmannes nicht mehr erträgt und seine Beseitigung befiehlt. Es kann als sehr wahrscheinlich gelten, daß das Geschlecht Landberts, welches im Maas-Moselraum zu den führenden zählte, in dem Bischof, der schließlich in Lüttich seine Grabstätte fand, sich einen Heiligen schuf, der der gesamten Familie eine neue Herrschaftslegitimation brachte, da sie die alte mit ihrer heidnischen Religion verloren hatte [111]. Die kriegerische Tüchtigkeit und der zum Martyrium stilisierte Tod Landberts waren für die im späten siebenten Jahrhundert sich entwickelnde Mentalität als Voraussetzungen für die Anerkennung der Heiligkeit geradezu ideal. Doch sollte man nicht nur „sanctus" genannt werden, man mußte auch eine Kultstätte erhalten [112]. Daß das recht schnell geschah, geht aus der Vita Hugberts, des Nachfolgers Landberts, hervor, der bereits an dessen Altar in Lüttich betete. Zugleich wurde der ermordete Bischof zu einem der Patrone des neuen Bischofssitzes, der aus Maastricht in dieses Zentrum der Familie verlegt wurde. Die Ermordung Landberts zeigt wie wenig vergleichbare Beispiele, welche Folgen der Tod eines bedeutenden, geistlichen Sippengenossen für sein Geschlecht haben konnte: freilich mußte man dazu auch ein solches „Kind seiner Zeit" sein wie Landbert. Im Gegensatz zum Bischof sollte der Missionar sein ganzes Leben unter den Grundsatz der Peregrinatio stellen. Der Wunsch nach dem Martyrium war in logischer Konsequenz die letzte und höchste Stufe dieser inneren Haltung [113]. Sie prägte alle Missionare mehr,

[111] Dazu Friedrich P r i n z, Aristocracy and Christianity in Merovingian Gaul. An Essay, in: FS Luitpold Wallach (= Monographien zur Geschichte des Mittelalters 11, 1975) 159.
[112] Zur relativ ähnlichen Auffassung der Spätantike Hippolyte D e l e h a y e, Sanctus, in: Analecta Bollandiana 28 (1909) 186 f.
[113] Als physische Loslösung von der Umwelt: Leclercq, Mönchtum 225; Vorstufen dazu wären danach die eschatologische und die soziale Loslösung. „Das vollendete Symbol der Peregrinatio, derjenige, der am besten alle Aspekte zusammenfaßt, bleibt der heilige Bonifatius, in dem sich Exil, Verkündigung und Martyrium vereinten". Das ist jedoch nur bedingt richtig. Peregrinatio bedeutet ja eigentlich

als es die Stellung als Bischof je vermochte. Deshalb blieben sie, wie es ihren Intentionen entsprach, innerhalb des landsässigen Episkopats immer ein Fremdkörper. Bei einigen von ihnen ist ihre Bezeichnung als Bischof überhaupt problematisch [114]. Obwohl die Umstände ihres Todes die politischen, sozialen und kulturellen Verhältnisse jener Zeit beleuchten, müssen wir uns eine Untersuchung darüber versagen: der Missionar kann nicht Thema der vorliegenden Arbeit sein, selbst wenn er in manchem „bischöfliche" Züge aufweist.

---

zunächst nicht die Pilgerschaft, sondern die Aufgabe des Vaterlandes, der peregrinus ist der einsam unter Fremden Lebende. Dieselbe Bedeutung kommt dem griechisch-syrischen Asketenideal der „ξενιτεία" zu, der wahre Asket ist eben ein „ξένος". Insoweit war die missionarische Tätigkeit als solche reine peregrinatio, sobald sie nicht auch organisatorische und politische Konsequenzen hatte. Zum theologischen Begriff der peregrinatio vgl. Hans Erich von Campenhausen, Asketische Heimatlosigkeit (1930) 4 ff.; zum Wandel des Begriffs Baudoin de Gaiffier, Pélerinages et Culte de Saints, in: ders., Études critiques d'hagiographie et d'iconologie (Subsidia hagiographica 43, 1967) 33.

[114] Bei Bonifatius ist die Vereinigung von Bischof und Missionar am ehesten gelungen. Sein Tod entspricht aber ganz dem Selbstverständnis des letzteren. Haimhramns Stellung in Baiern ist nicht exakt einzuordnen, zumal man über die bairische Kirchenorganisation vor Bonifatius, bzw. die Ansätze von 716 wenig Sicheres weiß. Man vermutet in Haimhramn einen ehemaligen Bischof von Poitiers; doch lehnte er in Baiern jede feste Bindung an einen Mittelpunkt seiner Tätigkeit ab. Seine grausame Ermordung, die man vielleicht als eine Art Hinrichtung, jedenfalls aber als einen Akt der Blutrache verstehen muß, hat die Gemüter bewegt. Die Schilderung Arbeos ist zwar von Topik durchdrungen, enthält aber dennoch wertvolle Hinweise auf Rechtsdenken und Anschauungen über das geistliche Amt in jener Zeit. Die kontroversen Anschauungen: A. Hauck, Kirchengeschichte 1, 353 m. Anm. 1; Ernst Klebel, Zur Geschichte des Christentums in Bayern vor Bonifatius, in: St. Bonifatius (1954) 409; Löwe, Arbeo 111 m. Anm. 111; Bosl, Adelsheiliger 173 ff.; Gottfried Mayr, Zur Todeszeit des heiligen Emmeram und zur frühen Geschichte des Klosters Herrenchiemsee. Bemerkungen zur Schenkung des Ortlaip von Helfendorf, in: Zeitschrift für bayerische Landesgeschichte 34/1 (1971) 360 ff., 373. Über die vermuteten Zusammenhänge zwischen dem Tod Haimhramns und der Lex Baiuvariorum (I 10) vgl. Loening, Kirchenrecht 2, 272 f.; Schubert, Christl. Kirche 153; Ewig, Christl. Expansion 144, vor allem jedoch F. Beyerle, Süddeutsche Leges 295 ff. und Mayr a. a. O. 364 ff. — Kilian, der in Würzburg tätig war, ist wohl kaum als Bischof anzusprechen; die Vita minor läßt ihn in Anlehnung an Willibrord und Bonifatius in Rom vom Papst geweiht werden, da man die Institution der irischen Wanderbischöfe nicht mehr verstand. Sein Tod ist ziemlich topisch dargestellt und gibt wenig Aufschluß über die kirchlichen Verhältnisse im zweiten thüringischen Reich. Dazu A. Hauck, Kirchengeschichte 1, 360 f.; Bigelmair, Passio 21; Büttner, Das mittlere Mainland 88; die beste Zusammenschau und den neuesten Forschungsstand bietet Friese, Studien 32 f. Zum Zusammenhang zwischen Mission und fränkischen Interessen vor allem Beck, Schweiz im Kräftespiel 274.

8. ZUSAMMENFASSUNG

Wie sich der im weitesten Sinne kulturelle Umbruch in jenen Jahrhunderten, die man gewohnt ist zur Spätantike und zum frühen Mittelalter zu rechnen, im Subjekt der Geschichte, dem Menschen selbst auswirkt, ist bisher nur vereinzelt Gegenstand der Forschung gewesen. Die Kontinuitätsproblematik wurde im wesentlichen auf jenen Gebieten untersucht, bei denen Archäologie und Sprachwissenschaft entscheidende Hilfen geben können. Damit lassen sich aber nur beschränkt Fragen beantworten, die den Antagonismus von Beharrung und Umschichtung, von Wandlung und Ersetzung des Überlieferten ansprechen, soweit er den Menschen zwingt, Stellung zu nehmen, sich anzupassen oder selbsttätig Neues zu gestalten.

Untersuchungen, die sich eine derartige Aufgabe stellen, laufen leicht Gefahr, den Menschen als ein isoliertes Modell ohne charakteristischen Zeitbezug zu betrachten. Man setzt eine psychologische Konstanz und mentalitätsmäßige Unveränderlichkeit voraus, was keinesfalls berechtigt ist. Das geschieht, obwohl man längst erkannt hat, daß der abendländisch-neuzeitliche Rationalismus nicht zur Erklärung und sinngemäßen Entschlüsselung vergangener Phänomene ausreicht. Vor einer Interpretation der Quellen im Stile der französischen Mentalitätsforschung wird man daher versuchen müssen, gleichbleibende, überzeitliche Reaktionen des Menschen von jenen zu unterschieden, die durch eine einmalige, unverwechselbare geistige oder soziale Situation bestimmt werden. Dann ist auch für historische Perioden, die uns wenig individuelle Schilderungen hinterlassen haben, ein differenzierteres Bild des Menschen zu gewinnen. Freilich mangelt der „histoire des mentalités" eine spezifische Methode. Es bleibt dem Historiker selbst überlassen, sich eine Bahn zu brechen, die zwischen Soziologie und Verfassungsgeschichte ihren Weg sucht. Der Gegenstand der Untersuchung soll einerseits repräsentativ in seinen Aussagen sein, andererseits jedoch begrenzten Umfanges, um nicht die Intensität der Forschung zu beeinträchtigen.

Am Übergang von Antike und Mittelalter erfüllen diese Voraussetzungen nur die Bischöfe, vor allem die gallo-römisch-fränkischen: Sie stellen eine Gruppe gleichen Lebensstils, gleicher sozialer Position und gleicher ideologisch begründeter Ansprüche dar, gehören zu den wesentlichen Gestaltern ihrer Zeit und zu deren repräsentativen Vertretern. Außerdem sind sie quellenmäßig relativ gut faßbar.

Der Bischof wirkte an der Nahtstelle verschiedener Lebensbereiche und Mentalitäten, er vereinte die verschiedenen Einflüsse seiner Zeit wie in einem Brennpunkt. Er war am meisten den Schwierigkeiten ausgesetzt, die sich aus religiösem Anspruch, institutioneller Bindung und der Verpflichtung gegenüber bestehenden Normen ergaben. Sein Handeln mußte sich im ständigen Widerstreit zwischen den einzelnen sich wandelnden Vorstellungen und Forderungen entwickeln. Doch ist die von uns untersuchte Periode — fünftes bis achtes Jahrhundert — nicht die einer undefinierbaren Gärung, welche von der konstantinischen Klarheit zur karolingischen Kultur überleitet, ohne selbst eigene Konturen zu zeigen: Sehr deutlich läßt sich im behandelten Zeitraum eine Änderung des bischöflichen Selbstverständnisses und der bischöflichen Denkweise feststellen. Im fünften und sechsten Jahrhundert war der Bischof zumeist Gallo-Römer und wurde nur äußerlich mit der germanischen Lebensform konfrontiert. Erst in den nächsten Jahrhunderten wird der Versuch einer Synthese antik-christlicher Tradition und germanischer Anschauungen für den Bischof, der jetzt häufig germanischer Herkunft ist, zum Grundproblem seiner Existenz.

Am meisten war der Bischof dem adeligen Lebensstil verpflichtet; dem entspricht seine Mentalität auch dort, wo man von einem Geistlichen ganz andere Verhaltensweisen erwarten könnte. Er handelt nach adeligem Lebensgefühl: nach einer vorgegebenen Form. Überliefert wird seine Tätigkeit in einer Vita, der ebenfalls ein vorgeformtes Schema zugrunde liegt. Gerade von diesem Gesichtspunkt her besteht die Gefahr, den Bischof einfach mit dem Heiligen gleichzusetzen. Wenn auch der heilige Bischof nur e i n Typ der Vitenliteratur ist, so bleibt er doch unbestritten die höchste und vorbildliche Ausprägung des Christen im westlichen, lateinischen Europa. Diese Feststellung gilt freilich nur für das Frühmittelalter, in dem Laien als Heilige kaum vorkommen. Das Modell des hervorragenden Christen büßte im Laufe der Zeit überhaupt seine Gültigkeit ein. Das päpstliche Kanonisationsverfahren bewirkte zugleich das Verschwinden einer starren, unreflektierten Anschauung vom Heiligen.

Im griechischen Osten galt seit der Spätantike der Eremit, der Säulenheilige, der außerhalb der Gesellschaft stehende Wundermann und Asket als Muster christlichen Lebens. Im Westen finden wir in der Vita des heiligen Martin von Sulpicius Severus den Versuch, diese griechisch-syrische Form christlicher Vervollkommnung als höchstes Ziel darzustellen und zur Nachahmung zu empfehlen. Doch gewann dieser „antonische" ethische Perfektionismus in Europa kaum Anhänger. Ebenso schlug das Unternehmen des Langobarden Wulfilaich fehl, der in den Ardennen ein westliches Stylitentum begründen wollte. Die Bischöfe, die dem Asketen von seinem Vorhaben abrieten, fürchteten zwar in erster Linie wohl um die adelig hierarchische Kirchenorganisation, über die ein schrankenloses Stylitentum hinausdrängte, doch bleibt ihr Verweis auf die einer derartigen Form der Askese abträglichen Witterungsverhältnisse, auf das im Vergleich zu Syrien gänzlich andere Klima in Gallien ein Charakteristikum des nüchternen, den Realitäten angepaßten Christentums der lateinischen Welt. Dieser natürliche Gegebenheiten niemals aus den Augen verlierende Pragmatismus ist ein Grundzug bischöflichen Denkens im Westen geblieben. Jedenfalls gelang es der Hierarchie rasch, asoziale Formen des Christentums unter Kontrolle zu bringen oder abzuschaffen.

Adelige Abstammung und Adelsqualität der als heilig geltenden Bischöfe ist von František Graus verworfen worden. In seiner Polemik gegen Karl Bosl betont er den Vorrang des christlichen Bewußtseins und verweist auf die wenig verläßlich scheinenden und topischen Notwendigkeiten angepaßten Angaben über die Herkunft der Bischöfe. Doch orientiert sich Graus hier wohl zu sehr am verfassungsgeschichtlichen Adelsbegriff, der für die Franken durch Rolf Sprandel und Heike Grahn-Hoek überhaupt in Frage gestellt wurde. Er verzichtet auf eine Würdigung der Mentalität, die doch ein starkes Elitebewußtsein im weltlichen Sinne zeigt und nicht von christlich-religiösen Kriterien bestimmt wird. Aber auch die Nachrichten über Geburt und Abstammung der Bischöfe in merowingischer Zeit sind keinesfalls nur beiläufig; ihr Inhalt kann bei aller zweifellos vorhandenen Topik nicht generell als überliefertes Schema abgetan werden, welches in keiner Beziehung zur Realität steht. Daß der Bischof als Vertreter einer gesellschaftlich gehobenen Klasse wirkt, ist nicht nur literarische Stilisierung tendenziösen Denkens nach dem Motto: Verlassen eines reichen und vornehmen Lebens erhöht die asketische Leistung und unterstreicht die christliche Haltung. Die topischen Formen, in denen die Herkunft des Bischofs überliefert wird, zeigen Veränderungen des Stilmusters, die nicht auf bloße literarische Variationen zurückzuführen sind. Aus Abwandlungen der Grundform kann mitunter festgestellt werden, daß der betreffende Heilige nicht zu den führenden Geschlechtern gehörte. So heißt es etwa bei der entsprechenden Schilderung der Herkunft Arnulfs von Metz — des Spitzenahnen der Karolinger —, er sei (sozial gesehen) „nobilis", „altus satis" und „oppulentissimus in rebus saeculi" gewesen. Doch werden die Namen seiner Eltern nicht genannt, selbst in der Geschichte der Bischöfe von Metz, die Paulus Diaconus im Auftrag Karls d. Gr. verfaßte, fehlen sie. Auch moderne genealogische Untersuchungen über die Herkunft der Karolinger gelangen definitiv nicht über Arnulf hinaus.

Dieser Mangel einer hohen Abkunft wird wiederholt durch die Betonung einer besonderen Christlichkeit der Familie des späteren Bischofs auszuglei-

chen versucht. Daß aber auch diese Prälaten durchaus im Stile hochadeliger
Herrn agierten, zeigt die vertikale Durchlässigkeit der merowingischen Gesellschaft, den weltlich-adeligen Charakter des Bischofsamtes und ist nicht ein
Ergebnis wirklichkeitsverschleiernder Topik. Unfreie Bischöfe — wie sie in
späterer Zeit der kirchlichen Gesetzgebung zum Trotz vorkamen, sind allerdings für die merowingische Periode nicht überliefert. Die Autorität schöpfte
der Bischof nur zum Teil aus dem Bewußtsein seines religiösen Amtes, welches
selbst in ein hierarchisch gestuftes System eingebettet war. Der Adel bekam
nun eine zweite, von geistlichen Kriterien beeinflußte Erscheinungsform. Gerade dieses Hinübernehmen der Adelsqualität in die von religiösen Werten do-
minierte Existenz ist für den Bischof der Zeit charakteristisch.

Das „Gesetz", nach dem der Bischof lebte, war die Norm einer adeligen
Gesellschaft, wozu Elemente einer christlichen Moral traten. „Nobilitas" und
„sanctitas" waren die Pfeiler der bischöflichen Existenz. Sie boten nicht nur dem
sogenannten „Adelsheiligen" des siebenten und achten Jahrhunderts die Lebens-
grundlage, sondern waren bereits Voraussetzung für den spätantiken „vir sacerdotalis", wie ihn Ambrosius von Mailand oder noch Gregor von Langres
verkörperten. Im steten Blick auf diese Grundsätze wird der spätere Bischof
erzogen, in sein Amt eingesetzt, lebt und stirbt er. Seit dem Wirken Kolumbans
erlangte das asketische Element eine gewisse erzieherische Bedeutung, ohne
immer den Lebensstil des Bischofs zu verändern. Die Formen kolumbanischer
Frömmigkeit trachtete man sich eher im Rahmen der Erudition anzueignen
oder versuchte sie wenigstens kennenzulernen. Ein asketischer Zug war dem
adeligen Menschen, der auch eine geistige Ausbildung genossen hat, förderlich
und verstärkte nicht nur seine christliche Haltung. Rigoristische Kasteiungen
wie bei den syrischen und ägyptischen Einsiedlern wird man freilich vergebens
suchen; Askese bedeutet zunächst nur den Verzicht auf eine unbedenkliche
und dem weltlichen Adel selbstverständliche Lebensart. Am schwersten war es,
sich der Herrschaft über andere Menschen ganz zu begeben. Vor allem der in
einer Welt von persönlichen Beziehungen, Abstufungen und Abhängigkeiten
lebende Germane kam von diesen Vorstellungen nie ganz los. So wurden sogar
exilierten Bischöfen mindestens einige Leute zur Bedienung belassen, wie Ansbert von Rouen. Von Korbinian wird berichtet, er habe sich als junger Mann
ein „ergastulum" bei einer verfallenen Kirche am Rande der Stadt erbaut, in
dem er seinen asketischen Neigungen lebte: zur Herbeischaffung des zum Leben
Notwendigen verfügte er jedoch über eine Reihe von Dienern. Wie stark diese
Anschauungen im allgemeinen Bewußtsein verankert waren, beweist die Unbefangenheit mit der selbst Vitenschreiber, die sonst das adelige Weltleben als
eine Anhäufung von „actus pravi" betrachteten, über solche Verhältnisse erzählen. Diese Vorliebe für ein mehr asketisches Christentum darf man nicht

als Modeerscheinung abtun; sie war ein Versuch, dem Leben eine festere Richtung zu geben, ohne die weltlichen Erfordernisse, die das Bischofsamt mit sich brachte, deswegen zu vernachlässigen. Daß gegen Ende des siebenten Jahrhunderts dieser erneuernde geistliche Rigorismus zur Routine verflachte, von der kaum mehr Impulse ausgingen, die aber für viele noch politische Vorteile brachte, kann nicht geleugnet werden.

Die Wirkung Kolumbans traf mit einer Erneuerung der adeligen Erziehung zusammen, die sich im Hofdienst junger Adeliger beim König manifestierte. In der Königspfalz vereinten sich diese beiden Ströme gesellschaftlicher und religiöser Innovation und schufen die Voraussetzung für einen Bischofstyp, der eng mit der merowingischen Dynastie verbunden war.

Die Bischofseinsetzung im Merowingerreich zeigt deutlich, wie sehr das adelige Selbstverständnis zur Erreichung seiner Ziele Methoden anwandte, die eher zur Durchsetzung weltlicher Ansprüche geeignet schienen. Seiner säkularen Seite entsprechend konnte man sich in der Regel nicht mit den kanonischen Bestimmungen, die eine Wahl durch Klerus und Volk vorschrieben, begnügen. Zwischen kirchlichem Gesetz, dessen Vorschrift im Gedanken der geistlichen Idoneität wurzelte, und politischer Notwendigkeit mußte hier der schmale Grat des Möglichen begangen werden. Meist kam es bei der Vakanz eines Bistums zu einem Komplex von Aktivitäten, unter denen die Erlangung der königlichen Geneigtheit wohl am wichtigsten war. Fragen der religiösen und weltlichen Eignung, Amtsdenken und wirtschaftliche Versorgung, Verankerung in der regionalen Adelslandschaft und Verbindungen zum König: all das vereinte sich oft zu einem unentwirrbar scheinenden Ganzen. Hier alle Zusammenhänge zu erfassen und richtig werten zu können, reichen konventionelle verfassungsgeschichtliche Fragestellungen nicht aus.

Die Familienbindung des Bischofs ist eine der elementaren Tatsachen seiner Existenz. Sie zu vernachlässigen, um für den religiösen Auftrag ganz frei zu werden, kam niemand in den Sinn. Dieses aus dem spätantiken Beamtenwesen mit seiner auf die senatorischen Geschlechter beschränkten Idoneität herrührende Erbe, wurde der Bischof nicht mehr los. Das germanische Sippenbewußtsein verstärkte diese Tendenz noch. Nur wenige bekannten sich zu einem radikalen Christentum im apostolischen Sinne und sprengten die Grenzen der familiären Zusammengehörigkeit; etwa die Missionsbischöfe, die darin eine Form der Nachfolge Christi und eine besondere asketische Leistung erblicken mochten. Doch selbst unter ihnen gab es Männer, die sich ihrer Verwandtschaft, ihrer adeligen Herkunft immer bewußt blieben, so sehr sie auch in der Fremde davon abgeschnitten waren wie Hrodbert oder Korbinian. Bei den Bischöfen des Frankenreiches war die Sippenbindung allerdings besonders stark. Wenn sie auch das Denken nicht restlos beherrschte, so setzte sie doch in mancher Hinsicht Grenzen. Dabei hatte es keine Bedeutung, ob ein Prälat romanischer oder germanischer Herkunft war. Man darf sich durch die allenfalls vorhandenen bildungsmäßigen Unterschiede zwischen den gallo-römischen Senatorenfamilien und dem fränkisch-burgundischen Adel nicht den Blick für die Parallelen im sozialen Empfinden dieser gleichrangigen und allmählich verschmelzenden Gruppen verstellen lassen.

Auch in Spanien gab es bedeutende „Bischofsfamilien", wie etwa jene Isidors von Sevilla oder Braulios von Saragossa. Aber sie stellten nie den gleichen Machtfaktor dar, wie der gallo-römische Adel. Daneben fanden sich im Gegensatz zum Frankenreich bei den Westgoten Bischöfe recht einfacher Herkunft. Doch ist zu bedenken, daß bei der größeren Kontinuität des antiken Lebens in Spanien das römische Element auch im Christentum viel länger dominant blieb, zumal die Westgoten bis zum Jahre 589 überwiegend Arianer waren, und der gotische Adel aus diesem Grund keine Möglichkeit hatte, führende Stellungen in der Hierarchie einzunehmen. Deshalb konnte es hier der tüchtige, im Dienst der Kirche aufsteigende Mann aus einfachen Verhältnissen nicht selten bis zum Bischof bringen. In Gallien war dergleichen nicht möglich, während comites oder Grafen verschiedentlich niederer Herkunft waren.

Die Steigerung des Ansehens eines berühmten Geschlechts durch das christliche Heil — eigentlich eine contradictio in adiecto — ließ sich durch repräsentative Feierlichkeiten (Dom- oder Bischofsweihen) erzielen; neben ihrem eigentlichen Zweck hatten sie auch Bedeutung als adelige Selbstdarstellung. Es hat auch gewiß die Tendenz bestanden, die heidnische „virtus" des adeligen Geschlechts zu verchristlichen, indem man führende Gestalten der eigenen Sippe durch Lebensbeschreibung und Errichtung einer Gedächtnisstätte zu heiligen suchte, um die in der Person wirkende christliche Dynamik für die Sippe fruchtbar zu machen. Grablegen und Kirchengründungen tragen daher zum „splendor" einer Familie bei. Germanische Bischöfe ließen sich wiederholt bei ihren Verwandten begraben, gallo-römische zogen eine Begräbnisstätte in oder an der Kirche bei ihren Vorgängern vor, die freilich oft genug Verwandte waren. Fränkische Bischöfe, die bei ihren Sippenangehörigen ruhen, behaupteten die germanische Anschauung, wonach der einzelne nicht aus der Geschlechterkette ausbrechen könne. Wie der Personenverband Träger des Rechts war und nicht der einzelne rechtsfähig im modernen Sinne, so suchte man sich auch im Tode demonstrativ in die Sippe einzugliedern. Das Heiligengrab trat nicht an die Stelle des Ahnengrabes als Kultstätte, sondern es war damit identisch. Daß sich das neue Königsgeschlecht der Karolinger beim Reichsheiligen Dionysius begraben ließ und nicht beim renommierten Ahnen Arnulf in Metz spricht nicht gegen die obigen Darlegungen: hier muß man die Sonderstellung der stirps regia berücksichtigen, die politische Motive mit Vorbildfunktion und mit Legitimationsansprüchen — in St. Denis liegen die Merowinger! — verbinden mußte und deshalb über den Horizont einer gewöhnlichen Adelssippe hinausragte. Das neue christliche königliche Charisma bedurfte anderer Gesichtspunkte.

Den gewaltsamen Tod eines ihrer Mitglieder versuchte die Familie daher auf ihre Weise zu nützen. Daß man durch die genannten Aktivitäten (Kirchengründungen, feierliche Leichenprozession, Aufzeichnung des Lebens des Erschlagenen) den Ruhm und das Heil eines Geschlechts erhöhen konnte, war in Adelskreisen wohlbekannt. Nicht umsonst wollte der Hausmeier Ebroin den Leichnam seines Feindes Leodegar von Autun im Walde verscharren lassen: Er fürchtete die politische Wirkung, die von der Errichtung einer Kultstätte und der Heiligung durch Mythenbildung ausgehen konnte. Dabei scheute man nicht davor zurück, das bischöfliche Leben, welches in vielem mehr dem eines Parteiführers geglichen haben mochte, gewaltsam in ein überliefertes Schema erbaulichen Charakters zu pressen und die Handlungsmotive des Ermordeten in eben diesem Sinne umzuinterpretieren. Aus einem Tod aus Parteigegensätzen konnte ein Martyrium werden, obwohl die Zeitgenossen die wirklichen Geschehnisse ja vor Augen gehabt hatten.

Eines war der Familie des Toten bei all ihren Bemühungen jedoch nicht gegeben: Sie konnte zwar den Kult ihres erschlagenen Angehörigen in Szene setzen, damit vielleicht im Augenblick politische Erfolge und erhöhte Geltung erringen. Dauer und Verbreitung des Kultes waren jedoch nur dann gewährleistet, wenn der Ermordete — unabhängig von seinen weltlichen Zielen — auch als religiöse Persönlichkeit von Bedeutung war.

Auf Anschauungen der Spätantike aufbauend sah man im frühen Mittelalter im Bischof die höchste Verkörperung einer christlichen Existenz. Daher sollte sein Tod auch die Vollendung eines vorbildlichen Lebens sein. Damit wurde er zum breiten Geschehen öffentlichen Charakters, der wenig mit dem augenblicklichen Sterbevorgang beim natürlichen Tode eines gewöhnlichen Menschen gemein hatte. Es scheint naheliegend, daß sich unter diesen Voraussetzungen ein literarisches Modell herausbilden konnte, welches den Vitenschreiber zur Übernahme unreflektierter Topik einlud.

Die feierliche Form, in die das Geschehen gebettet ist, zeigt den adeligen Sinn für die große, öffentliche Geste und zugleich die christliche Sorge des scheidenden Hirten um seine verlassene Herde. Um eine „ars moriendi" geht es hier jedoch nicht. Eine Kunst des Sterbens konnte trotz mancher stoischer Gedanken im frühen Christentum erst im Spätmittelalter entwickelt werden, als die großen religiösen und existenziellen Krisen dafür gleichsam die Folie abgaben. Das Bedürfnis, eine hochstilisierte Lebensform bis zum Ende durchzuhalten, war in einer Zeit sozialer Umbrüche und religiöser Erschütterungen besonders gegeben. So weit war man am Übergang von Spätantike zum Frühmittelalter noch nicht: theologische Spekulation und Laienfrömmigkeit, die sich im späten Mittelalter immer stärker von einander entfernten, die religiösen Spannungen verstärkend, aber doch alle Geister beherrschend, waren im Gallien des fünften bis achten Jahrhunderts nicht vorhanden.

Doch einem bestimmten Lebensstil mußte der Bischof der betreffenden Jahrhunderte immerhin folgen. So galt es beim Sterben einen „ordo" einzuhalten, zu dem die notwendigen Überlegungen bezüglich der Festlegung der letzten Ruhestätte, der Wahl eines geeigneten Nachfolgers kamen. Alle diese Fragen waren zwar meistens schon vorher geregelt worden, aber es gehörte zur Pflicht und zum Bild des sterbenden Bischofs noch einmal — auf dem Höhepunkt seines Lebens im christlichen Sinne — seine Verfügungen zum Vermächtnis zu machen und ihre Bestätigung zu erlangen. Die Schilderung der Todesstunde, die oft ganz gleichartig ist, starr und ohne Realitätsbezug zu sein scheint, wird in den meisten Punkten dem tatsächlichen Geschehen entsprechen, welches eben selbst bestimmten Normen unterliegt. Was in topischer Form berichtet wird, war eben auch in Wirklichkeit stilisiertes Verhalten. Diese ist nicht hinter einer gängigen Aussage erst zu suchen, sondern wird oftmals durch die Topik adäquat wiedergegeben. Im Einzelfall mag das literarische Modell längere Handlungsabläufe auf einen Höhepunkt zusammengedrängt haben.

Die wunderbaren Erscheinungen, die über den eigentlichen „Sterbe-ordo" hinausgehen (Lichtsäulen, Engel und Teufel), sind reine Topik, d. h. nur den Heiligengeschichten zugehörigen Stil- und Aussagemustern entlehnt, für das historische Verständnis aber von nur zweifelhaftem Wert.

Wie sehr Lebensstil und Berichtsstil einander entsprechen, ist am Tode Bischof Landberts von Maastricht zu erkennen. Als ihm die herannahenden Feinde gemeldet werden, springt er auf, greift zum Schwert und läßt es wieder sinken, um als Märtyrer in den Tod zu gehen. Sein erster Gedanke ist der eines Adeligen, der Fehde führt, wie es dem ehemals schwertgewaltigen Krieger durchaus vertraut war; doch dann siegt das christliche Ideal: Der Bischof hat dem Feind waffenlos und todesbereit entgegenzutreten. Seine Sehnsucht gilt dem Märtyrertod, der höchsten Form der „imitatio Christi". Daß es sich in seinem Fall nicht um einen Tod aus Glaubensgründen handelt, sondern um die Folgen einer Blutrache, ist für das aktuelle Empfinden und Denken Landberts bedeutungslos. Der Bischof hat die Möglichkeit, den Normen seiner adeligen Gesellschaft oder denen seiner Weltanschauung zu folgen; jedenfalls ist er aber einem relativ festgefügten, wenig flexiblen Vorstellungs- und Wertsystem verhaftet. Hier sind die Unterschiede zur Psychologie der Menschen anderer Epochen besonders zu sehen. Ohne Verhaltenszwängen das Wort zu reden, wird man doch den Individualismus des Menschen im frühen Mittelalter nicht überschätzen dürfen.

Die Darstellung von Landberts Tod weist deshalb keinen Bruch auf, obwohl sie den überkommenen Stil christlicher Viten in manchem verläßt, sondern sie spiegelt richtig die mentale Veränderung Landberts.

Die weltliche Stellung des Bischofs war nicht nur eine Folge des Zusammenbruches der römischen Verwaltung in der westlichen Reichshälfte, sondern auch ein Ergebnis der brachliegenden politischen und juristischen Traditionen in den führenden gallo-römischen Familien. Man opferte nicht ungern seine Locken, wie Apollinaris Sidonius sagte, um die einzig verbleibende Möglichkeit, eine staatsdienende Funktion zu erlangen, wahrzunehmen. Daß die politische Machtstellung mit der christlichen Lebenshaltung in schwere Konflikte geriet, war nicht zu vermeiden. Der Bischof war nicht in der Lage, die beiden Bereiche seiner Tätigkeit zu scheiden, doch gelangte er auch nicht zu deren Harmonisierung.

Obwohl schon in der Ambrosius-Vita des Paulinus Züge zu entdecken sind, die vermuten lassen, wie wichtig man auch als Christ die irdischen Erfolge des Bischofs nahm, ist diese Auffassung erst vor dem Hintergrund der Machtverhältnisse in Gallien zu verstehen. Dem Bischof germanischer Herkunft stand zunächst das überlieferte Bild seines Amtes vor Augen. Außerdem kann angenommen werden, daß er längere Zeit wohl mehr Beziehung zur äußeren, säkularen Seite des bischöflichen Wirkens als für dessen konstitutive geistliche Komponente hatte. Doch kam ihm jedenfalls bei der Erfüllung seiner weltlichen, oft vom Staat delegierten Pflichten seine sakrale Legitimierung zugute, deren Charisma überall wirkte. So wurde der Rechtsprechung unter den Händen des episcopus civitatis viel von ihrer Härte genommen. Das christliche Gnadenrecht begann die überkommenen Rechtsvorstellungen zu verunsichern. Die Antagonisten der meisten Viten, der milde, heiligmäßige Bischof und der strenge, unbarmherzige Richter, spiegeln in ihren Auseinandersetzungen nicht nur die faktische Rechtsunsicherheit wider, sondern zeigen in übersteigerter Form die Macht christlichen Rechtsdenkens. Dieses konnte mit den volksrechtlichen Anschauungen zu keinem Ausgleich gelangen. Der Graf, welcher verurteilte Gefangene nicht freiläßt, wird in der Hagiographie stets als unbeugsam harter Mann gezeichnet. Selbst wenn wir die billige Schwarz-Weiß-Technik einer solchen Stilisierung berücksichtigen, wird man doch an der Haltung des Richters in Wahrheit nicht zweifeln dürfen. Er war ja ein amtlicher Vertreter der herrschenden weltlichen Rechtsanschauungen, deren Starrheit dem zivilisatorischen Stand der Zeit entsprach, die andererseits aber weitgehend im Volksempfinden wurzelten. Verbrecher konnte man nicht einfach auf das begütigende Wort eines

18*

fremden Bischofs hin der Gerechtigkeit entziehen. Der Graf hatte mit Ausschreitungen zu rechnen, falls er sich ohne weiteres darauf einließ. Die Vorstellung vom Zorn der unbefriedigten Gottheit mag auch auf den christlichen Gott übertragen worden sein.

In der Vita muß jedoch virtus und auctoritas des Bischofs stets über alle irdischen, noch so gut fundierten Ansprüche triumphieren. Die Berechtigung einer verhängten Strafe wird niemals in Rechnung gestellt, weil die Gefangenenbefreiung durch den Bischof lediglich zur Manifestierung seiner charismatischen Persönlichkeit dient und nicht als Ausfluß der ihm vorbehaltenen sozialen Fürsorge und Rechtssicherung gesehen wird. In diesem Zusammenhang muß auf einen interessanten Unterschied aufmerksam gemacht werden, der mit der Schilderung des bischöflichen Werdegangs zutun hat: Der heilige Bischof einer durchschnittlichen Vita ist bereits im Vorstadium als weltlicher Beamter von christlicher Milde und Barmherzigkeit durchdrungen und erscheint auch als Richter als gütige Vaterfigur. Gregor von Tours dagegen berichtet von seinem gleichnamigen Urgroßvater, dem Bischof von Langres, daß er vorher, als comes in Autun, wegen seiner Strenge gefürchtet war; kein Übeltäter habe sich seinem Urteil entziehen können. Bei aller christlichen Gesinnung ist Gregor als comes korrekter römischer Staatsbeamter, dem die Anwendung des recht harten römischen Strafrechts eine Selbstverständlichkeit ist. Gewissenskonflikte entstehen daraus für ihn keine. Sein Amtsdenken entstammt alten Traditionen und wird von der religiösen Überzeugung nicht beeinträchtigt. Diese Auffassung wirkt noch in der Darstellung seines Urenkels, des Geschichtsschreibers, weiter: Erst nach dem Antritt des Bischofsamtes überwiegen in der Beschreibung Gregors von Langres die typischen Eigenschaften des Bischofs und setzt auch das wunderbare Geschehen ein. Von einer wirklichen „conversio morum" hören wir aber nichts. In spätantiker Zeit scheint das Bekenntnis zur christlichen Lehre durchaus die Anerkennung fester staatlicher Ordnungsprinzipien mit eingeschlossen zu haben. Im siebenten Jahrhundert hingegen erscheinen weltliche Normen immer ein wenig negativ und dem Willen des vorbildlichen Christen gegenüber weitgehend bedeutungslos. Daß dem Bischof viele der befreiten Gefangenen als „pueri" für sein Gefolge blieben, war ein zusätzlicher Effekt seines Wirkens, der seine reale Macht erhöhen konnte. Manche wurden auch unter die „matricularii", die privilegierten Armen, seiner Kirche gereiht oder auf den Kirchengütern als Arbeiter verwendet.

Kaiserrecht und Kirchenrecht verpflichteten den Bischof zur Armenfürsorge. Doch gab es kaum einen bedeutenderen Prälaten, der nicht auch aus eigener Überzeugung versuchte, die Armut großer Teile des Volkes zu lindern. Die christlichen Ideale der „abstinentia" und der „caritas" waren dabei von wesentlichem Einfluß. Die asketische Haltung läßt den Bischof auf die ihm selbstverständlichen Güter und Annehmlichkeiten des Lebens verzichten, während die Nächstenliebe erfordert, den Wohlstand der anderen zu fördern. In den Viten wird diese Haltung in übersteigerter Form zum Ausdruck gebracht. Daß die sozialen Aufgaben des Bischofs vielfach in staatlichen Gesetzen und kirchlichen Bestimmungen verankert waren, scheint für den Vitenschreiber ohne Bedeutung zu sein. Die rastlose, aufreibende Tätigkeit, welche der Bischof in diesen Dingen an den Tag legt, ist lediglich das Ergebnis seiner vorbildlichen christlichen Haltung. An keiner anderen Stelle der Vita ist die pädagogische Tendenz, die schon den alten laudationes funebres eignete, so deutlich zu spüren. Bei der Schilderung der aufopfernden sozialen Fürsorgetätigkeit wird allerdings nicht nur eine christliche virtus hervorgehoben: Der Bischof beweist damit auch seine über alle Maßen große Freigiebigkeit, eine Tugend, die den Adeligen auszeichnen soll. Der Verfasser fordert somit nicht nur zur Verehrung einer vorbildlichen christlichen Haltung auf, er zollt auch dem überlieferten Wertsystem des germanischen Adels seinen Beifall und macht dem Bischof damit zum „exemplum nobilium" in zweifacher Hinsicht. Einen Vertreter solcher Lebensformen sah man gern erhoben; dadurch konnte der Vitenschreiber aber auch den besonderen Familieninteressen des in der Lebensbeschreibung Gefeierten nachkommen.

Unerheblich scheint die Frage, inwieweit der Bischof auch das Familienvermögen für seine sozialen Hilfsaktionen heranzog. Immer ist es das Kirchengut, das bis zur Erschöpfung ausgegeben wird. Dadurch wurde jedermann sinnfällig klar, daß das kirchliche Vermögen in erster Linie den Armen gehörte, wodurch Bereicherungstendenzen des weltlichen Adels auch von dieser Seite her als verwerflich erscheinen mußten.

Mit der baulichen Erneuerung und Erweiterung der Stadt war auch die Instandhaltung militärischer Anlagen verbunden. Sofern das Amt des comes nicht besetzt war, hatte dann der Bischof den Schlüssel zur Herrschaft im civitas- oder gar im ganzen Regionalbereich in der Hand. Da er außerdem Sprecher der (römischen) Stadtbevölkerung war und der Unterstützung durch seine Familie sicher sein konnte, wurde er allmählich zur dominierenden Gestalt innerhalb bestimmter Grenzen. Auch dabei war dem Bischof sein kirchlicher Auftrag von Nutzen: Die auctoritas, die sich aus seiner geistlichen Position herleitete, und die altrömische Amtsgewalt vermengten sich zu einem Herrschaftsanspruch, der durch das immer stärker fühlbar werdende Fehlen einer konkurrierenden Gewalt mehr und mehr in weltliche Bahnen drängte. Der fränkische Adel steuerte zu dieser Entwicklung noch ein Element bei, das aus den vorchristlichen Rechtsanschauungen stammte: den Muntbegriff, der dem Sorgerecht stark herrschaftliche Züge verlieh. All das beschleunigte in einer Lage, in der das Merowingerreich an Einheitlichkeit verlor, die machtmäßige Ausweitung der bischöflichen Stellung. Manche Quellen sprechen daher folgerichtig seit der Mitte des siebenten Jahrhunderts von einem „dominium" des Bischofs.

Zu den wichtigsten Fragen der frühmittelalterlichen Geschichte zählt diejenige nach dem Verhältnis zwischen König und Klerus. Als Führer der römischen und katholischen Bevölkerungsmehrheit waren die Bischöfe in den von arianischen Germanen beherrschten Reichen dem König nur in einer Hinsicht wichtig: sie mußten die Loyalität der Mehrzahl der Reichsangehörigen verbürgen; im übrigen galten die Bischöfe nur als Exponenten einer sich selbst überlassenen großen Gruppe. Diese Verhältnisse änderten sich nur, wenn die arianischen Könige vereinheitlichende und damit missionarische Tendenzen zeigten, was dann aus politischen Gründen zur Verfolgung der Katholiken führen konnte, wie etwa bei den Wandalen.

Bei den Franken gestaltete sich das Verhältnis des Königs zum Episkopat schwieriger. Es galt, eine heterogene Bevölkerung mit einer Konfession zusammenzuhalten, zunächst die dynastischen Interessen, die ja auf heidnischen Grundlagen ruhten, zu sichern und zugleich eine „befreite" Kirche dafür immer zur Verfügung zu haben.

Wie kompliziert eine solche Politik durchzuführen war, auf welche Probleme sie in rechtlicher Hinsicht stieß, zeigte sich beim Religionswechsel Chlodwigs. Die verständige und die Vorteile abwägende Unterstützung des Königs durch Bischof Remigius von Reims, der einzelne kanonische Bestimmungen im Verhältnis zum enormen Gewinn für die katholische Sache gering achtete und von beschränkteren Geistern unter seinen Mitbrüdern darob getadelt wurde, legte die Grundlagen für eine positive Haltung des merowingischen Königtums zur katholischen Kirche. Zugleich wurde dem König jedoch zukunftsweisend vor Augen geführt, welch große Bedeutung ein Zusammenwirken mit dem Episkopat für ihn hätte. Durch den Übertritt Chlodwigs war aber der fränkische König als Bezugsperson für den katholischen Klerus an die Stelle des fernen Kaisers getreten. Die Bischöfe fungierten nun nicht mehr ausschließlich als Sprecher und Vertreter der städtischen Bevölkerung gegenüber dem König, sondern waren gleichzeitig dessen Bevollmächtigte in Angelegenheiten, die die civitas betrafen. Auch dabei kam dem Bischof der sakrale Charakter seines Amtes zustatten und hob ihn über das Ansehen eines anderen Vermittlers hinaus. Man muß bei den Franken sicher längere Zeit eine gewisse archaische Scheu vor dem Bischof als einer Art katholischen „Oberpriesters" annehmen. Diese Auffassung wird bestärkt durch die Tatsache, daß vor dem Ende des sechsten Jahrhunderts keine Bischofsmorde überliefert sind. Dann ist der Bischof in die fränkische Welt integriert und hat als Franke oder Burgunder auch nicht mehr den Nimbus, der Vertreter einer fremden Religion mit ihren noch wenig bekannten und unheimlich scheinenden Praktiken umgibt. Doch blieb den Bischöfen immer ein Rest dieses Charismas, welches sich aus dem unmittelbaren Verkehr mit der numinosen Macht herleitete.

Da die Könige der Franken nicht unter feierlichen kirchlichen Zeremonien erhoben wurden, und auch keine Hoffahrtpflicht bestand, konnten sich jedoch nur selten engere Beziehungen zwischen Herrscher und Bischof entwickeln. Gefördert wurde diese Tendenz durch die vielen Reichsteilungen, die ein stärkeres Regionalbewußtsein aufkommen ließen und die Bande zum Königtum lockerten. Doch mußte sich der Bischof dem König bei Amtsantritt oder Herrscherwechsel vorstellen: Diese „praesentatio" scheint oft der einzige unmittelbare Kontakt zwischen den beiden Gewalten gewesen zu sein. Verständlicherweise setzte der König daher viel daran, Männer seines Vertrauens auf jene Posten zu bringen. Im Idealfall war ein solcher auch Kandidat der adeligen Führung des betreffenden Gebietes; dann war die Möglichkeit, im Sinne der merowingischen Reichsinteressen zu wirken, sehr groß.

Es ist ein Charakteristikum ihrer Kirchenpolitik, daß die Merowinger bei der Einsetzung von Bischöfen wohl auf die Loyalität und die Machtstellung der Familie des Kandidaten achteten, hingegen nie versuchten, Mitglieder der Dynastie auf wichtige Bischofssitze zu erheben. Wir meinen, diese Tatsache mit der tief in heidnischen Anschauungen wurzelnden sakralen Legitimierung des Königsgeschlechtes erklären zu können, die Einflüsse anderer Kräfte nicht gestattete. Daß dieses Königsheil in einer sich wandelnden Welt erstarrte, seine Träger mit einer mächtigen Aura umgab, sie aber andererseits immer archaischer, den realen Verhältnissen immer entrückter scheinen ließ, zeigt die Entwicklung des achten Jahrhunderts.

Die führenden adeligen Familien des Reiches hatten den Verlust ihres im Vergleich zur Königssippe weit geringeren Charismas wettgemacht, indem sie versuchten, ihre heidnische virtus den Forderungen und Voraussetzungen der christlichen Lehre anzupassen. Das erfolgte zunächst wohl unbewußt durch die Übernahme christlicher virtutes, die auch ihre Geltung im Wertesystem der sozial führenden Schicht hatten, ja geradezu — wenn auch in einem anderen Geiste — ein Kennzeichen derselben waren. Fides, cura, nicht ihrem Inhalt nach aber in ihren Auswirkungen auch caritas kann man hier beispielsweise anführen. Es spielte keine Rolle, daß diese Eigenschaften ganz verschiedene Wurzeln hatten: gerade die Breite der Interpretationsmöglichkeiten eines typischen Verhaltens ließ die Grenzen weltanschaulicher Natur bald verschwommen werden. Doch war auch naheliegend, daß die höchste Stilisierung dieser Ideale nicht Allgemeingut werden konnte. Wie einst in der Genealogie der Geschlechter einige Heroengestalten hervorragten, so wurden nun die Sippenheiligen Vorbilder, die nicht nur erzieherisch und machtsteigernd wirkten, sondern die auch Garanten eines neuen Geschlechtsheils wurden. So gelangten die Bischöfe

zu einer Lebensform, die Modellcharakter erreichte: vielen Mentalitäten entsprechend, von vielen Gesichtspunkten her verständlich. Andererseits zwangen
diese Kriterien den Bischof in zunehmendem Maße zu einer bestimmten, vorgegebenen Lebensart. Seine Existenz als geistlicher und weltlicher Amtsträger
war durch dominante Eigenschaften eingeengt, deren Rahmen nur wenig
überschritten werden durfte. Manches davon kommt in der Vita mit all ihren
Stilmitteln entsprechend zum Ausdruck.

Dieser Welt, an der er mentalitätsmäßig kaum Anteil hatte, stand der
merowingische König fremd gegenüber. Als Tendenzen aufkamen, einzelne Teile
des Reiches zu mediatisieren, oder sogar von der Herrschaft der Dynastie zumindest de facto unabhängig zu machen, mußten die Könige von sich aus,
ohne Rücksicht auf kirchenrechtliche Bedenken und notfalls gegen die Vorstellungen des regionalen Adels bei der Bischofseinsetzung aktiv werden. Unter
der tatkräftigen Königinwitwe Balthild rückten neustrische „Hofgeistliche"
in burgundische und aquitanische Bistümer ein.

Als sich im letzten Viertel des siebenten Jahrhunderts die regionalen Son-
derbestrebungen durchzusetzen begannen, war der Bischof als Verbindungs-
mann zwischen Königtum und partikularen Gewalten funktionslos geworden.
Die civitas wurde nun zum Ausgangspunkt militärisch-politischer Unternehmungen der bischöflichen Sippe.

Auch die religiöse Grundlage des Amtes verlor zusehends an Bedeutung.
Die oben gezeigte Angleichung, ja Verschmelzung wesentlicher Eigenschaften
christlicher und adelig-heidnischer Provenienz wurde in dem Augenblick unmöglich, als sich ein stark agonal-säkularer Zug in den Lebensgewohnheiten
auch des Bischofs durchzusetzen begann, wie er in den innerfränkischen Auseinandersetzungen des ausgehenden siebenten Jahrhunderts notwendig geworden war. Auch das Übergewicht des ostfränkischen Adels, dessen Leben noch
oberflächlicher verchristlicht war, wurde dabei bedeutsam.

Erst in dieser Zeit wird man das entscheidende Sinken des Bildungsniveaus
ansetzen dürfen. Das antike Schulwesen war im letzten Viertel des siebenten
Jahrhunderts am Erlöschen. Bonitus von Clermont († 706) ist zeitlich gesehen
der späteste Bischof, bei dem man noch von einer Schulbildung alter, säkularer
Art erfährt. Bischofs- und Presbyterialschulen waren noch nicht in der Lage,
mehr zu bieten, als kärgliche Reste spätantiken Wissens und Elemente christlicher Glaubenslehre. Überhaupt wird man den Begriff Schule für diese Einrichtungen eher vorsichtig anwenden müssen; handelte es sich doch zum Teil
nur um private Anleitungen seitens erprobter Geistlicher, die sich Gehilfen
und Nachfolger erziehen sollten, um die ordnungsgemäße Meßfeier und Sakra-
mentenspendung weiter zu gewährleisten. Der Weg zur Dom- und Klosterschule
mit ihrem breiteren Fächerkanon war noch weit.

In Spanien erreichte die traditionelle Bildung hingegen einen Höhepunkt, wobei man freilich nicht an originelle Leistungen denken darf. Der Grund dafür ist in den fortdauernden Beziehungen zu den geistigen Zentren des Mittelmeerraums zu suchen, während im Frankenreich die politischen, seit den Wirkungen des iro-fränkischen Mönchtums auch die kulturellen Schwerpunkte im Norden lagen. Hier hatte man aber noch viele Aufgaben in der Heidenmission und bei der Grundlegung der elementaren Organisation eines christlichen Lebens, was die systematische Beschäftigung mit theologischen Problemen völlig zurücktreten ließ. Die Spitzen der fränkischen Hierarchie mußten sich vor allem im Alltag bewähren, Fragen geistiger und geistlicher Natur traten an sie nur im Zusammenhang mit dem politischen Geschehen heran. Das Problem einer Metanoia stellte sich nun gar nicht, da das Leben eines Bischofs von demjenigen eines kriegs- und fehdegewohnten Adeligen nur wenig abwich. Insoweit verblaßte die geistliche Seite des Bischofsamtes, verweltlichte der Episkopat, ohne daß man einem trivialen Verfallsbegriff huldigen sollte. Im Vergleich zur festgefügten westgotischen Kirche war die fränkische primitiver, zugleich aber auch fortschrittlicher: Hier konnte die von den Angelsachsen getragene Reform mit zeitgemäßen Mitteln einsetzen und die Voraussetzungen für eine hochmittelalterliche Kirche schaffen. Die Kirche in Spanien hatte keine Reformen nötig — sie war ein geschlossenes System —, aber sie blieb cum grano salis auf dem Standpunkt der Spätantike und wurde erst in der zweiten Hälfte des elften Jahrhunderts aus ihrer Sonderexistenz erlöst. —

ABKÜRZUNGSVERZEICHNIS

AASS	Acta Sanctorum
AHR	American Historical Review
AfK	Archiv für Kulturgeschichte
BAR	British Archaeological Reports
BEC	Bibliothèque de l'École des Chartes
BZ	Byzantinische Zeitschrift
c., cc.	Kapitel
CCL	Corpus Christianorum series Latina
CIL	Corpus Inscriptionum Latinarum
CSCO	Corpus Scriptorum Christianorum Orientalium
CSEL	Corpus Scriptorum Ecclesiasticorum Latinorum
DA	Deutsches Archiv
DAC	Dictionnaire d'Archéologie Chrétienne et de Liturgie
DHGE	Dictionnaire d'Histoire et de Géographie Ecclésiastiques
Ep., Epp.	Epistulae
FMST	Frühmittelalterliche Studien
FS	Festschrift
HZ	Historische Zeitschrift
Jaffé	Regesta Pontificum Romanorum, ed. Philippus Jaffé
Mansi	Sacrorum Conciliorum nova et amplissima Collectio, ed. Johannes Mansi
MGH	Monumenta Germaniae Historica
AA	Auctores Antiquissimi
EE	Epistulae
LL	Leges
SS	Scriptores
in us. schol	in usum scholarum
rer. German.	rerum Germanicarum
rer. Merov.	rerum Merovingicarum
rer. Langob.	rerum Langobardorum
MIÖG	Mitteilungen des Instituts für Österreichische Geschichtsforschung
NA	Neues Archiv
N. F. (N. S.)	Neue Folge (Nova Series)
PL	Jacques-Paul Migne, Cursus completus Patrologiae Latinae
RHEF	Revue d'Histoire de l'Église de France
RMAL	Revue du Moyen-Age Latin
SB	Sitzungsberichte
Sp.	Spalte

STMBO	Studien und Mitteilungen zur Geschichte des Benediktiner Ordens
VuF	Vorträge und Forschungen
v., vv.	Vers(e)
Z.	Zeile
ZRG	Zeitschrift der Savigny-Stiftung für Rechtsgeschichte
GA	Germanistische Abteilung
KA	Kanonistische Abteilung

LITERATURVERZEICHNIS

Die hier wiedergegebenen Kurzformen verweisen auf Seite und Anmerkung, in denen das ausführliche Zitat zu finden ist.

Aigrain, Sainte Radegonde 233 A. 130
Arbusow, Colores 52 A. 6
Ariès, La mort 246 A. 38
—, Richesse 250 A. 56
Arnold, Cesarius v. Arles 69 A. 89
Auer, Kriegsdienst 225 A. 94
Aupest-Conduché, L'hérésie 90 A. 189
—, Saint Félix 168 A. 151

Bachrach, Reassessment 35 A. 124
Bardy, L'attitude 218 A. 68
—, Origines 68 A. 83
Barroux, Dagobert 232 A. 127
Beck, Schweiz 197 A. 105
Behr, Alem. Herzogtum 89 A. 185
Bergengruen, Adel 11 A. 9
Bernoulli, Heilige 235 A. 140
Beumann, Vita Ruperti 245 A. 36
Beyerle, Formelbuch 81 A. 142
—, Leges 124 A. 110
Bigelmair, Gründung 229 A. 110
—, Passio 235 A. 138
Bleiber, Naturalwirtschaft 135 A. 26
Bloch, Société 10 A. 6
Bodmer, Krieger 225 A. 93
Bolgar, Classical heritage 59 A. 41
Boshof, Armenfürsorge 185 A. 55
Boshof—Wolter, Papsturkunden 187 A. 64
Bosl, Adelsheiliger 18 A. 36
—, Grundlagen 12 A. 13
—, Potens 30 A. 97
—, Volksrechte 11 A. 10
Bréhier, Colonies 135 A. 26
Bresslau, Urkundenlehre 124 A. 110
Breysig, Jahrbücher 32 A. 110
Brown, Rise 181 A. 31

Brühl, Fodrum 220 A. 76
—, Königspfalz 223 A. 85
—, Studien 163 A. 133
Brunhölzl, Lat. Literatur 28 A. 89
Brunner, Oppositionelle Gruppen 31 A. 101
Buchner, Provence 19 A. 38
Büttner, Christentum 194 A. 91
—, Mainland 224 A. 88
—, Mainz 195 A. 96
—, Mittelrhein 194 A. 91

O'Callaghan, History 34 A. 117
Campenhausen, Heimatlosigkeit 266 A. 113
Christlein, Alamannen 10 A. 7
Classen, Kaiserreskript 81 A. 144
Claude, Adel 33 A. 114
—, Bestellung 120 A. 91
—, Comitat 119 A. 87
—, Fragen 120 A. 95
—, Westgoten 33 A. 116
Collins, Julian 34 A. 117
Conrad, Dt. Rechtsgeschichte 150 A. 80
Corbett, Saint 186 A. 55
Corsten, Adelsherrschaft 139 A. 37
Courcelle, Hist. littéraire 56 A. 25
Courtois, L'évolution 18 A. 34
Coville, Recherches 17 A. 29
Curtius, Europ. Literatur 52 A. 6

Delaruelle, Spiritualité 189 A. 74
Delehaye, Sanctus 265 A. 112
Denk, Unterrichtswesen 54 A. 20
Deviosse, Charles Martel 157 A. 115
Diesner, Religionspolitik 56 A. 25

Dilcher, Bischof 132 A. 15
Dinzelbacher, Vision 39 A. 137
Dostal, Identität 43 A. 159
Drabek, Merowingervertrag 115 A. 73
Drees, Mannus 130 A. 6
—, Remaclus 130 A. 6
Driesch—Esterhues, Erziehung 68 A. 83
Duchesne, Fastes 41 A. 146
Dupraz, Contribution 264 A. 108

Ebling, Prosopographie 12 A. 13
Ennen, Bonn 194 A. 89
Ewig, L'Aquitaine 97 A. 216
—, Bischofslisten 217 A. 65
—, Civitas 170 A. 155
—, Civitas Ubiorum 32 A. 110
—, Descriptio 158 A. 116
—, Expansion 171 A. 157
—, Königsgedanke 152 A. 89
—, Milo 32 A. 110
—, Mittelrhein 83 A. 158
—, Ostgermanen 34 A. 117
—, Résidence 94 A. 204
—, Ribuarien 120 A. 95
—, Römische Institutionen 81 A. 143
—, Selz 83 A. 158
—, Teilreiche 126 A. 120
—, Teilungen 132 A. 13
—, Trier 48 A. 184
—, Volkstum 163 A. 133

Feine, Kirche 160 A. 120
—, Kirchl. Rechtsgeschichte 145 A. 62
Felten, Äbte 21 A. 51
Fichtenau, Askese 249 A. 51
—, Herkunft 9 A. 1
—, Invokationen 139 A. 38
—, Reliquienwesen 198 A. 112
Fischer, Ebroin 263 A. 106
Flaskamp, Wilbrord 37 A. 130
Fossard, Répartition 246 A. 38
Friese, Studien 10 A. 4
Fritze, Schwurfreundschaft 227 A. 102

Gaiffier, Pélerinages 266 A. 113
Gams, Kirchengeschichte Spaniens 34 A. 117
Ganshof, Gesandtschaftswesen 231 A. 118
García Moreno, Prosopografia 10 A. 7

García Villada, Hist. eccl. 90 A. 189
Geary, Furta sacra 235 A. 140
Grahn-Hoek, Oberschicht 12 A. 13
Graus, Gewalt 189 A. 73
—, Merowinger 19 A. 40
—, Sozialgesch. Aspekte 22 A. 58
Gruber, Desideriuskult 260 A. 97
Grundmann, Litteratus 55 A. 25
Guttenberg, Iudex 226 A. 98

Häußling, Mönchskonvent 108 A. 40
Hagemann, Sachsen 10 A. 7
Hart, Early Charters 42 A. 154
Hartmann, Gesch. Italiens 72 A. 103
Hattenhauer, Recht 63 A. 63
Hauck, A., Bischofswahlen 124 A. 111
—, Kirchengesch. Deutschlands 117 A. 80
Hauck, K., Geblütsheiligkeit 42 A. 153
—, Randkultur 220 A. 76
Heinemeyer, Mainz 83 A. 158
Heinzelmann, Aspekte 14 A. 16
—, Bischofsherrschaft 13 A. 15
—, Source 15 A. 19
Herkenrath, Magistertitel 88 A. 180
Hilpisch, Doppelklöster 105 A. 30
Hlawitschka, St. Maria im Kapitol 260 A. 94
Holmes, The origin 68 A. 88
Hubert, Frühzeit d. Mittelalters 246 A. 38
Hürten, Gregor d. Gr. 173 A. 5

Illmer, Totum 51 A. 2
Irsigler, Frühfränk. Adel 11 A. 12

Jarnut, Prosopograph. Studien 10 A. 7

Kaiser, Bischofsherrschaft 196 A. 102
—, Steuer 177 A. 22
—, Teloneum 179 A. 26
Kampers, Westgotenreich 10 A. 7
Keller, Mönchtum 16 A. 25
Kempf, Ergebnisse 196 A. 101
—, Grundriß 197 A. 107
Klauser, Insignien 46 A. 172
Klebel, Christentum in Bayern 266 A. 114
Köbner, Venantius 28 A. 89
Kraus, Christl. Inschriften 194 A. 92
Krusch, Gaugerich 155 A. 104
—, Reise 137 A. 31

Labriolle, Littérature   82 A. 150
Leclerq, H., Poitiers   187 A. 64
Leclerq, J., Mönchtum   182 A. 37
Lecoy de la Marche, St. Martin   234 A. 137
Le Goff, Les rêves   38 A. 137
Lemarignier, Organ. eccl.   94 A. 204
Lesne, Propriété   102 A. 15
Levillain, Formulaire   81 A. 142
—, Succession   75 A. 116
Levison, Fontanelle   96 A. 211
—, Irland   91 A. 193
—, Jenseitsvisionen   110 A. 46
—, Metz   126 A. 120
—, St. Willibrord   147 A. 69
—, Willibrordiana   147 A. 69
Loening, Gesch. d. dt. Kirche   107 A. 38
Löwe, Arbeo   36 A. 128
—, Salzburg   245 A. 36
Lohaus, Merowinger   233 A. 130
Lotter, Anredeformen   46 A. 172
—, Designation   165 A. 139
—, Methodisches   21 A. 52

Mâle, Paganisme   49 A. 194
Malnory, St. Césaire   68 A. 88
Manitius, Lat. Literatur   34 A. 117
Marrou, Erziehung   54 A. 20
Mayer, Bonifat. Quellen   229 A. 110
Mayr, Emmeram   266 A. 114
—, Studien   9 A. 1
Meyer-Marthaler, Rätien   89 A. 185
Momigliano, Gli Anicii   47 A. 180
Moreau, Histoire   84 A. 159
Moyse, Bourgogne   16 A. 24

Nelson, Jezebels   127 A. 126
Nonn, Adelssippe   253 A. 72
Norberg, Développement   67 A. 81
Noterdaeme—Dekkers, Sint Eligius   214 A. 50

Olberg, Leod   12 A. 13

Parisse, Fondation monast.   198 A. 108
Parsons, Canonical elections   169 A. 153
Picard, The marvellous   250 A. 54
Pirenne, Instruction   59 A. 40
Plöchl, Gesch. d. Kirchenrechts   40 A. 144

Pöschl, Bischofsgut   182 A. 32
Polheim, Reimprosa   76 A. 116
Prinz, Aristocracy   265 A. 111
—, Klerus   225 A. 93
—, Märtyrerreliquien   147 A. 68
—, Mönchtum   12 A. 15
—, Monast. Zentren   21 A. 49
—, Peregrinatio   26 A. 76
—, Stadtherrschaft   119 A. 88

Reiners-Ernst, Gründung   159 A. 120
Riché, Columbanus   93 A. 202
—, Éducation   52 A. 7
Rivera-Recio, Arzobispos   35 A. 124
Roger, L'enseignement   59 A. 41
Rouche, L'Aquitaine   163 A. 133
—, La matricule   185 A. 55

Salin, Civilisation mérov.   92 A. 195
Sanchez-Albornoz, Aula regia   113 A. 63
Sante, Bonifatius   146 A. 67
Schäferdiek, Kirche   90 A. 189
—, Übertritt   153 A. 96
Schanz, Röm. Literatur   82 A. 150
Scheffer-Boichorst, Syrer   135 A. 26
Scheibelreiter, Babenberger   9 A. 3
—, Königstöchter   18 A. 34
—, Tiernamen   144 A. 159
Schieffer, R., Domkapitel   138 A. 32
Schieffer, Th., Winfried   37 A. 130
Schmid, Liudgeriden   52 A. 5
—, Problematik   9 A. 1
—, Programmatisches   9 A. 1
Schmitz, ... quod rident   249 A. 51
Schneider, C., Geistesgeschichte   46 A. 173
Schneider, F., Rom   78 A. 126
Schneider, J., Bemerkungen   103 A. 20
Schneider, R., Königswahl   72 A. 103
Schreiner, Discrimen   200 A. 116
Schubert, Christl. Kirche   47 A. 183
Schwöbel, Synode   146 A. 64
Selle-Hosbach, Merow. Amtsträger   12 A. 13
Servatius, Per ordinationem   115 A. 71
Spörl, Gregor d. Gr.   67 A. 81
Sprandel, Bemerkungen   120 A. 95
—, Merov. Adel   11 A. 8
Spreckelmeyer, Testamente   253 A. 72
Stenton, Anglo-Saxon England   42 A. 154

PERSONEN- UND ORTSREGISTER

Vorbemerkung: Die große Zahl der im vorliegenden Werk genannten Bischöfe läßt es geboten scheinen, sie im Register nach Möglichkeit chronologisch zu fixieren. Diesem Zweck soll die Beigabe der entsprechenden Pontifikatsjahre dienen. Es versteht sich jedoch von selbst, daß diese im behandelten Zeitraum nicht immer exakt feststehen und manchmal nur einen ungefähren Wert haben können. In diesem Fall erfolgt der Beisatz ca. und dgl. Der Verfasser ist sich des unbefriedigenden Zustandes bewußt, doch ist damit eine Erleichterung bei der Benützung des Registers immerhin gegeben.

Folgende Abkürzungen wurden verwendet:

A., Ä.	= Abt, Äbtissin		Kl.	= Kloster
Ad.	= Archidiakon		Ks., Ksin.	= Kaiser, Kaiserin
Ap.	= Archipresbyter		M.	= Mutter
B.	= Bischof		Pp.	= Papst
Br.	= Bruder		Pr.	= Priester
Eb.	= Erzbischof		S.	= Sohn
Hg.	= Herzog		Sw.	= Schwester
Hl.	= Heiliger		T.	= Tochter
Kg., Kgin.	= König, Königin		V.	= Vater

Abraham 40

Acharius, B. v. Noyon (vor 626—640) 95, 110, 214 A. 49

Adalbert, ostfränk. Graf 31 A. 101

Adamnan, A. v. Iona 236 A. 143

Adela, Ä. v. Pfalzel 207 A. 18

Ado, B. v. Vienne (860—875) 22, 260

Ado, Br. Audoins v. Rouen 245

Aemilianus, ital. B. (um 510) 196 A. 102

Aeonius, B. v. Arles (493—502/03) 188, 243

Aetherius, B. v. Lyon (586/88—602) 90 A. 187

Agalí, Kl. 94

Agatheus, comes u. B. v. Nantes u. Rennes (um 700) 142 m.A. 48; 176

Agde 183 A. 43
  Bischof: Fronimius
  Konzil siehe Sachregister

Agerich, B. v. Verdun (nach 550—588) 239 A. 8

Agilbert, B. v. Dorchester (ca. 650—nach 660), B. v. Paris (668—673/90) 91 A. 193; 245 f.

Agilolfinger 170 A. 154

Agilulf, Kg. d. Langobarden 142

Agiulf, B. v. Metz (nach 581—nach 601) 43 m.A. 158, 159; 50

Agnellus (Andreas) v. Ravenna, Historiograph 106

Agobard, Eb. v. Lyon (816—840) 173 A. 7

Agricola, B. v. Chalon-sur-Saône (532—580) 169 A. 152; 187 A. 64

Agroecius, B. v. Sens (um 475) 91 A. 194

Agroecius, B. v. Troyes (um 585) 143 A. 52; 263 A. 103

Aidulf, B. v. Auxerre (ca. 733—748) 107

Arnulfinger s. a. Karolinger, Pippiniden
    26, 37, 170 A. 154; 264
Arras 144
    Bischof: Vedastus
Artemia, M. d. Nicetius v. Lyon 40 f.
Artemius, B. v. Sens (vor 583—vor 614)
    143 A. 52; 263 A. 103
Athalarich, Kg. d. Ostgoten 71
Audoin, B. v. Konstanz (708—736) 159
    A. 120
Audoin, B. v. Rouen (641—684) 24 A. 67;
    32, 74 m. A. 109, 113; 75 A. 115; 95, 97
    114, 124, 125 A. 113; 130, 152, 159 A. 120;
    170 A. 154; 212 A. 41; 230 m. A. 115; 232,
    234, 236, 242, 245, 252
Audomar, B. v. Thérouanne (639—ca. 670)
    25 A. 69; 27 A. 78; 49, 54, 95, 110, 130,
    146, 248, 249 A. 47
Audulf, A. v. St. Maixent (Poitiers) 199
Augsburg 170 A. 156
    Bischof: Udalrich
Augst siehe Basel
Augustin, Eb. v. Canterbury (597—604)
    90 A. 187
Augustinus, B. v. Hippo Regius (396—430),
    Kirchenlehrer 55, 65, 68, 77, 84, 242
Aulus Gellius 76
Auna(cha)rius, B. v. Auxerre (567—nach
    605) 89 A. 187; 161 A. 127; 234 m. A. 137
Aunemund, B. v. Lyon (ca. 654—657/64)
    90 A. 187; 171, 263 m. A. 106; 264 m. A.
    108
Aurelianus, B. v. Uzès (um 650) 211 A. 39
Auspicius, B. v. Toul (um 470) 57
Austramn, B. v. Verdun (ca. 806—811)
    107 A. 39
Austrapius, dux, „B". v. Champtoceaux
    (Sellense castrum) (um 561) 121 f. m.
    A. 101; 162 f.
Austrigisil, B. v. Bourges (ca. 612—624)
    27 A. 78, 83; 29 A. 93; 73 f., 126, 166
    A. 140
Authari, V. Audoins v. Rouen 74, 170, 245
    (Sippe)
Autlaecus, Neffe Landberts v. Maastricht
    264
Autun 48, 112 A. 58; 117, 119, 170, 187
    A. 64; 193, 199, 221, 227, 238 A. 7; 254,
    258 f., 264 A. 108; 276

—, St. Symphorian, Kl. 217
    Bischöfe: Bobo, Hermenar, Leodegar,
    Simplicius, Syagrius
    Konzil siehe Sachregister
Auxerre 48, 161, 169 A. 152; 170
    Bischöfe: Aidulf, Ainmar, Amator,
    Aunarius, Desiderius, Germanus, Ma-
    rinus, Quintilianus, Savarich, Theo-
    dramn, Wibald
    Konzil siehe Sachregister
Avallon 228 A. 107
Avenches 197 A. 105
Avignon 64, 160 f.
    Bischof: Eucherius
Aviti, galloröm. Adelsgeschlecht 169
    A. 152
Avitus I., B. v. Clermont (571/72—nach 592)
    54, 76 A. 119; 102, 140 m. A. 42; 141, 198
Avitus II., B. v. Clermont (676—691)
    59 A. 41; 60, 243
Avitus, B. v. Vienne (490—518) 17 A. 29;
    42 A. 153; 46, 57 f., 64, 76 f.

Badegisil, B. v. Le Mans (581—586) 104,
    125 m. A. 115, 116; 173 A. 8; 175 f., 216
    A. 59
Balthild, fränk. Kgin. 104, 152, 159 A.
    120; 171, 203 A. 2; 227, 252, 258, 263 f.,
    280
Barcelona
    Konzil siehe Sachregister
Barontus, visionärer Mönch 254 m. A. 75
Basel 197 A. 105
Basinus, B. v. Trier (nach 675—705)
    122 f., 170
Baudinus, B. v. Tours (ca. 546—552) 124
    A. 110; 181 A. 32; 207 A. 19
Bavo (Allowin), Hl. 118
Bayeux 157 A. 116
    Bischöfe: Hugo, Leudoald
Becket, Thomas, Eb. v. Canterbury (1162—
    1170) 263
Benignus, Hl. 198 A. 112
Beja
    Bischof: Apringius
Berachar, B. v. Le Mans (ca. 653—670)
    25 A. 69
Berctwald, Eb. v. Canterbury (693—731)
    90 A. 187

Beregisil, austras. Adeliger 140
Bernhard v. Clairvaux, Hl.   193 A. 85
Berny-la-Rivière
    Konzil siehe Sachregister
Berta, T. Kg. Chariberts 233 A. 130
Berthramn, B. v. Bordeaux (ca. 570—585/
    86) 41 f., 63, 116 A. 79; 151 A. 86; 205
    A. 10; 226
Berthramn, B. v. Le Mans (586—nach 616)
    104
Bertoara, T. Kg. Theudeberts I. 194
Bertulf, Eb. v. Trier (869/70—883) 122
    A. 103
Bertulf, B. v. Worms (um 614) 220
Betharius, B. v. Chartres (nach 595—vor
    614) 54, 154 f. m. A. 100; 241 m. A. 17;
    245 A. 34
Bettolen(us), B. v. Soissons (um 650) 136,
    137 m. A. 30
Biclaro, Kl. 94
Bobbio, Kl. 74
Bobo, B. v. Valence (um 660/75), B. v.
    Autun (677) 227 f.
Bodo, auvergnat. Adeliger 262
Bonifatius, Eb. v. Mainz (745—754), Mis-
    sionsbischof 36 f., 129 A. 3; 146 f. m. A.
    68; 200, 207 m. A. 18; 208, 210 f. m. A. 33;
    214 A. 50; 229, 245 A. 37; 251 A. 63; 257,
    258 A. 87; 265 A. 113; 266 A. 114
Bonitus, B. v. Clermont (691—706) 24
    A. 67; 48, 59 A. 41; 60 f., 118 f. m. A. 86;
    121, 183 A. 38; 184, 189, 207 A. 19; 236,
    241 A. 19; 243, 280
Bordeaux 101, 151 A. 86; 226
    Bischöfe: Berthramn, Gundegisil, Leon-
    tius I., Leontius II., (Waldo)
    Konzil siehe Sachregister
Bourges 169 A. 152; 179 f., 209 A. 25; 215
    A. 56; 220, 254 A. 75
    Bischöfe: Austrigisil, Remigius, Sulpi-
    cius I., Sulpicius II.
Braga
    Bischöfe: Fructuosus, Martin
    Konzilien siehe Sachregister
Braulio, B. v. Saragossa (Zaragoza) (631—
    651) 62 A. 57; 272
Brioude 234
Brunhild, fränk. Kgin. 83 A. 158; 104, 112
    A. 58; 119, 126 A. 124; 135, 144, 148, 151,

155 A. 103, 106; 156, 161 m. A. 127; 187,
212 A. 41; 232 m. A. 124; 233 A. 128;
260 f. m. A. 95, 97
Büraburg
    Bischof: Witta
Burchard, B. v. Würzburg (742—753) 147
    A. 68; 233 A. 131
Burgundio, Elekt v. Nantes (um 580)
    168 f., 239 A. 8
Burgundofaro (Faro), B. v. Meaux (627/37
    —nach 669) 170 A. 154; 194, 204

Caesaria, Ä. v. St. Johannes (Arles) 248
Caesarius, B. v. Arles (502/03—542/43) 14,
    25 A. 69; 57 f., 65, 69 m. A. 89; 70, 77 f.,
    87, 89, 92 m. A. 197, 200; 184 m. A. 50; 186
    A. 57; 187—189, 193 A. 85; 206, 212 A. 41;
    217, 218 A. 68; 241—243, 248 m. A. 44;
    250
Cagliari 55 A. 25
    Bischof: Januarius
Cahors 199
    Bischöfe: Desiderius, Maurilius, Rusti-
    cus, Ursicinus
Calistus, Patriarch v. Aquileja (um 730)
    104 A. 26
Cambrai 221
    Bischöfe: Gaugerich, Vinditianus
Candidense monasterium 112
Canterbury
    Erzbischöfe: Augustin, Becket, Berct-
    wald, Laurentius, Melitus, Theodor
Carentinus, B. v. Köln (um 565) 171 A. 157
Carignan (Eposium) 31
Cartagena
    Bischof: Licinianus
Cassiciacum 68
Cassiodorus Senator 65 f., 68, 76, 78 m. A.
    127; 91, 180, 184
Cato, Pr. (Clermont) 102, 138 f. m. A. 37,
    38; 147, 148 m. A. 72
Cautinus, B. v. Clermont (551—571) 58 A.
    38; 102 f., 140, 147, 148 A. 72
Cavaillon
    Bischof: Veranus
Ceneda
    Bischof: Valentinianus
Cerbonius, B. v. Populonia (546—nach 568)
    242

Chagnoald (Hagnoald), B. v. Laon (614/27— vor 648) 24 A. 67

Chalkedon
Konzil siehe Sachregister

Chalon-sur-Saône 169 A. 152; 219 A. 72; 223 A. 85; 228 A. 105; 235 A. 140
Bischöfe: Agricola, Desideratus, Felix, Flavius
Konzilien siehe Sachregister

Champtoceaux (Sellense castrum) 121 f., 162

Chanao, breton. Fürst 44

Charibert, Kg. d. Franken 63, 72 A. 100; 105 A. 30; 121, 156 f., 162, 164 A. 137; 221 m. A. 77; 233 A. 130

Charimer, B. v. Verdun (588 — nach 614) 124 A. 110; 166 A. 140

Chartres 122 A. 101; 154 f., 162 f.
Bischöfe: Arbogast, Betharius, Pappolus, Sollemnis

Châteaudun 122 A. 101; 163
Bischof: Promotus

Chelles, Kl. 221, 223 A. 85; 252, 258

Childebert I., Kg. d. Franken 112 A. 58; 160, 183, 187, 189, 205

Childebert II., Kg. d. Franken 73, 104, 115 A. 73; 124 A. 110; 126 A. 121; 134, 136, 161 m. A. 124; 208, 212 A. 41; 230 m. A. 122

Childerich II., Kg. d. Franken 42 A. 152; 112, 118, 130, 134 A. 22; 206, 223, 227

Chilperich I., Kg. d. Franken 42, 72 A. 100; 110 A. 46; 116, 125, 142 A. 50; 153 A. 96; 155, 162, 169, 175, 195 A. 95; 221 A. 80; 223 A. 85; 231 m. A. 122; 262

Chindaswinth, Kg. d. Westgoten 62 A. 57; 233 A. 129

Chlodoald, S. Kg. Chlodomers 42 A. 152

Chlodomer, Kg. d. Franken 42 A. 152

Chlodswintha, langobard. Kgin. 72 A. 100

Chlodulf, B. v. Metz (645/50 — vor 667) 44 A. 59; 203 A. 2

Chlodwig I., Kg. d. Franken 18, 42 f., 63 m. A. 63; 72 A. 100; 144, 145 m. A. 63; 149, 152, 153 A. 96; 156, 172, 174, 217 f., 278

Chlodwig II., Kg. d. Franken 179 m. A. 27

Chlodwig III., Kg. d. Franken 227

Chlothar I., Kg. d. Franken 29, 42 m. A. 152; 64, 112 A. 58; 121, 124 A. 110; 148

A. 72; 156 f., 160 m. A. 122; 161 f., 167 A. 143; 220 f. m. A. 76

Chlothar II., Kg. d. Franken 24, 98, 124 A. 110; 125, 135 f., 144 A. 57; 146, 151 f., 154, 164 A. 137; 176, 212 A. 41; 218, 221 m. A. 82; 222 f., 260

Chlothar III., Kg. d. Franken 95

Chramlin, B. v. Embrun (um 680) 131 m. A. 11, 12

Chramn, S. Kg. Chlothars I. 121, 148 A. 72; 220 A. 76

Chramnesind, fränk. Adeliger 11 A. 11; 173 A. 8

Chrodbert, B. v. Tours (vor 668 — vor 680) 75

Chrodbert, comes 259

Chrodegang, B. v. Metz (742—766) 25 A. 67; 125, 233 A. 131; 235 A. 141

Chrodhild, Gemahlin Kg. Chlodwigs I. 156

Chrodhild, Gemahlin Kg. Theuderichs III. 252

Chrodhild, Tochter Kg. Chariberts 204 A. 6

Chur 89
Bischof: Tello

Cicero, M. Tullius 77

Claudia, galloröm. Adelige 262

Claudius, Pr. (Reims) 145 A. 63

Clemens I., Pp. (88—97) 198

Clemens, ir. Wanderbischof 129 A. 3

Clermont 47, 57, 59 A. 41; 76 A. 119; 102 m. A. 17; 106 f., 112, 138 m. A. 32; 140 f. m. A. 42; 148, 161 A. 127; 168 A. 149; 169 A. 152; 206 m. A. 15; 223, 255, 262
Bischöfe: Apollinaris Sidonius I., Apollinaris Sidonius II., Aprunculus, Avitus I., Avitus II., Bonitus, Cautinus, Felix, Gallus, Gariwald, Genesius, Nordbert, Praeiectus, Quintianus
Konzil siehe Sachregister

Clichy, Königspfalz 124, 223 A. 85; 242, 252
Konzil siehe Sachregister

Condat, Kl. siehe St. Claude

Constantina, Ksin. 235 A. 140

Contumeliosus, B. v. Riez (vor 524—533/35) 102 A. 15

Cormicy, St. Cyriacus 234

Cormons 142

Cournon, Kl. 47

Coutances
  Bischof: Romachar

Crispinus, B. v. Pavia (ca. 432—466) 134
  A. 22

Crispus (Benedictus), B. v. Mailand (681—
  725) 80

Cunzo (Gunzo), Hg. d. Alamannen s. a.
  Uncelen, dux 159 A. 120; 232 f. m. A.
  128

Dagobert I., Kg. d. Franken 22, 24, 73 f.,
  77 A. 122; 93, 95, 98, 124 m. A. 110; 125
  m. A. 113; 126, 136, 144, 146, 152, 159
  A. 120; 170, 179 A. 27; 193, 214 A. 49;
  218, 223 A. 85; 224, 232 A. 127

Dalfinus, comes 171

Dalmatius, B. v. Rodez (524—580) 119,
  132 A. 13; 134, 191 A. 82; 197, 219

Dax
  Bischöfe: Faustinianus, Nicetius

Desideratus, B. v. Chalon-sur-Saône (ca.
  666—nach 677) 227 f.

Desideratus, B. v. Verdun (vor 534—ca. 550)
  177, 180, 258 A. 87

Desiderius, B. v. Auxerre (nach 605—
  614/27) 161 A. 127

Desiderius, B. v. Cahors (630—655) 25,
  48, 74, 98, 159 A. 120; 193, 196 m. A. 102,
  103; 198 f., 209 A. 26

Desiderius, B. v. Eauze (nach 585—vor 614)
  151 A. 86

Desiderius, B. v. Rennes (?) (um 670/80)
  86, 211 A. 35; 236

Desiderius, B. v. Vienne (586/96—603, 606/
  07) 59 m. A. 41; 60, 61 A. 49; 66 f. m. A.
  81; 77, 106 m. A. 33; 260 f. m. A. 95, 97

Dido, B. v. Poitiers (628/29—669/76) 42
  A. 152; 85 m. A. 164; 86, 91 m. A. 193;
  254 m. A. 75

Die
  Bischof: Marcellus

Dijon 198 A. 112; 220 A. 76; 238 A. 6; 245
  A. 34

Dionysius, Hl. 272

Dodo, B. v. Toul (um 700) 240 A. 11

Dodo, domesticus 264 f.

Domitianus, B. v. Angers (ca. 550—568)
  216 A. 62

Domnola, Gemahlin d. Nectarius 125 A.
  115

Domnolus, B. v. Le Mans (559—581) 24
  A. 67; 64, 112 A. 58; 125 m. A. 115; 160,
  216 A. 62

Domnolus, B. v. Vienne (603—606, 607—
  nach 614) 148

Donatus, Grammatiker 62 A. 56; 66, 76 A.
  120; 82

Dorchester
  Bischof: Agilbert

Dracontius, Bl. Aemilius 62 A. 57

Drausius, B. v. Soissons (ca. 660—680)
  136 f. m. A. 30

Dumio, Kl. u. Bischofssitz 94, 160 A. 120
  Bischöfe: Fructuosus, Martin

Dynamius, rector Provinciae 115 m. A.
  73; 116 m. A. 74; 133 f.

Eadberht, Kg. v. Northumbrien 42 A. 154

Earkonwald, B. v. London (675—693) 42
  A. 154

Eauze
  Bischof: Desiderius

Ebbo, B. v. Sens (vor 711—ca. 725) 23

Ebergisil, B. v. Köln (um 590) 194 A. 94;
  232

Ebergisil, B. v. Meaux (nach 680) 246

Ebergisil, Pr. (Bourges) 179

Ebo, Eb. v. Reims (816—835, 840—841),
  B. v. Hildesheim (845—851) 31 A. 101

Eborinus, comes stabuli 232

Ebrechar, dux 232 A. 124

Ebrigisil, Inkluse 215 A. 56

Ebroin, Hausmeier 32 A. 107; 74, 121 f.,
  123 m. A. 108; 131, 157, 188 A. 67; 199,
  227, 258 f., 262, 264, 273

Ecgberht, Eb. v. York (732/34—766) 42
  A. 154

Echternach, Kl. 123 A. 104; 210 A. 119; 211
  A. 38; 245 A. 37

Eddius Stephanus, Hagiograph 263 A. 106

Edessa
  Bischof: Nonnos

Egidius, B. v. Reims (nach 555—590)
  231 f.

Eichstätt
  Bischof: Willibald
Ekkehard IV. v. St. Gallen, Geschichts-
  schreiber 25 A. 68
Eleutherius, V. d. Germanus v. Paris 28,
  40
Eligia, M. d. Praeiectus v. Clermont 31
  A. 104
Eligius, B. v. Noyon (641—660) 23, 29, 31,
  85, 98, 127, 129 f., 152, 159 A. 120; 183
  A. 41; 191, 193 m. A. 87; 206 A. 13; 207
  A. 18; 209, 211 A. 39; 212 A. 40; 214
  m. A. 50; 215 A. 56; 224; 227 A. 101;
  232 f., 241 A. 19; 252
Elnon, Kl. siehe St. Amand
Elvira
  Konzil siehe Sachregister
Embrun 226
  Bischöfe: Chramlin, Salonius
Emerius, B. v. Saintes (nach 561—vor 573)
  156
Emmo, B. v. Sens (654/60—vor 680) 204
Ennodius, B. v. Pavia (514—521) 47 m. A.
  179, 183; 54, 68, 230 A. 115
Epagathus, Vettius, Märtyrer 45, 169 A.
  153
Epaon
  Konzil siehe Sachregister
Eparchius, A. (Angoulême) 192
Epiphanius, B. v. Pavia (466—496) 134
  A. 22; 188, 205 A. 10; 206, 230 A. 113

Eposium siehe Carignan
Erchenoald, Hausmeier 224
Erembert, B. v. Toulouse (657—671/77)
  114, 170 A. 154; 171, 203 A. 2
Erkenbod, B. v. Thérouanne (nach 708—
  nach 723) 240 A. 11
Ermenberga, T. Kg. Witterichs 232
Ermino, Abtbischof v. Lobbes (Laubach)
  (711/12—737) 29 f., 243
Eticho, elsäss. Hg. 18
Etichonen 170 A. 156
Eucherius, B. v. Avignon (?) (vor 524—
  nach 533) 206
Eucherius, B. v. Orléans (719—732/33)
  25 A. 69; 32, 37 f., 70, 111, 183, 215 A. 55
Eucherius, V. d. Eligius v. Noyon 29
Eudo, aquitan. dux 229

Eufrasius, B. v. Clermont (um 490—515)
  238 A. 5
Eufrasius, Pr. (Clermont) 102, 140 m. A.
  40; 141, 150
Eufron, syr. Reliquiensammler 235 A. 139
Eufronius, B. v. Tours (555—572) 46, 100,
  167 A. 143; 204 f. m. A. 5; 215 f., 221 A.
  77; 230 A. 112
Eugen I., B. v. Toledo (636—646) 62 A. 57;
  82, 94 A. 204
Eugen II., B. v. Toledo (646—657) 34
  A. 120
Eugendus, A. v. Condat 16 m. A. 24, 27; 17
Eumerius, B. v. Nantes (vor 533—549) 27
  A. 79; 47 A. 181; 168 A. 151
Eurich, Kg. d. Westgoten 230 m. A. 113
Eusebia, M. d. Germanus v. Paris 28, 39
Eusebius, B. v. Paris (591—vor 594) 135,
  136 m. A. 28
Eusebius, B. v. Tarragona (ca. 610—632)
  61
Eustasius, A. v. Luxeuil 93, 95, 110
Eutropius, Hl. 198
Eutropius, B. v. Orange (463—nach 475)
  27 A. 78; 130
Eutropius, B. v. Valencia (ca. 596—610)
  62 A. 57
Evodius, B. v. Javouls (536—540) 165 A.
  139
Exocius, B. v. Limoges (nach 549—565/75)
  195 A. 95; 249

Falco, B. v. Tongern (ca. 498—vor 535)
  84 A. 159
Faramod, B. v. Paris (nach 594—vor 601)
  135, 136 m. A. 28
Faramund, B. v. Maastricht (675—682)
  264
Faustinianus, B. v. Dax (585) 116
Faustus, B. v. Riez (461/62—nach 485) 57
  m. A. 29
Felix, B. v. Bourges (nach 565—vor 581)
  217 m. A. 63
Felix, B. v. Clermont (ca. 660—663) 112,
  137 f., 239 A. 10
Felix, B. v. Metz (um 700) 158 A. 117
Felix, B. v. Nantes (549—582) 25, 48, 49
  A. 194; 58, 168 f., 176 f., 195, 231 m. A.
  121; 239 A. 8

Felix, B. v. Ravenna (705—723)   105, 248

Felix, B. v. Toledo (693—698) 34

Felix, Gesandter Childeberts II.   231 A. 122

Ferreolus, Hl.   212 A. 40

Ferreolus, B. v. Uzès (nach 552—581) 58, 115, 133

Fidelis, B. v. Mérida (ca. 560—571)   33

Firminus, B. v. Uzès (vor 541—552) 58

Firminus, comes 140

Flaochad, Hausmeier 227 m. A. 102

Flavius, B. v. Chalon-sur-Saône (581—nach 591) 124 A. 110; 211 A. 39

Flodoard, Geschichtsschreiber 20 A. 43; 253 A. 72

Florentinus, V. d. Nicetius v. Lyon 40 f. m. A. 146; 108 A. 40; 153, 164 A. 135

Florianus, A. v. Romeno 47 A. 179

Folcwin, B. v. Thérouanne (816—855) 53

Fontanelle (St. Wandrille), Kl. 54, 95, 110, 113 f., 158 A. 116; 171, 207 A. 18; 245 f., 251

Fortunatus, Patriarch v. Grado (um 628) 142

Fredegund, fränk. Kgin. 136 m. A. 27; 142 f. m. A. 53; 154, 263

Freising

   Bischöfe: Arbeo, Korbinian

Frideburg, alamann. Prinzessin 232

Friulf, V. d. Audomar v. Thérouanne 110

Fronimius, B. v. Agde (567/68—580), B. v. Vence (seit 588) 161 m. A. 124; 162 A. 132; 183 A. 43

Fronto, Hl. 212 A. 40

Frontonius, B. v. Angoulême (um 560) 143, 255

Fructuosus, B. v. Dumio (653—656), B. v. Braga (656—665) 160 A. 120

Fulda, Kl. 210, 245 A. 37

Fulgentius, B. v. Ruspe (507—532) 55 m. A. 25; 78 A. 128; 111 A. 53

Fulrad, A. v. St. Denis 233 A. 131

Gallus, Hl. 256 A. 83; 260 A. 97

Gallus, B. v. Clermont (525/26—551) 47, 54, 83 f., 106 f., 138, 141, 147, 238 A. 5; 241, 244, 248 A. 42; 251

Gap 226

   Bischöfe: Aredius, Sagittarius

Gariwald, B. v. Clermont (663/64)   137 f. m. A. 31; 239 A. 10; 255 f.

Gaugerich, B. v. Cambrai (584/90—624/27) 31, 49, 87, 100, 155 A. 104; 191 A. 83; 210 A. 35; 212 A. 40; 214 A. 54; 215 A. 56; 221, 222 m. A. 83

Gawibald, B. v. Regensburg (739—761) 229 A. 110

Gelasius I., Pp. (492—496) 203 A. 3

Genesius, Hl. 198

Genesius, B. v. Clermont (655/660) 27 A. 78

Genesius, B. v. Lyon (657/64—678) 88, 107, 127 m. A. 126; 131 A. 11; 171

Genf 40, 153

   Bischof: Maximus

Genua 132 A. 15

Georgius, V. d. Gallus v. Clermont 47

Geremar, A. v. Flavigny 185 A. 52

Gerhard, Dompropst (Augsburg) 204

Germanus, B. v. Auxerre (418—448) 17, 27 A. 78; 28 A. 85

Germanus, B. v. Paris (555—576) 27 f., 39 f., 100, 106, 183, 189 f., 191 A. 82; 205 f., 217 m. A. 63, 64; 221 m. A. 80; 222, 234 m. A. 137; 238 A. 4; 241 A. 19

Germanus, A. v. Grandval (Granfelden) 17 f., 48, 96, 111

Gernicourt 234

—, St. Peter 234

Gerold, B. v. Mainz (um 730/40) 158, 229 A. 110; 257 m. A. 87; 261

Gertrud v. Nivelles, Hl. 26, 203 A. 2

Gerwold, A. v. Fontanelle 95 A. 211

Gewilib, B. v. Mainz (ca. 740—745) 229 A. 110; 257 A. 87

Gison (Gisius), B. v. Modena (796—811) 80

Gisulf, langobard. dux 142

Godo, B. v. Toul (um 750—vor 757) 245 A. 34

Godwin, B. v. Lyon (vor 688—nach 706) 90 A. 187

Goërich (Abbo), B. v. Metz (629—vor 645) 74 A. 109

Gogo, nutritor Kg. Childeberts II. 63, 73, 134

Gotfrid, Hg. d. Alamannen 159 A. 120

Hrodbert (Rupert), B. v. Worms (vor 696), B. v. Salzburg (696—ca. 716) 23, 44 f., 169 A. 153; 171, 194, 208, 212 A. 41; 241 A. 19; 245, 250 A. 54; 271

Hrodbertiner 44, 171 A. 158

Hugbert, B. v. Lüttich (706—727) 170 A. 154; 206, 213 m. A. 45; 216, 244 m. A. 32; 246, 265

Hugo, B. v. Rouen, Paris, Bayeux (jeweils um 723—730) 54, 157, 253 A. 72

Huosi 170 A. 156

Hypatios, A. v. Ruphinianai 249 A. 49

Iburg (Iuberg) 258 A. 88

Ildefons, B. v. Toledo (657—667) 94 A. 204

Importunus, B. v. Paris (nach 664—668) 75

Ingtrud, M. Berthramns v. Bordeaux 41

Ingund, fränk. Kgin. 42

Ingund, Gemahlin Hermenegilds 161 A. 124

Iniuriosus, B. v. Tours (vor 533—vor 546) 29 m. A. 93

Innozenz, B. v. Rodez (584—vor 610) 119, 135

Iovinus, rector Provinciae 115, 116 m. A. 74; 134

Isidor, B. v. Sevilla (600—636) 34, 61 A. 50; 62 A. 56; 65, 81, 82 m. A. 149; 249, 272

Iso, Mönch in St. Gallen 95 A. 206

Iuberg siehe Iburg

Iuvavum siehe Salzburg

Januarius, B. v. Cagliari (591—604) 187 A. 62

Javouls 119
   Bischof: Evodius

Jerusalem 91 A. 194

Johannes d. Täufer 37, 240

Johannes, Patriarch v. Aquileja (606—ca. 612) 142

Johannes (IV.), Patriarch v. Aquileja (nach 705—nach 712?) 163 A. 133

Johannes I. Chrysostomos, Patriarch v. Konstantinopel (398—407) 165 A. 137

Johannes Cassianus (v. Marseille) 51, 78, 249

Jonas v. Bobbio, Hagiograph 232 A. 128

Jouarre, Kl. 245, 246 A. 38

Judacaile, breton. Fürst 124

Julianus v. Brioude, Hl. 234

Julianus, B. v. Toledo (680—690) 34 m. A. 120; 35, 62 A. 56; 82, 145, 160 A. 120

Julianus Pomerius, gall. Rhetor 68, 69 A. 89; 77, 89, 92 m. A. 200; 175, 181 A. 32; 182

Jumièges, Kl. 54, 70, 110 f., 113, 158 A. 116; 171

Justinian I., Ks. 40 A. 144; 90, 172 A. 4; 173 A. 5

Justinianus, B. v. Valencia (ca. 531—546) 62 A. 57

Justus, B. v. Toledo (633—636) 94 A. 204

Justus, B. v. Urgel (vor 527—nach 546) 82 m. A. 150

Karl d. Große, Ks. 22, 26, 43, 269

Karl Martell, Hausmeier 32, 48, 71, 96 A. 211; 107, 111, 123 A. 108; 125, 129 m. A. 3; 133, 148, 152, 157, 158 A. 117; 159 A. 120; 228, 253 A. 72; 257, 261

Karlmann, Hausmeier 36, 129 A. 3

Karolinger s. a. Arnulfinger, Pippiniden 43, 50, 73, 88 A. 181; 269

Karthago 55

Kilian, Wanderbischof 235 A. 138; 266 A. 114

Köln 106, 132 A. 14; 171, 201 A. 119; 230, 234
   Bischöfe: Carentinus, Ebergisil, Hildegar, Kunibert, Solacius

Kolumban, Missionar 18, 24, 74, 90, 93 f., 97 f., 114, 127, 131 A. 10; 151 A. 87; 167 A. 146; 260 A. 97; 270 f.

Konstantinopel 218, 233 A. 130; 235 A. 140; 248
   Bischof: Johannes I. Chrysostomos
   Konzil siehe Sachregister

Konstanz 170 A. 156; 256 A. 82
   Bischöfe: Arnfrid, Audoin, Sidonius

Korbinian, B. v. Freising († 720/30) 36, 97, 110 m. A. 49; 205, 245 A. 34; 248, 249 A. 47; 270 f.

Kunibert, B. v. Köln (ca. 627—nach 648) 130, 220

Pappolus, B. v. Metz (ca. 607—613/14)   43

Paris   74, 104, 106, 136, 155, 175 A. 16; 176, 190, 193, 221 m. A. 80; 232 A. 124; 252

—, St. Denis, Kl.   131, 158 A. 116; 273

—, St. Laurentius, Kl.   64, 112 A. 58; 160
  Bischöfe: Agilbert, Eusebius, Faramod, Germanus, Hugo, Importunus, Landerich, Ragnemod
  Konzilien siehe Sachregister

Pascentius, B. v. Poitiers (nach 561—ca. 584)   105 A. 30; 163

Paula, röm. Witwe   16 A. 22

Paulinus, Hagiograph   15, 275

Paulus, Apostel   57 A. 28; 68 A. 87; 235 A. 140; 240, 246

Paulus, Hl., Eremit   15 A. 19

Paulus, B. v. Mérida (ca. 530—560)   33

Paulus, westgot. dux   230 m. A. 116

Paulus Diaconus, Geschichtsschreiber   26, 43, 50, 269

Pavia   218
  Bischöfe: Crispinus, Ennodius, Epiphanius

Peladius, Ap.   38

Peppo, B. v. Verdun (716/19—722/24)   158 A. 117

Périgueux   212 A. 40; 226 A. 99

Perpetuus, B. v. Tours (vor 461—491)   120 A. 92

Petrus, Apostel   198—200

Petrus, Br. Gregors v. Tours   141

Petrus, Neffe Landberts v. Maastricht   264

Pfalzel, Kl.   203 A. 2

Pientius, B. v. Poitiers (nach 541—um 561)   121, 122 A. 101; 162 f.

Pippin d. Ältere, Hausmeier   74 A. 113

Pippin d. Mittlere, Hausmeier   32 A. 107; 33, 74 A. 113; 152, 170, 229 f., 234, 245, 251, 264

Pippin d. Jüngere, Hausmeier, ab 751 Kg. d. Franken   42 A. 13; 159 A. 120; 210

Pippiniden s. a. Arnulfinger, Karolinger   26, 32, 170 A. 154

Pirmin, Wanderbischof   159 A. 120

Placidina, Sw. Apollinaris Sidonius II.   168 m. A. 149

Placidina, Gemahlin Leontius II. v. Bordeaux   197

Placidus, auvergnat. Adeliger   262

Plato, B. v. Poitiers (nach 590—vor 600)   104 m. A. 25; 147

Plautus, T. Maccius   68 A. 84

Plinius, C. P. Caecilius Secundus d. J.   76

Plutarchos   14

Poitiers   86, 104 f., 121 m. A. 97; 122 m. A. 101; 182, 187, 200, 210 m. A. 31; 214 A. 52; 218 A. 69; 226 A. 99

—, St. Croix, Kl.   204 A. 6

—, St. Maixent, Kl.   105
  Bischöfe: Ansoald, Dido, Hilarius, Marowech, Pascentius, Pientius, Plato, Venantius Fortunatus

Pontoise   252

Populonia   242
  Bischof: Cerbonius

Praeiectus, B. v. Clermont (663/64—676)   27 A. 79; 31, 38, 88, 107, 112, 137 f., 166 A. 140; 187, 199, 206, 211 A. 39; 223, 239 A. 10; 255, 262 m. A. 101

Praetextatus, B. v. Rouen (556/67—580/81, 585—586)   64, 142 m. A. 50; 143, 205, 262 f.

Principius, B. v. Le Mans (nach 496—vor 533)   24 A. 67

Priscus, B. v. Lyon (573—um 586)   169 A. 152; 246

Proculus, B. v. Tours (nach 519—vor 533)   156

Promotus, B. v. Châteaudun (573—575)   162 f.

Prudentius, Aurelius Clemens   76

Prüm, Kl.   201 A. 19

Quintianus, B. v. Rodez (vor 506—ca. 511), B. v. Clermont (515/16—525/26)   83 f., 88, 107, 132 A. 13; 151, 153, 161 A. 127; 167, 168 m. A. 149; 238 A. 5

Quintilianus, B. v. Auxerre (nach 730)   25 A. 67

Radbod, Eb. v. Trier (883—915)   122 A. 103

Radegund, fränk. Kgin., Nonne   72 A. 100; 156, 200, 214 A. 52; 233 A. 130

Raginfrid, B. v. Rouen (745/48—vor 760)   158, 240 A. 11; 253 A. 72

Ragnemod, B. v. Paris (576—591)   106, 135, 142 A. 50; 176, 206

Taio, B. v. Saragossa (651—vor 683) 62 A. 57; 233 A. 129

Tarragona
 Bischof: Eusebius

Tello, B. v. Chur (758—773) 256 A. 83

Teodoramn(us), fränk. Adeliger 121

Terrigia, M. d. Eligius v. Noyon 29

Tertullianus, Q. Septimius Florens 67

Tetricus, B. v. Langres (539/40—572) 108 A. 40; 117 A. 82; 141, 220 A. 76; 254, 255 A. 79

Teudemar, langobard. dux 163 A. 133

Thagaste 68

Theodahad, Kg. d. Ostgoten 72

Theoderich, Kg. d. Ostgoten 188, 196 A. 102; 212 A. 41

Theodo, Hg. d. Baiern 171, 212 A. 41

Theodor v. Tarsos, Eb. v. Canterbury (668/69—690) 159 A. 119

Theodor, B. v. Marseille (vor 566—nach 591) 205 A. 11; 208, 210, 212 A. 41

Theodor, B. v. Tours (nach 519—vor 533) 156

Theodosius, B. v. Rodez (580—584) 103 A. 22; 119, 135

Theodramn, B. v. Auxerre (um 720/30) 148

Thérouanne 114, 146
 Bischöfe: Audomar, Erkenbod, Folcwin

Theudebald, Kg. d. Franken 102, 139, 147

Theudebert I., Kg. d. Franken 72 A. 100; 177 f.

Theudebert II., Kg. d. Franken 73, 155 A. 103

Theudebert, S. Kg. Chilperichs I. 195 A. 95

Theuderich I., Kg. d. Franken 48, 64, 83 A. 158; 84, 106, 112, 150, 161 A. 127; 168, 170, 177 f., 194, 235 A. 140

Theuderich II., Kg. d. Franken 155, 232, 260 m. A. 95

Theuderich III., Kg. d. Franken 113 A. 64; 118, 131, 252

Thiadgrim, V. Liudgers v. Münster 40 A. 141

Thiers 198

Tholey, Kl. 201 A. 119

Thrasamund, Kg. d. Wandalen u. Alanen 55 m. A. 25

Toledo 34, 35 A. 122; 82, 94, 225
 Bischöfe: Eugen I., Eugen II., Felix, Helladius, Ildefons, Julian, Justus
 Konzilien siehe Sachregister

Tongern s. a. Maastricht 171, 213
 Bischof: Falco

Tonnerre (Tornodorensis pagus) 108 A. 40, 228 A. 107

Toul 144
 Bischöfe: Auspicius, Dodo, Godo, Leudinus, Magnard

Toulouse 69, 162, 205 A. 10; 206
 Bischöfe: Erembert, Magnulf

Tours 11 A. 11; 30, 103 m. A. 20, 21; 104, 106, 132 A. 14; 147 f., 155 f., 165 A. 138; 168, 169 A. 152; 175 A. 16; 177 A. 22; 206, 220, 234 m. A. 137

—, St. Martin, Kl. 160 A. 122; 234 m. A. 137
 Bischöfe: (Andegar), Baudinus, Chrodbert, Eufronius, Gregor, Gunther, Iniuriosus, Licinius, Martin, Perpetuus, Proculus, Sigilaich, Theodor(us)
 Konzil siehe Sachregister

Transobad, Pr. (Rodez) 119, 134 f.

Treviso 174
 Bischof: Landolus

Trier 48, 83 m. A. 158; 87, 121, 165 A. 138; 170 m. A. 155; 171, 194 f., 196 A. 101; 201 A. 119; 204 A. 4

—, Dom 197

—, St. Maximin, Kl. 97 A. 216
 Bischöfe: Basinus, Bertulf, Hetti, Liutwin, Magnerich, Milo, Modoald, Nicetius, Numerian(us), Radbod, Richbod, Sapaudus, Wazzo, Weomad

Troyes 123 A. 107; 169 A. 152; 228 A. 107
 Bischöfe: Agroecius, Lupus, Waimar

Trudo, Hl. 88

Turin
 Bischof: Rufus

Udalrich, B. v. Augsburg (923—973) 204 f.

Ultrogotho, fränk. Kgin. 124 A. 110; 187

Uncelen, burgund. dux 159 A. 120

Urgel
 Bischof: Justus

Ursicinus, B. v. Cahors (580—nach 585) 124 A. 110

SACHREGISTER